Аполлинария Суслова

Людмила Сараскина

ВОЗЛЮБЛЕННАЯ ДОСТОЕВСКОГО

Аполлинария Суслова:
биография в документах, письмах, материалах

МОСКВА "СОГЛАСИЕ" 1994

ББК 83 3Р7
С 20

Руководитель программы "Согласие"

В.В. Михальский

Редактор

В.П. Кочетов

Художник

С.А. Стулов

В книге в качестве иллюстративного материала используются архивные и любительские, плохо сохранившиеся фотографии. Публикуя их, издательство стремится показать читателям редкий фотоматериал, представляющий несомненный исторический интерес.

С $\dfrac{4603020101 - 009}{8Д1\ (03) - 94}$ Без объявл.

ISBN 5-86884-031-3

СОДЕРЖАНИЕ

ПРЕДИСЛОВИЕ. *Друг вечный, Поленька...* 7

ГЛАВА ПЕРВАЯ: *1839-1860*
Деревенское детство. Московский пансион благородных девиц.
Петербургский университет 17

ГЛАВА ВТОРАЯ: *Начало 1860 — сентябрь 1861*
Знакомство с Достоевским. Факты и версии 22

ГЛАВА ТРЕТЬЯ: *Сентябрь — ноябрь 1861*
Литературный дебют в журнале братьев Достоевских 29

ГЛАВА ЧЕТВЕРТАЯ: *Ноябрь 1861 — апрель 1863*
А.П. Суслова и Ф.М. Достоевский: "любовь" и "отношения" 53

ГЛАВА ПЯТАЯ: *Апрель — октябрь 1863*
В Париже. Роман с испанцем. Путешествие с Ф.М. Достоевским
по Италии 86

ГЛАВА ШЕСТАЯ: *Октябрь 1863 — август 1864*
Продолжение "Дневника": сцены из парижской жизни 134

ГЛАВА СЕДЬМАЯ: *Август 1864 — март 1866*
Париж — Петербург — село Иваново. Планы новой жизни 196

ГЛАВА ВОСЬМАЯ: *Март 1866 — сентябрь 1872*
В поисках настоящего дела. Лебедянь — Иваново — Москва 278

ГЛАВА ДЕВЯТАЯ: *Художественные итоги шестидесятых годов*
А.П. Суслова в творческих интерпретациях Ф.М. Достоевского
и в своей собственной 325

ГЛАВА ДЕСЯТАЯ: *1873-1891*
Переезд в Нижний Новгород. Роман со студентом.
Замужество. Разрыв с В.В. Розановым 354

ГЛАВА ОДИННАДЦАТАЯ: *1892-1901*
Нижний Новгород. Одинокое десятилетие 389

ГЛАВА ДВЕНАДЦАТАЯ: *1902-1918*
В Севастополе, в собственном доме. Последние годы 403

ВМЕСТО ПОСЛЕСЛОВИЯ. *Воспоминания Е.П.Иванова* 419

КОММЕНТАРИИ 425

ОСНОВНЫЕ ДАТЫ ЖИЗНИ А.П. СУСЛОВОЙ 452

Я люблю ее еще до сих пор, очень люблю, но я уже *не хотел бы* любить ее

Ф.М. Достоевский

...У меня была какая-то мистическая к ней привязанность... Один я знал истинную цену в ней скрываемых даров души... и не мог отлипнуть от нее

В.В. Розанов

Друг вечный, Поленька...

...У нее был легкий, стремительный, торопливый почерк. Как большинство людей прошлого века, причастных к литературе, она вела обширную переписку и, не вполне полагаясь на свою способность к эпистолярным экспромтам, предварительно составляла черновики. Они-то и обнаруживали ее мучительную неуверенность в себе, тягостные поиски нужного слова, превращавшие порой листки почтовой бумаги в своего рода шифровки из сплошь зачеркнутых строк.

От прожитых ею семидесяти девяти лет (если учесть, что уже в двадцать она впервые попробовала свое перо) собственно литературного осталось ничтожно мало: четыре повести, из которых она смогла опубликовать первые три, один перевод с французского, три записных тетради с дневниковыми заметками интимного характера, два-три рукописных фрагмента, частная переписка и несколько фотографий. Не больше, чем вообще остается от частной жизни частного человека, приобщенного к благам книжности и грамотности.

Между тем редкий указатель имен, связанный с литературными реалиями ее эпохи, обходится без упоминания о ней. Первый в России "Библиографический словарь русских писательниц", составленный князем Н.Н. Голицыным и включавший сведения о 1286 литературных дамах, вышел в Санкт-Петербурге в 1889 году — в один из самых драматических моментов ее жизни. Может быть, увидев свое имя среди других женских имен, она смогла бы хоть немного порадоваться: это было то самое поприще, которого она так хотела, к которому поначалу так стремилась, но которое — как сама она это в конце концов поняла — ей не далось... И наверное, она была бы крайне обескуражена, смущена и раздосадована, если бы могла предположить, что войдет в историю русской литературы не столько в своем самостоятельном значении — писательницы, переводчицы, педагога (была у нее и эта роль), сколько в амплуа специфическом и — если судить по ее письмам и дневникам — для нее унизительном.

Ибо что же могло быть более противоестественным для нее — шестидесятницы, эмансипантки, нигилистки, всецело сосредоточенной на себе, жаждущей внутренней свободы и не зависимого от кого бы то ни было существования, чем роль "роковой женщины", предмета любовной страсти и мужского вожделения?

Но в том, может быть, и заключался главный парадокс ее жизни, что, добиваясь с каким-то фатальным упорством отдельного, суверенного существования, терпя одну катастрофу за другой на поприще самостоятельной и общественно значимой деятельности, она, сама того не желая, вошла в историю в той роли, которую многие не обремененные самоанализом женщины почитают за счастье и высшее благо.

Возлюбленная Достоевского, предмет самой большой и самой страстной его любви, "инфернальница", прототип наиболее пленительных женских персонажей его знаменитых романов, мучительница, жестокая муза... Девушка, которая "всю себя" отдала первой любви, но сама же ее и разрушила... Подруга Достоевского, которая краснела за свою связь с ним и не пожелала стать его женой... Женщина, которая одарила великого писателя мучительным опытом любви-ненависти, ибо и сама, любя, ненавидела.

Аполлинария, Полина, Поленька... "Друг вечный" — так писал ей Достоевский, когда уже знал наверное, что жизнь их разлучила навсегда. Она же сказала о Достоевском: "Он первый убил во мне веру".

Но именно потому, что она, Аполлинария Суслова, была "женщиной Достоевского", в нее, сорокалетнюю, влюбился, а затем женился на ней молодой В.В. Розанов.

А.С. Долинин, ее первый и, по сути, дела до сих пор единственный биограф, известнейший специалист по Достоевскому и первый публикатор ее "Дневника" (*А.П. Суслова.* Годы близости с Достоевским. М.: Изд. М. и С. Сабашниковых, 1928), замечал во вступительной статье: "Два больших человека — Достоевский и в известном отношении ему конгениальный В.В. Розанов, — так близко к ней подошедшие, имели, должно быть, свои основания, чтобы оставить под густым покровом тайны ту роль, которую она играла в их жизни, и даже отраженно она до сих пор еще никого не интересовала, и никто не собирал сведений о ней".

С двадцатых годов, когда А.С. Долинин писал эти строки, и по сию пору ничего существенно не изменилось. К Аполлинарии Сусловой как к подруге великого писателя сложилось отношение вполне определенное: ею интересуются, так сказать, в прикладном порядке — в той степени, в какой ее жизнь соприкоснулась с биографией Ф.М. Достоевского (и здесь опять судьба сыграла с ней злую шутку: она хотела быть единственной хозяйкой своей жизни, а вышло так, что самые интимные стороны ее женского существования стали пикантным комментарием к жизнеописаниям двух знаменитых мужчин).

Однако и это не все: фактом своего разрыва с Достоевским (равно как и фактом разрыва с Розановым) она как бы лишила себя исторического покровительства, а имя свое — благодарной памяти: статус "бывшей" возлюбленной или "бывшей" жены традиционно считается слишком эфемерным, чтобы быть неприкосновенным для злых языков. Женщине, самовольно вышедшей из любовного союза с гением, история ничего хорошего не гарантирует...

Ее жгуче боялась и ненавидела Анна Григорьевна Достоевская; жестоко ревновала к ней смолоду (в свадебном путешествии убедившись, что ее муж еще полон прежней любовью) и страстно желала ей смерти в старости (вдове Достоевского было под шестьдесят, а жене Розанова за шестьдесят, когда Розанов лично просил у Анны Григорьевны помощи и совета по "обезвреживанию" "фуриозной" Аполлинарии).

Ее оговорила Любовь Федоровна Достоевская, дочь писателя, которая могла знать о "любовном приключении" отца только со слов матери, к тому же спустя годы после смерти Ф.М. Достоевского: в год кончины писателя ей было всего одиннадцать лет.

Были уничтожены — в разные времена и по разным причинам, а также утеряны почти все письма Аполлинарии Сусловой к Ф.М. Достоевскому (которые в свете позднейших событий несомненно могли бы служить стареющей, одинокой и очень несчастливой женщине своего рода тылом, охранной грамотой): из обширнейшей их переписки до нас дошли всего три письма Ф.М. Достоевского и два черновика ее писем к нему.

Она оказалась беззащитна против публичных интерпретаций своей брачной жизни с В.В. Розановым — со стороны самого Розанова, который, кажется, не оставил без комментария ни одну, даже самую интимную, из деталей их брака. К моменту ее окончательного разрыва с мужем ей было уже под пятьдесят, и две строчки в библиографическом словаре князя Голицына вряд ли могли явиться большой моральной компенсацией.

Именно от Розанова, исключительно пристрастного к ней человека, а через него — от людей из его ближайшего окружения известны некоторые специфические подробности второй половины жизни А.П. Сусловой. Авторитетнейшие друзья и знакомые В.В. Розанова, писавшие о его первой ("плохой") жене, среди которых была даже поэтесса и литературная львица Зинаида Гиппиус, поставили на Аполлинарии Прокофьевне несмываемое клеймо: "исчадие ада", "железная Аполлинария", "тяжелая старуха", "страшный характер", "развалина с сумасшедше-злыми глазами". Молва, идущая из этого же источника, была к ней беспощадна, приписав "старухе Сусловой" не только дурной характер (она и впрямь была далеко не ангел, но кто же ангел?), но и тяжелый деспотизм, доведший якобы ее воспитанницу до самоубийства.

Неужели же так ошибался Достоевский в "друге вечном", написав ей однажды: "Я уважаю тебя (и всегда уважал) за твою требовательность..."? Ведь не ошибся же он в главном, разгадав ее будущность, когда ей было всего 25... "Мне жаль ее, — писал он Надежде Прокофьевне Сусловой, сестре Аполлинарии, — потому что, предвижу, она вечно будет несчастна. Она нигде не найдет себе друга и счастья".

Глазами пристрастными, но любящими смотрел он на свою подругу, жалуясь на нее, упрекая в бессердечии: "Она не допускает равенства в отношениях наших. В отношениях со мной в ней вовсе нет человечности. Ведь она знает, что я люблю ее до сих пор. Зачем же она меня мучает? Не люби, но и не мучай".

Но знал ли он, что примерно за полгода до его письма с жалобами на Аполлинарию сама она записала в "Дневнике": "Мне говорят о Ф[едоре] М[ихайловиче]. Я его просто ненавижу. Он так много заставлял меня страдать, когда можно было обойтись без страдания. Теперь я чувствую и вижу ясно, что не могу любить, не могу находить счастья в наслаждении любви, потому что ласка мужчин будет напоминать мне оскорбления и страдания".

Кто может быть тут судьей?

Двадцатитрехлетняя Аполлинария упрекала сорокалетнего женатого мужчину, своего любовника: "Ты вел себя, как человек серьезный, занятой, который по-своему понимал обязанности и не забывает и наслаждаться, напротив, даже, может быть, необходимым считал наслаждаться, на том основании, что какой-то великий доктор или философ утверждал, что нужно пьяным напиться раз в месяц".

Достоевский же назвал свою возлюбленную "больной эгоисткой": "Эгоизм и самолюбие в ней колоссальны".

Безнадежное дело — искать в любовной драме правых и виноватых.

Другое дело — попытаться понять обоих, а также то обстоятельство, что обе стороны могут быть сторонами страдающими и в этом своем страдании заслуживающими уважения.

Кстати, именно уважения никогда не лишал Аполлинарию Достоевский.

Гордая барышня... Не самовлюбленная, но самолюбивая, терзаемая сознанием собственной неуклюжести, мучимая рефлексиями и самоанализом. страдающая максималистка — такой предстает Аполлинария Суслова в 1863 году, в разгар ее "любовного приключения" с Достоевским.

"Я никогда не была счастлива, — писала она в своем "Дневнике" в тот день, когда Ф.М. Достоевский наконец встретился с ней в Париже после нескольких месяцев разлуки. — Все люди, которые любили меня, заставляли меня страдать, даже мой отец и моя мать, мои друзья — все люди были хорошие, но слабые и нищие духом, богаты на слова и бедны на дела. Между ними я не встретила ни одного, который бы не боялся истины и не отступал бы перед общепринятыми правилами жизни. Они также меня осуждают. Я не могу уважать таких людей, говорить одно и делать другое — я считаю преступлением, я же боюсь только своей совести. И если бы произошел такой случай, что согрешила бы перед нею, то призналась бы в этом только перед самой собою. Я вовсе не отношусь к себе особенно снисходительно, но люди слабые и робкие мне ненавистны. Я бегу от тех людей, которые обманывают сами себя, не сознавая, — чтобы не зависеть от них".

Не от хорошей жизни уходила она в одиночество, избегая зависимости от несовершенных, на ее строгий взгляд, людей. Те, кто читал и анализировал ее "Дневник", часто замечали, как испортилась гордая барышня "после" Достоевского, как постепенно засасывала ее тина пошлости, бросая в объятия то одного, то другого, то третьего безымянных и безликих ее поклонников. Но не читатели первыми обнаруживали понижение уровня любовных переживаний Аполлинарии — эту обстоятельную фиксацию в ее "Дневнике" мужских взглядов, рукопожатий, прикасаний. Она сама судила себя беспощадным судом — сама же и расплачивалась за свои ошибки.

"Ветреная" Аполлинария писала: "Покинет ли меня когда-нибудь гордость? Нет, не может быть, лучше умереть. Лучше умереть с тоски, но свободной, независимой от внешних вещей, верной своим убеждениям, и возвратить свою душу Богу так же чистой, как она была, чем сделать уступку, позволить себе хоть на мгновение смешаться с низкими и недостойными вещами, но я нахожу жизнь так грубой и так печальной, что я с трудом ее выношу. Боже мой, неужели всегда будет так!"

Так — увы — в ее жизни было если не всегда, то чаще всего.

За минуты слабости она платила дорогую цену, чувствуя себя то-
тально несчастной.

"Кто же не несчастлив, спросите, есть ли хоть одна женщина
счастливая из тех, которые любили", — сказала ей как-то раз в утешение ее близкий друг писательница Е.В. Салиас (Евгения Тур), по-
матерински нежно и преданно относившаяся к Аполлинарии с момента их знакомства (1864) и до конца своей жизни (1892).

Но и помимо тех страданий, которые доставались Аполлинарии за молодую нерасчетливость, за неудачный любовный опыт, за
свободу от предрассудков, судьба посылала ей удар за ударом и
совсем в другой сфере — именно там, где она надеялась найти
спасение от горьких разочарований, непроходимой тоски и мучительного одиночества.

Она хотела стать писательницей и, пока была с Достоевским, опубликовала в его журнале первые свои рассказы, но затем, расставшись с ним, ничего не напечатала. Почему? Потому,
что лишилась покровительства редактора журнала? "Ее художественная дорога по каким-то причинам, о которых мы можем только
догадываться, пресеклась весьма рано", — отмечал А.С. Долинин.
Что же это за причины?

В ее "Дневнике" есть странный эпизод, датируемый 4 февраля 1865 года. Знакомый Аполлинарии, Евгений Утин, спросил,
почему она не идет замуж за Достоевского. "Нужно, чтоб я прибрала к рукам его и "Эпоху"..." "Прибрать к рукам "Эпоху", — коммен-
тирует Аполлинария. — Но что я за Ифигения!" По иронии судьбы,
этот парижский разговор имел место в то самое время, когда в
Петербурге решалась участь "Эпохи" и февральский ее номер стал
последним. Своего журнала лишился, таким образом, не только
Достоевский, но и дебютировавшая в семейном журнале братьев
Достоевских Аполлинария Суслова.

Среди оставшихся от нее бумаг есть один листок, вернее,
даже клочок без начала и конца, без обращения и без подписи, за-
регистрированный в архиве ее имени как черновик письма неизвестному лицу: "Так думают и мать его тоже, и все порядочные
люди, следовательно, я покоряюсь, нельзя идти против всех. *Еще
если б я была уверена, что у меня действительный талант...* Итак, я
совсем бросила эту мысль", — писала Аполлинария.

Так или иначе, но к осени 1865 года что-то, по-видимому,
случилось с ее намерением продолжать литературные занятия, и теперь ее планы были связаны не с Парижем, не с Петербургом, а с
маленьким городом где-нибудь в центральной или южной России, где
она могла бы учить грамоте крестьянских детей. Но и это поприще —
как только она вступила на него — было насильственно прервано.

Она пыталась задержаться в Москве, где однажды получила
заказ на перевод с французского, и жить на литературные заработки, но не задержалась.

Ей люто не везло.

В автобиографической повести, написанной Надеждой Сусловой, младшей и гораздо более удачливой сестрой, Аполлинария,
изображенная под именем Елены, признается: "А я до сих пор не
нашла себе такого дела, которому бы решилась посвятить жизнь.

Я терялась перед неопределенностью и призрачностью пользы, которую может принести кому-то мой предстоящий труд. Мне не по росту стремление к неопределенному добру для людей *вообще*, для общества, — мне нужны цели ясные и у́же поставленные, чтобы они одушевляли меня... Мне казались невозможными поиски каких-то новых путей в жизни, казалось грубостью протискиваться на эти новые пути, разнося препятствия, толкая других, причиняя другим досаду, иногда горе, даже, может быть, страдание, и двигаться вперед, не зная твердо, *куда* и *для чего*. А оглядываясь вокруг, я не находила никакого повода для моей работы: никто меня не искал, никто во мне не нуждался, и я ничего не могла пожелать сердцем в мире, где мне все были чужие". И еще одно поразительное признание делает Елена: "Жизнь моя поддерживается восторгом, любовью, а не мыслью и убеждением. Моя жизненная задача, очевидно, исчерпана моими неудачами и — кончена".

В повести Надежды Сусловой Елена - Аполлинария и в самом деле кончает с собой, бросаясь в озеро, — так и не сумев ничем оживить опустошенную душу.

С точки зрения сестры Надежды, преуспевающего доктора медицины, взявшей штурмом (и, конечно, упорным трудом) свое докторское звание, таким женщинам, как Аполлинария, не было места в жизни. И если бы Аполлинария действительно покончила с собой, как это сделали списанные с нее персонажи — Елена (в повести сестры) и Анна (уже в повести самой Аполлинарии, написанной на основе ее отношений с Достоевским), вряд ли бы кто-нибудь очень сильно удивился: это было бы логическим завершением проигранной жизни.

Однако героини тонули в прудах и озерах, а Аполлинария продолжала жить. В одну из самых трагических минут, когда очередная надежда на осмысленное существование была вдребезги разбита, она, адресуясь к своему единственно близкому человеку, графине Салиас, писала: "Я... решалась на отчаянные меры, просто готова была броситься в какой-нибудь омут. Я даже удивляюсь теперь, как вышла невредимой..."

Пройдут годы, и ее муж, В.В. Розанов, уже оставленный ею, скажет о ней в высшей степени знаменательные слова: "...В характере этом была какая-то гениальность (именно темперамента), что и заставляло меня, например, несмотря на все мучение, слепо и робко ее любить. Но я был до того несчастен, что часто желал умереть, только чтобы она жила и не хворала. А она была постоянно здорова, сильна и неутомима".

Сила жизни карамазовская? Это или что-то другое держало ее?

В ее жизни куда больше вопросов, чем ответов.

Почему, например, перестав писать и печататься как профессиональная писательница, она не оставила хотя бы воспоминаний о своей молодости — ведь она была дружна со многими выдающимися людьми своей эпохи: знакома с Герценом и Тургеневым, Марко Вовчок и Огаревым, Тучковой-Огаревой и Яковом Полонским, не говоря уже о братьях Достоевских? Даже если она разуверилась в своем литературном таланте — сама стилистика ее письма, суховатая и бесстрастная, как нельзя лучше подходила именно для мемуарного жанра.

Как, далее, воспринимала она растущую популярность Достоевского и его посмертную славу? Читала ли его романы? Жалела ли о былой любви? Последние лет пятнадцать-восемнадцать А.П. Суслова жила в Севастополе. Каждый второй-третий номер городской ежедневной газеты "Крымский вестник", которую она наверняка хотя бы просматривала, содержал какое-нибудь упоминание о Достоевском — то рецензию на театральный спектакль по его роману, то анонс на переиздание его произведений, то объявление о предстоящем литературном вечере, посвященном его творчеству. Ей некуда было деться от этой славы и раньше — раз даже ее молодой муж видел в ней прежде всего женщину, которую страстно любил Достоевский.

Выйдя замуж за Розанова за два месяца до смерти Достоевского, — как она восприняла эту смерть? И Розанов, тогда еще студент и восторженный почитатель Достоевского, обсуждал ли с ней произведения любимого писателя? Знал ли о существовании Дневника Аполлинарии?

В дошедших до нашего времени ее письмах обо всем этом — ни звука.

После разрыва с Розановым она прожила еще тридцать лет. Знала ли она, как много, как детально и как нелестно пишет он о ней — в официальных прошениях, в частных письмах, — как охотно выносит на публику альковные подробности их неудавшегося брака? Сделала она хоть что-нибудь в целях самозащиты? Или только мстила ему, не давая развода?

Розанов (так же, впрочем, как и Достоевский) реализовался в полную силу уже "после" Сусловой, в браке с тихой, домашней женщиной, давшей ему семейный уют и детей. Страдала ли Аполлинария Прокофьевна от своей органической неспособности к "дешевому необходимому счастью", о котором ей написал в 1867 году тогда только что вторично женившийся Достоевский?

Много лет спустя, когда Розанову было под шестьдесят, а ей за семьдесят, он, по-прежнему горячо и страстно описывая достоинства и недостатки характера своей первой жены, подчеркнул: "К деньгам была равнодушна. К славе — тайно завистлива".

Как она переживала громкую славу ненавидимого ею Розанова, о которой не могла не слышать?

А.П. Суслова прожила странную, парадоксальную, может быть, даже призрачную жизнь. По всем внешним критериям ее одинокое, неприкаянное, бездетное существование, лишенное цели и деятельности, предрекало забвение: такая жизнь, как правило, не оставляет следа.

Но она была не правилом, а исключением. Что-то очень значительное было в самом складе ее человеческой личности (Розанов называл это стилем души): с ней было трудно жить, но ее было невозможно забыть. Странным образом решилась и проблема с "желанием славы" — А.П. Суслова, может быть, действительно втайне завидовала прославленным своим возлюбленным, но прошло время, и ее бумаги, написанные второпях, порой на случайных клочках, измазанных чернилами, хранятся в главных архивах страны, а ее письма за большие деньги перекупаются библиофилами.

Те кляксы, которыми забрызгана ее частная жизнь, ее бытовое и интимное поведение, как ни странно, только повышают к ней интерес, вызывают жгучее любопытство, а порой и чью-то зависть — пути славы неисповедимы.

Чем дальше, тем более притягательной становится жизнь женщины, которая только-то и сумела, что зажечь любовь двух знаменитых мужчин, заставила их страдать и страдала сама.

Годы ее жизни прошли в тени, не осененные чьей-либо привязанностью или любимым делом. Чем жила она, как тратила свои силы, как справлялась с тоской и обреченностью? Что за призрачные фигуры ее окружали? Какие таинственные истории с ней происходили?

"Дело в том, что я *понравилась* и полюбила человека, который вызвался не только поправить мои дела, но и открыть мне новую дорогу, какую только я могла желать... Я была близка к падению, замаскированному очень ловко, но кого мне нужно было обманывать, если мое сердце чувствовало ложь и не удовлетворялось", — признавалась она в письме к графине Салиас, но, по своему обыкновению, скрыла имя "человека" и всю, так сказать, фактическую сторону дела.

Для историка литературы и общественной мысли Аполлинария Суслова — заманчивый объект исследования, для писателя — благодатный сюжет, золотая жила.

Если задаться целью и начать поиски затерянных (кто знает, были они уничтожены или где-нибудь лежат мертвым грузом) писем — ее и к ней, — могут высветиться многие закоулки ее судьбы, а также тех, с кем она была связана по жизни. Может открыться и просто — *тайна человека*, которую всю жизнь разгадывал ее первый возлюбленный, Ф.М. Достоевский.

Так случилось, что мужчины, которые любили ее, обеспечили ей бессмертие. Оно, бесспорно, дает право на биографию...

***

Эта книга — первая из написанных об Аполлинарии Сусловой — специфична по жанру. Это не роман, и не исследование, и не привычное читателю жизнеописание. Это собранные вместе, расположенные в хронологическом порядке и в определенной логике, документальные, биографические, автобиографические и художественные свидетельства, почерпнутые из самых разнообразных печатных и архивных источников. Все в совокупности они должны составить основу для биографии героини этой книги.

Жанр мозаик в русской литературе хорошо известен и давно получил право независимого существования. Он — этот жанр — имеет свои плюсы и свои минусы. Минусом, очевидно, можно счесть ту особенность мозаичного принципа биографии, при которой на одной странице, рядом, могут расположиться два свидетельства, взаимно опровергающих друг друга. Автор, имеющий определенную тенденцию в освещении своего героя, несомненно проигнорирует то из них, которое не укладывается в тенденцию.

Мозаика же как раз и подразумевает многозначность жизни, наличие в ней противоречивых фактов и оценок.

Невольно встает вопрос о доверии к тем источникам, которые служат "свидетельскими показаниями".

Может ли быть объективен в своих оценках человек, даже если это сам Достоевский, когда он пишет о женщине, которую любил страстной, мучительной любовью и которая бросила его, отдавшись первому встречному?

Может ли быть объективна жена Достоевского, если ее муж за полгода до свадьбы пережил разлуку с той, которую любил и которой писал пронзительно-нежные письма, путешествуя с молодой супругой?

Может ли быть объективна дочь Достоевского, получившая из рук матери, безумно ревновавшей мужа к "его Полине", представление о ней как о служительнице Венеры?

Может ли быть объективным Розанов к своей жене, если она оставила его?

Могут ли быть объективны исследователи, изучающие творчество Достоевского или Розанова, если они невольно усваивают точку зрения тех, кем занимаются? В результате достоевсковеды относятся к Сусловой как бы вслед за Достоевским, а специалисты по Розанову — как бы вслед за Розановым.

Следует ли доказывать, что истинный облик этой "роковой женщины" обретается где-то на стыке всех этих необъективностей?

Знаменательно, что до сих пор единственным, кто, являясь одним из лучших знатоков Достоевского, захотел взять ее сторону, был именно публикатор "Дневника", исследователь, первым прочитавший тетради Аполлинарии Сусловой и почувствовавший подлинность ее переживаний. А.С. Долинин потратил немало сил, чтобы усвоить этот судорожный почерк, пробиться через недописанные и зачеркнутые места к ее живой, но заблудшей душе. Он не просто по-человечески пожалел несчастливую и обездоленную женщину, не только лишний раз подчеркнул самоценность любой человеческой жизни, но и доказал историко-литературную значимость темы. Впрочем, друзья Розанова, считавшие Аполлинарию Суслову "злобной фурией", осудили А.С. Долинина за его сочувствие и сострадание к "вечной подруге" Достоевского.

***

Материалы, помещенные в книге, можно разделить на ОДИННАДЦАТЬ категорий.

Во-первых, это "Дневник" и четыре повести Аполлинарии Сусловой, наброски к незавершенным произведениям, фрагмент ее опубликованного перевода с французского.

Во-вторых, ее письма, как уже публиковавшиеся, так и публикуемые здесь впервые.

В-третьих, письма к ней разных корреспондентов: в их числе три известных письма Ф.М. Достоевского, письма (до сих пор не публиковавшиеся) В.В. Розанова, графини Е.В. Салиас.

В-четвертых, свидетельства о ней, содержащиеся в переписке третьих лиц: таково, например, письмо Ф.М. Достоевского к Н.П. Сусловой или письмо В.В. Розанова к А.Г. Достоевской.

В-пятых, фрагменты мемуаров с характеристиками А.П. Сусловой; среди них и широко известные (А.Г. Достоевской, Л.Ф. Достоевской, Е.А. Штакеншнейдер), и неизвестные, публикуемые здесь впервые (Е.П. Иванова).

В-шестых, разнообразные сведения о ее деятельности, разбросанные в печати тех лет — в "Санкт-Петербургских ведомостях", "Голосе", "Русских ведомостях", "Нижегородских епархиальных ведомостях" и др.

В-седьмых, источники, связанные с биографией Н.П. Сусловой, но касающиеся и А.П. Сусловой.

В-восьмых, это различные словари и справочники, в которых значится имя А.П. Сусловой; так, в биобиблиографическом словаре "Деятели революционного движения в России" (М., 1928) ей посвящено 14 строк (как революционерке ей ставятся в заслугу участие в работе воскресных школ, контакты с радикальными кружками, а также то печальное обстоятельство, что она, живя у брата в Тамбовской губернии, подверглась обыску, в ходе которого были найдены прокламации и вследствие чего за ней был учрежден полицейский надзор).

В-девятых, это официальные документы, как правило, не публиковавшиеся, связанные с событиями ее жизни (таковы, например, несколько завещаний В.В. Розанова или его объяснения с нижегородским полицмейстером).

В-десятых, это фрагменты изысканий о ней — в связи с Достоевским — ученых-литературоведов (среди них — Л.П. Гроссман, А.Л. Бем, Е.В. Петухов, А.С. Долинин).

В-одиннадцатых, это некоторые характеристики эпохи, к которой она как шестидесятница принадлежала, нарисованные рукой таких, например, авторитетных свидетелей, как А.И. Герцен.

Ссылки на источники даются в книге под каждым фрагментом мозаики; дополнительные сведения и уточнения, а также все замечания текстологического характера содержатся в преамбулах к каждой из двенадцати глав книги и в комментариях.

Я сердечно благодарю коллег-достоевсковедов за ценные советы и помощь — В.И. Богданову, директора Музея Ф.М. Достоевского в Старой Руссе; академика Г.М. Фридлендера и доктора филологических наук Г.Я. Галаган, сотрудников Института русской литературы Российской Академии наук; Н.В. Живолупову, доцента Нижегородского университета; Н.В. Чернову и Н.В. Шварц, сотрудников Музея Ф.М.Достоевского в Петербурге; литературоведа Г.В. Коган; библиофила и собирателя изданий Достоевского Н.В. Паншева; сотрудника отдела рукописей Российской Государственной библиотеки А.В. Ломоносова; сотрудника Российского государственного архива литературы и искусства Е.Е. Гафнер.

Особую признательность хочу выразить исследователю творчества Розанова, автору книги "Жизнь Василия Васильевича Розанова "как она есть" В.Г. Сукачу за огромную помощь и материалы к "розановской" части биографии А.П. Сусловой.

ДЕРЕВЕНСКОЕ ДЕТСТВО. МОСКОВСКИЙ ПАНСИОН БЛАГОРОДНЫХ ДЕВИЦ. ПЕТЕРБУРГСКИЙ УНИВЕРСИТЕТ

*Т*рудно сказать, как много было бы известно сегодня и было ли бы известно что-нибудь вообще о детских годах Аполлинарии Сусловой, если бы не ее сестра Надежда.

Уже в середине шестидесятых годов снискавшая себе громкую и заслуженную славу блистательной защитой диссертации на соискание ученой степени доктора медицины в Цюрихе, Надежда Суслова стала в ряд тех женщин, кто может рассчитывать на интерес к себе со стороны публики независимо от пикантных подробностей ее личной жизни. О ней стали собирать сведения сразу же, как только она получила престижное звание первой русской женщины-врача. О ней писали статьи, био-библиографические справки, ей посвящали очерки и документальные повести. За столетие таких сведений набралось немало: биографы Надежды Прокофьевны поработали добросовестно.

Но родители, детство и школьные годы у сестер были одни на двоих. Вплоть до появления семьи Сусловых в Петербурге сестры были неразлучны.

Она дочь крестьянина, бывшего крепостного графа Шереметева, родом из села Панина Горбатовского уезда Нижегородской губернии. Ее зовут Аполлинарией Прокофьевной Сусловой, и родилась она в 1840 г. Отец, по-видимому, был человек незаурядный, крепкого закала, умный и энергичный; по всей вероятности, еще до освобождения крестьян вышел он на волю, оставаясь на службе у Шереметева же и занимая у него ответственные должности.

А.С. Долинин. Достоевский и Суслова//Ф.М. Достоевский. Статьи и материалы/ Под ред. А.С. Долинина. Сб.2. М.-Л., 1924. С. 169.

Село Панино Горбатовского уезда Нижегородской губернии было когда-то пожаловано в удел Козьме Минину-Сухоруку, спасшему вместе с князем Пожарским Россию от польского нашествия. Впоследствии оно стало вотчиной знаменитого фельдмаршала Бориса Петровича Шереметева, который был обласкан за свои военные заслуги императрицей Екатериной.

...Род крестьян Сусловых был древний, коренной, кондовый род землепашцев, кормильцев земли русской. Один из пращуров рода, о котором сохранилась память людская, —

Иван Суслов, российский мужик, двадцать лет тянул солдатскую лямку на военной государевой службе. Тысячи верст прошел он в пеших походах Суворова в Итальийских Альпах и горах Швейцарии.

Придя после солдатчины домой, Иван Суслов женился и сел на свое тягло. Четыре дня в неделю бесплатно работал он на чужой графской земле, а остальное время бился с самодельной сохой над своим наделом на три души — узкой полосой земли шириной "в восемнадцать лаптей"... Умер он на девяносто третьем году жизни, как говорили тогда — "от преклонных годов"... Единственный сын его, Григорий, в расцвете сил, двадцати лет от роду, был задавлен насмерть тяжело нагруженным возом с дровами. После него осталась вдова и двое ребят-сыновей, из которых младшему, Прокофию, было всего полтора года. Меньшого сироту стал воспитывать бездетный отставной дворецкий графа — Трегубов, усыновивший его. Шести лет Прошу Суслова отдали в ученье приходскому дьячку, который обучал его грамоте по псалтырю и часослову, скорописи светской и церковнославянскому полууставу с титлом. Ученье давалось мальчику легко... Трегубов определил мальчика, как взрослого грамотея, в вотчинную контору графа Шереметева на должность писаря... Начав с переписки "ревижских сказок" и шнуровых книг в конторе графа, Прокофий Суслов быстро пошел в гору. Был он умен, сообразителен, отличался распорядительностью и честностью. К восемнадцати годам он был уже приказчиком, а к двадцати — доверенным по управлению имением.

В ту пору, бывая по графским делам в Павлово на Оке, где все местное население промышляло "железным изделием", замками и ножами, присватался он к крестьянской девице из села Ворсмы Анне Ястребовой. Она была единственной дочерью в зажиточной семье. Родители ее были согласны отдать Анну за Прокофия, он был завидный жених, но мешало одно обстоятельство... Ястребовы еще до рождения Анны откупились у своего барина на волю. Выходя же замуж за крепостного, Анна вновь лишалась вольного состояния. Из-за этого свадьба чуть было совсем не расстроилась. К счастью, об этом узнал нынешний владелец Панина — внук знаменитого фельдмаршала. Он пожалел Суслова и, кроме того, желая иметь преданного себе человека, который служил бы ему не за страх, а за совесть, решил устроить его счастье и дал ему вольную. Свадьба состоялась.

Вскоре у молодой четы Сусловых появились дети: сначала сын Василий, потом дочь Аполлинария и, наконец, родилась третья и последняя дочь.

А.А. Смирнов. Первая русская женщина-врач. М., 1960. С.7-10, 30.

В августе 1854 года Прокофий Григорьевич получил письмо, в котором граф Шереметев, весьма довольный тем, что Притыки приведены в порядок, сообщал о том, что назначает его своим управляющим имениями в Москве.

Пост главного управляющего имениями графа в Москве был для Суслова чрезвычайно ответственным делом. Уже почти год длилась война в Крыму. На Суслова были возложены огромные заботы не только по управлению имениями, но и по поставкам продовольствия в Крымскую армию, в которых граф решил принять участие, чтобы подправить свои финансы.

А.А. Смирнов. Первая русская женщина-врач. С. 34.

В годы отрочества она (Надежда Прокофьевна Суслова. - *Л.С.*) училась в одном частном пансионе в Москве (на Тверской ул., г-жи Гениккау); там — как рассказывает ее биография — главное внимание обращали на новые языки — немецкий и французский, общеобразовательные же предметы были поставлены плохо. Не в этом ли пансионе воспитывалась и Аполлинария Прокофьевна?

А.С. Долинин. Достоевский и Суслова. С. 170.

Пансион благородных девиц помещался на Тверской, в доме княгини Белосельской. Дом этот с виду был мрачен... В левом крыле этого неуютного огромного здания помещалась квартира директрисы.

...Пансион мадам Пенигкау (так у автора. — *Л.С.*) был "антиком", в своем роде феноменом пятидесятых годов. Это было еще в то время, когда не существовало женских гимназий и все образование для девочек сосредоточивалось в руках частных содержательниц пансионов, по преимуществу иностранного происхождения. Все в нем было уродливо, начиная с начальницы и кончая классными дамами.

В пансионе Пенигкау училось человек восемьдесят девочек самых разных возрастов и знаний. Однако это не помешало поместить их в одну классную комнату, огромную, как зал. Тут были и совсем еще крошки, лет семи, и уже взрослые девушки шестнадцати-семнадцати лет; была даже одна двадцатилетняя девица.

Самую удивительную картину представляло подобное соединение во время так называемых "классов". Несмотря на то, что девочки всех возрастов занимались, по сути дела, в одной длинной комнате, разделенной двумя арками, Юлия Петровна Пенигкау требовала от преподавателей, чтобы каждый из них всю эту разношерстную девичью публику в течение своего двухчасового урока обязательно спросил и поставил отметку в журнале по двенадцатибалльной системе для того, чтобы она могла судить об успеваемости и принимать строгие меры к отстающим.

Учителю, если он был добросовестный, качество, которым отличались немногие из учителей пансиона, при обязанности зараз обучать восемьдесят учениц разных возрастов и знаний, ничего не оставалось делать, как спешить успеть за два часа хотя бы в книжке каждому классу, а их было шесть, отметить ногтем "от сих до сих" и кое-как выслушать вызубренную страницу, заданную на предыдущем уроке...

Так называемые "естественные науки" не были в почете в пансионе мадам Пенигкау. От физики, химии, ботаники, зоологии им давались какие-то жалкие кусочки. Считалось, что будущим женам и матерям все это не к чему знать. Да и гуманитарные науки давались здесь в сугубо сокращенном виде. Только один чудак — учитель истории, искренне любивший свой предмет, когда не был пьян, мог поразить воображение пансионерок вдохновенным рассказом о великих людях прошлого. Его уроки тогда становились неким лучом света, в котором сверкало живое слово истинной науки, расширявшее их кругозор, будившее мысль.

Герои истории в рассказе учителя выглядели величаво и монументально, как в греческой трагедии. Люди огромных, всепоглощающих страстей, нечеловеческой силы воли, вступающие в титаническую борьбу с силами рока, погибающие, но не сдающиеся... Они входили в их мир душных дортуаров как персонажи чудесных сказок...

А.А. Смирнов. Первая русская женщина-врач. С. 37,39,46,53.

Наступил 1859 год. Исполнилось трехлетие нового царствования. Царь остался доволен своим пребыванием в Москве, и в частности в Останкине. Шереметев нахвалиться не мог своим управляющим: и толков, и честен, дела графских имений привел в образцовый порядок. Недолго ду-

мая, граф прислал Суслову новое назначение: быть главноуправляющим всеми его имениями с местожительством в Санкт-Петербурге.

В Петербурге Сусловы зажили на широкую ногу. Положение обязывало содержать большой штат прислуги. Появились просторные апартаменты,

Аполлинария Прокофьевна Суслова. С фотографии 1860-х годов

против которых обстановка их московской квартиры показалась бы бедной.

Граф Шереметев, имевший своей постоянной резиденцией северную столицу, не хотел и не мог допустить, чтобы его главноуправляющий всеми имениями, раскиданными по просторам России, принимающий у себя крупных финансовых тузов и видных чиновников, не имел средств на представительство. У девочек появились гувернантки и даже учитель танцев. Образование, начатое в пансионе мадам Пенигкау, им пришлось заканчивать в одном из институтов для благородных девиц в Петербурге.

А.А. Смирнов. Первая русская женщина-врач. С. 68.

В начале 60-х годов Прокофий Григорьевич Суслов управляет всеми имениями и делами графа Шереметева...

Семья Сусловых живет в Петербурге. Надежда Прокофьевна посещает публичные лекции в университете, по всей вероятности, популярных тогда профессоров: Костомарова, Спасовича и Соколова (по химии). Вместе с нею, быть может, ходила на эти лекции и Аполлинария Прокофьевна. В русле тогдашних освободительных идей, особенно восприимчивые к ним благодаря своему демократическому происхождению, одаренные, энергичные и темпераментом пылкие, они обе могли играть довольно заметную роль в среде студенческой молодежи; вместе с нею, надо полагать, увлекаются и выступлениями известных писателей, среди которых Достоевский у части молодежи мог пользоваться особенным вниманием, окруженный ореолом страдальца-борца, каторгой поплатившегося за свои политические убеждения.

А.С. Долинин. Достоевский и Суслова. С. 171.

Сестры Сусловы не могли остаться в стороне от этого движения молодежи. Они были вовлечены в самый водоворот политической борьбы... участвовали в первой студенческой демонстрации.

В студенческой среде они обе стали скоро заметными, да это было и неудивительно: обе энергичные, пылкие и увлекающиеся, они принимали самое горячее участие во всех начинаниях студентов.

А.А. Смирнов. Первая русская женщина-врач. С. 88.

ГЛАВА ВТОРАЯ: *Начало 1860 — сентябрь 1861*

ЗНАКОМСТВО С ДОСТОЕВСКИМ. ФАКТЫ И ВЕРСИИ

*Т*олько с момента своего появления в Петербурге в начале 1860-х годов Аполлинария Суслова начинает интересовать биографов — однако опять-таки применительно к жизнеописанию и летописи творчества Ф.М. Достоевского. Так, никто, как правило, не задавал вопроса: когда именно написала Аполлинария свой первый рассказ, почему вдруг решила пойти по шаткому писательскому пути?

Всех интересовало другое: когда именно (день, месяц, год) могло произойти ее знакомство с Достоевским? До или после опубликования рассказа? Каким образом они познакомились — написала ли Аполлинария письмо известному писателю, подошла ли поговорить с ним в конце какого-нибудь литературного вечера, принесла ли показать свою рукопись и попросить совета? Где произошло их знакомство?

Интересно, что ни Достоевский, ни Аполлинария Суслова ни разу и словом не обмолвились о своей первой встрече и не оставили об этом ни воспоминаний, ни устных рассказов, ни даже намеков в письмах или дневниковых записях.

Единственная достоверная дата, которая может служить опорной точкой, определяющей границы их первой встречи, — это помета цензора Ф. Веселаго на пятой книге журнала "Время" за 1861 год, где печатался первый рассказ Аполлинарии. "Печатать позволяется с тем, чтобы по отпечатании представлено было в Цензурный Комитет узаконенное число экземпляров. С.-Петербург, 1 сентября 1861 года" — значилось на оборотной стороне титульного листа журнальной книжки.

Между тем уже в начале двадцатых годов (в период чрезвычайно интенсивных и плодотворных разысканий, связанных с творчеством Достоевского), появилась оригинальная версия знакомства писателя и его будущей возлюбленной, исходящая из весьма специфического источника. В 1922 году в Мюнхене вышла книга дочери Ф.М. Достоевского, Любови Федоровны Достоевской (1869-1926), под названием "Достоевский в изображении своей дочери". Эта книга сразу приковала к себе внимание ученых, так как содержала не только оценки, но и версии событий из жизни Достоевского. Русские журналы и газеты тех лет отразили мгновенно разгоревшуюся полемику — ибо известный и авторитетный специалист-литературовед Л.П. Гроссман принял многие версии Л.Ф. Достоевской, в целом или с небольшими оговорками, а не менее известный и авторитетный знаток Достоевского А.С. Долинин почти целиком их опроверг.

С точки зрения интересующей нас темы книга Л.Ф. Достоевской содержала ранее не известную и не подтвержденную никакими документальными свидетельствами историю первого знакомства писателя и поклонницы его таланта, молодой девушки по имени Полина. "Она написала ему письмо с объяснением в любви, — рассказывает дочь Достоевского. — Это письмо было найдено в бумагах отца, оно было простым, наивным и поэтичным".

Что означают слова: "было найдено в бумагах отца"? Кем найдено? И когда? Почему об этом письме ни словом не обмолвилась Анна Григорьевна Достоевская в своем "Дневнике 1867 года", если нашла письмо соперницы в первые месяцы брака? Почему она ничего не сказала о письме, имевшем для нее столь важное значение, в своих "Воспоминаниях", которые писала уже после смерти мужа?

Далеки от истины и оценки, которые дает дочь писателя его молодой подруге. "Молодая и красивая Полина, — пишет Л.Ф. Достоевская, — усердно следовала веянию времени, служа Венере, переходила от одного студента к другому...". Однако не выдуманная Л.Ф. Достоевской Полина, а реальная Аполлинария "ждала до 23 лет", а когда полюбила, то отдала любимому человеку "всю себя", не требуя ничего взамен. К тому времени, когда вышла книга Л.Ф. Достоевской, Аполлинарии Прокофьевны Сусловой уже не было в живых. Хотя кто знает, доживи она до 1922 года, стала ли бы она бороться за свою честь, если и смолоду привыкла слишком мало придавать значения любым пересудам на свой счет.

Аполлинария Прокофьевна Суслова появилась вместе со своей младшей сестрой Надеждой в начале 60-х годов в петербургских студенческих кружках. Обе сестры жили в родительском доме, пользовались достатком, учились, участвовали в тогдашнем либеральном движении молодежи, были здоровы, жизнерадостны и свободны. Это было замечательное время в русской жизни, многократно описанное, отраженное во множестве литературных произведений, мемуаров, в критике и публицистике; это была эпоха самой острой стадии так называемого "женского вопроса", широкой популярности Писарева и Чернышевского с его романом "Что делать?", хождением русской молодежи "в народ", тайными прокламациями, политическими процессами, борьбой старых и новых течений русской жизни, эпоха большого общественного возбуждения и оживления литературной мысли, всяческих надежд и мечтаний. В 1860 году приехал в Петербург из ссылки Достоевский. Окруженный ореолом мученичества, уже довольно известный писатель, он пользовался в кругах петербургской учащейся молодежи большой популярностью, участвуя в разных литературных вечерах и студенческих собраниях как увлекательный чтец и автор.

Е.В. Петухов. Из сердечной жизни Достоевского (Ап. Прок. Суслова-Розанова)// Известия Крымского педагогического института. Симферополь, 1928. Т.2. С. 37-38.

...Много находилось и таких особ, которые обращались к Ф.М. за разрешением тяготивших их вопросов, ища в нем руководителя совести и просто доброго советчика в трудных житейских делах. В начале 1860-х гг.

Федор Михайлович Достоевский.
С фотографии 1860 года

После "Записок из Мертвого дома" отец опубликовал "Униженных и оскорбленных", первый свой большой роман, также имевший значительный успех. В литературных салонах, которые снова стал посещать Достоевский, он всегда был окружен почитателями, осыпавшими его любезностями. Он появлялся также в общественных кругах. Во время пребывания моего отца в Сибири петербургские студенты и студентки стали играть важную роль в литературном мире России. Чтобы иметь возможность оказать помощь неимущим товарищам, они устраивали литературные вечера, где известные писатели читали отрывки из своих произведений. Студенты бурно ими восхищались, усиленно их рекламировали, из чего честолюбивые сочинители романов пытались извлечь для себя пользу, льстя молодежи. Отец мой не был честолюбив и никогда не льстил студентам, наоборот, он всегда говорил им горькую истину. Поэтому они и ценили его выше других писателей и больше им восхищались. Любовь, которой пользовался Достоевский у студенчества, и заставила обратить на него внимание молодую девушку Полину Н. Она являла собой именно тот особый тип "вечной студентки", встречающийся только в России. Тогда в России еще не было высших женских курсов. Правительство разрешило женщинам временно посещать университет вместе с молодыми людьми.

Полина Н. приехала из русской провинции, где у нее были богатые родственники, посылавшие ей достаточно денег для того, чтобы удобно жить в Петербурге. Регулярно каждую осень она записывалась студенткой в университет, но никогда не занималась и не сдавала экзамены. Однако она усердно ходила на лекции, флиртовала со студентами, ходила к ним домой, мешая им работать, подстрекала их к выступлениям, заставляла подписывать протесты, принимала

обратилась за советом к Ф.М.-чу моя тетка, Елизавета Карловна Степанова (Циханович), встречавшаяся с великим знатоком человеческой души у небезызвестной женщины-врача, одной из пионерок женского медицинского образования в России Сусловой (Эрисман). В семье родителей Сусловой бывал Ф.М. Достоевский. Бывала там и медицинская молодежь...

В.Н. Перетц. Из воспоминаний// "Достоевский". Однодневная газета русского библиологического общества. Пг., 1921. 30 окт. (12 нояб.)..

участие во всех политических манифестациях, шагала во главе студентов, неся красное знамя, пела Марсельезу, ругала казаков и вела себя вызывающе, била лошадей полицейских, полицейские, в свою очередь, избивали ее, проводила ночь в арестантской, а когда возвращалась в университет, студенты с триумфом несли ее на руках как жертву "ненавистного царизма". Полина присутствовала на всех балах, всех литературных вечерах студенчества, танцевала с ними, аплодировала, разделяла все новые идеи, волновавшие молодежь. Тогда в моду вошла свободная любовь. Молодая и красивая Полина усердно следовала веянию времени, служа Венере, переходила от одного студента к другому и полагала, что служит европейской цивилизации. Услышав об успехе Достоевского, она поспешила разделить новую страсть студентов. Она вертелась вокруг Достоевского и всячески угождала ему. Достоевский не замечал этого. Тогда она написала ему письмо с объяснением в любви. Это письмо было найдено в бумагах отца, оно было простым, наивным и поэтичным. Можно было предположить, что писала его робкая молодая девушка, ослепленная гением великого писателя. Достоевский, растроганный, читал письмо Полины. Это объяснение в любви он получил именно в тот момент, когда он больше всего в нем нуждался. Сердце его было разбито предательством жены; он презирал себя, как обманутого и осмеянного мужа. И вдруг свежая и красивая молодая девушка предлагает ему свою любовь! Итак, его жена все же заблуждалась! Его можно было полюбить, его, побывавшего на каторге в обществе воров и убийц. Достоевский с жадностью ухватился за то утешение, которое ему было послано судьбой. О легких нравах Полины он не имел ни малейшего представления. Отец наблюдал жизнь студентов только с кафедры, на которой выступал с чтением своих произведений. Студенты, окружавшие его, представляли собой полную почтения толпу, которой он говорил о Боге, отечестве и цивилизации. Мысль о том, чтобы знаменитого писателя, почитаемого всем миром, посвятить в проблемы аморального поведения молодых людей, не могла прийти им в голову. Когда позднее они заметили любовь Достоевского к Полине Н., естественно, они не решились разъяснить ему, что она из себя представляет. Отец считал Полину юной провинциалкой, одурманенной утрированными идеями эмансипации, каких много было тогда в России. Он знал, что врачи отказались от Марии Дмитриевны и что через несколько месяцев он сможет жениться на Полине. У него не было сил ждать и отказываться от этой молодой любви, отдававшей ему себя свободно и без оглядки на общество и условности. Достоевскому было сорок лет, и его еще никогда не любили...

Л.Ф. Достоевская. Достоевский в изображении своей дочери. СПб., 1992. С. 85-87.

Из книги Л.Ф. Достоевской можно удержать лишь несколько сведений о "Полине". Она приехала в Петербург учиться из провинции и поступила в университет. Хотя в начале 60-х годов Достоевский мало выступал на студенческих литературных вечерах и далеко не пользовался таким успехом, как в конце 70-х годов, вполне допустимо, что Суслова познакомилась с ним на одном из таких вечеров. Хотя в существующих архивах Достоевского и не имеется любовного письма к нему Аполлинарии, можно поверить дочери писателя, что такое письмо было действительно получено Достоевским и глубоко тронуло его своей искренностью и поэти-

Любовь Федоровна Достоевская

ческим тоном: казалось, юная девушка, ослепленная гением великого художника, выражала ему свое восхищение. Достоевский пошел навстречу этому горячему молодому чувству.

Л. Гроссман. Путь Достоевского. Л., 1924. С. 145.

Гроссман, большой знаток Достоевского, не мог не отнестись критически к словам его дочери, Л.Ф. Он отказался от фактов, дочерью сообщенных; с портрета Сусловой стер несколько клякс, самых грубых... Суслова... не из провинции приехала в Петербург учиться, а жила постоянно в Петербурге в своей семье.

А.С. Долинин. Достоевский и Суслова. С. 255—256.

А.П. Суслова, родная сестра известной Надежды Сусловой-Эрисман, знакомится с Достоевским в Петербурге. Это знакомство могло состояться на литературной почве...

А. Бем. "Игрок" Достоевского (В свете новых биографических данных)// Современные записки. Париж, 1925. Кн. 24. С. 380.

Это было на заре бурных 60-х годов. Формировался новый социальный и психологический тип женщины. Вольнослушательница университетов, получившая диплом учительницы, фельдшерицы, акушерки, активная деятельница первых революционных кружков, социалистка, смело ломавшая устои старого, кондового, семейственного быта, самоуверенно и настойчиво пролагавшая пути к полной самостоятельности, а в глазах окружающей консервативной среды казавшаяся не то "синим чулком", не то "нигилисткой" и получившая презрительную кличку "стриженная", — вот какой появлялась эта новая русская женщина в эпоху "великих реформ". Замечательно, что дочь Достоевского — Любовь Федоровна, — написавшая книгу воспоминаний о своем отце, отметила появление этого нового типа женщины. Рассказывая о близости Достоевского с Аполлинарией Сусловой, она не преминула бросить традиционное обвинение в "легкости нравов", якобы господствовавшей в среде учащейся молодежи, и обвинила Аполлинарию Суслову в грубом разврате. В действительности ничего этого не было. Эпоха была достаточно суровой, не без примеси ригоризма, для того чтобы сохранить образ новой русской женщины в очертаниях некоторой суровости, может быть, надменности, наверное, фанатичности и, конечно, возвышенного романтизма. И ведь та же Л.Ф. Достоевская, не замечая противоречий, говорит, что Суслова первая сделала шаг к сближению с ее отцом, послав ему "наивное *поэтическое* письмо". Достоевский был тогда в особенной моде. Еще не померк его нимб политического мученичества, с которым он пошел по делу петрашевцев на каторгу. Возвращенный после долгих лет "мертвого дома" из ссылки, он, как и Шевченко той поры, был положительно кумиром радикально настроенной молодежи. Достоевского неизменно приглашали читать на студенческих вечерах. Вероятно, не раз слушала Достоевского и Аполлинария Суслова. Он не мог не произвести *впечатления* на темпераментную, гордую девушку, и она, действительно, первая завязала с ним знакомство.

Ю. Соболев. Подруга Достоевского// Прожектор. 1928. N19 (137). С. 20.

Опубликованные воспоминания дочери Достоевского — Любови Федоровны впервые осветили этот эпизод в печати. Как и вся книга, глава о Сусловой, которую она именует "Студентка Паулина N", содержит наряду с ценными биографическими подробностями ряд неверных утверждений и весьма субъективную оценку личности героини этого романа. Я решительно высказываюсь против характеристики, данной Сусловой в книге Л.Ф. Достоевской. Она рисует ее резко отрицательными чертами, изображая искательницей сильных ощущений, чуть ли не авантюристкой. В этой оценке, несомненно, отразились настроения Анны Григорьевны, весьма ревниво относившейся к этому эпизоду жизни Достоевского. Отношения Сусловой и Достоевского не были окончательно порваны еще и после вторичной его женитьбы.

А. Бем. "Игрок" Достоевского (В свете новых биографических данных).С. 382.

В этой атмосфере общественного оживления, среди возрастающего своего литературного успеха, Достоевский познакомился с сестрами Сусловыми и привлек их обеих к литературной работе; в сентябрьской книжке журнала "Время" за 1861 год был напечатан первый рассказ Аполлинарии Сусловой "Покуда", всецело написанный на тему женской эмансипации, с центральной фигурой молодой девушки, стремящейся осуществить идеалы свободной любви и независимой жизни в общественном и личном смысле. Короткий и незрелый жизненный опыт, горячие мечты и энтузиазм, пропитанный мыслью о пользе обществу, действительность и фантазия, искренность и риторика мысли и чувства — вот тот материал, из которого возникло это и последующие беллетристические произведения юной писательницы, приютившейся под крылом всем известного уже тогда романиста, одного из идейных вождей общественного движения, человека с признанным высоким литературным дарованием. Неудивительно, что эти литературные и журнальные отношения и симпатии перешли вскоре у молодой и экзальтированной девушки, с повышенной нервозностью и пылким темпераментом, в более горячее чувство. Достоевский, неудовлетворенный своей первой женитьбой, истомленный жаждой здоровой женской привязанности, ответил на этот порыв тем же. В результате — их взаимное увлечение с преобладанием рефлексии и душевного надрыва у него и непрерывной экзальтации у нее: вот начало их любовного романа, обратившегося потом в страдание. Но тут именно и начинается загадка, которую, на наш взгляд, не суждено разгадать историку-биографу. Что представлял собою тот душевный вклад, который каждый из участников внес в историю этой мучительной и жуткой страсти? Как и за что именно любила Суслова Достоевского и Достоевский Суслову? Сколько тут было непосредственного чувства, литературной надуманности, болезненного мучительства и мученичества, жалости и злобы, эгоизма и самопожертвования?

Е.В. Петухов. Из сердечной жизни Достоевского (Ап. Прок. Суслова-Розанова). С. 38.

Когда и при каких условиях познакомился Достоевский с Сусловой? В ответ на этот вопрос у нас есть пока единственная прочная дата: это цензурная пометка: 1 сентября 1861 г. на — 5-й книге журнала "Время" за 1861 г., где был напечатан ее первый рассказ. Если считать приблизительно месяц на печатание книги, остается как будто последней гранью август месяц 1861 г. Но само собою разумеется, что она могла представить свой рассказ задолго до печатания книги, и даже очень может быть — Достоевский потому и дал место ее первому рассказу в своем журнале, что знал ее уже лично. Ее первый рассказ в художественном отношении достаточно слаб для того, чтобы допустить и такую мысль: именно потому, что знал уже ее и относился к ней с особенным вниманием, оценка рассказа оказалась не совсем объективной. Была она, без сомнения, и в юные годы девушкой весьма экзальтированной; могла пленять мысль, как бы скорее на деле проявить себя свободной от каких бы то ни было общепринятых установленных норм, и нет ничего невероятного в том, что она первая, как уверяет дочь Достоевского, написала ему свое "наивное поэтическое письмо". Тогда пришлось бы отодвинуть их первое знакомство еще дальше назад...

Само собою разумеется, что можно допустить и обратное: рассказ был послан заочно, был напечатан, а знакомство состоялось после.

А.С. Долинин. Достоевский и Суслова. С. 175.

ПЕЧАТАТЬ ПОЗВОЛЯЕТСЯ

с тем, чтобы по отпечатании представлено было в Цензурный Комитет узаконенное число экземпляров. С.-Петербург, 1 сентября 1861 года

Цензор Ф. Веселаго

ЛИТЕРАТУРНЫЙ ДЕБЮТ
В ЖУРНАЛЕ БРАТЬЕВ ДОСТОЕВСКИХ

Все, кто писал когда-либо о первом произведении Аполлинарии Сусловой, повести "Покуда", опубликованной в семейном журнале братьев Достоевских "Время", с каким-то странным удовлетворением отмечали, что литературный дебют двадцатилетней студентки, вольнослушательницы Петербургского университета, далеко не шедевр. Банальный сюжет, рыхлая композиция, стиль, лишенный индивидуальности, шаблонные психологические ходы, слабая, беспомощная обрисовка характеров, в лоб поданная тенденция.

Скорее всего — так оно и есть. И скидки на возраст, неопытность, наивность молодого автора, которые и в обычных случаях выглядят не слишком убедительно, здесь, в случае далеко не стандартном, действовали, что называется, наоборот.

Почему же издатели "Времени" поместили малохудожественную, весьма посредственную повесть никому не известного автора между восьмой главой "Записок из Мертвого дома" Ф.М. Достоевского и романом в стихах "Свежее предание" Я. Полонского? Что стояло за привилегиями, которые, непонятно по каким причинам, были даны дебютантке-анониму, — быть напечатанной в одном разделе с такими признанными мастерами, как Островский (его "Женитьба Бальзаминова" открывала этот номер), А. Майков (стихотворение "В горах"), Некрасов ("Крестьянские дети"), Григорович ("Уголок Андалузии")?

Если отбросить вариант случайного совпадения, то история выглядит просто и — романтично: начинающая писательница так понравилась редактору (вернее, соредактору) журнала, что в видах на возможное развитие отношений он решил протежировать ей.

Вряд ли писательница "А. С-ва" могла слишком радоваться первой публикации, если понимала, что обязана не своему таланту, а протекции. Очень скоро к тому же был явлен пример сестры Надежды — та тоже отважилась весной 1862 года написать рассказ и отнести его, без всякого предварительного знакомства с редакторами, в "Современник", где ее рукопись прочитали и немедленно одобрили Чернышевский и Некрасов, а затем очень скоро опубликовали.

Литературный успех Аполлинарии был много тише. Ни сразу, ни позже повесть "Покуда" не вызвала ни единого отклика, ни одной печатной рецензии.

И только однажды (уже в мае 1864 года) Аполлинария, которая никогда не писала в "Дневнике" о своей литературной работе, как бы теша авторское самолюбие, сделала такую запись: "Вчера была у Маркович. Она читала мою повесть (1-ю), ей она понравилась. Маркович сказала, что эта повесть лучше Салиас. Я ей читала ненапечатанную повесть, и та ей понравилась, только конец не понравился. Во время чтения Маркович говорила: "Это хорошо! Прекрасно!" В разговоре после того она сказала, что "нужно смотреть на людей во все глаза" (ненапечатанной к тому времени была третья повесть Аполлинарии, "Своей дорогой", которая вышла в июньском номере "Эпохи" в том же 1864 году).

Однако какими бы скромными художественными достоинствами ни обладала ее первая повесть, имевшая, как и все ею написанное, во многом автобиографический характер, биограф смотрит на литературные упражнения своего героя совершенно иными глазами. Биограф ищет в тексте не стилистические новации и не изощренность формы, а знаки судьбы. Поэтому чем простодушнее, чем наивнее первое произведение, тем выпуклее проступит в нем фигура автора.и тем сильнее обозначится его человеческий потенциал.

С этой точки зрения повесть "Покуда" — будто зеркало для будущего.

Двадцатилетняя Аполлинария Суслова конспективно излагала, что может и что неминуемо должно случиться с женщиной, которая "с достоинством и благородством" будет отстаивать себя, останется верной себе и "твердо пойдет своим путем, несмотря на мелкие оскорбления и придирки".

Она как бы заранее знала, что это за путь: разрыв с родными, с мужем, уход в никуда. Поразительно точными в контексте жизни А.П. Сусловой оказались "подробности" несчастья ее героини — предсказание сбудется через три десятка лет: "жила в гувернантках в каком-то уездном городе", "переходила из дома в дом и нигде не могла ужиться"...

Она как бы предчувствовала, чем может окончиться для нее брак; муж героини сообщал, что жизнь с женой ему надоела, "потому что это не женщина, а упрямый черт, с ней нельзя не ссориться", но при всем этом ему трудно было с ней расстаться, потому что был он в нее влюблен.

Пройдет много лет, и муж Аполлинарии, В.В. Розанов, почти в тех же словах, но куда талантливее и ярче, чем персонаж повести, будет описывать знакомым их семейную драму.

Удостоится Аполлинария Прокофьевна и предусмотренного ею комплимента. "Это не баба, это — черт в юбке", — скажет о ней, шестидесятитрехлетней женщине, друг Розанова, Тернавцев, откомандированный для переговоров с "Суслихой" о разводе.

Итак, первого ноября 1861 года пятая книга (N10) журнала "Время" вышла в свет.

...Если она даже и написала Достоевскому письмо (а это было на нее похоже — сделать первый шаг), то значит, в личности и творчестве писателя ее привлекли какие-то особые черты: либо они вызывали непосредственный отклик в ее воображении, либо она их угадывала. Во всяком случае, Достоевский ей ответил, и они стали видеться — сперва в редакции журнала, затем в доме брата Михаила и, наконец, наедине. Аполлинария немного занималась литературой, и в сентябре 1861 г. во "Време-

ни" появился ее рассказ "Покуда". Этот слабый и мало оригинальный очерк не отличался никакими художественными достоинствами: очевидно, редактор журнала имел особые основания содействовать дебюту и дальнейшему сотрудничеству своей молодой знакомой...

Марк Слоним. Три любви Достоевского. М., 1991. С. 116.

Только одна идея из идей века, действительно, захватывает ее целиком, становится ее собственной идеей, определяя собою в известной степени все своеобразие истории ее жизни, — это вопрос об эмансипации женщины, в то время смело и ярко поставленный в обществе и в литературе. И уже теперь, когда только что начинает завязываться сложно запутанный узел отношений к ней Достоевского — в 1861 г., — этой идеей она заполнена, и она сразу делается пафосом ее художественных писаний.

В хоре публицистов и полухудожников, тогда столь много и поэтически писавших на эту жгучую тему, вплоть до романа "Что делать?", — звучит и ее несильный голос. И — заметим сейчас же эту особенность — звучит как-то исключительно заунывно, без тени того молодого задора, который, независимо от темы или сюжета, все же чувствовался у большинства переживавших эту раннюю весну русской гражданственности начала 60-х годов.

А.С. Долинин. Достоевский и Суслова. С. 172.

Аполлинария Прокофьевна Суслова. 1860-е годы

Задача, которую ставили себе в личной жизни деятели шестидесятых годов, вообще очень трудно исполнима. В их время в некоторых отношениях она представляла еще особые трудности.

Сами себя они называли "новыми людьми". Действительно, с ними на арену общественной жизни России выступил новый социальный класс. Во всяком случае, громадное большинство их не принадлежало к привилегированному классу, делавшему раньше историю.

В этом отношении они были действительно людьми новыми.

Но они не родились духовно в момент рождения их поколения. Они были более или менее подготовлены к той роли, какую им суждено было играть.

Как ни законопачивай стены тюрьмы, воздух через них все же проникает. И веянье новых идей проникало и в семинарии, и в закрытые корпуса, и в глухие углы провинции.

Проникало, но касалось оно только одной половины рода человеческого. В этом отношении "новые люди" все же принадлежали к привилегированным, так как они были мужчины.

Они и сами это понимали. Поэтому "женский вопрос" и играл в ту пору такую первенствующую роль.

Женщины были такие же рабы в семье, как крестьяне — в обществе. Их надо было во что бы то ни стало раскрепостить.

Их и раскрепощали самым энергичным образом. Но как ни много надежд возлагали на них их освободители, женщины того времени все же далеко не всегда могли сразу стать "новыми людьми" в том широком понимании, какое вкладывалось тогда в это слово.

Хотя по мысли рационалистов разум может все и достаточно понять, что хорошо, чтоб осуществить это, — на деле это не всегда оправдывалось,

особенно в применении к угнетенной половине человеческого рода.

Испорченный рабством разум женщины не мог, очевидно, понять простой и непререкаемой истины, провозглашенной Чернышевским, что "расчетливы только добрые поступки и рассудителен только тот, кто добр, и ровно настолько, насколько добр".

Свобода и равенство — вот главные условия для счастья будущего человечества. Но современная жизнь насквозь пропитана рабством и угнетением. Это самое большое зло. С ним прежде всего надо бороться во всех его проявлениях, начиная от личной жизни, семьи, положения в ней женщины.

"По моим понятиям, — пишет Чернышевский в дневнике, — женщина занимает недостойное место в семействе. Меня возмущает кроме того неравенство. Женщина должна быть равна мужчине".

Т.А. Богданович. Любовь людей шестидесятых годов. Л., 1929. С. 22, 35-36.

Серьезная сторона вопроса состоит в том, чтоб определить, откуда у нас взялась в дамском обществе эта потребность разгула и кутежа, потребность похвастаться своим освобождением, дерзко, капризно пренебречь общественным мнением и сбросить с себя все вуали и маски? И это в то время, когда бабушки и матушки наших львиц, целомудренные и патриархальные, краснели до сорока лет от нескромного слова и довольствовались, тихо и скромно, тургеневским нахлебником, а за неимением его — кучером или буфетчиком.

Это своего рода полуосознанный протест против старинной, давящей, как свинец, семьи, против безобразного разврата мужчин. У загнанной женщины, у женщины, брошенной дома, был досуг читать, и, когда она почувствовала, что "Домострой" плохо идет с Ж. Санд, и когда она наслушалась восторженных рассказов о Бланшах и Селестинах, у нее терпе-

нье лопнуло и она закусила удила. Ее протест был дик, но ведь и положение было дико. Ее оппозиция не была формулирована, а бродила в крови — она была обижена. Она чувствовала униженье, подавленность, но самобытной воли вне кутежа и чада не понимала. Она протестовала поведеньем, ее возмущенье было полно избалованности и дурных привычек, каприза, распущенности, кокетства, иногда несправедливости; она разнуздывалась, не освобождаясь. В ней оставался внутренний страх и неуверенность, но ей хотелось делать назло и попробовать *этой другой* жизни. Против узкого своеволья притеснителей она ставила узкое своеволье лопнувшего терпенья без твердой направляющей мысли, но с заносчивой отроческой бравадой. Как ракета, она мерцала, искрилась и падала с шумом и треском, но очень неглубоко.

Девушка-студент, барышня-бурш ничего не имеют общего с барынями Травиатами. Вакханки поседели, оплешивели, состарились и отступили, а студенты заняли их место, еще не вступивши в совершеннолетие. Камелии и Травиаты салонов принадлежали николаевскому времени.

Эта фаланга — сама революция, суровая в семнадцать лет... Огонь глаз смягчен очками, чтоб дать волю одному свету ума...

Тут настоящий, сознательный протест, протест и перелом... Разгул, роскошь, глумленье, наряды отодвинуты. Любовь, страсть на третьем-четвертом плане. Афродита со своим голым оруженосцем надулась и ушла; на ее место Паллада с копьем и совой. Камелии шли от неопределенного волненья, от негодованья, от несытого и томного желанья... и доходили до пресыщения. Здесь идут от идеи, в которую верят, от объявления "прав женщины" и исполняют обязанности, налагаемые верой. Одни отдаются по

принципу, другие неверны по долгу. Иногда *студенты* уходят слишком далеко, но все же остаются детьми — непокорными, заносчивыми, но детьми. Серьезность их *радикализма* показывает, что дело в голове, в теории, а не в сердце.

Они страстны в общем и в частную встречу вносят не больше "патоса" (как говаривали встарь), как всякие Леонтины. Может, меньше. Леонтины играют, играют огнем и очень часто, вспыхнув с ног до головы, спасаются от пожара в Сене; утянутые жизнью прежде всяких рассуждений, им иной раз трудно победить свое сердце. Наши бурши начинают с анализа, с разбора; с ними тоже многое может случиться, но сюрпризов не будет и падений не будет; они падают с теоретическим парашютом. Они бросаются в поток с руководством о плавании и намеренно плывут против течения.

А.И. Герцен. Былое и думы. Часть восьмая: "Махровые цветы". "Цветы Минервы"//А.И. Герцен. Соч.: В 9 т. Т.6. М., 1957. С. 458-463.

Так начинает она, за подписью А.С-вой, в пятой книжке журнала Достоевского "Время" (запомним, что на книге цензурная пометка — 1 сентября 1861 г.) свою литературную деятельность рассказом "Покуда". Рассказ типичен и со стороны сюжетной, и проводимой в нем тенденции. Героиня — обычное центральное лицо сюжета у писателей, проповедовавших идею эмансипации женщины, — девушка, "ищущая", жизнью неудовлетворенная, изнывающая под гнетом устарелых семейных традиций. Одиноко протекает ее детство; власть матери невыносима (этот последний мотив повторяется у Сусловой еще раз); без любви выходит она замуж за человека, чуждого ей по убеждениям, в надежде на то, что перемена обстановки даст ей относительную свободу. Но в новой семье ее никто не любит и не понимает; она кажется всем

дерзкой и грубой. Жизнь с каждым днем становится невыносимей; давит пошлость и бессмысленность окружающих людей и обстановки, больше всего — мужа; и вот она решается порвать с ним и его семьей, уезжает внезапно в какой-то провинциальный город, там зарабатывает себе на пропитание грошовыми уроками, заболевает чахоткой и, всеми покинутая, нищая, умирает где-то на чердаке.

Этому сентиментальному сюжету, довольно плохо скомпонованному, с чрезвычайно слабо обрисованными характерами других действующих лиц, соответствует и стиль рассказа, лишенный индивидуальности, во многом сливающийся со стилем, господствовавшим как в публицистике, так и в художественной прозе того времени, поскольку литература ставила себе целью будить чувства жалости и сострадания ко всем "страдальцам", в том числе и к женщине.

В духе времени же в конце повести имеется и заключение — по современной терминологии — концовка, в повышенно-эмоциональном тоне, назначение которой — дать почувствовать читателю, что этот рассказ есть не более как частный случай общего ненормального строя жизни. Благородный герой, брат мужа, тоже страдалец, но безвольный, "мысленно приподнимает жалкое рубище города, заглядывает во все углы", и "воображению его представляется столько трагических, раздирающих душу картин, и в ушах гремят проклятия и слышатся подавленные стоны". Таков первый рассказ Сусловой, напечатанный у Достоевского... Это наиболее слабое ее произведение. Еще не отразился в нем ее личный жизненный опыт, он не обвеян дыханием ее своеобразной индивидуальности, и власть шаблона, как со стороны идеологической, так и стиля, оказалась для нее неодолимой. Но только один раз, только здесь, отдана дань пассивной покорности — так полно — "общим местам" эпохи. Вскоре развернется шире и глубже ее личная жизнь; в ней, в пережитом будет она черпать и темы, и сюжеты, и вместе с этим подымется и ярче станет окраска эмоциональная; тогда будут попадаться и интересные детали, свидетельствующие о росте ее наблюдательности, станет заметнее уклон в сторону реализма и в связи с этим — ослабление элементов сентиментальных.

А.С. Долинин. Достоевский и Суслова. С. 172-173.

ВРЕМЯ

ЖУРНАЛЪ

ЛИТЕРАТУРНЫЙ И ПОЛИТИЧЕСКІЙ

издаваемый подъ редакціей М. ДОСТОЕВСКАГО

ТОМЪ V

ПЕТЕРБУРГЪ
ВЪ ТИПОГРАФІИ ЭДУАРДА ПРАЦА
1861

СОДЕРЖАНІЕ

ПЯТАГО ТОМА

За чѣмъ пойдешь, то и найдешь. Женитьба Бальзаминова. Картины московской жизни. А. Островскаго 5
Мое дѣтство. (Изъ однихъ записокъ). М. Воронова . . . 50
Отъ Босфора до Персидскаго залива. Изъ записокъ, веденныхъ во время четырехлѣтняго путешествія демаркаціонной комиссіи по Турціи и Персіи. М. Г. (Продолженіе) 82
Изъ стихотворенія «Деревня». Ѳ. Берга 115
Ученіе Спинозы о Богѣ. (Изъ исторіи философіи Куно Фишера). 117
Изъ Гейне. Стих. Страннопольскаго 141
Съ чешскаго. (Изъ Гавличка). Стих. Его же 143
Мери Бартонъ. Повѣсть о манчестерскихъ труженикахъ. (Съ англійскаго). Часть шестая и послѣдняя. Пер. Е. Бекетовой . 144
Въ горахъ. Стих. А. Майкова 242
Записки изъ Мертваго Дома. Ѳ. М. Достоевскаго
    Глава пятая и шестая 243
    Глава седьмая и восьмая 461
Покуда. (Повѣсть). А. С—вой 273
Свѣжее преданье. (Романъ въ стихахъ). Я. Полонскаго . . 301
Мормонизмъ и Соединенные Штаты 322
Крестьянскія дѣти. Н. Некрасова 356
Уголокъ Андалузіи (изъ путевыхъ записокъ). Д. Григоровича . 364
Два разсказа, съ французскаго:
    I. Голубятня 435
    II. Бѣдный мальчикъ 447
Мадамъ Лакостъ (изъ уголовныхъ дѣлъ Франціи) . . . 497
Легенды сербовъ 519
По поводу уничтоженія откупной системы и замѣны ея акцизной.
    I. Шилля. Статья первая 545

Журнал братьев Достоевских "Время" (1861, кн.5) с повестью А.П.Сусловой "Покуда"

ПОКУДА

Повесть

Как странно создан человек! Говорят — существо свободное... какой вздор! Я не знаю существа более зависящего: развитие его ума, характера, его взгляд на вещи — все зависит от внешних причин. Разум, эта высшая способность человека, кажется, дан ему для того, чтобы глубже чувствовать собственное бессилие и унижение перед случайностью.

Прежние товарищи упрекают меня, что я ничего не делаю, говорят, что служение обществу есть долг всякого честного человека. Я много спорю с ними по этому поводу. Счастливые люди! В тридцать лет они сохранили юношеский пыл и те высокие верования, что так облагораживают ошибки, за которые я преследую моих товарищей беспощадною насмешкой и чувствую злобную радость, когда замечаю, что слова мои делают на них впечатление; но в то же время в глубине души, где так много неизъяснимой печали, я им завидую. И много бы я отдал за упоение их веры...

Я слишком рано начал жить, т.е. думать, наблюдать и разбирать людей, их характеры, привычки и страсти.

Условия, при которых сложился мой характер, как нельзя более благоприятствовали такому результату. С детства меня никто не любил; вся любовь и надежды матери и сестер были сосредоточены на старшем брате: то был красивый и бойкий мальчик, самолюбивый и надменный. Он был старше меня двумя годами; каждый, кто видел нас вдвоем, невольно делал сравнение, так невыгодное для меня, причем моя застенчивость и неловкость еще сильнее бросались в глаза, и тогда как брату расточали похвалы и ласки, обо мне или забывали, или, что еще хуже, утешали. С тех пор как я начал сознавать себя, это обидное снисхождение было для меня невыносимо: зависть и вражда к брату глубоко запали в мою детскую душу.

Чтобы избежать неприятных столкновений с домашними, я старался как можно более отдаляться от всех; раз и навсегда я принял эту меру и, несмотря на выговоры, даже наказания, не выходил из своей комнаты. Детей было много в нашем доме: кроме нас с братом, трех сестер и дочери гувернантки, мать моя воспитывала еще двух дочерей своей умершей сестры, и ни с кем из них я не мог сойтись. Напрасно гувернер и гувернантка старались заставить меня идти гулять вместе с братом и сестрами или играть в зале: я упорно отказывался и сходился с ними только в классной комнате. Я всегда одинаково удовлетворительно знал мой урок, не заслуживал ни похвал, ни порицаний; раз только я особенно хорошо отвечал из истории, которой всегда занимался с любовью: учитель посмотрел на меня с изумлением, начал рассыпаться в похвалах и ставить мое прилежание в пример другим детям, упрекая их в несправедливости ко мне. Не знаю почему, похвала эта показалась мне слишком позднею и обидною, и с этого дня я старался как можно менее обращать на себя внимание. Мать хотела отучить меня от этих странностей, но все ее попытки остались без успеха, и она должна была примириться с моим характером, тем более, что я никому не мешал. Я был так рад, что меня оставили в покое! И скучно, однообразно проходило мое детство: не освятили его ни ласки родных, ни дружба сверстников. По целым часам я сидел в моей комнате, тогда как веселые голоса детей и звонкий смех их порой долетали до меня; я сидел один, и сколько дум проходило в моей голове!.. Я так свыкся с этими думами, так полюбил их, что они сделались для меня лучшим наслаждением. Я особенно любил думать во время вечерней молитвы. Не знаю, почему мне так нравился этот торжественный час, когда даже ненавистная гувернантка не находила приложения своей должности; напрасно смотрела она по сторонам, желая сделать какое-нибудь замечание: на всех лицах был покой и тишина. Я стоял обыкновенно позади всех; прислонясь к стенке и сложив руки, я уходил в свой фантастический мир и вызывал любимые образы и события. Но часто, когда съезжались гости, комнаты были ярко освещены, в зале играла музыка, мои сестры, красивые и нарядные, как бабочки, порхали по гладкому паркету, мое сердце рвалось туда, я проклинал мое добровольное заточение: искушение было сильно; но я вспоминал моего ловкого и счастливого брата и преданных ему сестер, вспоминал их насмешки — и чувство ненависти, непримиримой вражды заглушало во мне все другие чувства. Я думал: они все заодно, а я один... И долго я плакал, потом отыскивал какие-нибудь книжки и начинал читать. Чтение развлекало и занимало меня; помню, какое наслаждение доставляли мне сказки: "Чудовище и красавица" и "Девочка красная шапочка". Я перечитал все книжки нашей детской библиотеки, и, когда в свободные от уроков часы мне нечего было делать, я снова принялся было их перечитывать, но уже не нашел и половины тех красот, которые меня поражали с первого раза. Я даже начал сомневаться в действительности описываемых происшествий. Как-то, перечитывая в третий раз "Чудовище и красавицу", я чувствовал усталость и скуку. Это было летом; мы жили на даче. С досады я бросил книжку и пошел в сад; там никого не было: мои сестры и брат гуляли с гувернанткой в роще. За садовой решеткой я увидел крестьянских мальчиков, играющих в лошадки. Я с завистью прислушивался к их шумному говору и резкому смеху, подумал немного о том, не лучше ли было бы, если бы я родился в крестьянской семье, и, не останавливаясь долго на этой мысли, я перелез плетень и просил их принять меня в свою игру. Но они мне решительно отказали на том основании, что я барин, начали дразнить меня и гнать прочь, так что я впредь не смел показаться в их кружке. Но я на этом не остановился; мне как-то удалось завести знакомство с сыном нашего дворника, и через его протекцию меня приняли в свое общество крестьянские мальчики. Благодаря отсутствию всякого надзора ничто не мешало моим сношениям с новыми друзьями; я знал, что если бы узнала мать, то она не допустила бы этого, но я вел дела свои осторожно, и лето для меня прошло очень весело и приятно. Я смело рассчитывал на будущее.

С наступлением зимы я снова принялся за чтение; на этот раз я добрался до библиотеки моей матери. Мать читала не много, но выписывала все лучшие журналы, и я начал читать все новые повести и романы; правда, многого не понимал, но читал с наслаждением.

В гостиной моей матери, где по необходимости я должен был иногда являться, часто бывали споры о всех этих книгах. Я с напряженным вниманием прислушивался, думал и поверял свои собственные понятия и наблюдения; книги заменяли мне сверстников и друзей: в минуты огорчения и досады я обращался к ним, углублялся до самозабвения и находил мужество и силу, и все окружающее казалось мне так глупо и смешно перед теми характерами и событиями, о которых я читал или воображал. Но и книги не всегда отвечали на те вопросы и явления, которые поражали меня и которые я искал в них разрешить: вероятно, это сознание недостатка в творчестве привело меня к тому, что я решился быть писателем. Мне было тогда лет тринадцать; первым моим опытом в литературе была драма "Роковой кинжал". Сюжет ее был самый замысловатый. Действие происходило в Испании: герой, храбрый и благородный дон Фернандо, томился в темнице, прекрасная донна изнывает в разлуке тоже где-то в заточенье. Я очень трогательно изображал судьбу героев, погибших в цвете лет жертвою людской несправедливости и злобы; все шло как по маслу до того места, где герой бежал из темницы и приехал освободить свою возлюбленную: он уже подставил лестницу и начал пилить железную решетку, как вдруг меня позвали в класс. Я кое-как сунул тетрадку под подушку моей постели и отправился. Когда я возвратился назад в мою комнату, то не нашел своей тетрадки там, где ее оставил; в испуге я начал рыться в постели, растрепал все мои пожитки, но все усилия были напрасны: "Роковой кинжал" исчез. Я расспрашивал прислугу, рылся во всех углах и не мог придумать, куда девалась моя тетрадка. Верно, взял брат! — мелькнуло в моей голове, и чем более я размышлял, тем сильнее убеждался в вероятности такого предположения. Эта мысль привела меня в бешенство: я заперся в моей комнате и не выходил к обеду. Но всему бывает конец, и я успокоился, вообразил себя героем, которого преследует злая судьба, и покорился. Я был уверен, что рано или поздно мой добрый гений восторжествует и накажет моих врагов. На другой день, как только я явился к чаю, сестры переглянулись с братом и расхохотались; я не ошибся: они похитили и прочли мой "Роковой кинжал". Стыд, негодование и злость терзали меня, но я скрыл все в глубине души и казался равнодушным; тем не менее сестры и брат не переставали потешаться надо мною и даже стали называть меня "Роковой кинжал", о чем сообщили и гувернантке. Тогда злость моя не имела границ; я стал придумывать, как бы отомстить моим злодеям, и эта новая мысль врезалась в мой мозг и не давала покоя. Я не спал ночи, но все, что ни придумывал, казалось или неудобным, или недостаточным. Я остановился на том, что зарежу себя перочинным ножичком и оставлю им письмо; я уже начал сочинять это письмо, и оно выходило так трогательно, что, читая его, я плакал навзрыд. Нервы мои были сильно раздражены: я не выдержал и занемог.

II

По выздоровлении моем я сделался еще задумчивее, еще сосредоточеннее; я весь ушел в свой внутренний мир и много думал над самим собой. Я решился поступать так, чтобы ни в чем не упрекать себя: в каждом слове, в каждой мысли отдавал себе отчет, и оттого малейшая ошибка стоила мне мучительного раскаяния. В то время в доме нашем явилась новая личность: мать моя позволила гувернантке взять к себе своего сына из кадетского корпуса на время каникул. Павел был мне ровесник; у него был прямой и до невероятности вспыльчивый характер. Сначала вместе с братьями и сестрами он преследовал меня насмешками и даже превзошел их в колкости и дерзости; я встречал эти гонения довольно равнодушно: со времени моей болезни я сделался спокойнее. Раз как-то Павел поссорился с одною из моих кузин и пожаловался на нее матери; я хорошо знал этот факт, в котором виноват был Павел, и оправдал девочку перед матерью. В припадке горячности Павел разбранил меня и назвал девчонкой; обиднее этого эпитета ничего не могло быть для меня; но я не возражал, не оправдывался и не мстил. Когда вспышка Павла прошла, ему было передо мною неловко; он перестал смеяться надо мной и избегал меня. Я первый заговорил с ним. Не помню хорошо, как это было. Помню только, что при первом моем слове Павел взглянул на меня с изумлением; по-видимому, он не ожидал, что я не сержусь на него, потом вдруг бросился мне на шею, обнял меня и заплакал. С этой минуты мы были друзьями.

Натура Павла была одна из тех странных, восторженных натур, для которых нет средины: они или любят, или ненавидят, или подчиняются, или угнетают; в любви его ко мне было что-то фанатическое: он безусловно верил в мою непогрешимость, во всех своих делах требовал моего совета и поступал по нему, не рассуждая. Такое рабство возмущало меня: я старался смягчить, облагородить наши отношения; но он не хотел понять моей деликатности, и если я не просил его сделать для меня что-нибудь, заступиться, когда мне делают выговор, взять на себя мою вину, он толковал это по-своему: сердился, выходил из себя, осыпал меня упреками, через несколько времени извинялся, раскаивался, проклинал себя и нарочно делал шалости, чтобы быть наказанным; таким образом он мучил себя и меня. Это была глубокая, поэтическая личность с огромными достоинствами и недостатками.

Как бы то ни было, но я много обязан этой дружбе, и она, без сомнения, имела влияние на мой характер. Высказывая ему свои задушевные мысли и планы и встречая полное сочувствие, я был как-то самоувереннее; его мысли и намерения я всегда обдумывал и старался усвоить, если они мне нравились.

Бывало, летним вечером в рекреационное время, когда все приготовляют уроки на завтрашний день, а солнце светит весело и влажный воздух вызывает из комнаты, — сердце мое полно сладких ощущений: я не мог заучивать городов и рек и ходил по комнате об руку с Павлом с тетрадкой в руках. Мы вслух мечтали о будущем, и сколько было веры в себя, сколько надежд в этих светлых грезах!.. Как часто потом, оставшись снова один, я любил вспоминать об этих встречах...

По окончании каникул я просил мою мать позволить мне видеться с Павлом, и она часто отпускала меня в корпус и просила Павла приходить на праздники; таким образом наши дружеские отношения продолжались до окончания его курса. С поступлением на службу он уехал на Кавказ, а я поступил в университет. Сначала мы вели переписку; но интересы наши так разнились, что естественным образом нельзя было поддержать ее. И порвалась между нами крепкая, дружеская связь: каждый пошел своей дорогой, весь отдаваясь течению избранного пути, бросая на алтарь далекой цели все, что было личного, дорогого, милого.

Я слушал лекции по юридическому факультету. Какое широкое поле деятельности открылось для горячей головы, жаждущей истины! Я любил науку для науки, чистой и бескорыстной любовью, и отдался ей с увлечением всею силою души, помимо всякого личного интереса. Мать сердилась на меня за то, что я отстал от общества, сделался дикарем; мои манеры приводили ее в отчаяние. "На что ты похож? — говорила она мне. — Как я покажусь с тобой в свете? Меня все будут упрекать, а разве я виновата? Ведь Анатолий брат же тебе!"... И она все более и более горячилась и осыпала меня упреками. Я слушал ее с почтительным вниманием и не возражал: это еще более сердило ее; она решила наконец, что я потерянный, что из меня ничего не выйдет. В этих выговорах для меня не было ничего нового: я их всегда ожидал и потому не обратил на них особенного внимания, продолжая вести себя так, как внушало собственное благоразумие, и избавил мать от неприятности являться со мною в обществе.

В моем гордом одиночестве я привык быть самостоятельным, привык не подчиняться авторитету, как бы он ни был высок; но я не был слеп к своим недостаткам и знал их лучше всякого другого. Я давно научился думать, наблюдать характеры; но чем более смотрел я на моего брата, этого идола семьи, тем сильнее убеждался в своем нравственном превосходстве. Анатолий был неглупый малый, но пустой, дерзкий фат, притязательный и вздорный; я был к нему необыкновенно равнодушен: детская неприязнь исчезла без следа, а более серьезного чувства он не мог внушить мне.

III

Брат кончил курс в университете и готовился поступить в военную службу; у него с сестрами был совет: в какой полк лучше поступить? После долгих прений все единогласно решили, что лучше уланского кивера ничего не может быть, — и брат поступил в уланы. Сестры восхищались им. И в самом деле, военный мундир очень пошел к его высокому росту и стройному стану. Я сам любовался им, когда он ездил верхом на статной лошади или танцевал с кузиной Нелли, самой красивой и грациозной из наших девиц. Он являлся и на гуляньях, и на балах всегда подле Нелли, был любезен и предупредителен до мелочности; а дома, когда не было гостей, они постоянно ссорились.

Перед одним балом, сидя один в гостиной, я услыхал в соседней комнате спор Анатолия с его товарищем Тешиным, который был очень близок в нашем доме, — кому быть кавалером Нелли. Нелли была на стороне Тешина; но Анатолий требовал, чтобы она была с ним, на том основании, что она уже несколько раз имела своим кавалером Тешина, что это заметят — и будут говорить.

Нелли надулась и сказала, что она будет со мной. Все удивились странности явиться с таким букой: он еще сделает, пожалуй, какую неловкость, да поедет ли еще он? Нелли была непреклонна. Наконец все разошлись по своим комнатам; в зале остались только Тешин и Нелли. Подали огня. Нелли стала играть на фортепьяно, офицер сел подле нее. Я сидел в темной комнате против двери и смотрел на них; мною овладела приятная лень, звуки Carnaval de Vénise едва перебирали моими чувствами; я был в состоянии непонятного довольства и покоя, так что если бы мне сказали в эту минуту, что я должен завтра идти на смерть, — я не испугался бы. На душе у меня было светло и весело. Передо мной, как в тумане, рисовались две стройные фигуры.

— Довольно, перестань играть, — сказал Тешин, взяв руку Нелли, и голова его так близко наклонилась к ней, что черные его волосы коснулись ее плеча. Звуки Carnaval de Vénise замерли, будто порвались; лицо Тешина прильнуло к обнаженному плечу Нелли. Стены и стулья закружились у меня в глазах, дыхание замерло.

— Как ты хороша, Нелли! — сказал молодой человек.

— Перестань болтать вздор! — сказала Нелли, вставая со стула. Он обнял ее, и они начали ходить по комнате.

— Отчего ты непременно хочешь иметь своим кавалером Александра Федорыча?

— Для контраста, — отвечала она, смеясь весело.

— Плутовка! — проговорил молодой человек.

— Мне пора одеваться, — сказала Нелли.

— Погоди, еще успеешь: я так редко вижу тебя одну. — И он притянул ее к себе; но она вырвалась и, смеясь, бросилась из комнаты. Она скользнула мимо меня, ее платье махнуло по креслу, на котором я сидел, и при этом движении струя воздуха как-то освежительно коснулась моего лица.

— Ты сегодня поедешь с нами на бал? — спрашивала меня Нелли, совсем одетая выходя в залу.

Я отказывался, сколько мог.

— Неправда, ты поедешь, ты должен ехать: я буду с тобой танцевать целый вечер. — Она обвила мою шею бархатными руками; быстрые глазки ее светились так близко, что у меня кружилась голова.

— Ну чего тебе стоит съездить? Ты сделаешь мне этим огромное удовольствие, — говорила она, и голос ее звучал особенно нежно и мягко. — Ты не откажешь, когда я прошу тебя так искренне! Ты так умен... — прибавила она с хитрою улыбкой.

Я согласился.

Мы скоро отправились; в карете нас сидело четверо: я с Нелли, Тешин и одна из сестер. Тешин сидел против Нелли: всю дорогу они болтали. Я молчал, в голове моей был какой-то туман: недавно виденная сцена за фортепьяно так и мерещилась в глазах. Спутники мои заговорили о предстоящей свадьбе одной из моих сестер.

— А вы скоро выйдете замуж? — спросил Тешин Нелли.

— Скоро, — отвечала она с уверенностью.

— А за кого? Можно узнать?

— За одного старичка.

— Для контраста? — вырвалось у меня.

Нелли засмеялась.

Таковы были женщины, которых я встречал. Они не могли внушить симпатии. Где же та женщина, о которой я мечтал, не воздушная, блестящая нимфа, не образец кротости и смирения, а женщина — человек со всеми человеческими достоинствами и недостатками? Вопрос о ее судьбе волновал и мучил меня, и как часто сердце мое болело за нее!.. И вот наконец явилась она: она не бросилась мне в глаза с первого раза и не поразила меня ничем; может быть, при других обстоятельствах я прошел бы мимо, не заметив этой прекрасной души. В жизнь мою я не встречал подобной женщины! Я знал женщин умнее, добрее, прекраснее, но не встречал другой Зинаиды. Было что-то особенное, самобытное в ее характере и образе мыслей. Я познакомился с ней, когда она была невестой брата: это не мешало мне не обращать на нее внимания до тех пор, пока я не узнал ее короче.

В то время я кончил курс в университете и только что начал служить, только что встретился лицом к лицу с действительностью, на которую до сих пор смотрел сквозь розовую дымку утренней зари. В то время все в нашем обществе волновалось и стремилось вперед с какой-то лихорадочной поспешностью, как бы желая вознаградить даром прожитое время. Каждый видел, сколько у нас накопилось дела и сколько предстоит нерешенных вопросов. Я видел, как падает величайшее из зол — рабство, но сердце мое не радовалось: я знал, как глубоко вросли в нашу почву корни этого рокового зла и как много нужно усилий, чтобы отыскать и вырвать их. Они пробрались во все слои нашего общества и опутали его тонкою, крепкою сетью: их не выдернут без боли целому организму. Я верил, что молодое поколение с благородным самоотвержением примется общими силами искоренять все, что есть у нас негодного и вредного, и гордая мысль о своем участии в деле общественного преобразования была моим нравственным двигателем: на ней сосредоточились все мои желания и надежды; но каково было мое разочарование, когда я поступил на службу! Я узнал, что в продолжение многих лет я должен довольствоваться на поприще служебной деятельности скромной ролью переписчика. Помимо этой механической работы я пытался заявить мою мысль, но меня встретили насмешками, наградили эпитетом *выскочки* и — только: протесты мои ничего более не вызвали, может быть, потому, что я не умел взяться за дело. Как бы то ни было, но сердце мое ныло и болело. Я видел, как мимо безнаказанного зла, которое привело бы в негодование каждого свежего человека, проходили люди с почтенным именем и огромным весом, не замечая его или не желая заметить. С невозмутимым равнодушием смотрели они на все, что делалось перед глазами: казалось, ничто не могло возбудить не только их участия или симпатии, но даже удивления. Два года моего существования на службе никому ничего не принесли, и мне самому становилось в тягость; но я не падал духом и все чего-то ждал, все на что-то надеялся. Мне приходилось встречать людей с возвышенными стремлениями, людей, которые умеют как-то сделать свое существование полезным, — и этих немногих явлений было довольно, чтобы освежить меня. Я пытался быть полезным помимо служебной деятельности и тут только увидал, как мало я знаю жизнь и общество, среди которого жил. Где же я был столько лет? Чему учился? К чему готовился? Я был юристом и должен был надолго сложить свои знания и смотреть без участия, как совершаются дела, решающие судьбу людей, которых я любил горячей, беспредельной любовью. Я должен был еще многому учиться, чтобы быть человеком. Переписывая бумаги и с особенной злостью выводя слова "*поелику*" и "*яко*", я приобретал знание людей и терял веру в будущее, в самого себя. Но чтобы не иметь причин упрекать себя в лени или недостатке характера, я продолжал служить. Начальнику не нравилось во мне многое: моя манера вступать в разговор со старшими, совершенно некстати высказывать свое мнение и еще более странная и совсем неуместная привычка — противоречить.

Впрочем, начальник мой Трифон Афанасьич был человек добрый и кроткий; но при всем своем великодушии он не мог мне извинить дурного почерка и ставил в пример долговязого и извилистого Лутошкина, что в столе у Ивана Иваныча. В самом деле, Лутошкин имел восхитительный почерк и никогда не знал соперников в каллиграфии; я мог только завидовать ему. Но вскоре и я переписывал если не красиво, то довольно чисто, как выражался мой начальник, которому наконец вздумалось выйти в отставку, к совершенному моему удовольствию, тем более, что на его место поступил человек рыцарской честности. Это был статный, красивый господин лет тридцати; в его манерах была какая-то резкость и нетерпеливость, во всей наружности столько уверенности и отваги, что хватило бы на десять таких молодцов. Вообще физиономия Сергея Петровича Зеленовского напоминала собою разбойника. Он был в самом деле человек примерной честности между чиновниками; он не только не брал взяток, но отказывался даже от жалованья. Когда некий господин вздумал *поблагодарить* его за что-то, Зеленовский пришел в ярость и грозил отдать его под суд; в эту минуту он был прекрасен, как воплощение гнева и презрения, и произвел эффект: все чиновничество нашего департамента пришло в трепет и уныние; но это впечатление скоро рассеялось. Зеленовский неглижировал службой; он приезжал в департамент в 12 часов утра на паре красивых играющих лошадей, которых любил более всего на свете; в присутствии, посвистывая, ходил по комнате, садился для разнообразия на стол или на окно, очень неохотно принимался за бумаги, не думая, что часто одним росчерком пера решает судьбу людей. С чиновниками он обращался возмутительно-небрежно; его ответы и приказания были коротки и отрывисты. Вообще его поступление не произвело существенной перемены. Подчиненные скоро применились к его характеру и ловко обманывали нового начальника, смеясь между собою над его недальновидностью.

———

Раз как-то, возвратясь из департамента очень не в духе, я встретил у нас Зинаиду. Она сидела в зале подле Нелли, которая играла на фортепьяно. Облокотясь на спинку кресла и поддерживая голову, Зинаида сидела неподвижно; в выражении ее лица, в тоскливом взгляде было столько серьезной печали и той бессильной покорности, за которой видна целая бездна отчаяния, что мне стало неловко. Я остановился в дверях и не знал — идти ли в комнату или вернуться. Она заметила меня, я подошел. Зинаида, улыбаясь, протянула мне руку и о чем-то заговорила, но я ничего не понимал. "Отчего это она так печальна?" — вертелось у меня в голове. Вошел брат. Нелли запела по его просьбе давно наскучивший мне романс: "Что так сильно, сердце, бьешься". У нее был хороший голос, и она пела с особенным выражением, которое искупало пустоту содержания.

— Вздор! — сказала Зинаида как бы невольно, когда сестра пропела: "*Воля счастья не дает*".

— Отчего? — спросил Анатолий.

— Воля не дает счастья! Так что же его дает?!

— Вы так часто ратуете за свободу, Зинаида, как будто она непременное условие счастья.

— Конечно.

— Уж только никак не для женщины.

— Женщина должна слепо подчиняться, слепо верить, — сказала одна из сестер.

Зинаида молчала. По лицу ее пробежала презрительная усмешка.

Я вдруг заспорил с братом по этому предмету. Мы спорили так долго и с таким ожесточением, как будто дело шло о жизни и смерти одного из нас. Чем более горячился и выходил из себя мой противник, тем удачнее я брал над ним верх и тем серьезнее и печальнее становилась Зинаида. Весь этот вечер она

верх и тем серьезнее и печальнее становилась Зинаида. Весь этот вечер она была задумчива, рассеянна и рано уехала домой. Она не говорила со мной ни слова, но, прощаясь, крепко пожала мне руку, и с этого дня ее внимательный взгляд с выражением любопытства останавливался на мне. Я никогда не искал случая говорить с Зинаидой, но внимательно вслушивался, когда она говорила с другими, и все более и более находил в ней достоинств. Я не мог понять, что свело Зинаиду с моим братом: между ними было так мало общего; она была очень умна и так правильно смотрела на вещи: что ж ей нравилось в этом фанфароне, которого она не могла уважать? Дело было так просто. Мать Зинаиды была капризная и вздорная старуха, зараженная нелепыми предрассудками. Ее строгость в отношении к дочери доходила до смешного. Мудрено ли, что молодой девушке хотелось вырваться на волю? Но в то время я иначе смотрел на поступок Зинаиды: я видел в нем отвратительную ложь и гнусную безнравственность. Я позабывал, что положение женщины безвыходно, что зло лежит в семействе, что ложь — единственная ее оборона против деспотизма главы семейства.

В воспитании, которое делает ее ни на что не способной и ни к чему не годной, кроме паркета, в предрассудках общества, которое готово закидать грязью и оттолкнуть женщину за всякое ее свободное действие, порицая ее в уклонении от каких-то природных обязанностей и отбивая у ней всякую охоту к труду, а следовательно, и к самостоятельности, — лежит начало рабства. Женщина выходит замуж, чтобы иметь верное средство к жизни или скорее вырваться на волю; но она горько ошибается, потому что рабство, неутомимо преследуя ее, является и тут, но в других формах. То же случилось и с Зинаидой.

IV

День свадьбы моего брата приближался. Зинаида казалась спокойною, или это только казалось. Брат должен был жить после свадьбы уже не с нами, что очень огорчало сестер; они просили его провести лето вместе на даче. Наконец день свадьбы настал; это было в июне. Помню я, было светлое, ясное утро. Я встал рано; в доме была суматоха, прислуга убирала комнаты, сестры хлопотали за туалетом. Я сидел один в моей комнате и думал о Зинаиде. Неизъяснимая тоска терзала мое сердце, и страшные предположения волновали ум. Когда я серьезно подумал о своей грусти, она показалась мне странною и неуместною, да и сам-то я смешон, так что я старался скрыть ее от самого себя. Я взял ружье и пошел в лес; но сердце болезненно ныло, и слезы просились на глаза. Отчего же в самом деле мне не жалеть Зинаиду? Кому какое дело до меня? Никто ничего не поймет, ничего не заметит...

Я возвратился из лесу часов в десять вечера. Дом наш был ярко освещен, в саду горели плошки, толпы любопытных теснились около дома, стараясь заглянуть в окно, откуда слышались звуки бальной музыки. Я пробрался в мою комнату через сад; меня никто не заметил. Звуки оркестра, веселые голоса гостей, шум подъезжающих экипажей и визг любопытных кумушек сливались в один странный гул и неистово терзали мой слух. Сквозь эту адскую музыку мне слышался плач и ропот собственного сердца; мне хотелось бежать, уйти от своей печали, от самого себя...

С наступлением ночи шум утихал понемногу, толпы любопытных редели.

Начало светать, когда я вышел на улицу. Влажный воздух охватил мою разгоряченную голову и лился в грудь живительной струей. Широкий простор полей манил меня к себе на лоно всеобъемлющей тишины и покоя. Около дома почти никого не было; кучера покачивались на козлах; глубокая дремота заменила оживленную беседу. Заспанный и сердитый лакей появлялся иногда у экипажа и, немилосердно зевая, отыскивал свою карету. Тишина прерывалась стуком колес подъехавшего к крыльцу экипажа; в него бросалась разряженная барыня с бледным, утомленным лицом и помятым платьем; стук затворенной дверцы раздавался резко, одиноко, затем слышался шум быстро отъезжающего экипажа; шум этот постепенно замирал, и опять наступала тишина. Я вышел вон из деревни. Все тихо и пусто, кругом ровное, гладкое, широкое пространство, кое-где окаймленное лесом, которого черные зубчатые вершины резко рисуются на голубом фоне неба. Ночные тени бережно приподнимаются; все притаилось, будто замерло в благоговейном ожидании. В этой простой, однообразной картине, в этой таинственной тишине было что-то величавое, неизъяснимо-прекрасное. Чувство восторженного умиления охватило мою душу; в ней не было места личным желаниям и страстям. Бедный сын праха, я чувствовал силу гения в развернутом передо мной художественном произведении! Я остановился как вкопанный, сложив руки и устремив глаза на раскинувшийся надо мной широкий свод, и чудилось мне, что кто-то глядит на меня оттуда глубоким, проницательным взглядом...

V

Целую неделю шел проливной дождь. Казалось, природа плакала с неудержимым отчаянием и, наплакавшись до истощения сил, отдыхала, как больная. Наконец солнце как-то особенно приветливо и томно выглянуло из-за толпы блуждающих бесцельно облаков, но не вдруг начало обогревать землю: оно нехотя, небрежно бросало яркие лучи, рассыпалось брильянтами в дождевых каплях и снова пряталось за встречные облака. Только к вечеру, когда облака совершенно рассеялись, оно с радостным трепетом залило теплыми лучами все, что ни попадалось на пути. Но я не слишком обрадовался солнцу, я находил особенную прелесть в ненастье. В наслаждении ненастьем я находил что-то серьезное и глубокое, чего не променял бы за беспечное веселье, которое наводит веселое сиянье солнечных лучей. Вот почему я не спешил воспользоваться хорошим вечером и остался дома, когда все ушли гулять. Я долго ходил по комнатам. Я как-то особенно любил быть один в доме; хорошо и привольно быть одному и думать: это не то что запереться в тесной комнате, как это я часто делал под предлогом занятий, когда хотелось думать. Я обошел весь дом, и мне захотелось войти в комнату Зинаиды. Я вошел. Я никогда не был в этой комнате. В ней было довольно беспорядка, и это мне понравилось: я имел отвращение к немецкой аккуратности. Я сел на диван перед рабочим столиком и задумался о Зинаиде. Благодаря дурной погоде, которая не выпускала из комнаты, члены семейства в это время более имеют случая высказываться и сталкиваться между собою. Разница в характерах Анатолия и Зинаиды с каждым днем становилась очевиднее. Анатолий, мелочный и завистливый, не выносил ее превосходства, он старался уничтожать ее, в пустяках показывал свою власть, придирался к ее словам, к самым незначительным поступкам и толковал их в дурную сторону. Со своей стороны Зинаида хотела поставить себя вне всякой власти; я удивлялся ее умению давать иногда самому щекотливому разговору шуточный оборот или поставить своего противника в такое положение, что он или должен согласиться, или явно выказать свое невежество. Во всяком случае, она умела сохранить свое достоинство; но тем не менее положение ее было незавидно. Между Зинаидой и моим братом завязалась тайная вражда, непонятная, может быть, для них самих; она быстро развилась и не обещала ничего доброго.

Голоса в саду заставили меня обернуться к окну: Зинаида и Анатолий рука об руку шли по дорожке. Они живо разговаривали и смеялись, и сколько искренности было в этом веселье! Я невольно залюбовался на эти красивые молодые лица; все мои мрачные мысли рассеялись. Впечатление было сильно; в эту минуту я был близорук: мысль моя не шла далее этой гладкой, светлой поверхности.

Я долго еще оставался в этой комнате, где все, начиная от развернутой книги до брошенной на диван мантильи, которую сегодня я видел на ней, говорило о недавнем присутствии хозяйки. Вдруг дверь быстро отворилась, и Зинаида вошла в комнату. В жизнь мою я не был так сконфужен.

— Вы здесь зачем? — спросила она весело, подходя ко мне и смотря на меня пристально.

— Я... я... искал карандаш.

— И ищите на диване, сложа руки? Много же вы найдете! Сказывайте, зачем пришли? — продолжала она настойчиво.

Я смешался и не помню, что отвечал.

— Так-то? — сказала она, погрозив мне пальцем. — Хорош! Да что же вы стоите? Вот хоть бы помогли одеться.

Она подала мне свой бурнус.

— Ну, теперь пойдемте гулять. Что вы сидите в комнате?

— Пожалуй, пойдемте, — отвечал я равнодушно.

— Отчего это вы так невеселы? — спросила она, когда мы вышли в сад.

— Чему ж мне радоваться?

— Не радоваться, но быть, как все. Знаете ли что? Мне давно хотелось с вами говорить. Вы отличный человек, но вы большой эгоист. Вас нужно исправить, и тогда из вас будет что-нибудь хорошее. Отчего вы избегаете людей? Это непростительно, потому что таких людей, как вы, немного.

Я засмеялся.

— Хандрить нехорошо! — сказала она, не обращая внимания на мой смех.

— Вы, кажется, хотите привести меня на путь истинный? — сказал я со злостью.

Зинаида молчала. На лице ее не было и тени досады.

— Вы хотите щеголять сердцем, — продолжал я, — это старая шутка! Она молчала. Лицо ее было спокойно и грустно.

Мы встретились с сестрами, и я их оставил.

На душе моей легло какое-то горькое, беспокойное чувство; больное сердце ныло от неосторожного прикосновения. Что она ко мне пристает? Что ей нужно? — думал я, и меня разбирала злость.

Я долго гулял в роще, и поздно вечером, возвращаясь домой, я увидел

Зинаиду. Она сидела у ворот на скамейке и слегка покачивалась на месте, как это было всегда, когда она задумывалась. По мере того как я подходил, враждебные чувства мои к этой женщине смешались с другими, противоположными чувствами, внезапно нахлынувшими при взгляде на нее. Голова моя шла кругом, сердце замирало: я готов был броситься перед нею на колени, излить мою душу... Но я опомнился и прошел быстро, не взглянув на нее.

— Александр, — крикнула она мне вслед, — подите сюда!

Я остановился, не верил ушам и не обернулся назад до тех пор, пока снова не услышал:

— Александр, подите сюда!

Я подошел.

— Вы сердитесь? — сказала она и протянула мне руку. — Помиримтесь! — И в выражении голоса, с которым были сказаны эти простые слова, в выражении ее светлых глаз — было столько искренности, участия и симпатии... Я горячо целовал ее руку и не знаю, чем бы кончил эту сцену, если бы она не прервала меня:

— Пойдемте домой! Поздно, — сказала она.

Мы пошли. Она о чем-то заговаривала; я слушал ее голос и ловил слова, не разбирая смысла: сердце мое было полно безотчетного довольства. Мы вошли в дом. Она пошла на балкон: я следовал за нею, не отдавая себе отчета, для чего я это делал. Мы много говорили. Я никогда не забуду этого вечера. Погода была недурна: ночь самая обыкновенная, но тем не менее прекрасная, прекрасная своей примиряющей тишиной, своею торжественностью. Деревья сада тихо качали кудрявыми вершинами, и сетка их тени слегка шевелилась на полу балкона. Красивая голова моей собеседницы и вся ее грациозная фигура четко рисовалась в полумраке; мягкий воздух будто гладил меня по лицу, и чувство наслаждения разлилось у меня в груди: то же чувство светилось в неподвижном, будто забывшемся взгляде Зинаиды. Я был готов согласиться, что жизнь прекрасна, что в ней много высоких наслаждений, и, может быть, в это время нефальшиво понимал ее простой, глубокий смысл.

— Да, хорошо жить на свете! — сказал я.

— Тому, кто умеет находить хорошее и пользоваться им, — ответила Зинаида, и будто в подтверждение ее слов из залы пронеслись звуки фортепьяно: Нелли пела "Гондольер молодой". Я очень любил эту песню: слова ее, выражение, с которым они были пропеты, затронули мое сердце и заронили в него чувство самонадеянности и довольства. Я верил в возможность счастья, а время шло и безвозвратно уносило вместе с сором будничной жизни все, что в ней было редкого и дорогого...

VI

Зинаида пыталась внести смысл в дом моей матери, окружила себя людьми со здравыми понятиями, с новыми воззрениями: то были большею частью молодые люди без громких имен и связей, с одними личными достоинствами. Она много читала и почти никуда не выезжала: все это сильно не нравилось моей матери, и она приписывала ее занятия и поступки желанию показать себя достойнее ее дочерей и племянниц, воспитанием которых очень гордилась. Сестры отдалялись от Зинаиды и по-своему обсуживали и осмеивали ее слова и поступки. Зинаида с обыкновенным своим тактом, полным достоинства и благородства, отстаивала себя и, всегда верная себе, твердо шла своим путем, несмотря на мелкие оскорбления и придирки. Явление этой личности произвело сильное впечатление в нашем семействе; каждый волею или неволею чувствовал ее влияние. Я видел в Зинаиде мой идеал женщины; ее жажде деятельности и знаний, мечтам о свободе, презрению пустоты и мелочности — я горячо сочувствовал.

— Нет, вы не правы, — сказала мне Зинаида, когда я говорил ей о моих бесплодных трудах, растраченных напрасно силах. — У жизни есть цели, для которых можно отдать жизнь, есть мгновения, за которые можно много и долго страдать.

— Укажите мне эти цели, дайте мне эти мгновения! — сказал я в порыве невыразимой тоски.

Она молчала.

— Чем же заплатит мне жизнь за все верования, которые она отняла, — говорил я, — за все благородные стремления, которым она посмеялась?

— Так вот оно что! Вы хотите торговаться с жизнью и боитесь проиграть... Вы слишком мелочны, слишком расчетливы и себялюбивы: вы не стоите лучшей участи.

— Разве я говорю о возмездии? Я только хочу видеть результат моих усилий...

— Ждите.

— Чего же ждать, когда все пошло прахом?

— Значит, вы не умеете взяться за дело. Где ваш проект об арестантах?

— Не приняли.

— А статья о приходских училищах?

— Все пошло к черту!

Зинаида задумалась. Я смотрел на нее с каким-то злобным, горьким торжеством. Она ушла на балкон. Я долго сидел один и думал, но мало-помалу все горькие чувства успокоились и улеглись в моей груди. Я пошел к Зинаиде.

Мы заговорили о новой актрисе, вспоминали впечатление, произведенное ее игрой, потом перешли вообще на искусство, и оба так воодушевились, что впечатление первого разговора почти сгладилось. Мы не заметили, как подошел Анатолий.

— Зинаида, ты едешь завтра к Зеленовским? — спросил он.

Я заметил вдруг, как губы Зинаиды сжались и брови нахмурились.

— Нет, — отвечала она.

— Нет? — повторил изумленный Анатолий. — А если я тебя прошу?

— Все равно: я не могу.

Анатолий вспыхнул.

— Послушайте, Зинаида, — сказал он серьезно, — это из рук вон. Вы по одному какому-нибудь странному капризу, из желания противоречить, так как это ваш конек, хотите меня сделать дураком перед Зеленовским. Я сказал ему, что ты будешь...

— Кто ж тебя просил об этом? Ты знаешь, что я не люблю туда ездить.

— Но если я хочу, чтоб ты была?..

Зинаида молчала.

— Если вы не едете к Зеленовским, то не поедете ни к вашим Тешиным, ни к Марусиным.

Я встал и ушел в сад.

— Вы пренебрегаете людьми, которых я уважаю и знакомством с которыми дорожу; вы ни во что ставите мои интересы, — слышалось с балкона.

Я долго ходил по саду. Ночь была сырая и холодная, какие обыкновенно бывают в начале августа. Густой белый пар стлался по земле, звезды горели тускло, в воздухе волновалась мутная мгла, и сердце мое, за минуту полное мира и спокойствия, ныло от сомнения и тоски.

. . . .

Семейство Зеленовских познакомилось с нами вскоре после свадьбы Зинаиды. Мать Сергея Петровича, надменная и капризная старуха, на всех смотрела свысока и покровительственно, особенно на Зинаиду, родных которой никто не знал. У Сергея Петровича были еще две сестры, довольно бесцветные личности, пропитанные претензиями матери. Все наше семейство было в восторге от такого знакомства и очень тщеславилось им. Зеленовский расточал внимание Нелли, и все решили, что быть свадьбе; только Зинаида оставалась равнодушной к общей радости.

VII

Раз как-то я гулял в роще. Погода была тихая и ясная, но гуляющих почти никого не было: все съезжались в город. Август был в конце; отовсюду веяло близостью осени. Солнце уже не жгло и не сверкало весело: оно пряталось за облака и рано уходило на ночлег. Я сел у пруда и смотрел, как развернувшаяся передо мною картина, что так недавно нежила взгляд роскошью растительности и свежестью красок, бледнела, сбрасывая с себя пышное убранство, и будто говорила мне свое последнее "прости!" — и сердце мое болезненно отозвалось на этот грустный привет. "Возвратится!" — говорил я сам себе, смотря на удаляющееся лето и желая заглушить безотчетное уныние; а в груди моей что-то плакало, вторя нескончаемой, заунывной песне ветра. Мне хотелось обнять эту картину, чтобы хоть на миг удержать разрушение, защитить ее от неумолимой силы, пред которой так безропотно склонилась она. Кругом все было тихо, и мне казалось, что я один посреди этой пустыни; но вот из-за густой группы леса, за которую, извиваясь, уходил пруд, послышались голоса, и вскоре на пруде показалась лодка. Она медленно приближалась, и я узнал сидящих в ней знакомых лиц: то были Зеленовский, Зинаида и Нелли. Они поравнялись со скамейкой, на которой я сидел: меня никто не заметил. Зеленовский опустил весла и говорил что-то с большим одушевлением, Нелли слушала, опустив глаза и немного отвернувшись, он смотрел на Зинаиду, которая сидела напротив. Она казалась взволнованною, и почему-то это подействовало на меня неприятно. Я поздно возвратился домой: у нас был Зеленовский и еще несколько гостей. Все сидели в зале, разговаривали, спорили, смеялись. Я вышел на балкон и сел на нижних ступенях лестницы. Вскоре за мной на балкон вошли Зинаида и Зеленовский. Зеленовский говорил что-то с большим жаром; я начал прислушиваться.

— Если бы я искал только женщин, я бы очень много нашел их, — говорил Сергей Петрович, — и для чего же я бы искал ее именно в вас?

Я не расслышал, что отвечала Зинаида.

— Какие же вам нужны доказательства? — продолжал он. — Чем, наконец, ваш муж заслужил право на вашу любовь? Разве тем, что вас за него отдала ваша мать, а меня вы избираете сами?

— Что ж будет потом? — сказала Зинаида после долгого молчания.

— Вы предпочитаете оставаться с вашей золотой серединой?

— Кто ж вам это сказал?

— Так что же?.. Что вам мешает? Неужели вы придерживаетесь извращенных понятий нравственности? Неужели принадлежать мужу, которого не любишь и не уважаешь, по-вашему, нравственно? В вас нет даже самолюбия!.. Ведь вы знаете, что я люблю вас...

— Этого мало: нужно, чтобы я любила.

— Вы никого не полюбите! — отвечал Зеленовский после долгого молчания.

Дверь балкона стукнула: вошел мой брат и Тешин. Они заговорили о балах в Сокольниках. Брат уверял, что там не стоит быть: публика дрянь, зала никуда не годится. Тешин вступился за залу. Анатолий уверял, что она могла быть лучше.

— Но ведь и все существующие предметы могли быть лучше! — глубокомысленно заметил Тешин.

— Я с этим согласен, — отвечал брат, — но в Сокольниках должно быть лучше...

Разговор продолжался в этом роде. Наконец Тешин и Анатолий ушли в комнату.

— Вот вы кого мне предпочли! — сказал Зеленовский Зинаиде вслед уходящему Анатолию.

Зеленовский скоро уехал. С этого дня он почти перестал к нам ездить. Моя мать и сестры сделались к нему очень холодны; но все мое внимание было обращено на Зинаиду. Я заметил, что все семейство смотрит на нее как-то враждебно, сестры втихомолку советуются о чем-то, и едва подходит Зинаида, как они прекращают разговор. Мать особенно сделалась холодна с ней. Зинаида почти не выходила из своей комнаты; все ее знакомые оставили ее, потому что мать и Анатолий обращались с ними очень нелюбезно. Наконец брат с женою уехал на свою квартиру.

В доме нашем без них точно опустело: сестры притихли, мать начала хандрить, гости съезжались реже. Я почти перестал видеть Зинаиду: она ездила к нам редко, я к ним почти никогда. Бывало в сумерки, когда я без огня хожу в зале с любимыми думами, часто в каком-то забытьи я останавливался и смотрел на двери прежней комнаты Зинаиды. Я ждал, что вот отворятся эти двери и покажется высокая смуглая женщина. Я с напряженным вниманием прислушивался — и слышался мне шум ее шелкового платья, в глазах мелькали неопределенные тени; мало-помалу они сгруппировывались в один любимый образ: он делался все яснее и яснее и приближался ко мне медленной, величавой походкой Зинаиды... Я хватался за голову, бежал вон и долго ходил по улицам без мысли и цели.

VIII

Раз как-то Зинаида пришла к нам утром. Сестер и матери не было дома, а ей непременно нужно было их видеть. Я сказал, что они скоро возвратятся, и она осталась дожидаться.

— Вы, кажется, читали, Александр? — сказала она мне. — Прошу вас, продолжайте: я не буду мешать вам.

Я уверял, что мне приятнее говорить с ней: она не обратила внимания на мои слова, села поодаль от меня и задумалась. Я заметил, что она особенно грустна, и, чтобы развлечь ее, я заговорил о посторонних предметах. Мало-помалу ее веселость возвратилась: она казалась особенно оживленною, острила и как-то неестественно смеялась, но в ее шутках проглядывала желчь и горесть.

— Ах, как тяжело! — сказала она, схватив себя за голову. — Вот это хорошая пословица: "*Что имеем — не храним, потерявши — плачем*". Как бы я не хотела теперь расставаться с Москвой: здесь все-таки лучше, чем где-нибудь в провинции.

— Везде хорошо, где нас любят! — сказал я, не понимая, к чему все это она говорит.

— Не знаю, — отвечала она, — меня никто не любил.

— Неправда... — сказал я, не смотря на нее.

— Вы думаете? — спросила она, и я чувствовал, что она на меня смотрела. — Если любовь может существовать при желании приобрести любимую личность в свою собственность, подчинить ее своему произволу, присвоить себе право располагать ее судьбой, взять на себя ответственность за ее поступки, вмешиваться в дело ее совести, то и меня любили. Можно ли же не желать избавиться от такой любви? Но как избавиться?

Она закрыла лицо руками и с минуту сидела неподвижно. Но вот она подняла голову, и в ее лице, в самой позе было столько величия и глубокой покорности. Несколько времени мы молчали.

— Отчего вы не бываете у нас? — спросила вдруг Зинаида.

— Некогда... — отвечал я в смущении.

Она посмотрела на меня своим пристальным проницательным взглядом и настойчиво повторила:

— Отчего?

Я чувствовал, что краснел, и у меня не было сил сказать что-нибудь.

— А, так вот оно что!.. — сказала она. — Значит, я не ошиблась... — Она медленно встала и взяла свою шляпку. Я подошел к ней. Какое-то предчувствие говорило мне, что я ее более не увижу. Мне хотелось удержать ее, насмотреться на это милое лицо... Я обнял ее талию, и плакал, как безумный.

Когда я взглянул на нее, лицо ее было печально и серьезно.

— Зинаида, я так люблю вас... А вы!..

— Любите! — проговорила она, не смотря на меня, и мне показалось, что голос ее дрожал. Она надела свою шаль и вышла из комнаты. Я молча смотрел ей вслед, и сердце мое разрывалось. Я понимал, что она уходила навсегда и уносила с собой все мои радости и надежды на счастье. Мне было горько и обидно.

На другой день совершенно неожиданно явился ко мне мой брат.

— Мать очень сердится? — спросил он меня.

Я отвечал, что ничего не заметил. Да и за что ей сердиться?

— Разве ты ничего не знаешь? — спросил он.

— Нет... Что такое?

— Это просто несчастье! Я теряю голову и не знаю, что делать.

Он подвинул ко мне свой стул.

— Вот видишь в чем дело, — начал Анатолий. — Нелли вздумалось влюбиться в Зеленовского, или она просто метила за него замуж — это все равно, ну и мать была рада. А Зеленовский провел их всех: он был влюблен в Зинаиду. Было у них там чтó или нет — черт их знает, только мать ужасно сердится, что не состоялась свадьба Нелли. И пускай бы еще сердилась на одну Зинаиду, а то и на меня тоже. Вот еще недавно рассердилась за то, что Зинаида познакомилась с актрисой. Это, конечно, нехорошо, потому что компрометируется все семейство: у меня сестры невесты; хотя они живут и не с нами, но все-таки неловко. Да я-то в чем тут виноват? Что я в самом деле — блюститель нравственности, квартальный надзиратель?..

Убедившись такими доводами в несчастье брата, я, конечно, ему сочувствовал, но, тем не менее, не мог заявить этого сочувствия на деле, не мог придумать, чем бы помочь горю.

Через неделю сказали мне, что Анатолий решительно поссорился с женой и она уехала на лето в деревню к одной своей приятельнице. Но лето проходило, а Зинаида не возвращалась. Брат, кажется, не очень скучал, и ее отсутствие мало беспокоило его. После он мне сам рассказывал, что Зинаида живет где-то в гувернантках и он этому рад; жизнь с ней ему надоела, потому что это не женщина, а упрямый черт, с ней нельзя не ссориться; но что при всем этом ему трудно было с ней расстаться, потому что был влюблен.

IX

В доме нашем по отъезде Зинаиды все пошло прежним порядком. Сначала в кругу знакомых моей матери много говорили о ней: одни рассказывали, что Зинаида была влюблена в Зеленовского и хотела оставить мужа, но, к счастью, это скоро обнаружилось; другие — что муж не вынес ее скандалезного поведения и выгнал ее из дому, и мало ли еще что говорили! Анатолий очень смеялся, рассказывая мне эти сплетни. Что же касается моей матери, то одно имя Зинаиды приводило ее в негодование, и никто из домашних не напоминал о ней в присутствии моей матери. Как скоро это происшествие перестало в нашем семействе быть новостью, фантазия красноречивых рассказчиков истощилась и все забыли о Зинаиде. Я чувствовал себя одиноким и как бы беззащитным среди людей, которые бросали грязью в мой идеал; я чувствовал бессилие, и сколько негодования и злобы, сколько отчаяния и стыда было в этом чувстве! Я бросил службу, знакомства и по целым часам не выходил из комнаты. Мало-помалу все эти чувства смирились и успокоились под гнетом апатии.

Так проходили годы.

Раз как-то я сидел один в моей комнате и смотрел в окно. Предо мною раскинулась пестрая картина низких, грязных домов с разноцветными крышами. Я мысленно приподнимал это жалкое рубище города, заглядывал во все углы, от роскошных гостиных до мрачных подвалов, и сколько трагических, раздирающих душу картин представилось моему воображению, сколько жертв увлечения, порока и нужды гибло в этой горячим ключом бьющей жизни! В ушах моих гремели проклятия и слышались подавленные стоны, и все это покрывалось общим напряженным шумом города, будто усиливающего подавить внутреннюю боль. И подымались со дна души моей давно уснувшие под гнетом апатии чувства любви и печали...

В это время ко мне вошел Анатолий. Он повертелся вокруг меня, и видя, что я не обращаю на него внимания, сел и довольно таинственно повел речь о превратностях судьбы, наконец договорился до того, что сообщил известие о смерти Зинаиды. Она жила в гувернантках в каком-то уездном городе, по словам Анатолия, переходила из дома в дом и нигде не могла ужиться; наконец наняла себе квартиру где-то на чердаке, жила в бедности, не имела даже горничной, бегала по урокам из-за каких-нибудь грошей, наконец простудилась и умерла. Я принял это известие довольно равнодушно. Да и что могло возбудить во мне подобное явление? Смерть похитила жертву, заранее ей обреченную... Разве вся эта масса людей, что так волнуется и стремится вперед большим потоком, не останавливаясь и не вдумываясь, оспаривая друг у друга право первенства на празднике жизни и в чаду похмелья ненавидя и преследуя друг друга с упорным ожесточением, — не падет перед ней без сопротивления и борьбы? Рано или поздно — не все ли равно?

А. С-ва

Дом, где Ф.М.Достоевский жил в 1861-1863 гг.
Здесь помещалась редакция журнала "Время"

В расходной книге редакции "Времени" два раза записана плата Сусловой за ее рассказы... Почему не записана плата за рассказ "Покуда"? Б.м., он не был оплачен? В сплетении моментов первого периода ее отношений с Достоевским был бы этот штрих в известной мере весьма ценен.

А.С. Долинин. Достоевский и Суслова. С. 172.

ГЛАВА ЧЕТВЕРТАЯ

Ноябрь 1861 – апрель 1863

А.П. СУСЛОВА И Ф.М. ДОСТОЕВСКИЙ: "ЛЮБОВЬ" И "ОТНОШЕНИЯ"

За пятнадцать месяцев, прошедших с момента выхода повести "Покуда" и до публикации в мартовском номере "Времени" (1863) нового рассказа Аполлинарии Сусловой, в ее жизни произошло событие, которое, без преувеличения, окажет решающее влияние на ее дальнейшую судьбу. В эти именно месяцы ее знакомство с Ф.М. Достоевским переросло в любовь и, по выражению самой Аполлинарии, в немедленно последовавшие "отношения".

Благодаря "Дневнику" Е.А. Штакеншнейдер можно увидеть Аполлинарию Суслову в тот самый момент ее жизни, когда ее полюбил Достоевский.

Она вместе с сестрой Надеждой принята в доме поэта Якова Полонского. Умная, наблюдательная и проницательная Елена Андреевна, записавшая впечатления, только что полученные ("Вчера были вечером у Полонского..."), точно уловила суть не столько характера, сколько умонастроения старшей из сестер. С одной стороны, налицо все внешние атрибуты эмансипированности: "Девушка с обстриженными волосами, в костюме, издали похожем на мужской, девушка, везде являющаяся одна, посещающая (прежде) университет, пишущая..."; с другой — бросающаяся в глаза ее неуверенность, доходящая даже до грубости. "Суслова... открывшая целый хаос в себе, слишком занята этим хаосом" — такой была Аполлинария весной 1862 года. "Суслова, еще недавно познакомившаяся с анализом, еще не пришедшая в себя, еще удивленная..." — записывает далее свои наблюдения Е.А. Штакеншнейдер.

Однако именно это увлечение анализом, вернее сказать, самоанализом, лишило — и, по-видимому, очень скоро — ее связь с Достоевским непосредственности и самозабвения. Какие-то тяжелые впечатления, какие-то мрачные переживания слишком быстро отравили счастье первого любовного опыта.

"Я ... краснела за наши прежние отношения... — напишет она вскоре Ф.М. Достоевскому, — и... сколько раз хотела прервать их до моего отъезда за границу".

Значит, уже в этот их первый год она "столько раз" была оскорблена, обижена, унижена "отношениями", "столько раз" — несмотря на всю свою эмансипированность и свободу от предрассудков — была на грани разрыва этих, по ее оценке, "приличных" для Достоевского отношений, что ей хотелось бежать из Петербурга куда глаза глядят...

Не для того, чтобы лишний раз уличить ее возлюбленного, Ф.М. Достоевского, в дурных наклонностях, жестокости или темной греховности, приводятся в главе известные и не раз публиковавшиеся свидетельства о нем А.Н. Майкова и, особенно, Н.Н. Страхова. Каждое из этих свидетельств обнаруживает лишь часть правды о Достоевском. Остаток же — это не столько правда о невыносимом характере или сладострастии Достоевского (в чем его обвиняют воспоминатели), сколько правда о самом воспоминателе: Достоевского уже не было в живых, когда его бывший друг и сотрудник, Н.Н. Страхов, каялся перед Л.Н. Толстым за то, что не поддался законному чувству отвращения и написал о покойнике вполне благопристойную биографию.

Но если допустить, что, действительно, числились за Ф.М. Достоевским, как за каждым страстным и грешным человеком, какие-то "выходки" (терминология Н.Н. Страхова), то это хотя бы отчасти должно извинить и реабилитировать его молодую подругу. Ей, вероятно, было из-за чего чувствовать себя уязвленной, униженной и оскорбленной — даже если она, как женщина экзальтированная, сильно преувеличивала огромность нанесенных ей оскорблений.

"Тут приедет вот этот... опозорит, разобидит, распалит, развратит, уедет, — так тысячу раз в пруд хотела кинуться, да подла была, души не хватало..." — признается героиня "Идиота" Настасья Филипповна, созданная Достоевским всего пять лет спустя после его любовной коллизии с Аполлинарией в ранний, петербургский период их связи.

Тяжелым, до ненависти и отвращения, оказался груз свободной любви для презирающей общественные предрассудки Аполлинарии, переживавшей "позор" любовных отношений так же болезненно, как на ее месте его переживала бы всякая другая женщина с вполне традиционными представлениями о морали.

Скорее всего, ей было даже намного труднее. Ведь — и в силу характера, и по принципиальным идейным соображениям — она начисто была лишена лицемерия и специфически дамских хитростей и уловок. Не дорожа репутацией, она дорожила лишь честностью и искренностью как своим единственным прибежищем, гарантом самоуважения.

Между тем в эти пятнадцать месяцев она не только "любила и страдала", но и писала. Дебют, каким бы скромным он ни был, очевидно, окрылил ее: следующий свой рассказ она строит в форме дневника героини. Как ни парадоксально, но как раз беллетристический рассказ "До свадьбы" с подзаголовком "Из дневника одной девушки" станет пробой пера для другого, знаменитого ее документального "Дневника". Именно сейчас, в разгар "отношений" с Достоевским, находит она тот самый стиль — ничем не стесненного, необязательного, специфически "дневникового" повествования. Сюда, в "Дневник", будет сбегать она, чтобы дать чувствам волю, — порой это будут планы мести, истерика, приступы отчаяния и меланхолии.

Рассказ, собственно, и начинается с констатации настроения: "Все одно и то же — какая тоска!" Как, наверное, всякий неопытный автор, она придумывает много декоративных обстоятельств, сочиняет для своей героини вымышленных родителей и женихов, но никуда не может деться от себя; и, несомненно, ее "молодая девушка" Александра — это она сама.

И вот что любопытно: писательница Аполлинария Суслова переживает в своей реальной жизни "грандиозную" (по ее собственному выражению) любовь, а как две капли воды похожая на нее героиня записывает в дневнике: "У меня нет ни определенного будущего, ни прошедшего; все делается случайно в моей жизни; я ничего не желаю, ничего не жду. Скука, одна скука, и больше ничего. Так ли я думала жить... У меня были все задатки для лучшей жизни..."

Трудно игнорировать автобиографический характер этого признания. Ведь именно ей, двадцатилетней Александре, Аполлинария "отдает" свое детство и годы учения: с отвращением вспоминает героиня рассказа пансион благородных девиц с его замкнутой и мертвящей жизнью, злобных классных дам, собственную угловатость и неуживчивость. Из дневника Александры всплывают интереснейшие фигуры учителей истории, которые первыми открыли девушке глаза на "дивный мир Греции и Рима", на общество и назначение человека, тронув в ее душе ей самой прежде неведомые горячие струны (об учителе истории, который своим талантливым преподаванием скрасил сестрам Сусловым годы учебы, упоминают и биографы Надежды Прокофьевны).

Рассказ "До свадьбы" — единственный автобиографический источник, относящийся к ранней молодости, скорее, даже к юности Аполлинарии. Но он — его тональность и настрой — свидетельствует о надломленности, тяжелых рефлексиях двадцатитрехлетней писательницы в гораздо большей степени, чем об аналогичных переживаниях героини. Так что восклицанием: "Где же прежние силы, прежние стремления, где теперь эта жажда истины и добра, неужели им нет возврата?" — Аполлинария подводила итог всему прожитому и пережитому ею.

3 апреля 1863 года выходит третий номер журнала "Время" с ее рассказом. На этот раз он был подписан многозначительнее, чем повесть "Покуда". Количество точек в подписи "А.С....ва" точно совпадало с количеством пропущенных букв в ее фамилии. Она снова была окружена знаменитостями: в одном номере с ней были напечатаны стихи Шевченко, "Зимние заметки о летних впечатлениях" Достоевского, философская статья Страхова.

Но по каким-то не вполне ясным причинам (А.С. Долинин назовет это бегством) она не стала дожидаться выхода своей публикации. Не позднее середины марта (по старому стилю) она уже была в Париже.

Вернемся к начальному моменту, когда судьба послала ей первое большое жизненное испытание, дала ей встречу с этим полным внутренних мучительно тяжелых противоречий, огромной сложности, большим человеком и писателем; и встреча эта вскоре превратилась в прочную связь, длившуюся несколько лет... Безусловно достоверно, близость между ними установилась еще в Петербурге, по крайней мере до второй поездки Достоевского за границу в 1863 г. И вот, можно заранее сказать: когда эта близость приняла характер глубоко интимный и превратилась в связь, то вряд ли она была до конца радостной для нее, ибо невозможно представить себе иначе Достоевского, как только таким, который умел не только лю- бить, но и мучить, в одно и то же время и любить и мучить: мучить любя и в самой любви. Об этом говорят не одни его произведения: знает об этом и Страхов (письмо его к Толстому), знает и Аполлон Майков.

А.С. Долинин. Достоевский и Суслова. С. 175.

*Федор Михайлович Достоевский.
С фотографии первой половины 1860-х годов*

В архиве Майкова, хранящемся в Пушкинском доме, имеются его письма к жене, проводившей лето 1879 г. в Старой Руссе и там часто встречавшейся с Достоевскими. В письме от 22 июня 1879 г. он так пишет ей: "Что же это такое, наконец, что тебе говорит Анна Григо- рьевна, что ты писать не хочешь? Что муж ее мучителен, в этом нет сомнения, невозможностью своего характера — это не новое, грубым проявлением любви, ревности, всяческих требований, смотря по минутной фантазии, — все это не ново. Что же так могло поразить тебя и потрясти?"

А.С. Долинин. Достоевский и Суслова. С. 175.

...Литературный кружок, в который я вступил, был для меня во многих отношениях школою гуманности... Но другая черта, поразившая меня здесь, представляла гораздо большую неправильность. С удивлением замечал я, что тут не придавалось никакой важности всякого рода физическим излишествам и отступлениям от нормального порядка. Люди, чрезвычайно чуткие в нравственном отношении, питавшие самый возвышенный образ мыслей и даже большею частию сами чуждые какой-нибудь физической распущенности, смотрели, однако, совершенно спокойно на все беспорядки этого рода, говорили о них как о забавных пустяках, которым предаваться вполне позволительно в свободную минуту. Безобразие духовное судилось тонко и строго; безобразие плотское не ставилось ни во что. Эта странная эмансипация плоти действовала соблазнительно и в некоторых случаях повела к последствиям, о которых больно и страшно вспоминать. Из числа людей, с которыми пришлось мне сойтись на литературном поприще, особенно в шестидесятых годах, некоторые на моих глазах умирали или сходили с ума от этих физических грехов, которыми они так пренебрегали. И погибали вовсе не худшие, а часто те, у кого было слабо себялюбие и

Николай Николаевич Страхов.
С фотографии 1860-х годов

жизнелюбие, кто не расположен был слишком бережно обходиться с собственной особой... Придется, конечно, умолчать о многих других бедах, порожденных вредным учением, бедах не довольно страшных для печати, но в сущности иногда не уступающих смерти и сумасшествию.

Н.Н. Страхов. Воспоминания о Федоре Михайловиче Достоевском//Биография, письма и заметки из записной книжки Ф.М. Достоевского. СПб., 1883. С. 173-174.

28 ноября 1883 г. Петербург
Напишу Вам, бесценный Лев Николаевич, небольшое письмо, хотя тема у меня богатейшая. Но и нездоровится, и очень долго бы было вполне развить эту тему. Вы, верно, уже получили теперь *Биографию* Достоевского — прошу Вашего внимания и снисхождения — скажите, как Вы ее находите. И по этому-то случаю хочу исповедаться перед Вами. Все время

писанья я был в борьбе, я боролся с подымавшимся во мне отвращением, старался подавить в себе это дурное чувство. Пособите мне найти от него выход. Я не могу считать Достоевского ни хорошим, ни счастливым человеком (что, в сущности, совпадает). Он был зол, завистлив, развратен, и он всю жизнь провел в таких волнениях, которые делали его жалким и делали бы смешным, если бы он не был при этом так зол и так умен. Сам же он, как Руссо, считал себя лучшим из людей и самым счастливым. По случаю биографии я живо вспомнил все эти черты. В Швейцарии, при мне, он так помыкал слугою, что тот обиделся и выговорил ему: "Я ведь тоже человек!" Помню, как тогда же мне было поразительно, что это было сказано проповеднику *гуманности* и что тут отозвались понятия вольной Швейцарии о *правах человека*.

Такие сцены были с ним беспрестанно, потому что он не мог удержать своей злости. Я много раз молчал на его выходки, которые он делал совершенно по-бабьи, неожиданно и непрямо; но и мне случилось раза два сказать ему очень обидные вещи. Но, разумеется, в отношении к обидам он вообще имел перевес над обыкновенными людьми, и всего хуже то, что он этим услаждался, что он никогда не каялся до конца во всех своих пакостях. Его тянуло к пакостям, и он хвалился ими. Висковатов стал мне рассказывать, как он похвалялся, что... в бане с маленькой девочкой, которую привела ему гувернантка. Заметьте при этом, что, при животном сладострастии, у него не было никакого вкуса, никакого чувства женской красоты и прелести. Это видно в его романах. Лица, наиболее на него похожие, — это герой *Записок из Подполья*, Свидригайлов в *Прест. и Нак.* и Ставрогин в *Бесах*; одну сцену из Ставрогина (растление и пр.) Катков не хотел печатать, но Д. здесь ее читал многим.

При такой натуре он был очень расположен к сладкой сентиментальности, к высоким и гуманным мечтаниям, и эти мечтания — его направление, его литературная муза и дорога. В сущности, впрочем, все его романы составляют *самооправдание*,

доказывают, что в человеке могут ужиться с благородством всякие мерзости.

Как мне тяжело, что я не могу отделаться от этих мыслей, что не умею найти точки примирения! Разве я злюсь? Завидую? Желаю ему зла? Нисколько; я только готов плакать, что это воспоминание, которое *могло бы быть* светлым, — только давит меня!

Припоминаю Ваши слова, что люди, которые слишком хорошо нас знают, естественно не любят нас. Но это бывает и иначе. Можно, при [долгом] близком знакомстве, узнать в человеке черту, за которую ему потом будешь все прощать. *Движение истинной доброты, искра настоящей сердечной теплоты*, даже одна минута настоящего раскаяния — может все загладить; и если бы я вспомнил что-нибудь подобное у Д., я бы простил его и радовался бы на него. Но одно возведение себя в прекрасного человека, одна головная и литературная гуманность — Боже, как это противно!

Это был истинно несчастный и дурной человек, который воображал себя счастливцем, героем и нежно любил одного себя.

Так как я про себя знаю, что могу возбуждать сам отвращение, и научился понимать и прощать в других это чувство, то я думал, что найду выход и по отношению к Д. Но не нахожу и не нахожу!

Вот маленький комментарий к моей *Биографии*; я мог бы записать и рассказать и эту сторону в Д.; много случаев рисуются мне гораздо живее, чем то, что мною описано, и рассказ вышел бы гораздо правдивее; но пусть эта правда погибнет, будем щеголять одною лицевою стороною жизни, как мы это делаем везде и во всем!

Н.Н. Страхов — Л.Н. Толстому//Переписка Л.Н. Толстого с Н.Н. Страховым. СПб., 1913. С. 307-309.

1862 год
Ивановка, 8 апреля

Вчера были вечером у Полонского. Я познакомилась там с сестрами Сусловыми. Мне было с ними очень ловко говорить, не так мама́. Она подошла к старшей, к Аполлинарии, сказала ей что-то вроде комплимента, а Аполлинария ответила мама́ чем-то вроде грубости. Мне это жаль, очень жаль. Я только собиралась позвать Суслову к себе: хорошо, что еще не позвала. Все вышло от непонимания друг друга, как это беспрестанно бывает. Мама́ шла к Сусловой в полной уверенности, что девушка с обстриженными волосами, в костюме, издали похожем на мужской, девушка, везде являющаяся одна, посещающая (прежде) университет, пишущая, одним словом — эмансипированная, должна непременно быть не только умна, но и образованна. Она забыла, что желание учиться еще не ученость, что сила воли, сбросившая предрассудки, вдруг ничего не дает. Суслова могла быть чрезвычайно умна, чрезвычайно тонко образованна, но совершенно не потому, что она эмансипированная девушка: пламенная охота учиться и трудиться не обязывает к тому же. Мама́ не заметила в грубой форме ее ответа наивности, которая в моем разговоре с Сусловой разом обозначила наши роли и дала мне ее в руки. Суслова, еще недавно познакомившаяся с анализом, еще не пришедшая в себя, еще удивленная, открывшая целый хаос в себе, слишком занята этим хаосом, она наблюдает за ним, за собой; за другими наблюдать она не может, не умеет. Она — Чацкий, не имеющий соображения. Грибоедова напрасно бранят за эту черту в характере его Чацкого, она глубоко подмечена, она присуща известной степени развития.

Е.А. Штакеншнейдер. Дневник и Записки (1854 - 1886). М.-Л., 1934. С. 307-308.

Яков Петрович Полонский.
С фотографии 1850-х годов

Елена Андреевна Штакеншнейдер.
С фотографии 1860-х годов

...И в молодой восторженной ее душе — во всяком случае пока она еще такая, другие стороны еще не раскрылись — должны были отстаиваться какие-то тяжелые и темные переживания; эти переживания росли, наслаивались, узел затягивался все туже и туже и неминуемо должен был наступить тот момент, когда человеку вдруг становится невыносимо душно и он с закрытыми глазами кидается в пропасть, лишь бы спастись от давящего кошмара окружающего.

А.С. Долинин. Достоевский и Суслова. С. 175-176.

Ты [сердишься] просишь не писать, что я краснею за свою любовь к тебе. Мало того, что не буду писать, могу [даже] уверить тебя, что никогда не писала и не думала писать, [ибо] за любовь свою никогда не краснела: она была красива, даже грандиозна. Я могла тебе писать, что краснела за наши прежние отношения. Но в этом не должно быть для тебя нового, ибо я этого никогда не скрывала и сколько раз хотела прервать их до моего отъезда за границу.

[Я соглашаюсь, что говорить об этом бесполезно, но ты уже] [я не против того, что для тебя они были приличны.]

Что ты никогда не мог этого понять, мне теперь ясно: они для тебя были приличны [как]. Ты вел себя, как человек серьезный, занятой, [который] по-своему понимал свои обязанности и не забывает и наслаждаться, напротив, даже, может быть, необходимым считал наслаждаться, [ибо] на том основании, что какой-то великий доктор или философ утверждал, что нужно пьяным напиться раз в месяц.

[Ты не должен сердиться, если я иногда] что говорить об этом бесполезно, что выражаюсь я легко; [я] правда, но ведь не очень придерживаюсь форм и обрядов.

Черновик письма А.П.Сусловой Ф.М.Достоевскому. Автограф

А.П. Суслова — Ф.М. Достоевскому. Черновик письма без даты// РГАЛИ. Ф.1627. Оп.1. Ед.хр.5. Первая публикация — Ф.М. Достоевский. Статьи и материалы/ Под ред. А.С. Долинина. Сб.2. С. 268.

...Нам неизвестно пока, было ли оно отправлено или нет. Письмо бросает первый яркий свет на характер этих отношений... Ощущается прежде всего резко та грань, которую она проводит между "любовью" и *проявлением* этой любви, как она говорит — "отношения"; отношения не соответствовали, очевидно, любви, как она ее понимала; в них были элементы тяжкие, глубоко оскорбительные. Мы не знаем, когда писались эти строки. У нас нет основания утверждать, что перед нами отклик непосредственный только что пережитому, отклик человека, только что начинающего освобождаться от тяжких чар вчерашних дней. Но без сомнения, она писала это тогда, когда еще была близость, период Петербургский переживался ею не как воспоминание о былом, далеком, а свежо и остро. Она уверяет его, что не краснеет за *свою любовь*, очевидно, еще длящуюся, — не за прежнюю. Вряд ли бы писала она так после итальянского путешествия — в 1864 г., тем более в 1865 г., когда отношения между ними уже далекие. Эти намеки на недавно передуманное и пережитое слышатся еще явственнее в словах: "сколько раз хотела прервать их до моего отъезда", в особенности, если взять эти слова в контексте со словами предыдущими: "в этом не должно быть для тебя нового".

Но как бы то ни было, нужно ли считать эти строки реакцией близкой или отдаленной — в результате более поздних, нерадостных ее мыслей над тем, что переживалось ею когда-то, у начала ее самостоятельного жизненного пути, — важно то, что она пишет это самому Достоевскому, чувствуя, очевидно, свое право так говорить с ним.

А дальше в письме мы еще теснее придвигаемся к исходному моменту нашей драмы, и уже почти ощутимо воспринимается самый характер этих отношений в ранний, Петербургский период, так что невольно возникает вопрос: не здесь ли та главная причина, которая сделала их, эти отношения, с самого начала для нее невыносимыми и неминуемо должна была привести рано или поздно к окончательному разрыву.

Вот что она разумеет под отношениями в отличие от "любви": за любовь она не краснела бы; она краснела за то, что любовь оказалась в действительности далеко не такой чистой и возвышенной, как, по-видимому, рисовалась ей в ее девических, юных мечтах. Были жгучие наслаждения, было, по всей вероятности, отнюдь не радостное, распаленное сладострастие и вместе с тем какая-то жестокая методичность человека серьезного и занятого. Тогда каждый приход его, быть может, вместе с захватывающими переживаниями сладостно-грешными приносил с собой и глубокое незабываемое оскорбление. И раскалывался надвое образ "сияющего", эрос превратился в патос, и переживалось это превращение тем более мучительно, что это ведь был он, автор "Униженных и оскорбленных", столько слез умиления проливавший над идеалом чистой самоотверженной любви. Скажем сейчас уже: не раз будем мы встречаться в ее дневнике со вспышками как будто беспричинной ненависти к Достоевскому; и линии обычно ведут — как бы само собою вырывается — все к этому первоначальному моменту их отношений, когда любовь, казалось бы, еще никем и ничем не была омрачена.

И вот возникает теперь такая тревожная мысль. Вот она свидетельствует много раз и сурово против Достоевского. Мы никогда не сумеем воспроизвести всю конкретную волнующую правду того периода; по мере того, как жизнь ее складывается все более и более неудачно, возрастает, б.м., и заинтересованность ее. Но в иной совсем плоскости, отнюдь не в плоскости житейской — меньше всего интересует нас здесь она — ставим мы наш вопрос: действительно ли справился Достоевский с этим ниспосланным ему судьбой столь тяжким испытанием; как подошел он к этой юной, неопытной, так преданно перед ним раскрывавшейся душе? Он, проживший уже большую половину своей жизни, тончайший психолог человеческих страстей — к ней, еще наивной, только что начинающей искать в окружающем, в людях воплощения некоего возвышенного идеала? Был этот идеал чарующе прекрасен в своих неясных очертаниях и сиял он сквозь зыбкую кору позитивистических идей, к которым она, конечно, прислушивалась, б.м., заявляла себя и сторонницей их, но вряд ли воспринимала душою до конца.

Спрашиваем мы еще раз: как поступил Достоевский с этим юным существом — взрастил ли он ее, поднял ли до известной высоты? Или... сам не удержался на высоте. И зажглись и в ее душе слепые, жестокие страсти, разверзалась перед нею все более и более бездна, в которую, быть может, сила темная, от него исходившая, первая ее и толкнула. И если последнее более вероятно и был он причастен ко греху, к вовлечению в грех, в темную сферу греховности, то как он сам относился к себе в минуты просветлений от кипевших в нем страстей — к себе, пусть даже и косвенно соблазнившему одного из малых сих?

Мы чувствуем и сознаем всю тревожность и ответственность этого вопроса. И кажется нам, что именно здесь и находится один из узлов каких-то очень глубоких трагических переживаний Достоевского, нахлынувших на него вместе с первым ощущением какого-то непоправимого греха, по отношению к ней, Сусловой, — греха, с которым он должен был бороться всеми имевшимися у него средствами, быть может, и боролся с ним воспаленно-страстно — не исключая, по крайней мере на первых порах, средств и цинических.

А.С. Долинин. Достоевский и Суслова. С. 176-178.

ДО СВАДЬБЫ

Из дневника одной девушки

Апреля 20

Все одно и то же — какая тоска! Сегодня я целый день одна дома: мать и отчим уехали куда-то за город на целый день; с ними приятель отчима Оглоблин, молодой офицер, и еще несколько молодых людей. Мать звала меня и осталась очень недовольна моим отказом. Это понятно: вследствие его она должна была одна ехать с молодежью, тогда как всех уверяет, что выезжает только для меня. Положение неловкое. Кроме того, ей не понравилось, что я слишком ясно выразила свое желание быть одной. Не знаю, как это высказалась я так неосторожно. Со мной это бывает и никогда не проходит даром: следствием всегда являются неудовольствия. Теперь мать особенно расположена обижаться; вчера она говорила со мной о хозяйственных делах, жаловалась на расходы; когда я предложила ей сократить их, она нашла это невозможным и сказала, что я ничего не понимаю. По соображениям матери оказывается, что я (всегда я) причиной этой невозможности, мои наряды, выезды и проч. Для чего они мне? Для чего вся эта жалкая пародия на светский тон, на который идет столько хлопот и денег и так мало удовольствия? Правда, смысл этой добровольной тирании понятен, но ведь я его не разделяю: ясно как день, что нужно понравиться во что бы то ни стало. Все эти выезды, наряды, вся мука пансионной дрессировки, которой я подвергалась в продолжение пяти лет, имеют своей целью этот решительный момент; но я далека от него, и это огорчает мать. Как же это, в то время когда мои сверстницы пленяют своими талантами, влюбляются и выходят замуж, делая из этого прекрасного обычая более или менее выгодные спекуляции, я ни на шаг не двигаюсь к цели. Но мать не совсем еще отчаялась: она наряжает меня и ждет судьбы. На днях она подарила мне прекрасное платье и браслет. Сколько раз просила я ее не покупать мне дорогих вещей, уверяла, что я могу обойтись без них, — она обижается. В этом желании не быть в тягость семейству мать видит намек на ее безрассудное замужество за человеком, который так беспощадно проматывает наше состояние. Уверить ее, что ничего подобного никогда не было у меня в мыслях, нет возможности. Но довольно об этом. Скучно.

Апреля 29

Мать не в духе и вот уже несколько дней почти не выходит из своей комнаты; отчима, по обыкновению, нет дома. Вчера вечером были гости: несколько молодых людей, очень мне не симпатичных, и я одна должна была их принимать. Весь вечер почти говорили о новой актрисе, о ее таланте, наружности, характере и даже привычках. Я удивлялась, откуда они все это знают, но как не знать! — на том стоят. Было, однако ж, всем скучно, только под конец вечера гости мои немного оживились: пришел Оглоблин; он рассказывал разные анекдоты из военного быта, до того неостроумные и нелепые, что мне было гадко слышать. Все хохотали. Я едва удерживалась от резких выражений. Вот как я еще безрассудна. Ну к чему бы это повело.

Сегодня была у меня Маргарита Сосновская со своим дядей Вереиновым. Эти не такие. Я им очень обрадовалась, но и она... Вереинов — молодой человек тридцати двух лет, очень образованный и с такими благородными стремлениями; но иногда он до того мелочен, что досадно смотреть. Сегодня я спросила Вереинова, отчего он так давно не был у нас; он начал извиняться и уверять, что очень желал меня видеть, но служба, дела. Для чего все это говорить? Он с большим участием расспрашивал меня, что я делаю, где бываю и весела ли. Я отвечала коротко; мне больших усилий стоило казаться равнодушной.

Они приезжали проститься перед отъездом на дачу. Маргарита очень просила приехать к ним гостить на все лето.

Мая 12

Весна во всем блеске. Какое прекрасное время! Странное впечатление производит на меня весна: по временам я чувствую припадки какой-то бессознательной радости и столько энергии, что тайная мысль повернуть жизнь по-своему и начать ее снова, трезвую, разумную жизнь, представляется возможною. Не самообольщение ли это?.. Но как же ему не быть! Мне только двадцать лет, я не жила еще, а кругом в жизни, в природе, готовящейся расцвести, столько неотразимого очарования. Сколько света кругом, теплого, радостного света, так что больно глазам, да и не одним глазам. Как любила я, бывало, это время! Каким восторгом наполняло все существо мое сознание возрождающейся жизни, когда еще ребенком бегала я в эту пору в нашем деревенском саду. Как трудно было моей старушке-няне залучить меня домой; она ворчала и сердилась, а на душе у меня был такой светлый праздник, так хотелось играть, смеяться, прыгать. Я бросалась на шею моей старой ворчунье и горячо целовала ее. Добрая старушка! Как, бывало, мучила я ее в жаркие летние дни во время наших прогулок, нарочно прячась в кусты, чтобы иметь наслаждение с сильным замиранием сердца следить, как она, кряхтя и вздыхая, переваливается с боку на бок, ходя за мною. Вот она прошла мимо, не заметив меня, я вскакиваю и с радостным криком бросаюсь за нею. Я очень любила мою няню. Большая роль выпала ей на долю в моем развитии. Сколько раз я отказывалась ехать в гости, чтобы только остаться с ней и слушать ее чудесные сказки. Что за дело, что папенька хмурился, а маменька бранилась и называла меня мужичкой; это не огорчало меня. Так сильна была моя бессознательная привязанность.

В отношении религии и нравственности няня одна была моим авторитетом, и я добровольно постилась и молилась вместе с нею. Но моя религиозность не походила на ее. Я не читала заученных молитв и не клала земных поклонов; когда ночью мы приходили с ней на церковную паперть, я становилась на колени подле старушки, но глаза мои не искали под сводами паперти темной иконы. Я смотрела на сияющий звездами небесный свод, на сверкающую вдали реку, на густые группы деревьев, на все, в чем сказывалась жизнь, и оставалась неподвижной. Мои сомкнутые губы не разжимались для молитвы — ею было переполнено мое сердце. То не была молитва смиренной грешницы, униженно склонившей голову; я не просила у Бога ни счастья, ни отпущения грехов; моя молитва была — удивление, восторг. Детство мое прошло тихо, однообразно, но полно внутренней жизни. Вот и теперь, вспоминая прошлое, я останавливаюсь на его подробностях и как будто оживаю: все, что было и есть в жизни горького, исчезает, уступая место безотчетно-радостному чувству: прежние детские симпатии выступают с поразительной ясностью. Я чувствую, как тоска замирает на сердце, — в нем не остается ни ропота, ни желчной печали. С какой радостью бросилась бы я в эту минуту на шею моей дорогой няне и забыла бы все, все, но нет моей доброй старушки: давно лежат в земле ее старые кости и не слышит она свое милое, неразумное дитя.

Мая 20

Все наши знакомые разъехались по дачам, а мы это лето остаемся в городе. Я думала много читать, но вот уже недели две я совершенно одна и ничего не делаю; такая апатия, что не хочется даже думать. Да и о чем думать? У меня нет ни определенного будущего, ни прошедшего; все делается случайно в моей жизни; я ничего не желаю, ничего не жду. Скука, одна скука и больше ничего. Так ли я думала жить! Но кто в этом виноват? У меня были все задатки для лучшей жизни; условия моего первоначального развития были довольно выгодны: я росла помимо всякого влияния старших. Папенька, отставной офицер, видный мужчина лет шестидесяти, был занят хозяйством; летом он большую часть времени был на сенокосе или в поле; зимой ездил по ярмаркам. Маменька не любила хозяйства: ей негде было ему научиться. Она была дочерью бедной гувернантки; отец женился на ней за красоту и скромность. Маменька очень любила вышивать по канве, но в угоду отцу варила варенья, солила и мочила ягоды и грибы и прочие произведения природы, служащие к ублаготворению желудка. Кроме этого, под ее ведением находились многие другие отрасли хозяйства: птичий и скотный двор, огород. Несмотря на постоянное упражнение в хозяйственных занятиях, мать не могла примириться с их грубостью, не могла победить отвращения к глупым деревенским бабам, с которыми постоянно имела сношения, и потому, по смерти отца, случившейся внезапно после очень вкусного обеда, решилась ехать на житье в Петербург, к совершенному удовольствию моего опекуна Владимира Ивановича Зыбова, теперь ее мужа. Петербургская жизнь произвела во мне большой переворот. Тогда мне только что исполнилось одиннадцать лет; голова моя кружилась под влиянием новых разнообразных впечатлений. Не знаю, что было бы со мной, что вышло б из меня, если б учитель мой Даров не помог мне стать на прежнюю естественную дорогу.

В то время мать была еще молода и очень любила веселиться; кажется, успехи в обществе занимали ее несравненно более, нежели моя личность; впрочем, она не давала мне этого заметить. По мнению многих, мать любила меня страстно. Она не слишком занималась моим воспитанием, но баловала меня до крайности. И могло ли быть иначе; я была красивая, резвая девочка, гувернантка прославляла мои редкие способности, и мать была в восторге, не подозревая в этих похвалах задней мысли. Сама она редко заглядывала в мою детскую комнату и никогда не присутствовала при уроках. Меня наряжали и выводили напоказ гостям, как редкого зверя, и это нимало не смущало меня. Я не подозревала, что для маменьки я была чем-то вроде ручной обезьяны и своей особой довершала коллекцию животных, которых у нас было множество. Маменька была до них страстная охотница; чего-чего у нас не было: кошки, собаки, белки и птицы всех сортов и пород. Танцуя разные характерные танцы и читая наизусть стихи, я нимало не подозревала, что уподобляюсь маленькой собачке Биби, которая так хорошо умела служить и подавать лапку. Я росла, росли и потребности маменьки относительно меня, но, в сущности, они были те же. Занимаясь музыкой, по желанию маменьки, вопреки собственной наклонности к рисованию, я была для нее такой же игрушкой, как назад тому несколько лет, когда надевала разные фантастические костюмы в чаянии походить на амурчика. Как бы ни было, но я была довольна и счастлива. Посреди улыбающихся мне лиц как-то угловато выдавалась фигура Дарова. Это был молодой человек, только что кончивший курс в университете. Он один не хвалил и не ласкал меня. Я инстинктивно поняла честность и деликатность этой натуры и привязалась к нему всем сердцем. Сначала мне казалось, что Даров вовсе не расположен ко мне, а я очень дорожила его мнением и его приязнью и при всяком удобном случае старалась доказать ему, что я не такая глупая девочка, как он думает, что я очень стою того внимания и доверия, которое он мне оказывал. Он, и только один он из всех окружающих не читал мне морали, как должна себя вести благовоспитанная девица, и не выказывал своего превосходства, давая большой простор моим мыслям. Я воспользовалась этим доверием, старалась понять сама, как нужно действовать. Ученье не тяготило меня. Напротив, я с большим удовольствием дожидалась класса. Правда, я немного училась, немного знала, но зато выучилась понимать, что учила. Много времени проходило в классе между уроками, потому что Даров старался все объяснять, старался каждому предмету придать интерес и делал так, что, принимаясь за урок, я знала, что он мне даст и как этим нужно воспользоваться. Начиная свои рассуждения с самых простых наглядных истин, он постепенно переходил от предмета к предмету и так заинтересовывал меня, что я не давала ему договорить, делая сама общий вывод. Чего я не могла понять и объяснить, оставалось до времени в стороне; таким образом занятия мои шли вместе с развитием. К сожалению, мне недолго пришлось пользоваться уроками Дарова. Мать моя вследствие непонятных, одной ей известных соображений вздумала выйти замуж за моего опекуна Зыбова, очень ловкого и красивого молодого человека, и отдать меня в пансион. Это случилось внезапно. Не успела я опомниться, как очутилась в длинной пансионской зале, среди множества детей. Непривычный шум отуманил мне голову; я чувствовала смущение и робость. "Новенькая" — слышалось вокруг меня, и меня обступали и осматривали, тут же делая про себя замечания насчет моей физиономии, манер и проч. Это было рекреационное время. Помню как теперь эту минуту. В классе было шумно: кто учил уроки, кто разговаривал, другие вышивали или, прижавшись в угол, читали какую-нибудь книгу. Вдруг дверь быстро отворилась и одна из воспитанниц вбежала в комнату: "Инспектор, инспектор!" — проговорила она и бросилась поскорей на место. Это известие произвело страшную суматоху. Все встрепенулись: кто спешит подобрать бумажки, разбросанные по полу, кто отодвинуть стул или отойти поскорей от окна и смиренно сесть в угол; другая металась, чтоб спрятать куда-нибудь заветный роман, который читала потихоньку, одним словом, предупреждение для водворения порядка произвело страшный беспорядок. Напрасно классная дама шепотом, но с угрозой просила успокоиться; даже я, в эту минуту всеми забытая, увлеклась общим настроением, искала, что бы мне сделать. Я поправила передник, взглянула на свои руки, запачканные чернилами, и пожалела, что нельзя их тотчас вымыть. Наконец инспектор вместе с директрисою вошел. Это был молодой человек лет двадцати семи, высокий, тонкий, зелено-бледный. Все встали со своих мест при его появлении. Инспектор с нерешительным видом сделал несколько шагов и остановился среди комнаты, смотря на всех огромными неподвижными глазами. Он молчал и, по-видимому, не знал, что делать. В классе была тишина. Инспектор лениво вынул лорнет и начал рассматривать нас всех вместе и каждую порознь. Потом он перенес свое внимание на потолок, потянул в себя воздух, слегка поморщился, осмотрел кругом всю комнату и указал директрисе на отклеившиеся в одном месте от стены обои, предложил было их приклеить, но оговорился, не будет ли это дорого стоить, — это было единственным результатом его обозрения. Он неожиданно повернулся и вышел. Я не могла понять, для чего был этот человек. С первого раза я возненавидела его, и никогда потом никакие выходки классных дам не сердили меня столько, как один вид этой апатичной фигуры, смотрящей на нас с выражением простодушного любопытства. По отъезде начальника все пошло прежним порядком; только несколько взрослых воспитанниц делились между собой впечатлениями насчет его манер и усов и решили, что инспектор душка и они будут его обожать; одна тут же проколола у себя на руке его вензель. Меня снова окружила толпа детей всех возрастов; со всех сторон слышались вопросы: "Кто ваш папа? Есть ли у вас братья?" Пансионерки наперерыв, но с достоинством, какое приобретается вследствие знания дела, посвящали меня в тайны пансионской жизни: знакомили с характерами учителей и классных дам; разумеется, это делали только *маленькие*, так как воспитанницы m-me Барк разделялись на больших и маленьких. Первые пользовались огромными преимуществами и обходились с маленькими покровительственно, даже с пренебрежением, которое считалось чем-то вроде хорошего тона, и редко удостаивали их своей благосклонности. Это не мешало маленьким стараться заслужить ее постоянным обожанием, которое часто подтверждалось переписыванием тетрадей и добровольным приношением воротничков и обороочек. Обожание было развито в высшей степени, несмотря на различные, более или менее остроумные способы его преследования со стороны властей. Всякое естественное проявление воли и чувства было здесь преследуемо и порицаемо беспощадно, тем не менее оно имело исход дикий и уродливый. Наши наставницы нисколько не готовили нас к действительной жизни. Напротив, все желание их сводилось на то, чтоб затмить всякое представление о ней как о чем-то грязном; главною их задачею было остановить развитие на степени непонимания самых простых человеческих отношений, и они довольно успевали в этом. В преподавании было полное отсутствие жизни и смысла; зато сколько фактов, собственных имен и годов и сколько тумана, тумана, так что, несмотря на все усилия, я никак не могла уразуметь смысла некоторых научных фактов и скоро убедилась, что гораздо выгоднее отказаться от этих попыток и тверже заучивать уроки, но не могла с собою сладить. Я не переставала искать мысли в сухих фразах и доискиваться, чтоб они мне что-нибудь дали; я думала, что то, что ничего не дает, не нужно мне как мертвое живому. Мой прежний учитель Даров, с которым мы не переставали видеться, усердно поддерживал во мне это расположение. Все праздники я проводила с Даровым и не могла с ним наговориться. Он очень любил меня, и я ему вполне доверялась. Пансионская жизнь, замкнутая и мертвящая, была совершенно противна моему развитию, но как бы то ни было, а здесь, при столкновении с разными лицами, начал проявляться и развиваться мой характер; мысль моя неусыпно работала над всем, что встречалось нового, и независимо от постороннего влияния строила правила, выводила заключения. Необходимость доискиваться до всего самой, помимо посторонней помощи, спасла меня от страдательной участи личностей, безусловно принимающих готовые правила.

В одно время со мной поступила в наш пансион другая девочка, дочь старинной знакомой моей матери, Маргарита Сосновская. Мы были одинаковых лет и роста; классная дама решила, что мы должны ходить в паре. Одинаковый рост — обстоятельство не важное, однако оно имело большие последствия, потому что оно одно почти было причиною моей дружбы с Маргаритой. В характерах наших было много общего; прежде между нами не было симпатии, но при частых столкновениях мы короче узнали друг друга и подружились. По своему характеру Маргарита была довольно интересная личность: эгоизм и тщеславие были ее отличительными чертами. Для исполнения своих желаний Маргарита не останавливалась ни перед какими средствами: все, что могло служить ей для них, она находила справедливым и законным. Я жестоко восставала против многих действий Маргариты; она соглашалась, но поступала по-своему. Добрые инстинкты пробуждались в ней бессознательными порывами, и тогда она являлась великодушной. Если в чем спрашивали ее мнения, она высказывалась прямо и смело, часто в ущерб собственным интересам; если ее опровергали, она твердо настаивала на своем. "Я не знаю почему, — говорила она в подобных случаях, — но чувствую, что это должно быть так!" Она любила меня сильно, но эта любовь была проникнута тиранией и эгоизмом; все свои мысли и желания, все радости и горести она делила со мной, зато я заменяла ей все и всех; далее меня она не шла и того же самого требовала от меня. Она готова была на уступки, лишь бы у нас было все общее, все стремления и желания, все симпатии и антипатии. К счастью, моя нравственная жизнь не уложилась в этой узкой рамке. Маргарита не хотела ничего знать: она требовала безусловной привязанности и думала пользоваться ею одна исключительно. Часто по поводу одного моего разговора с какой-нибудь из воспитанниц у нас с Маргаритою являлись серьезные распри. Она давала почувствовать свое неудовольствие тем, что переставала ходить со мной в паре. Я обыкновенно просила объяснения, но она не хотела ничего слышать, не хотела говорить и на все мои вопросы отвечала упреками. Она была мстительна и насмешки избирала орудием своей мести; когда дело доходило до мести, Маргарита являлась необыкновенно изобретательна: она одушевлялась, речь ее лилась ровно и гладко, выражения были метки и жестки; она не щадила слов. Я отвечала молчанием на все ее оскорбительные выходки. Но ссоры наши никогда не продолжались долго; удовлетворив досаде и гневу, Маргарита начинала хандрить, посылала мне письма с предложениями мира и приносила полное раскаяние. Я принимала предложения мира, но не забывала, с кем имею дело, и глубоко скрывала от Маргариты все, что было в душе моей дорогого. Зато, когда со мной случалась какая-нибудь неприятность, Маргарита была сама не своя и делала все, чтоб помочь мне. Раз както, когда мы были с ней в ссоре, классная дама в наказание за что-то не пустила меня на праздник домой. Маргарита стала просить за меня и, когда просьбу ее не исполнили, наговорила классной даме дерзостей. Та рассердилась и оставила ее без обеда. Узнав о ходатайстве за меня Маргариты и его несчастном последствии, я сказала ей, что она напрасно делает мне жертвы. Маргарита вспыхнула.

— Мне никто не запретит поступать по справедливости! — сказала она резко.

Случилось еще, что я сделалась больна; эта болезнь застала меня врасплох: меня не успели взять домой из пансиона. Я была в горячке, никому из детей не позволено было приходить в комнату, где я лежала, чтоб не пристала болезнь. Маргарита приходила ко мне украдкой; она делала самые мрачные предположения об исходе моей болезни, все толковала в дурную сторону и плакала обо мне, как об умершей. Несколько раз ее заставали у меня, но ни выговоры, ни наказания, ни страх заболеть самой, ничто ее не удерживало. Целые дни Маргарита была в волнении, ничего не делала, не знала уроков и не ездила на праздники домой. Радость ее при моем выздоровлении не имела границ. Помню как теперь, когда я в первый раз могла встать с постели, Маргарита предложила мне пройтись по комнате, и, опираясь на ее руку, я прошлась. Эта прогулка очень скоро утомила меня; Маргарита плакала и смеялась — так велика была ее радость; с моей болезни до этой минуты она не могла вообразить, что я буду ходить, как прежде. Во время моего выздоровления Маргарита сидела со мной по целым часам, болтала без умолку и рассказывала все приключения, какие были без меня в классе.

Я быстро оправлялась от болезни. Никогда еще не испытывала я такого приятного чувства, как во время выздоровления. Это чувство — любовь к жизни и какое-то ожидание. Тогда мне только исполнилось пятнадцать лет. Я чувствовала в себе перемену: во мне происходила внутренняя работа, родились новые мысли, новые желания; я чувствовала, что я не та и не могу, не должна быть той, как прежде. Я поняла, что детство кончилось, и эта уверенность меня радовала и смущала. С этого времени я еще более чувствовала себя одинокою. На все окружающее я смотрела издали, как будто оно меня не касалось; все, что проходило перед моими глазами, занимало меня настолько, насколько оно могло дать пищи моей душе. Часто, когда все гуляли в саду, дети учились и болтали, мы с Маргаритою садились на скамейку подальше от других, с тетрадками в руках, облитые горячими лучами заходящего солнца, которое, пробираясь между кустами сирени, светлыми пятнами ложилось на страницы. Я бессознательно опускала голову на плечо Маргариты, глаза мои останавливались на одном предмете, и груди становилось тесно от непонятного восторга.

— Отчего ты покраснела, Аля? — спрашивала меня Маргарита.

— Как покраснела? И не думала! — отвечала я запинаясь.

— Отчего ж перестала читать?

— Так, ничего!

И я снова бралась за тетрадку. После чтения мы начинали ходить и разговаривать. Маргарита предавалась своим любимым мечтам: как наконец она оставит этот противный пансион и будет жить дома с мамашей, поедет в собрание, на балы, и она особенно одушевлялась, когда говорила о том, как будет разыгрывать grand-dame и вскружит головы модным львам. Раз как-то я спросила Маргариту, что значит лев. Мое невежество ее поразило. Она начала мне объяснять значение льва в обществе помимо смысла естественной истории и для большей ясности привела в пример нашего учителя французской словесности, который, по ее мнению, корчит из себя льва, но где ж ему, какой-нибудь учитель гимназии. И Маргарита рассказала мне о настоящих львах, о которых, в свою очередь, слыхала от кузины. Я слушала ее и думала о другом.

Наступила зима. Огромные пансионские залы точно сузились и смотрели неприязненно. Реже раздавался звонкий смех в их стенах, реже посещало меня чувство безотчетного наслаждения, мысль была глубже, сосредоточеннее и на все требовала ответа и объяснения. Мы учились с большим прилежанием, особенно Маргарита; она во время пансионской жизни хлопотала быть первой ученицей и не достигла цели, несмотря на все старания; она училась хорошо, но никак не могла отвечать не запинаясь: речь ее была отрывиста, и, говоря, Маргарита искала слов. Кроме того, ее поведение не удовлетворяло требованиям пансионских правил: Маргарита то не вовремя вскакивала с места, то вступала в рассуждения с учителями по поводу уроков, когда они казались ей непонятны, то, уходя из одной комнаты в другую, забывала спросить на это позволения классной дамы, но что всего хуже — высказывала сомнение относительно смысла этих порядков. За все это в журнале о поведении ставились классными дамами дурные отметки.

С каким вниманием слушала я, когда учитель истории рассказывал новый урок; я сидела как вкопанная, не сводя с него глаз, а мысль моя уносилась за его рассказом в дивный мир Греции и Рима, который давал такую богатую пищу жадному воображению. Личности героев античного мира приводили меня в восторг. Как ничтожна и пуста казалась мне перед их громадными подвигами жизнь окружающих. Я смотрела на нее с непобедимым отвращением и сколько раз наедине сама с собой торжественно отрекалась от всякого участия в ней. Чего именно мне хотелось, я сама не знала, но остаться безучастной к народным движениям, не иметь значительной роли в обществе казалось мне нестерпимо обидным. В голове моей поднялось много вопросов по этому поводу и требовало немедленного разрешения. Раз как-то я заговорила по поводу этих мыслей с Даровым. Не помню, в каких словах высказала я ему то, в чем недоумевала, но, кажется, это очень удивило и тронуло его: он с непритворным чувством сжал мою руку и долго говорил о жизни, обществе, о назначении человека. Он говорил, как умной женщине тяжело и скучно жить на свете, что я достойна лучшей участи, и убеждал меня заниматься серьезным чтением. Я никогда не видала Дарова таким оживленным, как в этот раз: глаза его блистали страстным одушевлением, слова лились быстро и стройно, его доводы были так полны силы внутреннего убеждения. Впрочем, я многого не поняла из сказанного Даровым, но видела, что в нем происходит что-то необыкновенное, что это пророческие слова, и сердце мое переполнилось от непонятного восторга и скорби. Когда Даров ушел, я отправилась в спальню под предлогом головной боли и долго оставалась одна, раздумывая и силясь уяснить себе все сказанное им; но работа была не по силам: отрывочные фразы из его разговора вертелись у меня в голове в страшном беспорядке. Подавленная силой необъяснимых впечатлений, я бросилась на постель и долго плакала, сама не зная о чем. Даров говорил, что люди большею частью не угадывают своего назначения и оттого жизнь их не имеет смысла и теряет равновесие в жизни целых обществ; что нужно стараться так или иначе выразить свою личность; что лучше дурная цель, чем никакой. Я горячо привязалась к этой мысли, и с тех пор она не покидала меня. Как часто ночью, когда все засыпали, я тихонько вставала, садилась на постели и, сложив руки на коленях, думала... и мало-помалу мысли мои складывались в определенную форму. Голова моя горела, сердце порывисто билось, я заходила далеко... и вдруг сомнения набегали черной тучей и застилали любимые образы, мысли; все, что я создавала воображением, падало и исчезало перед строгой критикой здравого смысла, основанной на действительности. Я хваталась за голову и падала на подушку. В уме моем все путалось и мешалось, я сама пугалась своих фантазий и гнала их прочь, желая уснуть и успокоиться, но они кружились в голове, упрекая меня в слабости и трусости. Сон мало успокаивал меня: те же мысли и сомнения, что волновали встревоженный ум, являлись в определенных образах; я часто просыпалась и снова засыпала с тою же напряженною работою мысли. Наутро я вставала бледная и усталая, брала книгу, чтоб учить урок, но и тут мучительные вопросы не покидали меня. В голове шумело, что-то кипело в груди, я пробовала читать, но видела только темные движущиеся полосы на бумаге и ничего более; до смысла было далеко добираться. Я опускала голову на руку и оставалась в каком-то забытьи до самого класса. Я ничего не слыхала, что говорил учитель, как отвечали воспитанницы свои уроки. Но вот учитель вызывает меня, я поспешно вставала, но ничего не понимала из его вопросов; он смотрел на меня с изумлением и не решался поставить ноль, так как я была большая. Классная дама хмурила брови, взгляды всех воспитанниц обращались на меня: одни с состраданием, другие с насмешкой; со всех сторон слышалось оханье и шепот — одна я оставалась равнодушной. Когда учитель уходил, классная дама подходила ко мне и начинала читать нотацию вслух, в назидание всего класса, за то, что я своим нерадением компрометирую все заведение и меня принуждены наказать без последнего блюда, как маленькую. Слушая длинную торжественную речь на эту тему, я не могла удержаться от улыбки, которая особенно бесила классную даму; щеки ее покрывались багровыми пятнами, упреки переходили в брань, она грозила надеть на меня дурацкий колпак и во время обеда посадить за черный стол. Я слушала молча, подняв голову и смотря ей прямо в глаза смелым, спокойным взглядом; я жестоко презирала ее в эту минуту. Бедная, я не понимала, что самое комическое лицо в этой картине все-таки я.

Такие явления начали повторяться довольно часто и наконец дошли до сведения m-me Барк; она сделала мне приличное внушение, но и это не подействовало. К довершению удовольствия мне пришлось остаться на святки в пансионе: меня не взяли по каким-то семейным обстоятельствам; это было самое скучное время моей пансионской жизни. Нас осталось девиц десять или двенадцать; мы вставали позднее обыкновенного, и никто ничего не делал вследствие установившейся привычки считать всякое бездействие отдыхом и пользоваться при всяком удобном случае, нимало не подозревая, что это бездействие часто утомляет всего более. Целый день девицы сидели и ходили по залам, изредка вполголоса перекидываясь между собою словами. Лишь только слышался стук подъезжающего к дому экипажа гостей m-me Барк, все бросались к окну, к величайшему неудовольствию классной дамы, которая в этот день особенно была раздражительна, вероятно, потому, что ей пришлось дежурить в такой праздник. Изредка монотонная беседа в классе прерывалась появлением какой-нибудь из воспитанниц, которая приезжала со своей матерью с визитом к m-me Барк и заходила к нам. Приезжих встречали с восторгом, бросались им на шею, целовали их и закидывали расспросами; несколько времени слышались восклицания: "Ах, душка Жени, как ты мила, что зашла к нам! Если б ты знала, какая скука! Какой ты ангел!" Затем снова слышались поцелуи. "Воображаю, какая здесь тоска, — щебетала приезжая. — Я едва могла улучить минуту, чтоб заехать к m-me Барк, да уж и вас кстати проведать. Вы не поверите, mesdames, совсем нет времени, каждый день с утра до вечера я в разъездах. Вчера была на елке у кузины, сегодня езжу с визитами, а вечером опять нужно переодеваться и ехать в театр".

— Ах, душка, какая ты счастливая!

Потом все осматривали ее наряд, некоторые высказывали свое мнение и подавали советы, другие насмешливо перешептывались и перемигивались между собою. Приезжая начинала рассказывать, в каком наряде она будет сегодня, в каком завтра; потом она рассказывала про свои интимности с каким-нибудь cousin или товарищем брата, по обыкновению увлекалась собственным рассказом и едва не забывала, что ее ждет мамаша. Пансионерки провожали гостью до передней, целуя ее и желая как можно более побед.

Я сидела обыкновенно поодаль от других, около окна, не принимая участия в общем разговоре, и смотрела на улицу, рассеянно следя за щегольскими экипажами, которые с живостью сновали взад и вперед, и думала. Бесполезно было прожито лучшее время, и я сознавала это ясно. Отчего ж, когда явилась моя мать и после обычного приветствия повела беседу о том, что она платила за мое ученье очень много денег и все не видит в том прока, что мои манеры, разговор не оправдывают ее справедливых ожиданий, что же касается наук, то они не нужны, слава Богу, не в гувернантки идти, а и без ученья много расхода: девушка на возрасте, следовательно, нужно выезжать, готовить приданое, — отчего мне стало грустно и чего-то жаль? Все эти сцены, в которых прошло столько лет, этот шум, эти ворчливые классные дамы были так милы мне в эту минуту, и эта длинная пустая зала, где по утрам мы с Маргаритою учили уроки и шептали... Слезы просились мне на глаза, но я сделала большое усилие, чтоб удержать их: мне была так дорога моя печаль, я боялась, чтоб ее как-нибудь не оскорбили. Молча, с опущенной головой и волнением в груди стояла я перед матерью. "Собирайся", — сказала она мне и отправилась к директрисе. Я машинально пошла в класс. Маргарита заметила, что я расстроена. Я сказала ей причину. Она взглянула на меня, но не сказала ни слова, отвернулась, взяла ноты и вышла. Весть о моем удалении из пансиона быстро разнеслась по всему классу; девицы окружили меня со всех сторон, на всех лицах было одно выражение участия и сожаления. Все те, с которыми у меня не было ничего общего, с которыми я ни разу почти не говорила, были друзьями мне в эту минуту — такова сила привычки. Сцена прощания вышла очень трогательная, я чувствовала, что не вынесу ее равнодушно и легко. Я стала искать Маргариту. Когда я вошла в музыкальную комнату, Маргарита стояла поодаль от фортепиано и, облокотясь на спинку стула, задумчиво смотрела в окно. Я подошла ближе; она не переменила позы и с тем же выражением задумчивости смотрела на улицу; но вдруг глаза наши встретились, мы обнялись и заплакали... Мы плакали долго и молча. В этих слезах было все: грусть настоящего, благодарность за прошлое, сомнение за будущее. Ввек не забуду этой минуты! Мы были так молоды, так искренни и плакали такими горячими слезами. Куда же все это прошло? Отчего мы стали теперь такими разряженными куклами, такими милыми барышнями, изучившими все приличия света и способными занимать гостей? Где же прежние силы, прежние стремления, где теперь эта жажда истины и добра, неужели им нет возврата?

Июня 3

Вот уже почти месяц, как у нас никто не бывает: все разъехались по дачам. Целое утро я одна и почти ничего не делаю; иногда, правда, читаю газеты или журналы, но чаще хожу из угла в угол в своей комнате и ни о чем не думаю. В таком положении застала меня сегодня мать. Она явилась неожиданно. На ней было какое-то светлое легкое платье и черная шелковая мантилья; волосы были пышно взбиты и покрыты кружевной косынкой; этот наряд делал ее моложавою. Удивительная способность одеваться к лицу!

— Что делаешь? — спросила меня мать, усаживаясь на диван и оправляя пышные кисейные рукава, в которых тонули маленькие ручки, унизанные кольцами.

— Читала, — сказала я, показывая на какую-то книгу.

Мать сделала серьезную мину и посмотрела на заглавие.

— Это хорошая книга, — сказала она. — Откуда ты достала ее?

— Даров мне принес.

Мать поморщилась.

— Даров, — сказала она небрежно, перебирая листы книги. — Тебе нравится этот человек.

— Да.

Мать бросила на меня быстрый взгляд и положила книгу.

— Чудак, — сказала она с притворной рассеянностью. — Не знаю, что ты в нем находишь. Впрочем, как знаешь.

— Он очень умен, — сказала я, несколько смущенная ее последними словами.

— Как знаешь, — повторила мать. — Я тебя не стесняю.

Мне стало досадно. Мать этого не заметила и заговорила о другом.

— Какая ты бледная, — сказала она. — Бледность тебе совсем не к лицу; ты хоть бы гуляла чаще, чтоб от нее избавиться. Маргарита Сосновская какая свежая. Кстати о Маргарите, она что-то давно у нас не была. Пишет она тебе?

— Да.

— На днях я их видела в Павловске: они все там были и с гувернанткой. Как ее, эту гувернантку, Варвара Сидоровна, что ли?

— Вера Семеновна.

— Ну все равно, Вера Семеновна. Смешная такая. Что за странные манеры. Корчит из себя образованную, чуть ли не ученую, и как это неловко, неграциозно выходит; важничает своим умом и воображает, что она интересна, воображает, что Вереинов к ней неравнодушен!

Я молчала.

— Они расспрашивали меня о тебе, — сказала мать после короткого молчания, смотря на меня испытующим взглядом, от которого я невольно покраснела. — Как ты его находишь? — спросила она.

— Он мне не нравится, — отвечала я.

— Каприз, — сказала мать со своей обыкновенной притворной беспечностью, которую я так хорошо изучила. — Чем он может не нравиться?

— Слишком мягко стелет.

— Ты думаешь... Не знаю. Я очень люблю это семейство, особенно сестру его Софью Николаевну. Это примерная женщина, очень умная и милая. Сколько она добра сделала людям.

И мать начала рассказывать давно известную мне историю о том, как Софья Николаевна Сосновская, прежде очень бедная девушка, своим замужеством составила себе такую блестящую партию, что не всякой барышне с состоянием удается; как она была губернаторшей и, можно сказать, сама управляла губернией, потому что муж был колпак, в делах ничего не смыслил; как была знакома с разными государственными сановниками, которые, разумеется, были от нее без ума, и как через это знакомство ловкая женщина вывела в люди своих родственников. Мать уверяла, что, кроме этого, Софья Николаевна отличная хозяйка и прекрасно воспитывает своих детей, что они, без сомнения, выйдут отличными людьми, чему доказательством воспитанный ею брат, который при расстроенном состоянии один своим трудом помогает Софье Николаевне содержать такое большое семейство. В заключение мать сокрушалась, что молодое поколение женщин не походит на Софью Николаевну. По ее мнению, современные женщины никуда не годятся, сами не знают чего хотят, из чего волнуются. Я не спорила.

Июня 6

Нет, я не могу долее оставаться одна: скука одолевает меня. Сегодня я получила письмо от Маргариты. Она просит меня приехать к ним, и я завтра же отправляюсь.

Июня 14

Вот уже целую неделю я у Сосновских. Меня встретили очень радушно. Все семейство было на террасе за чайным столом. Когда я вошла, Маргарита разливала чай; подле нее сидел Вереинов и разговаривал с гувернанткою. Софья Николаевна читала строгую мораль младшему сыну, который стоял перед ней на коленях и разливался горькими слезами. Под влиянием этой назидательной сцены другие дети сидели очень чинно. При моем появлении все оживились. Маргарита бросилась ко мне навстречу, мы горячо обнялись, дети тоже чему-то обрадовались. Софья Николаевна приветствовала меня с особенным радушием. Последним подошел ко мне Вереинов; он с радостным лицом протянул мне руку и заговорил так дружески, так симпатично, что я смутилась, но скоро, однако ж, опомнилась: щеки мои вспыхнули, и я сделала большое усилие, чтобы спокойно отвечать на его вопросы. В продолжение этого времени, как я у Сосновских, Вереинов употребляет все усилия, чтоб сделать мне приятное. Подумаешь, как дешево у иных людей расположение, как они любят его расточать. Эти непрошеные ласки возмущают меня; хорошо, что я знаю им настоящую цену; зачем же являлись они тогда, когда сердце мое было так чисто и не знало еще всех этих тонкостей; зачем, очаровывая и привлекая, ставили в глупое положение, — но кто же знал, что я так мало подготовлена, да и кому какое до этого дело.

Июня 22

Еще прошла неделя, как я у Сосновских. Время идет ни скучно, ни весело; по утрам мы с Маргаритою одни до самого обеда; я рисую, Маргарита играет на фортепианах, иногда мы вместе читаем. В это время Вереинов в городе, на службе, гувернантка занимается с детьми, Софья Николаевна хлопочет по хозяйству. В свободное время она является к нам и рассуждает о своих многотрудных обязанностях матери и хозяйки дома. Я не знаю ничего антипатичнее этой женщины; ее лицемерие, приторная любезность мне ненавистны. Я нахожу оттенки этих качеств в Маргарите. Жаль, я очень люблю ее. Может быть, только привычка, воспоминание прежних лет поддерживает во мне эту привязанность? Как бы то ни было, а жаль.

Июня 25

Вчера случилась странная история. Маргарита заговорила со мной о своем дяде и вдруг спросила меня, как он мне нравится. Этот вопрос смутил меня, я затруднялась ответом.

— Я знаю, что прежде он тебе нравился, — сказала Маргарита. — А теперь, кажется, нет; это заметно: ты очень изменилась к нему.

— Может быть, — сказала я.

Маргарита посмотрела на меня пристально.

— Он хороший человек, — сказала она.

— Я в этом не сомневаюсь.

— Отчего ж ты холодна с ним?

— Я...

— Да, ты. Что ж ты покраснела?

— Ничего, — сказала я, избегая ее взгляда.

— Ты не будь с ним такой, Аля, а то он подумает, что ты недовольна, и это будет его мучить.

— Ты думаешь?

— Еще бы. Он сам не свой от того, что ты как будто с умыслом не обращаешь внимания на все его старания тебе угодить. Это странно даже, другой подумал бы, что это кокетство.

— Кокетство! — сказала я, вспыхнув. — Это кокетство?

Маргарита посмотрела на меня с изумлением.

— Аля, — сказала она. — Я надеюсь, что ты не сердишься?

— О нет! — отвечала я, почти испугавшись, но голос мой дрожал, в душе поднялось какое-то горькое и обидное чувство.

— Что с тобой, Аля? Я не узнаю тебя, — сказала Маргарита. — Неужели мне уверять, что я не хотела тебя обидеть!

— Да что ты! Я ничего.

— Полно, пожалуйста, разве я не вижу! — сказала Маргарита горячо. — Как же это... Между нами. Да что это будет.

Она была взволнована и огорчена.

— Маргарита, это не то, — сказала я, стараясь ее успокоить и не понимая сама, что говорю. — Я ничего не думаю. Мне показалось, что я в самом деле не права.

Маргарита встрепенулась и бросила на меня быстрый, беспокойный взгляд.

— Что за спор? — сказал входящий в это время Вереинов.

Мы обе молчали.

— О чем вы говорили? — спросил он меня.

— Так, пустяки.

— Нет, видно, не пустяки. Вы что-то спорили. Отчего вы не хотите мне сказать? — спросил он ласковым и вкрадчивым голосом. — Неужели я не имею никакого права на вашу доверенность.

— Оставь нас, дядя, — сказала Маргарита. — Тебе-то мы не можем этого сказать.

— Вот как! Значит, это касается меня? Это очень любопытно. Нельзя ли узнать?

— Я сказала, что нельзя.

— Так это тайна? — сказал он, смеясь. — Извините, не знал. Но я надеюсь, что Александра Ивановна добрее, авось скажет. Александра Ивановна, скажете?

— Если это вас так интересует — извольте, — сказала я спокойно и холодно.

Вереинов покраснел от досады.

— Я этого не скажу, — проговорил он сухо.

— Для чего же вы спрашиваете? — сказала я и чувствовала, что щеки мои горели и голос дрожал.

— Я хотел испытать вас, — сказал он прежним шутливым тоном.

Я только взглянула на него, но не сказала ни слова. Он смешался и вскоре ушел от нас. Через несколько времени мы встретились за чайным столом. Он заговорил с гувернанткою по поводу какой-то неизвестной мне книги. Софьи Николаевны не было дома; Маргарита хлопотала около самовара; я оставалась одна. Мне, неизвестно отчего, стало грустно; я отошла в сторону и задумалась. Мысли мои были как-то неопределенны, но кровь стучала в висках и сердце билось часто и сильно. Что ж это? Неужели? Да, это так. Так вот чего я дожидалась, и это все, все какая-то ирония. Как мучительно и горько сознание этого чувства. Но Боже мой, ведь я же не виновата.

Июля 23

Я уже с месяц не бралась за эту тетрадку: нечего было писать. Все по-старому, делать нечего, думать не о чем. Вот жизнь-то! Никогда еще сознание пустоты и бессилия не было у меня так сильно. Но чего же нужно? Сколько есть людей, которые живут, как я, и не жалуются, не тоскуют. Неужели ж мне нужно больше всех? Нет, я несправедлива, я слишком эгоистка. К чему все эти напрасные, несбыточные желания? Не лучше ли пользоваться тем, что дает жизнь, и больше не требовать, не ждать; ужиться как-нибудь в тесном кругу, заняться работой, какая только найдется, и исполнять ее с любовью и сознанием долга. Но примириться со всеми дрязгами, довольствоваться малым, когда чувствуешь в душе столько силы совершить великий подвиг?

Маргарита тоже начинает сильно задумываться и грустить в последнее время; это нас сближает. Вчера вечером после длинного и серьезного разговора мы с Маргаритою сидели, задумавшись, в саду, когда мимо нас проходил Вереинов с гувернанткою. Они о чем-то спорили с большим жаром, так что не заметили нас. Я никогда не видала Веры Семеновны такой оживленной: щеки ее горели ярким румянцем, глаза блестели.

— Нет, что хотите, — говорила она, — а своего счастья ни в каком случае нельзя уступать.

— Вы стали бы пользоваться счастьем на счет других? — спросил ее Вереинов.

— Я никому не желаю зла, но кто станет на моей дороге, церемониться не стану.

Я не слыхала, что отвечал на это Вереинов. Маргарита смотрела вслед уходившим с насмешливой миной.

— Вот где жизнь-то! — сказала она, кивая на них головой. — Замечаешь?

— Да, это жизнь, — сказала я с невольной грустью.

Маргарита продолжала следить за молодыми людьми.

— Смешные какие, — сказала она.

— Что ж тут смешного? — возразила я.

— Ты защищаешь такой способ развлечения?

— Почему ты не допускаешь здесь серьезного чувства?

— Допускаю, но ведь из этого серьезного чувства ничего не выйдет.

— Как ничего не выйдет?

— Так, он не может жениться.

— Почему?

— Потому что наши семейные дела не таковы. Ты знаешь мамашу, она ни за что не захочет разделить свою власть в доме с кем бы то ни было.

— Но ведь это его дом.

— Что же из этого? — сказала Маргарита, вспыхнув. — Мы не виноваты, что он у нас один; будь у мамаши хорошее состояние, тогда бы мы его не стесняли, но при теперешних обстоятельствах, когда самим нам едва достает средств жить порядочно, смешно было бы ему думать о женитьбе.

Меня удивила такая оригинальная логика, но, всматриваясь пристальнее в жизнь и взаимные отношения этого семейства, я убеждаюсь, что все и всё проникнуты ею.

Июля 29

Вчера Вера Семеновна совсем уехала от Сосновских; она сама отказалась от должности, но я подозреваю, что это случилось не просто: в последнее время Софья Николаевна сильно к ней придиралась. С неделю назад у Софьи Николаевны был довольно крупный разговор с братом относительно Веры Семеновны. Началось с того, что Софья Николаевна неприязненно отозвалась о своей гувернантке, нападая на разные ее недостатки. Вереинов не спорил; но когда она сказала, что хочет отказать Вере Семеновне и взять на ее место одну свою знакомую, какую-то m-lle Б., Константин Николаевич вступился и начал доказывать, что m-lle Б., жившая до сих пор в компаньонках у какой-то графини, решительно не годится в гувернантки и что Вера Семеновна во всяком случае ее лучше. Софья Николаевна отстаивала свою приятельницу сколько могла, но не убедила брата.

— Эта женщина мой единственный друг, — сказала она наконец. — Конечно, ты можешь ее не любить, хотя бы она не сделала тебе никакого зла, это твое дело, но я, я должна быть справедлива. Может быть, я виновата, что осмелилась найти ее полезной для моих детей; я не думала, что это тебя обидит; я думала, что мне можно иметь свое мнение.

— Что такое говоришь ты, сестра? — сказал встревоженный Константин Николаевич. — За что ты сердишься?

— Ах, Боже мой! Когда ж я сержусь? Какое я имею право! Я, кажется, порядочно понимаю свое положение и свои обязанности.

— Софи, ради Бога, не говори так! — сказал Константин Николаевич, почти умоляя. — Делай как хочешь.

— Мне не нужны жертвы. Если присутствие m-lle Б. тебе в тягость и ты находишь, что в твои лета полезнее общество молодых девиц, так пусть будет так.

Константин Николаевич сильно покраснел.

— Здесь не обо мне речь, — сказал он.

— Так о ком же? О Вере Семеновне?

Несмотря на все уступки Вереинова, спор пошел далеко и кончился истерикой Софьи Николаевны, наделавшей суматохи во всем доме; прислуга суетилась, дети плакали, Константин Николаевич казался донельзя сконфуженным. Вера Семеновна, должно быть, догадалась, в чем дело.

Вчера за несколько часов до своего отъезда Вера Семеновна вошла в залу, где я играла на фортепианах, и спросила, не видала ль я Вереинова. В это самое время Константин Николаевич вошел в комнату.

— Я ищу вас, — сказала Вера Семеновна, идя к нему навстречу с ласковой и грустной улыбкой. — Хочу с вами проститься.

И она протянула ему обе руки. В это время я опять заиграла, они как будто не замечали меня. Отрывочные фразы из их разговора доходили до моего слуха.

— Будете ли вы меня помнить? — говорила Вера Семеновна.

— Можете ли вы в этом сомневаться! — сказал он, целуя ее руки.

Мне казалось неловко долее тут оставаться, и я вышла. Вскоре после этого Вера Семеновна уехала. Константин Николаевич куда-то исчез и не являлся целый день.

Августа 5

Вот уже неделя прошла с отъезда Веры Семеновны; место ее еще не занято: в доме все идет прежним порядком. Софья Николаевна понемногу оправляется, теряет печальный и покорный вид и входит в свою прежнюю колею полноправной хозяйки дома. Константин Николаевич очень занят, так что даже чай пьет в своем кабинете. Сегодня утром я встретила его в саду; мы разговорились. Не знаю, как это вышло, только мы говорили очень дружески. Вереинов никогда не был со мной так откровенен. Он рассказывал мне о самом себе, об ошибках и увлечениях первой молодости; я слушала с большим участием. Между прочим Вереинов вспоминал Веру Семеновну, говорил, как много она для него значила, и вообще отзывался о ней с большим уважением. Из этого разговора уяснилось для меня многое, о чем прежде я недоумевала. Вереинов представился мне несколько в другом свете; я многого не знала и судила ошибочно. К концу прогулки нам встретилась Софья Николаевна; она посмотрела на нас как-то странно, так, что я покраснела.

Августа 8

Сегодня опять я долго разговаривала с Вереиновым. Софьи Николаевны не было дома, у Маргариты болела голова, и она целый день не выходила из своей комнаты. Вереинов опять заговорил о Вере Семеновне, хвалил ее и жалел, что я с ней не познакомилась хорошенько; он сказал, что ей очень хотелось этого, но, видя мое нерасположение, она не искала моей дружбы.

— Вы знаете, как с вами трудно сойтись, — сказал он, смотря на меня пристально.

Я молчала.

— Скажите, — продолжал он, — как объяснить эту замкнутость, эту холодность, с какой вы встречаете всякую попытку к сближению с вами? Тут что-нибудь есть. Зачем вы отвечаете сарказмами на участие, будто у вас ничего не найдется для тех, кто вам искренно предан. Трудно предположить, чтоб это было просто.

— Я не напрашиваюсь ни на чье участие, — сказала я.

— Вот куда вы пошли. Какая безумная гордость! Что за предубеждение! Полноте, Александра Ивановна, будьте проще, вы несправедливы к самой себе. Может быть, вы нашли бы такое сердце, какое вам нужно; вместе как-то легче жить, говорят: с людьми смерть красна, но вы не даете простора своим мыслям и чувствам, когда они требуют выражения и сочувствия.

— Кого они могут интересовать, — сказала я с невольной грустью.

Вереинов молча и с удивлением посмотрел на меня.

— Вы слишком самолюбивы, — сказал он.

Несколько времени мы молчали.

— Милая Александра Ивановна, — сказал он после долгого раздумья. — Не мучьте себя напрасно, не ищите зла там, где его нет. Поверьте мне, что не все дурно на свете; смотрите доверчивее, и вы будете счастливы.

Он много еще говорил в этом роде, и странно подействовали на меня его слова; мне было так отрадно, так хорошо. Взволнованная и растроганная, я сидела, не поднимая глаз, и чувствовала его ласкающий, симпатичный взгляд.

— Скажите мне, — начал он после довольно продолжительного молчания. — Может быть, вам покажется странным такой вопрос, но, мне кажется, я имею некоторое право, скажите, вы ничего не имеете против меня?

Этот вопрос удивил и смутил меня; я отвечала отрицательно.

— Как я рад, — сказал он, взяв меня за руку. — Значит, можно надеяться с вами сблизиться, не правда ли? Да, вы мне не откажете в вашей дружбе? Если б вы знали, — продолжал он с чувством, — как она мне необходима. В вас столько прекрасного; ведь вы себе цены не знаете. Меня так влечет к вам, что я даже боялся... Ах, Александра Ивановна, вы ничего не знаете.

Он был взволнован и горячо сжал мою руку.

— Согласитесь, — заговорил Вереинов после короткого молчания, — некоторые ваши поступки относительно меня были странны; трудно предположить, чтобы это было просто. И знаете, мне показалось, но, может быть, вы найдете смешным, я подумал, не я ли виноват, что в последнее время вы были так грустны.

Он так просто это сказал. Я взглянула на него: его лицо было спокойно. Мне стало грустно.

— Да! — сказала я с каким-то отчаянием, опустив голову. — Вы.

— В самом деле? Как же это? Скажите, ради Бога, я ничего не понимаю.

Он в самом деле не понимал.

— Что с вами? — спросил Вереинов. — Я огорчил или обидел вас? Скажите же, не мучьте меня.

В это время меня позвали к Маргарите. Я хотела идти, но Вереинов удержал меня.

— Послушайте, — сказал он взволнованным голосом. — Меня так интересует этот разговор; кончимте его когда-нибудь. Завтра утром, — продолжал он поспешно, — я буду ждать вас в саду. Только, ради Бога, обещайте мне полную откровенность.

Я наклонила голову в знак согласия и поспешно ушла от него. Итак, завтра; что-то он мне скажет.

Августа 12

Я дома. Моему внезапному отъезду от Сосновских предшествовала целая история. Буду писать по порядку. В час, назначенный для свидания с Вереиновым, я пошла в сад. Константина Николаевича там не было, но он не заставил долго ждать себя. Я издали увидала его и пошла к нему навстречу. Мне показалось, что он смущен и взволнован.

— Как вы хорошо сделали, что пришли, — заговорил он, — а я, признаться, не ожидал; я, конечно, неловко сделал, прося вас прийти сюда, но я догадался об этом поздно. Я уверен, что вы извините меня.

Я посмотрела на него с недоумением. Мы сели на скамейку и несколько времени молчали; он, по-видимому, не знал, что говорить.

— Я только теперь начинаю немного понимать вас, — заговорил он наконец. — Сколько великодушия в одном этом поступке, что вы пришли сюда. Поверьте, я умею это ценить. Я вам завидую; в вас столько таится неоцененных сокровищ, столько добра можете вы сделать иному человеку своим участием, дружбой!

Он много еще говорил на эту тему, и говорил с увлечением. Я слушала его с удивлением; мне очень хотелось спросить, для чего все это он говорит, но я не прерывала его.

— Что ж вы ничего мне не скажете? — спросил он наконец.

В эту минуту перед нами вовсе неожиданно явилась Софья Николаевна; она смотрела на нас с выражением крайнего изумления и негодования.

— Извините! — сказала она язвительно. — Может быть, я помешала.

Моя печаль была так велика в эту минуту, что слова Софьи Николаевны не прибавили к ней ни горечи, ни злобы.

Софья Николаевна быстро удалилась. Константин Николаевич последовал за нею в сильном беспокойстве. Я осталась одна. Долго сидела я на одном месте неподвижно, как очарованная, не понимая и не чувствуя ничего, кроме бесконечной печали. Весь этот день Маргарита была в дурном расположении духа; она говорила о ложных друзьях, о коварстве и двуличности некоторых особ, ее намеки не допускали подойти прямо к делу и язвили довольно метко. Софью Николаевну я видела только за чаем и обедом; она была печальна, очень часто вздыхала и постоянно кричала на детей. Константин Николаевич был смущен, дети боялись пошевелиться: всем было неловко. Но это не все. Вечером, сидя одна на террасе, я услыхала из окон залы очень интересный спор между Софьей Николаевной и ее братом; Вереинов в чем-то оправдывался, Софья Николаевна возражала; я услыхала мое имя и стала вслушиваться.

— Уверяю тебя, что это не то, что ты думаешь, — горячо сказал Вереинов.

Софья Николаевна безнадежно махнула рукой и не отвечала ни слова.

— За что же ты сердишься? — заговорил он снова.

— Кто вам сказал, что я сержусь. Вы хоть бы уж не клеветали, — сказала Софья Николаевна обиженным тоном.

— Да ведь это заметно... Прости же меня, ну, я виноват.

Он поцеловал ее руку. Софья Николаевна стояла неподвижно, как статуя, лицо ее имело какое-то неопределенное выражение, так что трудно было угадать, чем кончится вся эта сцена.

— Ну так что же, ты прощаешь? — сказал Константин Николаевич, смотря ей в глаза. — Милая моя, ведь ты добрая. — И он снова поцеловал ее руку.

— Константин, — сказала Софья Николаевна торжественно, — ты знаешь меня, я умею терпеть; покорность — общий удел женщин, но есть же мера. Я не ангел. — Произнеся эту великую истину, она устремила на брата строгий, карающий взгляд. Тот печально опустил голову.

— Софи, — сказал Вереинов. — Не суди ты этого дела слишком строго, не смотри на него так серьезно. Положим, я сделал глупость и огорчил всех вас; я поступил как эгоист, а она... бедная, чем же она виновата? Ради Бога, ты ее не трогай, это я все наделал, и пусть я один за всех отвечаю.

Софья Николаевна несколько времени молчала.

— Константин, — сказала она наконец нежным и растроганным голосом, — я очень огорчена; мне больно, что ты, моя радость, моя подпора, попадаешься в сети интриганки. Не могу же я запретить страдать моему сердцу. Константин, ведь я тебя воспитала, я не могу смотреть на тебя иначе, как на сына.

— Знаю, милая, — сказал он, — но ведь я же тебе сказал, что тут ничего нет. Аля не такая девушка, я больше тебя ее знаю.

— Друг мой, ты слишком доверчив; я больше тебя жила на свете и изучила людей: мы, женщины, проницательны.

Константин Николаевич вздохнул.

— Да, я виноват, — сказал он после короткого раздумья, — много виноват. Прости же меня, забудем это.

Софья Николаевна еще колебалась.

— Забудем, — сказала она наконец. — Что прошло, того нельзя воротить; я надеюсь, что раскаяние твое искренне и впредь ты будешь осторожен, но сердце человеческое — бездна; я не могу верить безусловно.

— Чего же тебе нужно? Каких ты требуешь доказательств?

— Константин, если ты хочешь меня успокоить, клянись, что ты ее больше не увидишь.

Я не слыхала, что отвечал Вереинов, кровь бросилась мне в лицо, чувство негодования и злобы охватило душу. В тот же вечер я сказала Софье Николаевне, что скоро отправляюсь домой. Тонкая особа выразила удивление, но ни она, ни Маргарита меня не удерживали.

Не хочу вспоминать о том, как я уезжала от Сосновских, как прощалась: мне было гадко, гадко. Только оставшись одна на пароходе, я несколько успокоилась. В последний раз взглянула я на этот дом, куда прежде входила с радостным чувством, где погибло для меня все, что было в жизни дорогого, и сердце мое разрывалось; мне было невыносимо тяжело. Я отвернулась к борту парохода, чтобы скрыть свою тоску от посторонних, и, наклонясь над водой, несколько времени сидела уничтоженная, подавленная горем... Мало-помалу все мои грустные мысли успокоились. Я подняла голову. На сердце у меня была тишина; я чувствовала довольно силы, чтобы забыть все огорчения; предчувствие чего-то лучшего охватило мою душу. Я смотрела вдаль с каким-то суеверным ожиданием, не чувствуя прежней гнетущей печали; в душе у меня был вопрос, которого разрешения я ждала с тревожной душой, но ничего мне не ответила мутная волнующая даль.

Августа 15

Нехорошо, все нехорошо. Мать ужасно расстроена, отчим едва показывается дома. Даров сказал мне, что Владимир Иваныч очень задолжал Оглоблину, с которым они вместе кутили, и будто Оглоблин грозит отчиму долговым отделением. У матери, видно, совсем опустились руки от такого горя. Да неужели ж нельзя помочь! Несколько раз пыталась я заговаривать с матерью об этом деле с целью ободрить, посоветовать предпринять что-нибудь. Она рассердилась, что я вмешиваюсь, и не хотела говорить. Отчего ж она не говорит со мной? Разве я этого не стою? Разве я не могу принять участия в семейном горе или я так слаба, что не вынесу? Но лучше ли мне теперь? Я просто сама не своя и не знаю, что делать.

Сентября 12

Давно я не бралась за эту тетрадку, а между тем сколько событий; да не до того мне было. Вот уже две недели как, я невеста. Это случилось внезапно и помимо моего желания; мое участие здесь, как во всем, что около меня происходит, было пассивно. Раз как-то вечером Владимир Иваныч пришел в мою комнату и просил меня к чаю. Он был весел и любезно шутил со мною, советовал поправить туалет, говоря, что есть очень интересный гость, которого имя, однако ж, не сказал. Гость этот был его приятель Оглоблин; он сидел за чайным столом подле матери и очень интимно с ней разговаривал. При моем приходе Оглоблин засуетился, отыскивая для меня стул, и вообще выказал так много внимания ко мне, что это меня удивило. После чая я хотела идти в свою комнату, но отчим удержал меня; он с упреком заметил, что я так часто удаляюсь их общества, как будто не считаю их хорошими родными, которые желают мне всего лучшего. Я осталась. Оглоблин был необыкновенно любезен со мною и как-то особенно взглядывал на меня; на губах его, когда он ко мне обращался, являлась лукавая и вместе с тем снисходительная улыбка. Мать была ласкова с Оглоблиным и очень терпеливо выслушивала его плоские шутки. Владимир Иваныч посмеивался и самодовольно поглядывал на всех. Гость скоро, однако ж, уехал; Владимир Иваныч отправился его провожать. Я только что пришла в свою комнату, как ко мне явилась мать и сказала, что желает говорить со мной об очень серьезном деле.

— Оглоблин поручил мне передать тебе, что он просит твоей руки, — сказала она, смотря на меня испытующим взглядом.

Это известие подействовало на меня неприятно, хотя я почти ожидала его.

— Об этом нечего говорить, — сказала я, едва сдерживая досаду. — Вы знаете, что это за человек и какое мое мнение о нем.

— Знаю, — сказала мать, — я этого ожидала, но Оглоблин меня просил, и я должна была передать тебе. Кроме того, я как мать обязана позаботиться и потому решилась советовать тебе посерьезнее обдумать это предложение. Конечно, ты можешь поступать по своему усмотрению, но размыслить хорошенько не мешает; в таких делах нужно спокойствие и рассудительность, нужно отбросить некоторые идеи и уступить обстоятельствам. Это дело целой жизни, а она тяжела, Аля. — И мать с непритворным чувством вздохнула.

— Теперь, пока мы с Владимиром Иванычем живы, — продолжала мать, — ты молода, хороша собой, образованна, в обществе встречаешь лесть, забот никаких не знаешь, естественно, что такая жизнь тебе приятна, ты не желаешь перемены; в жизни замужней женщины много скучного, прозаического. Но не всегда ты будешь жить так, как теперь; вдруг случится какое-нибудь несчастье: умру я или Владимир Иваныч, близких родственников у нас нет, что с тобой будет? Куда ты пойдешь? Подумала ли ты об этом?

— Что бы ни было, но я не могу поступать против совести.

— Против совести, — повторила мать, вспыхнув. — К чему эти фразы в серьезных делах? Ты судишь как ребенок. Можно ли быть так непрактичной!

— Я не завидую вашей практичности, — сказала я с увлечением.

Мать долго молчала, она была в большом затруднении и не знала, что делать, как говорить.

— Аля, — сказала она наконец, — ведь тебе все равно, ты никого не любишь. Отчего тебе не выйти за Оглоблина? Он добр, богат и, верно, будет любить тебя; ты будешь независима. Сделай же это для меня; ведь я желаю тебе добра, как никто; я мать тебе. Подумай, каких ты стоила забот, страданий.

По мере того как она это говорила, глаза ее разгорались, щеки краснели, досада и желчь сказывались в каждом слове, в звуке голоса; горькие слова лились быстро, неожиданно: видно было, что она отдалась потоку накипевших мыслей бессознательно.

Слова ее больно отзывались в моем сердце, но я не колебалась отказом.

— Я не могу! — сказала я. — И прошу вас никогда не говорить мне об этом.

— Это твое последнее слово, Аля?

— Последнее.

— А если б от этого зависело счастье всей моей жизни, состояние, честь, ты и тогда не согласилась бы?

Меня охватило холодом от этих слов.

— Так знай же, что это так! — сказала мать. — Мы лишились последних средств, и если ты не выйдешь за Оглоблина, мы — нищие.

Меня точно что-то ударило по голове; мысли мои помутились.

— Ну что, говори, — продолжала мать шепотом, со сверкающими глазами, — ты и теперь не соглашаешься быть женой Оглоблина?

— Нет! — сказала я твердо.

Мать была поражена этим ответом. Она все еще сидела, уставив на меня неподвижный взгляд, будто не сознавая слышанного; наконец ее покрасневшие щеки покрылись страшной бледностью, жилки в висках перестали биться так сильно.

— Поди отсюда вон! — сказала она громко и внятно. — Ты не дочь моя.

Я стояла как вкопанная, не сводя с нее глаз.

— Ты слышала? — повторила мать гневно. — Поди вон из моего дома.

Ужас овладел мною при этих словах, но я решилась не поддаваться, и последствия этой страшной решимости во всей своей потрясающей правде представились моему воображению; я вздрогнула, но не колебалась и твердо вышла из комнаты. Я тотчас отправилась к Дарову и рассказала ему все. Даров был поражен. Он долго ходил по комнате, обдумывая, что делать; должно быть, невеселые мысли проходили в его голове.

— Аля, — сказал он наконец, — вы слишком погорячились и поступили необдуманно.

Я вспыхнула и даже повернулась на месте, но не сказала ни слова и продолжала пристально смотреть на Дарова.

— Наталья Яковлевна погорячилась. Неужели вы думаете, что она в состоянии исполнить свою угрозу: ведь она мать ваша.

— Что вы хотите этим сказать? — спросила я.

— То, что она не может желать вам худого и вы напрасно ее обвиняете, не разъяснив дела; тут есть какое-нибудь недоразумение. Наталья Яковлевна, я уверен, хлопочет для вашего же счастья, но она ошибается, потому что мало вас знает, и вы сами в этом виноваты: вы никогда не хотели с ней сблизиться.

— Боже мой, Боже мой, что он говорит! — вырвалось у меня.

— Вы должны во что бы то ни стало помириться с матерью, — продолжал Даров, не слушая меня. — Вы обязаны помириться, это единственный исход. К чему вызываться на скандал? Не лучше ли потерпеть, подождать, уступить сколько можно, чем распинаться.

ВРЕМЯ

ЖУРНАЛЪ

ЛИТЕРАТУРНЫЙ И ПОЛИТИЧЕСКІЙ

1863
МАРТЪ

(ГОДЪ ТРЕТІЙ)

СОДЕРЖАНІЕ

I. Нуженъ ли флотъ Россіи   5
II. Бѣглые воротились. Романъ въ трехъ частяхъ. Часть третья и послѣдняя. I. Новый побѣгъ Ильи Танцура. — II. Воля сказана и дѣдъ Зинецъ. — III. На что рѣшиться? — IV. Вѣсти изъ острога и изъ дому. — V. Сельскій агитаторъ. — VI. Князь Мангушко также наконецъ воротился. — VII. Бѣлая Арапія. — VIII. Развязка. А. Скавронскаго (автора повѣсти «Бѣглые въ Новороссіи») . . 49
III. До свадьбы (изъ дневника одной дѣвушки). А. С . . . . ой 155
IV. Посланіе къ Основьяненкѣ. (изъ Шевченко). Стих. Н. В. Гербеля. 188
V. Вещество по ученію матеріялистовъ. Н. Н. Страхова 191
VI. Бутузка. Романъ въ двухъ частяхъ. Часть вторая и послѣдняя. И. Салова 235
VII. Грезы и пѣсни. Стих. Ѳ. Н. Берга 322
VIII. Зимнія замѣтки о лѣтнихъ впечатлѣніяхъ. Фельетонъ за все лѣто. Глава V. Ваалъ. — Глава VI. Опытъ о буржуа. — Глава VII. Продолженіе предыдущаго. — Глава VIII. Брибри и Мабишь. Ѳ. М. Достоевскаго . 323

СМ. НА ОБОРОТЪ

ПЕТЕРБУРГЪ
1863

Журнал братьев Достоевских "Время"
(1863, № 3) с рассказом А.П.Сусловой "До свадьбы"

— И вы... вы это говорите? — сказала я, не в силах более скрывать негодования и печали.

— Я уверен, — продолжал Даров, — что мать ваша одумается и раскается; она будет рада' помириться с вами; вы не знаете, как она вас любит. Пожалейте ее. Если вы первая не протянете ей руки, она не сделает этого, но разрыв с вами убьет ее.

Он долго еще убеждал меня. Я слушала, опустив глаза и склонив голову; слезы медленно катились у меня из глаз.

— Довольно, — сказала я наконец. — Подите, скажите матери, что я на все согласна.

Даров остолбенел.

— Зачем же крайности, — сказал он, — неужели нет другого исхода? Я ничего не сказала на это.

— А если нет, — сказал он после короткого молчания, — так уж лучше бросить все и уйти куда-нибудь.

— Я прошу вас идти к матери и передать ей мое решение, — сказала я настойчиво.

— Аля, как же это? Неужели вы решаетесь? Я не могу этого допустить. Я невольно улыбнулась.

— Подите, — сказала я.

Он пошел. Я осталась одна. Я долго думала, силясь уяснить себе происшедшее: все, что случилось со мной в этот день, было так неожиданно, так невероятно; я думала, не больна ли я, не помешалась ли. Но действительность была так осязательно ясна; я услыхала голоса матери и Дарова около дверей комнаты, в которой сидела, и почувствовала, как щеки мои вспыхнули и брови судорожно сдвинулись. Я закрыла лицо руками, чтобы скрыться от ужасной мысли, но она стояла в голове; чувства негодования и стыда душили меня. Мир между мной и матерью был заключен, положено было на другой же день сделать парадный сговор. Я дурно спала эту ночь и еще хуже почувствовала себя, когда на другой день сознательно и обдуманно взглянула на случившееся. Я много плакала в этот день и не знала, как пережить его. Бедная, я не думала, как много горького впереди.

А. С....ва

В расходной книге редакции "Времени" ... записана плата Сусловой за ее рассказы: рукою Мих. Мих. Достоевского под 9 апреля 1863 г. Сусловой 80 р. ...

А.С. Долинин. Достоевский и Суслова. С. 172.

...Близость интимная Достоевского с Сусловой установилась, вероятнее всего, в зиму 1862-63 годов. (В это время печатался ее второй рассказ во "Времени" — в 3-й книге за 1863 г. — и подпись под ним А. С....ва, столько точек, сколько пропущено букв в ее фамилии. Так подписан один только этот рассказ: "До свадьбы".)

А.С. Долинин. Достоевский и Суслова. С. 179.

В ПАРИЖЕ. РОМАН С ИСПАНЦЕМ. ПУТЕШЕСТВИЕ С Ф.М. ДОСТОЕВСКИМ ПО ИТАЛИИ

В 1918 году, по-видимому, сразу после кончины А.П. Сусловой в Севастополе, кто-то из ее родственников (по имеющимся сведениям, этим родственником мог быть Е.П. Иванов, ее двоюродный племянник) передал в архивы оставшиеся после нее бумаги. Очень скоро эти бумаги оказались в центре внимания исследователей.

"А.Л. Бем разыскал среди новопоступивших в рукописное отделение Петроградской Академии Наук рукописей дневник некоей Сусловой, близкой к Достоевскому в начале 60-х гг. В дневнике подробно и с большой откровенностью излагается история их отношений, прошедших частью за границей и нашедших себе впоследствии довольно близкое отражение в повести "Игрок". Уже в 1921 году эта информация была опубликована в специальной литературе.

Но еще раньше о замечательной находке сообщал "Вестник литературы" (1919, N5): "Библиотекарь рукописного отдела Академии Наук А.Л. Бем, ознакомившись с поступившим туда дневником А.Сусловой, автора повестей, печатавшихся в шестидесятых годах, натолкнулся на любопытный эпизод из жизни нашего знаменитого романиста. Оказывается, что Достоевский в течение двух лет был в очень близких отношениях с писательницей Сусловой и питал самые нежные чувства к этой интересной во многих отношениях женщине. Он даже предпринял специальную поездку в Париж для свидания с предметом своей любви, но, пока он находился в пути, Суслова сошлась с каким-то испанцем, который, однако, скоро ее бросил. Лишившись опасного соперника, Достоевский отправился со своей возлюбленной в путешествие по Италии.

Дневник Сусловой передает очень много интересных подробностей о романе писателя и писательницы и объясняет нам многое в романе Достоевского "Игрок", где воспроизведены некоторые любопытные эпизоды, характеризующие отношения влюбленных. Дневник Сусловой послужил А.Л. Бему темой для интересного доклада в Историко-Литературном Пушкинском О-ве, образовавшемся при Пушкинской семинарии С.А. Венгерова, и приготовляется тоже для отдельного издания".

Вот что писал и сам А.Л. Бем: "Анализ "Игрока" и изучение биографических фактов 1863 г. должны были рано или поздно поставить вопрос о невыясненной тайне в жизни Достоевского того времени. Счастливый случай привел меня уже в 1918 г. к неожиданному раскрытию этой тайны. Мне посчастливилось среди рукописей Академии Наук найти дневник Аполлинарии П. Сусловой, который проливает совершенно новый свет на этот период жизни Достоевского".

Нечего и говорить, насколько ценен "Дневник" для биографа самой Аполлинарии Сусловой.

... Уже четыре месяца (апрель-июль) жила она в Париже — и, ведя довольно рассеянный образ жизни, нимало не нуждалась в таком специфическом общении с самой собой, как дневник. Все лето ничего существенного ни с ней, ни вокруг нее не происходило: в середине июля она сообщала Я. Полонскому, своему петербургскому знакомому, который дал ей в Париж несколько рекомендательных писем, что скучает, собирается куда-нибудь ехать хоть на неделю, подумывает об Англии, учит язык.

Еще в конце июля она честно думала, что дожидается Достоевского: он уже оформлял заграничный паспорт, просил у Литературного фонда ссуду в 1500 рублей для поездки за границу с целью "поправления" здоровья, хлопотал о французской и немецкой визах и считал, регулярно получая письма от Аполлинарии, что все хорошо и она ждет его.

Но когда 4 августа (старого стиля) Достоевский выехал из Петербурга за границу, его возлюбленная уже принадлежала другому.

И в день 7 августа (старого стиля), или 19 августа (нового стиля), когда она сделала свою первую запись в "Дневнике", ее новому роману исполнилось уже больше недели.

Аполлинария начала вести "Дневник", по-видимому, внезапно, как только почувствовала что-то неладное. Ее тетрадка, очень простая, маленькая (16x19 см), тоненькая (всего 50 страниц), в черном коленкоровом переплете, с не очень плотной разлинованной бумагой, по всей вероятности, предназначалась для лекций и занятий (таких тетрадок у нее окажется две, и вторая будет использована для повести). Она писала не слишком разборчиво и не слишком аккуратно, делала много помарок и даже ставила кляксы. У нее то и дело кончались чернила, и она продолжала записи карандашом. Позже она возьмет эту тетрадку в путешествие по Италии и будет записывать туда все, что ей придет на ум. Она попробует, помимо "Дневника", делать путевые заметки и начнет писать в этой же тетрадке с обратной стороны. На внутренней стороне задней обложки она запишет карандашом расходы:

платье — 50
тальма — 40
шляпка — 20
туфли — 10
перчатки — 5

125

Она испишет всю тетрадку из конца в конец, так что строки "Дневника" наползут на путевые заметки. 15 ноября 1863 года здесь будет сделана последняя запись — к этому времени Аполлинария уже расстанется с Достоевским: он уедет в Петербург, она вернется в Париж.

Меньше всего она могла предположить, что ее скромный дешевый блокнот с записями исключительно для себя составит эпоху в изучении биографии Достоевского.

Знал ли Достоевский, что она ведет дневник? Вряд ли. Трудно предположить (хотя они вместе пропутешествовали сорок два дня), что он видел и смог прочитать ее записи. Эту, например: "Вчера Ф.М. опять ко мне приставал". Или эту: "Проснувшись, он сделался необыкновенно развязен, весел и навязчив. Точно он хотел этим победить внутреннюю обидную грусть и насолить мне".

Наверняка не знала и она (и, видимо, вряд ли об этом думала), что ее запись, сделанная в Турине 17 сентября, в тот самый день, когда на ее вновь вспыхнувшую нежность "Ф.М." откликнулся с горячей радостью, будет комментироваться учеными как первый след замысла "Преступления и наказания". Они тогда обедали, и, глядя на девочку, которая брала уроки, Достоевский сказал: "Ну вот, представь себе, такая девочка с стариком, и вдруг какой-нибудь Наполеон говорит: "Истребить весь город". Всегда так бывает на свете".

Они путешествовали вместе, но чувствовали врозь. Она постепенно входила во вкус испытывать его якобы братские к ней чувства и с тайным наслаждением описывала в "Дневнике", как дразнит и мучает его, а он играл на рулетке, проигрывался в пух и прах и посылал свояченице, Варваре Дмитриевне Констант, обстоятельные письма с просьбами о деньгах на путешествие и справлялся о здоровье своей жены Марии Дмитриевны. У каждого было свое собственное затаенное существование, своя отдельная территория любви и ненависти, разные печали и заботы, разные причины грусти.

Документальные свидетельства их любовного поединка, пропутешествовав во времени и в пространстве свыше ста тридцати лет, здесь сопоставлены и синхронизированы; нарушая, быть может, целостность единого текста "Дневника", они восстанавливают целостность и объемность жизни.

Если принять, что знакомство Достоевского с Сусловой произошло в 1861 году, а самая ранняя дата их переписки (письмо Сусловой к Достоевскому) может быть прикреплена лишь к 1863 году, то, в самом деле, надо признать, что мы никогда не сумеем воспроизвести всю конкретную волнующую правду этого периода, т.е. двух начальных лет этой любви, перешедшей, по-видимому, очень быстро в близкую связь... Отъезд Сусловой за границу произошел, по-видимому, поздней весной 1863 года. Отношения с Достоевским были настолько еще не закончены и не выяснены, что первоначально они хотели ехать вместе, но потом Суслова выехала одна, а Достоевский последовал за ней лишь месяца через три, в июле-августе. Трудно сказать, в какой степени тут играли роль внешние житейские обстоятельства Достоевского (закрытие журнала "Время" и разного рода затруднения, за ним последовавшие) или полурешимость Сусловой быстро расстаться с Достоевским, почти "бегство" от него и от создавшихся весьма сложных и спутанных их взаимных отношений.

Е.В. Петухов. Из сердечной жизни Достоевского (Ап. Прок. Суслова-Розанова). С. 39.

Влюбленные решили провести медовый месяц за границей. Уже давно мечтал Достоевский о путешествии в Европу. Иван Карамазов, прототип Достоевского, когда ему было двадцать лет, тоже мечтал путешествовать по Европе. Европа казалась ему лишь огромным кладбищем, но он хотел благоговейно преклонить колени перед могилами великих покойников.

Теперь, когда, наконец, у Достоевского есть деньги, он спешит осуществить давно лелеемую мечту. День отъезда приближался; в последний момент дела, связанные с журналом "Время", задержали его в Петербурге... Достоевский был вынужден один вести все дела журнала. Полина уехала одна и хотела встретиться с ним в Париже.

Л.Ф. Достоевская. Достоевский в изображении своей дочери. С. 87.

...И вот она вдруг очутилась в Париже, одна, без Достоевского. Внешне ход событий можно себе представить так: возможно, что они вздумали вместе отправиться за границу в начале лета 1863 г., но его задержала история с журналом ("Время" было официально закрыто 25 мая)... Быть может, тогда-то она и решила его не ждать и одна уехала... Но это ведь только внешняя картина событий. Суслова уехала одна в начале лета потому, что не хотела дожидаться Достоевского... или уехала раньше, весною, по каким-либо причинам, но тоже личного характера и вполне добровольно... Один этот факт, что она очутилась за границей на несколько месяцев раньше Достоевского, — не говорит ли уже за то, что в ее отношении к нему произошла какая-то крутая перемена, точно действительно, как пишет она в письме, спешно порывает с ним, спасаясь почти бегством..

А.С. Долинин. Достоевский и Суслова. С. 180-181.

<u>11 апреля 1863 г. Париж</u>

Яков Петрович!

Я все собиралась писать вам и все откладывала со дня на день, думая найти сообщить вам что-нибудь интересное, но этого, должно быть, долго ждать. Я почти нигде не была, ничего не видала и думаю оставить осматривать Париж до приезда Федора Михайловича. Теперь я хочу хорошенько заняться языком. Я вам очень благодарна за данные мне письма; Тургенева я не застала, он уехал в Баден-Баден, а по другому письму была два раза и нахожу это знакомство приятным и полезным. Устюжские меня приняли прекрасно, дают разные советы и приглашают часто быть у них, чему я очень рада. Я живу у m-me Щелковой, и она мне немножко надоела, потому что вмешивается в мои дела. В Брюсселе я не была и нигде по дороге не останавливалась, кроме Берлина, которого тоже не видала. Если вздумаете писать мне, я буду очень рада, тем более что, кажется, скоро начну очень скучать. Во всяком случае я довольна моей поездкой, потому что она меня избавила от присутствия людей и мнений, которые мне не нравились, и поможет стать от них более независимо; кроме того, может быть, даст возможность хоть неделю жить так, как хочется; это большое благо и дается нелегко. Если общий смысл жизни не дается, так что по пути к его пониманию встречается бездна сомнений, нужно брать то, в чем уверен. До сих пор я не встречала здесь ни одного человека, сколько-нибудь близкого по мнениям, и думаю, что пропаду со скуки, если не приедет Федор Михайлович.

Яков Петрович Полонский. С фотографии 1860-х годов

Аполлинария Суслова

863. Апреля 11. Париж Rue Mazarine N40

M-me Tchelkoff с передачею мне, впрочем, если вздумаете писать, пишите: Poste restante, потому что переменю квартиру.

Желаю вам наслаждаться Петербургом.

А.П. Суслова — Я.П. Полонскому//
Ф.М.Достоевский. Материалы и
исследования. Т.6. С. 265.

Эти отношения, по крайней мере со стороны Достоевского, требовали продолжения... Достоевский, как только оказалось возможным, выехал прямо в Париж, где тогда находилась Суслова и, в сущности, ждала Достоевского. Это чувство ожидания, к моменту приезда Достоевского, осложнилось новым важным обстоятельством: за три месяца разлуки Суслова приобрела новый объект страстной привязанности в лице иностранца — учителя пения, в увлечении которым она не могла поставить перед собой никакого предела; по-видимому, новый возлюбленный охватил ее эгоизмом своей непосредственной молодой красивой страсти, чуждой какой-либо рефлексии и психологичности, — полная противоположность Достоевскому. Конечно, при этих условиях встреча с Достоевским была тяжела, и первые дни их пребывания в Париже вместе, их встречи и разговоры, поскольку они отразились в Дневнике Сусловой (конец августа — начало сентября 1863 г.), представляют собою сеть мучительных с той и другой стороны переживаний, в которой непосредственность мысли и чувства переплетается с порывами творческой фантазии, факты из жизни — с планами и даже набросками будущих литературных произведений, мечта и действительность, вымышленное и реальное. Распутать и расслоить эту сложную ткань душевных движений — привлекательная задача, но мы в данном случае не стремимся к ее разрешению.

Е.В. Петухов. Из сердечной жизни Достоевского (Ап. Прок. Суслова-Розанова). С. 39.

19 июля 1863 г. Париж

Верите ли, месяца полтора собираюсь писать вам. Да о чем писать? В голове какая-то путаница и тяжесть. Я не буду много распространяться о Париже, о моих впечатлениях, скажу только, что взгляд мой на Европу, на Россию, на состояние нашего общества только теперь начинает определяться, до сих пор он был не тот. Мне теперь как-то яснее представляется пассивная роль моих соотечественников в политических и общественных делах, и это меня бесит.

Здесь нас бранят варварами, бесчестящими имя цивилизации, а сами зажгли плошки, когда узнали о взятии Мексики, и за неделю кричали подлецам о взятии. Хороши мы, да и они не лучше.

С первого раза Париж мне слишком не понравился, но теперь, в новом обществе (я живу в мужском пансионе, где есть люди всех наций), я начинаю всматриваться в французов и нахожу в них много человеческого. Собственно моя жизнь устроилась довольно скучно: занятия и встречи одни и те же каждый день; я не спешу знакомиться, потому что ищу в людях что-нибудь общего. При тех условиях, при каких я живу в Париже, едва ли ужилась бы я так долго в другом каком городе: Германии или Англии. Я только что начинаю скучать и все собираюсь куда-нибудь ехать, хоть на неделю, но для занятий языком лучше еще подольше оставаться здесь. Осенью думаю ехать в Англию с дамой, у которой живу, и ее мужем; одна пуститься в Лондон, без языка, трушу. Как вы поживаете? Очень бы хотелось получить от вас письмо. Я слышала, что вы куда-то едете. Вот тогда я буду ждать, что вы мне напишите, как нашли Россию. Вы не будете смеяться (как "С.-Петербургские ведомости") над издали любящими отечество. Я не хвалюсь моей любовью к отечеству, но я не космополитка; однако в жизни русских за границей нахожу смысл: по крайней мере чему-нибудь выучатся. Что же патриоты-то делают? Насколько у нас всякий делает то, что желает?

Я здесь довольно часто встречаюсь с англичанами и чувствую к ним полнейшее отвращение за их аристократизм

и мораль, а между тем собираюсь жить в Лондоне и учить-
ся английскому языку.

Апол. Суслова

Мой адрес:

Rue St. Michel, St. Hyacinthe, 28 chez M-me Mirman.
Здесь я остаюсь на все время моего житья в Париже.
Устюжские теперь страшно далеко, но я у них бываю.

19 июля. 1863. Париж

Некоторые из моих сожителей такие французы, что,
видясь с ними раз по 5 в день, я не слышала их голоса,
чаще разговариваю с англичанином, но не люблю его очень.

А.П. Суслова — Я.П. Полонскому//Ф.М. Достоевский. Материалы и исследования. Т.6. С. 266-267.

23 июля 1863. Петербург

Господину председателю Общества для пособия нуждающимся литераторам и ученым.

Собираясь отправиться на три месяца за границу для
поправления моего здоровья и для совета с европейскими
врачами-специалистами о падучей моей болезни, я прибегаю
к помощи Общества для пособия нуждающимся литераторам и ученым и прошу из капитала Общества себе взаймы,
до 1 февраля будущего, 1864 года, тысячу пятьсот рублей
серебром, без которых я, по обстоятельствам моим, никаким
образом не могу двинуться с места. В феврале же будущего, 1864 года я обещаюсь честным словом возвратить в кас-
су Общества взятый мною капитал (1500 р.) с процентами,
ибо твердо уверен, что к тому времени, поправив свое здоровье, успею окончить и напечатать сочинение, которым я
теперь занят и которое окупит теперешний заем и все теперешние мои издержки. В случае же моей смерти, равно как
в случае, если б я, к февралю будущего, 1864 года каким-
нибудь образом не выплатил моего долга Обществу, я предлагаю Обществу в залог вечное право владения и издания в
свою пользу всех вообще, равно как и в частности, моих сочинений. Равным образом уступаю Обществу и право продажи этих сочинений книгопродавцу или другому какому-
либо лицу в вечное владение или для единовременного издания, — одним словом, уступаю все мои права Обществу в
полную и неоспоримую собственность с самого 1 февраля
1864 года в том случае, если б я к этому сроку или умер,
или не возвратил вполне взятых мною теперь заимообразно

тысячи пятисот рублей из кассы Общества для пособия нуждающимся литераторам и ученым. Эта передача Обществу моего права на мои сочинения будет совершена, как следует по закону, в конторе маклера.

Федор Достоевский
23 июля 1863 года

Ф.М. Достоевский — Е.П. Ковалевскому//Ф.М. Достоевский. Полное собрание сочинений в тридцати томах. Т.28. Кн.2. Л., 1985. С. 37.

Rue Fausse S. Victor, 39, chez m-me Stuard
Адрес этого дома записан во время заграничного путешествия летом 1863 г. Возможно, что здесь жила в это время А.П. Суслова, ожидавшая Достоевского в Париже.

Ф.М. Достоевский. Материалы и исследования. Т.6. С. 17.

Дневник застает А. Суслову в Париже. Она здесь ведет обычный образ жизни русской студентки: посещает лекции, музеи, встречается с русской и французской учащейся молодежью и политической эмиграцией; внешне ведет открытую светскую жизнь. Душевная жизнь, однако, заполнена тревогой. Она поджидает приезда Федора Михайловича из Петербурга, но он не едет, будучи занят литературными делами и связан болезнью жены. В это время Суслова знакомится с молодым доктором-иностранцем. В этом человеке, насколько можно уловить по записям дневника, резко выражены черты мужчины, лишенного духовных качеств, но, вопреки этому, пользующегося успехом у женщин. Как-то безотчетно, точно под гипнозом, тянется к нему заброшенная в Париж, в нездоровую атмосферу столицы мира — Суслова. Трудно проникнуть в тайну ее переживаний, только к моменту приезда Достоевского в Париж (авг. 1863 г.) А. Суслова уже была близка другому. Она пыталась задержать приезд Достоевского, писала ему, что уже "поздно", но Достоевский приехал, ничего не зная о происшедшем. Во время тяжелого свидания после приезда он узнает все. Достоевский пытается убедить Суслову, что ее увлечение поверхностно, что это чисто чувственный порыв и что ей надо немедленно уезжать из Парижа. К этому времени назревает в душе Сусловой новый кризис: она убеждается, что любимый ею доктор, добившись ее близости, охладевает к ней и начинает избегать ее встреч. В ней задето чувство собственного достоинства, и она прозревает; но чувство любви настолько сильно, что она не в силах сразу оборвать эту связь. Тут она обращается снова к Достоевскому. Во время нового свидания ему удается убедить ее ехать с ним в Италию, с ним "в качестве друга и брата".

А. Бем. "Игрок" Достоевского (В свете новых биографических данных). С. 381.

...Спустя две недели Достоевский получил письмо, в котором Полина уведомляла его, что любит француза, с которым познакомилась в Париже. "Все между нами кончено, — писала она отцу. — Ты сам виноват. Зачем ты оставлял меня так долго одну". Достоевский прочитал письмо и, как безумный, помчался в Париж. Впервые в жизни попавший за границу, он проехал, не останавливаясь, через Берлин и Кельн. Когда позднее он вернулся на берега Рейна, он принес свои извинения кельнскому собору, что не заметил его красоты. Полина приняла его холодно, заявила, что нашла, наконец, свой идеал мужчины и не собирается возвращаться в Россию, ее французский возлюбленный страстно ее любит и она очень счастлива. Мой отец всегда уважал чужую свободу и не делал разницы в этом отношении между мужчиной и женщиной. Полина не была его женой, не давала клятвы; она отдалась добровольно и была, таким образом, вольна взять назад свое расположение. Мой отец подчинился ее воле и не пытался больше ни говорить с ней, ни видеть ее. Видя, что в Париже ему больше нечего делать, Достоевский поехал в Лондон, чтобы встретиться там с Александром Герценом. Тогда ездили в Англию к Герцену, как позднее к Толстому в Ясную Поляну. Отец мой был далек от того, чтобы разделять революционные идеи Герцена; но этот человек интересовал его, и он воспользовался возможностью с ним познакомиться. Лондон показался Достоевскому гораздо интереснее Парижа. Он остался там надолго, основательно его изучил, восторгался красотой молодых англичанок и утверждал впоследствии в своих путевых заметках, что они являют собой совершеннейший тип женской красоты. Это пристрастие Достоевского к англичанкам очень характерно. Русские, путешествующие по Европе, интересуются особенно француженками, итальянками, испанками и венгерками. Англичанки большей частью оставляют их холодными; мои соотечественники находят их "слишком тощими". Вкус Достоевского, очевидно, был в меньшей степени восточным, и красота молодых англичанок заставляла звучать норманнскую струну его литовского сердца.

Наконец мой отец вернулся в Париж и, услышав, что его друг Николай Страхов тоже собирается за границу, предложил ему встретиться в Женеве и вместе поехать в Италию. В этом письме есть удивительные строки: "...Пройдемся по Риму, чего доброго, приласкаем молодую венецианку в гондоле". Подобные высказывания почти не встречаются в письмах моего отца. Вероятно, Достоевскому тогда необходимо было любовное переживание с какой-нибудь женщиной, чтобы реабилитировать себя в собственных глазах и доказать самому себе, что его тоже можно любить. Но "молодая венецианка в гондоле" не встретилась друзьям во время их путешествия, и сердце Достоевского принадлежало Полине. Однако он отказался сопровождать Страхова в Париж, где мог бы встретиться с ней, и вернулся один в Россию. Впечатления от этого первого путешествия он описал в журнале "Время".

Весной Полина написала ему из Парижа и сообщила о неудачном окончании ее романа. Французский возлюбленный обманул ее, но у нее не хватало сил покинуть его, и она заклинала отца приехать к ней в Париж. Так как Достоевский медлил с приездом, Полина грозилась покончить с собой — излюбленная угроза русских женщин. Напуганный, отец, наконец, поехал во Францию и сделал все возможное, чтобы образумить безутешную красавицу. Но так как Полина нашла Достоевского слишком холодным, то прибегла к крайним средствам. В один прекрасный день она явилась к моему отцу в 7 часов утра, разбудила его и, вытащив огромный, совершенно новый нож, только что ею купленный, заявила, что ее возлюбленный француз — подлец, она хочет его наказать, вонзив ему этот нож в глотку; она сейчас направляется к нему, но сначала хотела еще раз увидеть моего отца, чтобы сообщить ему заранее о преступлении, которое она намерена совершить. Я не знаю, позволил ли отец себя одурачить этой вульгарной комедией, во всяком случае, он посоветовал Полине оставить свой большой нож в Париже и сопровождать его в Германию. Полина согласилась; это было именно то, чего она хотела.

Л.Ф. Достоевская. Достоевский в изображении своей дочери. С. 87-88.

Во всяком случае, не подлежит сомнению, что в 1863 г. роман их в полном разгаре. Летом этого года Достоевский путешествует за границей в сопровождении Сусловой. В письмах к братьям он совершенно открыто говорит о счастье путешествовать с любимым существом. Правда, его обычная мнительность и склонность к угрюмости и, главное, проигрыши на рулетке омрачают эту поездку его по Европе в сопровождении любимой девушки. Уже эта спутница Достоевского страдает из-за его проигрышей, закладывает кольцо, переживает с ним тревоги внезапного безденежья, когда приходится дрожать, что подадут счет из отеля. История их отношений, осложненных, видимо, различными любовными эпизодами, довольно близко отразилась на "Игроке" Достоевского.

Л. Гроссман. Путь Достоевского. С. 145-146.

Эта поездка вдвоем с любимой женщиной, еще полной переживаниями прошлого, но невольно поддающейся и чувству красоты природы, и очарованию памятников искусства, была для Достоевского и мукой и радостью. В Сусловой пробуждается новый прилив жизни, чувство благодарности, чуть-чуть жалости, и прежняя любовь берет свое. Достоевский выходит из неестественного положения "друга и брата". Но между ними залегла глубокая трещина, которая чем дальше, тем больше дает себя знать. У Сусловой от поры до времени прорывается еще не изжитое чувство страсти, пробужденное любовью доктора, а у Достоевского — чувство ревности к этому прошлому и боязнь всякой новой встречи на пути Сусловой. Все путешествие проходит в приливах и отливах любви, но в конечном результате новое сближение с Достоевским оставляет в душе Сусловой осадок, в котором вначале она сама не умеет разобраться.

А. Бем. "Игрок" Достоевского (В свете новых биографических данных). С. 382.

И вот, в течение этих нескольких месяцев, трех или четырех, которые Суслова провела в Париже без Достоевского, зажглось в ее душе новое чувство, яркое и молодое, захватило ее с такой внезапностью и разожглось такой слепой страстью, что без всяких размышлений о будущем, со слабой уверенностью и в настоящем, не рассуждая и не взвешивая последствий, она отдала свое сердце и всю себя человеку чуждой среды и племени (он был родом испанец — по имени Сальвадор, студент медиц. факультета).

И здесь мы опять скажем: только этим бегством от самой себя, этим состоянием как бы одержимости идеей — скорее и бесповоротнее и как можно дальше оттолкнуться от только что пережитого — нужно объяснить эту быстро вспыхнувшую в ее душе страсть, которая вскоре превратилась в настоящую, глубокую любовь, ставшую, быть может, единственной любовью в ее жизни. Или: душа-то ее, после *Петерб.* периода, не была уже не юной и не чистой? От любви мрачной, *"размеренной и методической"*, бросилась она к любви молодой и яркой — пусть человека элементарно не сложного, ничем не одаренного, но, быть может, пленительного именно этой простотой своей, душевным своим здоровьем.

А.С. Долинин. Достоевский и Суслова. С. 181.

Дневник Сусловой открывается как раз в момент приближающейся развязки: в летние месяцы, проведенные ею в Париже в 1863 г., Суслова переживает новое увлечение — она любит не то студента, не то начинающего врача, испанца Сальвадора. Это реакция после мучительных месяцев близости с Достоевским. Сальвадор — натура примитивная, решительно ничем не осложненная. Это один из тех "европейцев", которые давно выработали себе форму внешних приличий, тот бездушный лоск цивилизации, который так возмущает Достоевского. Для Сальвадора связь с пылкой русской девушкой приятна, но не требует с его стороны никакой жертвенности. Он на эти вещи смотрит просто. Но не так просто посмотрела на связь с ним Суслова.

Ю. Соболев. Подруга Достоевского//Прожектор. 1928. N19. С. 20.

Достоевского она воспринимала очень сложно. Он одновременно должен был являться ей: в сиянии высшего идеала и тяжелой, мутной, чувственной своей стороной. Ее душа не могла совместить этих непримиримых противоречий, и тем мучительнее была для нее, как женщины, обида, что эту обиду наносил ей он, *"сияющий"*, и меркнул свет перед черными тенями, от него же исходившими, и это было невыносимо. А здесь простым и ясным, элементарно сильным было ее чувство; оттого оно и казалось вначале таким полным и радостным. Но мы имеем основание сказать сейчас же, что, очевидно, только в самом начале казалось оно таким: не была бы Суслова натурой столь исключительно сложной и многосторонне противоречивой, если б была одна только радость. И как в *Петерб.* период с Достоевским, это новое чувство стало приносить с собою мучения еще тогда, когда оно ничем не омрачалось, когда еще не было никаких признаков охлаждения с его стороны. Через год, ретроспективно переживая это время, Суслова воспроизводит в своем дневнике свое душевное состояние в те ночи, когда вдруг просыпалась, в ужасе припоминала происшедшее днем, бегала по комнате и плакала. Был ужас в том, что снова увидела лик зверя. Повторение того, что раз уже оттолкнуло ее от себя.

И вот ждало ее еще горшее разочарование, когда чувственность, ничем не осложненная, — мы говорим про него, про Сальвадора, — оказалась очень скоро удовлетворенной. Дневник ее с этого момента и открывается, когда она стала улавливать с его стороны эти признаки охлаждения со всеми обычными для среднего, пошловатого человека увертками, мелкой ложью, прикрываемой искусственными ласками, если любящая начинает тревожиться, что-то подозревая. И в это-то время все ближе и ближе надвигалась встреча с Достоевским. Она ясно представляла себе, как будет мучиться он, узнав все то, что было пережито ею в его отсутствие. Жалела Достоевского, боялась встречи с ним, принимала меры, чтобы этой встречи не было, и в то же время — все же ждала его в этом огромном, чужом и блудном городе; ждала, пожалуй, как единственного близкого человека, который может ей помочь в этом все более и более запутывающемся положении ее.

А.С. Долинин. Достоевский и Суслова. С. 182.

19 августа, среда

Была у Сальвадора. Он начал меня спрашивать, что я делала, думала ли о нем. Я сказала ему, что накануне припоминала стихи: "Выводи на дорогу". Он просил меня сказать, что это за стихи. Я ему сказала смысл. Это ему понравилось. Он был вял сначала; я спросила, что он, верно, много работал. И угадала. Но несмотря на это, было еще что-то у него, хоть он и уверял меня, что это состояние обыкновенное у него. Он мне сказал, что имеет неприятные дела со своим зятем из-за денег. Этот зять что-то вроде опекуна, отца у Сальвадора, что ему придется ехать в А[мерику]. Хотя я этого и ожидала, но он меня поразил: чувства испуга и страдания, должно быть, ясно выразились на моем лице. Он поцеловал меня. Я закусила губы и сделала неимоверное усилие, чтобы не зарыдать. Он целовал меня и говорил, что, верно, поедет ненадолго, а может быть, и навсегда, — прибавил он, когда я превозмогла себя и стала спокойна. "Но ты можешь поехать со мной", — сказал [он], и я поспешила его уверить, что очень могу, что отец мне позволит и даст средства. Он опять меня спрашивал, когда я буду учиться испанскому. Сейчас получила письмо от Ф[едора] М[ихайловича]. Он приедет через несколько дней. Я хотела видеть его, чтоб сказать все, но теперь решила писать.

19 августа

"Ты едешь немножко поздно... Еще очень недавно я мечтала ехать с тобой в Италию и даже начала учиться итальянскому языку: все изменилось в несколько дней. Ты как-то говорил, что я не скоро могу отдать свое сердце. Я его отдала в неделю по первому призыву, без борьбы, без уверенности, почти без надежды, что меня любят. Я была права, сердясь на тебя, когда ты начинал мной восхищаться. Не подумай, что я порицаю себя, но хочу только сказать, что ты меня не знал, да и я сама себя не знала. Прощай, милый!

Мне хотелось тебя видеть, но к чему это поведет? Мне очень хотелось говорить с тобой о России".

*В эту минуту мне очень и очень грустно. Какой он ве-
ликодушный, благородный! какой ум! какое сердце! Сальвадор
в этот раз просил мой портрет и спрашивал, принимаю ли я
его лекарство и лучше ли мне. "Bien vrai?" — спросил он, когда я сказала, что лучше. Он спрашивал еще, когда поеду я в
Италию (прежде чем сказал о своем отъезде), так как я ему
когда-то говорила об этом, когда мы были только друзья. Я
ему сказала, что не знаю когда. Может, вовсе не поеду, что я
хотела поехать с человеком, которого любила.*

Август, 23. Воскресенье

*Вчера была у Сальвадора. Он, кажется, на меня не-
множко рассердился за то, что я не осталась с ним завтракать и что была немножко грустна. Я смотрела на линии
его рук и сказала, что он будет счастлив в одном отношении (я предполагала в браке). Он пристал спрашивать: в
чем? Я сказала, что не могу сказать потому, что не хочу
думать об этом, чтобы не быть печальной. Он ужасно приставал, но я не уступала. Потом заговорил о себе, что желает остаться в Париже года на четыре, а может быть, и
уедет в Америку. Во всем этом я видела, что он не имеет
мысли обо мне, я склонилась к нему на грудь, слезы навернулись у меня на глазах. Он старался заглянуть мне в лицо
и спрашивал, отчего [я] печальна и о чем думаю. Я сказала, что думаю о нем, и старалась быть покойной. Он спрашивал: что же именно я думаю? Я отвечала, что не могу
сказать. "От меня-то ты имеешь секреты", — сказал он.
Потом он предложил мне завтракать, я отказалась. "Как
хочешь", — сказал он. Кто-то постучался. Он сказал, что
это его друг, и опять предложил завтрак. Я отказалась и,
когда друг входил в комнату, стала надевать шляпку. Сальвадор провожал меня в другую комнату и спрашивал, когда
приду. — Когда ты свободен? Если во вторник? — Приходи во вторник, если не можешь раньше. — Он спрашивал меня, принимаю ли лекарство, и заметил, что я не чищу
зубы, что это дурно и что у меня хорошие зубы.*

*Мне показалось в этот раз, что он меня не любит, и
у меня явилось сильное желание заставить его полюбить
себя. Это возможно, только нужно действовать хладнокров-
нее. Я знаю его слабые черты: он очень тщеславен.*

*Прошлый раз при товарище он спросил заглавие мое-
го романа, о котором прежде не говорил. Он меня спрашивал, что я делаю, и просил что-нибудь сказать по-итальян-*

ски. *Сегодня я много думала и осталась почти довольна,
что Сальвадор меня мало любит; я более свободна. У меня
явилось желание видеть Европу и Америку, съездить в
Лондон посоветоваться и после поступить в секту бегунов.
Жизнь, которую я предполагала, не удовлетворит меня.
Нужно жить полнее и шире.*

"Чего хочу?.. О, как желаний много!
Как к выходу их силам нужен путь!
Что кажется порой — их внутренней тревогой
Сожжется мозг и разорвется грудь".

24 августа. Вторник

*Сегодня я была у С[альва]дора и не застала его
дома. Целый час я его ждала и не дождалась... Много
мыслей и чувств мелькало в моей голове, когда я сидела в
его комнате, но я на них не останавливаюсь. Я сидела,
опустив голову на руки и не сводя глаз с часовой стрелки, и
сердце мое билось. А слезы невольно навертывались на глазах,
я вздрагивала при каждом шорохе. Я хотела написать ему
очень серьезное письмо, но удержалась, и пишу только:*

*"Я была сегодня в отеле Г. и не нашла тебя. Скажи,
что это значит и почему ты мне не написал, что ты не будешь
дома, ты ведь знаешь, что твое отсутствие будет меня мучить.
Я много думала о тебе и даже собиралась писать тебе несколько раз, но, впрочем, занималась много и скоро буду искать себе учителя испанского языка; думаю, как это сделать.*

Жду твоего письма.

А.С.

*Я очень огорчена, что не видела тебя; но я надеюсь,
что ты не испытал удовольствия от этого. Я огорчена твоим
отсутствием, но все же я уверяю себя, что ты меня любишь".*

*Я вспомнила, что последний раз я к чему-то сказала:
"Не обманывай меня". — Я буду обманывать? — сказал
он с достоинством. Это замечательная черта. Он, однако
же, кажется, на помочах у своих родных.*

27, среда

*Сейчас получила письмо от Ф[едора] Мих[айловича]
по город[ской] уже почте. Как он рад, что скоро меня увидит. Я ему послала очень коротенькое письмо, которое
было заранее приготовлено. Жаль мне его очень.*

Какие разнообразные мысли и чувства будут волно-

вать его, когда пройдет первое впечатление горя! Боюсь только, как бы он, соскучившись меня дожидаться (письмо мое придет не скоро), не пришел ко мне сегодня, прежде получения моего письма. Я не выдержу равнодушно этого свидания. Хорошо, что я предупредила его, чтобы он прежде мне написал, иначе что б было. А Сальвадор, он не пишет мне до сих пор... Много принесет мне горя этот человек.

Того же числа вечером

Так и случилось. Едва успела я написать предыдущие строки, как Ф[едор] М[ихайлович] явился. Я увидела его в окно, но дождалась, когда мне пришли сказать о его приезде, и то долго не решалась выйти. "Здравствуй", — сказала я ему дрожащим голосом. Он спрашивал, что со мной, и еще более усиливал мое волнение, вместе с которым развивалось его беспокойство. "Я думала, что ты не приедешь, — сказала я, — потому что написала тебе письмо.

— Какое письмо?

— Чтобы ты не приезжал.

— Отчего?

— Оттого, что поздно.

Он опустил голову.

— Я должен все знать, пойдем куда-нибудь и скажи мне или я умру".

Я предложила ехать с ним к нему. Всю дорогу мы молчали. Я не смотрела на него. Он только по временам кричал кучеру отчаянным и нетерпеливым голосом "Vite, vite", причем тот иногда оборачивался и смотрел с недоумением. Я старалась не смотреть на Ф[едора] М[ихайловича]. Он тоже не смотрел на меня, но всю дорогу держал мою руку и по временам сжимал ее и делал какие-то судорожные движения. — Успокойся, ведь я с тобой, — сказала я.

Когда мы вошли в его комнату, он упал к моим ногам и, сжимая, обняв с рыданием мои колени, громко зарыдал:"Я потерял тебя, я это знал!" Успокоившись, он начал спрашивать меня, что это за человек. "Может быть, он красавец, молод, говорун. Но никогда ты не найдешь другого сердца, как мое".

Я долго не хотела ему отвечать.

— Ты отдалась ему совершенно?

— Не спрашивай, это нехорошо, — сказала я.

— Поля, я не знаю, что хорошо и что дурно. Кто он: русский, француз, не мой доктор? Тот[?]

— *Нет, нет.*

Я ему сказала, что очень люблю этого человека.

— *Ты счастлива?*

— *Нет.*

— *Как же это? Любишь и не счастлива, да возможно ли это?*

— *Он меня не любит.*

— *Не любит!* — *вскричал он, схватившись за голову в отчаянии.* — *Но ты не любишь его, как раба, скажи мне, это мне нужно знать! Не правда ли, ты пойдешь с ним на край света?*

— *Нет, я... я уеду в деревню,* — *сказала я, заливаясь слезами.* — *О Поля, зачем же ты так несчастлива! Это должно было случиться, что ты полюбишь другого. Я это знал. Ведь ты по ошибке полюбила меня, потому что у тебя сердце широкое, ты ждала до 23 лет, ты единственная женщина, которая не требует никаких обязанностей, но чего это стоит: мужчина и женщина не одно и то же. Он берет, она дает.*

Когда я сказала ему, что это за человек, он сказал, что в эту минуту испытал гадкое чувство: что ему стало легче, что это несерьезный человек, не Лермонтов. Мы много еще говорили о посторонних предметах. Он мне сказал, что счастлив тем, что узнал на свете такое существо, как я. Он просил меня оставаться в дружбе с ним и особенно писать, когда я особенно счастлива или несчастлива. Потом предлагал ехать в Италию, оставаясь как мой брат. Когда я ему сказала, что он, верно, будет писать свой роман, он сказал: "За кого ты меня принимаешь! Ты думаешь, что все пройдет без всякого впечатления". Я ему обещала прийти на другой день. Мне стало легче, когда я с ним поговорила. Он понимает меня.

Я не дождалась письма Сальв[адора] и на всякий случай пишу ему такое письмо:

"Ты не был в отеле во вторник и ничего не писал мне об этом. Может быть, ты не получил моего письма; но во всяком случае ты мог бы мне написать. Или ты не знаешь, как я тебя люблю: люблю до безумия. Я начинаю думать, что у тебя какое-нибудь большое несчастье, и эта мысль мутит мне ум. Я не умею сказать, как я люблю тебя, и если бы ты знал это, то не заставил бы меня испытать такие страдания, какие я перенесла в течение этих двух дней, ожидая от тебя известия".

Я пишу ему еще письмо, которое отдам после.

*"Я хочу тебе сказать, как я тебя люблю, хотя я знаю,
что не в силах выразить это словами. Надо, однако, чтобы
ты знал это. Я никогда не была счастлива. Все люди, которые меня любили, заставляли меня страдать, даже мой отец
и моя мать. Мои друзья все люди хорошие, но слабые и
нищие духом; богаты на слова и бедны на дела. Между
ними я не встретила ни одного, который бы не боялся истины и не отступал бы перед общепринятыми правилами жизни. Они также меня осуждают. Я не могу уважать таких
людей, говорить одно и делать другое — я считаю преступлением. Я же боюсь только своей совести. И если бы произошел такой случай, что согрешила бы перед нею, то призналась бы в этом только перед самой собою. Я вовсе не
отношусь к себе особенно снисходительно, но люди слабые
и робкие мне ненавистны. Я бегу тех людей, которые обманывают сами себя, не сознавая, чтобы не зависеть от них.
Я думаю поселиться в деревне среди крестьян и приносить
им какую-нибудь пользу, потому что жить и не оказывать
пользы другим считаю не достойным человека".*

А.П. Суслова. Годы близости с Достоевским. Дневник — повесть — письма/
Вступ. статья и примеч. А.С. Долинина. М.: Изд. М. и С. Сабашниковых, 1928.
С. 47-53.

[1863] Париж. 28 августа

Милый Коля, я уже два дня в Париже, куда приехал
усталый и измученный. Немного нездоров. Дорогой был со
мной легкий припадок. Много я думал о тебе, голубчик, и с
нетерпением жду о тебе известий, которые бы меня порадо-
вали. Где-то ты теперь? У Саши или в больнице? Я адре-
сую к Саше, для передачи тебе. Здесь одна особа даже заплакала, когда я рассказал о твоей болезни, и велела тебя
горячо приветствовать. О себе скажу, что не знаю, останусь
ли долго в Париже. Совершенно не знаю. Все будет судя
по обстоятельствам. У Труссо я еще не был. Не огляделся
и не отдохнул еще. Но его хвалят. На Рейне, где я несколько замешкался, погода была удивительная, и что это
за край! В Париже хоть и тепло, но дождь. Понравился
мне на этот раз Париж наружностью, то есть архитектурой.
Лувр — вещь важная, и вся эта набережная, вплоть до
Нотр-Дам, — вещь удивительная. Жаль, Коля, что ты,
выйдя архитектором, не съездил за границу. Архитектору
нельзя не быть за границей. Никакой чертеж не передаст

действительного впечатления. Кстати, попрошу тебя об одном деле, друг Коля: справься, где теперь Мерц? Не в Париже ли? Я и забыл спросить, отъезжая. А я бы очень хотел его встретить.

Как-то мне грустно теперь и тоска. Голова болит притом. Думаю о всех вас; думаю часто и о Марье Дмитриевне. Как бы, как бы хотелось получить об ней добрые известия! Что-то ее здоровье? Был ли у тебя Паша и не слыхал ли ты об нем чего, Коля, то есть о том, как он себя держит без меня и чем занимается? Что услышишь, напиши мне откровенно. Боюсь я, что он избалуется без меня. Не была ли у тебя Варвара Дмитриевна? Я ее очень люблю; милое, благородное существо. Она что-то говорила, провожая меня, что ей хотелось бы тебя навестить.

Мария Дмитриевна Достоевская (Исаева)

Край, который я проезжал до нашей границы, спокоен, хотя солдаты дежурят на каждой станции, но, однако ж, веселы и довольны, как я заметил. Осмотрюсь здесь и стану посещать одну известную мне кофейную, где есть русские газеты. Напиши мне, Коля, все, что услышишь особенного о чем бы то ни было. Кланяйся Саше и Николаю Ивановичу, равно как и всем, кто хороший человек. Детей перецелуй. Пишу тебе кратко и наскоро. Не в расположении я духа и нездоров немного, но люблю тебя больше прежнего. Дорог ты мне теперь, больной и несчастный. Как бы я желал, воротясь, застать тебя уже здоровым. Друг Коля, вспомни просьбы наши и пощади сам себя — ложись в больницу.

Обнимаю тебя и целую крепко, голубчик ты мой.

Твой Федор Достоевский.

Извести меня тоже, поехал ли Шелеховский через Владимир или нет.

На конверте:
Russie St. Petersbourg
Его высокоблагородию

Николаю Михайловичу *Достоевскому*
В Петербург.
На Петербургской стороне, по Большому проспекту,
дом г-жи *Голеновской №69.*

Ф.М. Достоевский — Н.М. Достоевскому // Ф.М. Достоевский. Полное собрание
сочинений в тридцати томах. Т.28. Кн.2. С. 37-38.

Париж 28 августа (здешнего стиля) 1863 г.

Милый Паша, спешу тебя, голубчик, уведомить, что
я наконец-то кое-как добрался до Парижа и хоть устал и
немного болен, но все-таки дорога обошлась гораздо легче,
чем я думал. Был, впрочем, маленький припадок. Из Берлина я написал брату, Коле и мамаше. Слышал ли ты об
этих письмах? Если навещал Колю, как я просил тебя, то
он, верно, тебе сказал, что получил от меня письмо. Думаю
я об тебе много, Паша. Держал ли ты экзамен и что выдержал? Со страхом буду ждать от
тебя известия. Когда это письмо
придет к тебе, наверно уже будет
все решено, и ты можешь меня
тотчас уведомить. Пиши ко мне
обо всем откровенно и по-дружес-
ки — как ты живешь, что делаешь? Советую не откладывать
письма, как ты откладываешь к
мамаше, потому что я совершенно
не знаю, останусь ли долго в Париже и сколько именно, след[ова-
тельно], старайся, чтоб письмо твое
успело застать меня. Ворочусь я в
свое время и, надеюсь, не запоздаю. Буду писать тебе еще. Не
знаю, может быть, поеду в Италию, хотя долго там жить не буду.
Старайся, Паша, избегать глупых
знакомств и Юсуповых садов. Глупо ведь это все ужасно, особенно в
твой возраст, когда надобно о себе
подумать. Пожалуйста, пиши мне о

Павел Александрович Исаев

себе подробнее. Вместе с этим письмом пишу и Михаилу
Васильевичу. Он мне напишет, надеюсь, откровенно о тебе,
то есть доволен ли он тобой? Недоданные за тебя Михаилу
Васильевичу деньги я пошлю Варваре Дмитриевне. От нее

он все и получит. Прощай, обнимаю тебя и целую. Надеюсь на тебя, Паша. Смотри, не разочаруй меня, друг мой.

Тебя искренно любящий Ф. Достоевский.

Что услышишь об мамаше, тотчас же мне сообщи.

Ф.М. Достоевский — П.А. Исаев //Ф.М. Достоевский. Полное собрание сочинений в тридцати томах. Т.28. Кн.2. С. 39.

1 сентября. Понедельник

*Я не послала двух последних писем Сальвадору, по-
тому что случилось такое происшествие: в один вечер я возвратилась домой от Ф[едора] М[ихайловича] довольно
поздно, легла не засвечая огня и плохо спала <u>ночь</u>, думая о
Саль[вадоре]. Я проснулась, когда было темно, едва рас-
свело. Я стала ходить по комнатам и вдруг нечаянно увидела на столе письмо; почерк был незнакомый. Это писал его
товарищ. Он уведомлял, что Сальвадор в тифе, что <u>он болен с самого того дня, когда я его в последний раз видела</u>,
и я не могу его видеть, потому что он у своих знакомых,
рекомендованных его родными, что этот господин об нем
заботится и будет иметь подозрение, если я приду. Я тотчас
отвечала на это письмо, где говорила, что невозможность
видеть Сальв[адора] считаю варварством и что прошу писать мне чаще о состоянии здоровья своего друга. В этот
же день я написала еще письмо Саль[вадору], которого я
считала на краю могилы. Я писала, что он, верно, выздоро-
веет, иначе была бы несправедливость. Я была в страшном
отчаянии, что эта болезнь особенно опасна для молодых
людей. Ф[едор] М[ихайлович] меня несколько успокоил,
сказав, что в здешнем воздухе и при <u>этих медиках</u> неопас-
но. Я переехала к Мир. и в субботу <u>целый</u> день ждала
письма, в воскресенье его самого (я его приглашала для
того, чтобы его расспросить о Сальв[адоре]). В суб[боту] в
6 час. я пошла гулять в улицу Сорбонну и встречаю Саль[-
вадора]. Я его увидела издали, но никак не могла поверить,
что это он. Так мне показалось это невероятным до тех
пор, когда он подошел ко мне, улыбаясь, но очень бледный,
и взял мою руку. Я едва устояла на ногах и несколько времени не могла ничего сказать. У меня не было еще никакого подозрения, но мне было больно, что он мне не писал.
Первые его слова были, что он был очень болен и что выходит в первый раз. — Да, ты очень бледен, — сказала я.
В это время я подняла на него глаза. На щеках у него
были красные пятна.*

— *Ты сердилась на меня, что я <u>не был</u> во вторник, но ведь ты мне назначила четверг.*

При этих словах у меня начало проясняться в голове, но я так страдала, что <u>меня</u> недостало на негодование, слезы хлынули мне на глаза.

— *Ты куда идешь?* — *спросил он.*

— *Гуляю, а ты?*

— *Я к товарищу в улицу Суфль.*

— *Пойдем немного вместе. Я думала, что ты умираешь. Твой товарищ написал мне такое письмо. Вот оно (я вынула из пор[тфеля] письмо), — посмотри, что тут, прочти. Я писала ему два раза и просила его прийти.*

— *Я очень сержусь, что он написал так, я думал, что тиф, но обошлось иначе.*

Он смотрел на письмо и, по-видимому, ничего не видел или оно ему было знакомо. Он подал мне его.

— *Читай,* — *сказала,* — *прочти после, дома.*

Но он опять его развернул, для того, может быть, чтобы не говорить со мной. Не доходя до ул. Суфль, он мне сказал, что ему нужно идти налево (ему было неловко со мной).

— *В таком случае, прощай,* — *сказала я,* — *мне идти прямо.*

— *Но я могу идти с тобой,* — *сказал [он]. (Было ли это угрызение совести или жалость?)*

Мы молча дошли до Суфль (он читал письмо своего друга).

— *Вот сюда я должен идти,* — *сказал он, указывая на дом, стоявший прямо [против] улицы, из которой мы вышли.*

Оставшись одна, я скоро поняла случившееся. Когда я осталась в своей комнате, со мной сделалась истерика, я кричала, что убью его. Этого никто не слышал. Потом я легла и несколько времени ничего не думала. Я чувствовала, как жар вступал в мою голову, я думала, что буду больна, и радовалась. Потом я стала думать, что делать, и решилась... Я даже хотела писать письмо сестре. Я все приготовила, сожгла некоторые свои тетради и письма (те письма, которые могли компрометировать <u>меня</u>). Мне было чудно хорошо. Только жаль было мать да Хогерман, которые бы в этом случае пострадали. Я все думала, нельзя ли их выпутать, сказать, что я у них не жила. Я не спала всю ночь и на другой день в 7 час. <u>утра</u> пошла к Дост[оевско-

му]. Он спал. Когда я _пришла_, проснулся, отпер мне и опять лег и закутался. Он смотрел на меня с удивлением и испугом. Я была _довольно_ спокойна. Я ему сказала, чтоб он сейчас же ко мне шел. Мне хотелось рассказать ему все и просить его быть моим судьей. Я у него не хотела оставаться потому, что ждала Сальв[адора]. Когда Ф[едор] М[ихайлович] ко мне пришел, я вышла к нему из-за завтрака с куском хлеба, который я ела. — Ну вот, видишь, что я спокойна, — сказала я смеясь.

— Да, — сказал он, — и я рад, но, впрочем, кто тебя разберет?

После некоторых неважных расспросов я ему начала рассказывать всю историю моей любви и потом вчерашнюю встречу, не утаивая ничего.

Ф[едор] М[ихайлович] сказал, что на это не нужно обращать внимания, что я, конечно, загрязнилась, но это случайность, что Саль[вадору] как молодому человеку нужна любовница, а я подвернулась, он и воспользовался; отчего не воспользоваться. Хорошенькая женщина и удовлетворяющая всем вкусам.

Ф[едор] М[ихайлович] был прав, я это совершенно понимала, но каково же было мне!

— Я боюсь только, чтоб ты не _выдумала_ какой-нибудь глупости (я ему рассказывала о своих мыслях, которые были у _меня_, когда я однажды не застала Сальва[дора]).

— Я его не хотела бы убить, — сказала я, — но мне бы хотелось его очень долго мучить.

— Полно, — сказал он, — не стоит, ничего не поймет, это гадость, которую нужно вывести порошком; что губить себя из-за него глупо.

Я согласилась. Но все-таки я его очень люблю и готова отдать полжизни, чтоб заставить его почувствовать угрызение совести до того, чтоб он раскаялся передо мной. Этого, конечно, от него не дождаться, ко мне иногда возвращается тоска, и сейчас у меня явилось желание того, что уже, я _думала_, прошло, — желание мщения, но как? чем? У него, верно, есть любовница, какая-нибудь дама, у которой бездна поклонников. Он, верно, с ней поссорился и за то сошелся со мной, но теперь, должно быть, они помирились.

Он не был вчера, не придет, конечно, ни сегодня, ни завтра, но что ж он будет делать? Ведь он же обещал прийти, когда я не просила его еще только об этом. Его *тщеславие, кажется, не позволит ему остаться в моих глазах лжецом. На что же он надеялся, сочиняя историю о болезни? Я решаюсь послать ему деньги за [?] Ф[едор] М[ихайлович] скажет, что это лишнее, он слишком его презирает, и притом он, как видно, находит, что я должна страдать (остаться без отмщения) за свою глупость, но эта глупость имела смысл.*

А.П. Суслова. Годы близости с Достоевским. С. 53-56.

Париж 1 сентября (нового стиля)

Любезнейшая и многоуважаемая Варвара Дмитриевна, Вы, может быть, уже из письма моего к Паше знаете обо мне, что я счастливо и благополучно добрался до города Парижа, где и засел, но, кажется, ненадолго. Не нравится мне Париж, хоть и великолепен ужасно. Много в нем есть кой-что посмотреть; но как осмотришь, то нападет ужасная скука. Другое дело, если б я приехал как студент, учиться чему-нибудь. Ну тут дело другое: было бы много занятий и многое надо было бы и осмотреть и прослушать, а для туриста как я, наблюдающего просто за нравами, французы мерзят, а город уж мне почти известен. Право, лучше всего здесь фрукты и вино: это не надоедает. О своих интимных делах я Вам ничего не пишу: "Письмо вздор, письма пишут аптекари". А напишу Вам кой про какие делишки. Дело в том, голубчик Варвара Дмитриевна, что я к Вам с некоторой маленькой просьбой. Видите ли: я, дорогой, прожил дня четыре в Висбадене, ну и играл, разумеется, на рулетке. Да Вы что думаете? Ведь выиграл, а не проиграл; хоть не столько выиграл, сколько хотел, не 100000, а все-таки некоторую маленькую капельку выиграл. (Кстати NB. Не говорите об этом никому, милая Варвара Дмитриевна. То есть, хоть Вам и некому сказать, так как Вы мало кого видите, но я разумею, главное, Пашу. Он еще глуп и, пожалуй, заберет в голову, что можно составить игрой карьеру, ну и будет на это надеяться. Ведь забрал же он себе недавно в голову, что будет в магазине приказчиком, чтобы добывать себе деньги, а след[овательно], не надо учиться, и это мне объявил. Ну, и не следует ему знать, что его папаша посещает рулетки. И потому ни слова.) Я, Варвара Дмитриевна, в эти четыре дня присмотрелся к игрокам. Их там понтирует несколько сот человек, и, честное слово, кроме двух, не нашел умеющих играть. Все проигрываются

дотла, потому что не умеют играть. Играла там одна француженка и один английский лорд; вот эти так умели играть
и не проигрались, а напротив, чуть банк не затрещал. Пожалуйста, не думайте, что я форсю, с радости, что не проиграл, говоря, что знаю секрет, как не проиграть, а выиграть. Секрет-то я действительно знаю; он ужасно глуп и
прост и состоит в том, чтоб удерживаться поминутно, несмотря ни на какие фазисы игры, и не горячиться. Вот и
все, и проиграть при этом просто невозможно, а выиграете
наверно. Но дело не в том, а в том, что, постигнув секрет,
умеет ли и в состоянии ли человек им воспользоваться?
Будь семи пядей во лбу, с самым железным характером и
все-таки прорветесь. Философ Страхов и тот бы прорвался.
А потому блаженны те, которые не играют и на рулетку
смотрят с омерзением и как на величайшую глупость. Но о
деле. Я, голубчик Варвара Дмитриевна, выиграл 5000
франков, то есть выиграл сначала 10 тысяч 400 франков, и
уж домой принес и в сак запер и ехать из Висбадена на
другой день положил, не заходя на рулетку; но прорвался и
спустил половину выигрыша. Таким образом, и остался
только при 5000 франков. На всякий случай я положил оставить часть этого выигрышу при себе, но часть посылаю в
Петербург, а именно: часть брату, чтоб сохранил эти деньги
к моему приезду, и часть Вам, для передачи или пересылки
Марье Дмитриевне. Извините, голубчик, что рассчитываю,
почти не спросясь, на Ваше содействие. Но помня Вашу
дружбу, я в нем был уверен. Всего я к Вам посылаю 30
дублонов, то есть двойных прусских фридрихсдоров. Каждый дублон ходит здесь в Париже, 41 франк, 50 сантимов.
Но это мало, это грабеж здешних менял; он ходит больше.
Один фридрихсдор ходит здесь *20 франк. 75 сантимов*, а
наш империал *20 франк. 55 сантим.*, а след[овательно],
фридрихсдор считается здесь дороже нашего империала.
Так должно быть и в Петербурге. Следственно, в крайнем
случае, можно наверно считать фридрихсдор если не больше, так уж равным нашему имперьялу. В *30* дублонах, ко-
торые я к Вам посылаю, *60* фридрихсдоров, след[овательно], считая, что это все равно что 60 имперьялов, будет по
размене на кредитные билеты несколько более 300 рублей.
Да, может быть, еще можно будет взять капельку на промене, так как золото у нас дорого. Вот почему я и предпочел послать прямо золотом. Просьба моя вот в чем: *5* дублонов, из этих 30-ти, Вы отложите и спрячьте у себя до

времени. Это будет для Родевича, на Пашины нужды (то есть не Паше в руки), на случай, если я запоздаю. А остальные 25 дублонов разменяете у менялы на кредитки. Я уверен, что менялы не очень обманут. Сделайте одолжение, не заботьтесь много: сколько дадут, тем и будем довольны. Даже, если хотите только, поручите просто разменять брату Михайле Михайловичу, чтоб он разменял и возвратил в Ваши руки разменянное. Разменяв же, уведомьте Марью Дмитриевну, что эти 25 дублонов я посылаю ей, что по размене их вышло вот столько-то, и при этом спросите ее: как ей переслать? То есть по почте или другим каким образом? По-моему, по почте всего лучше, тем более что другого никакого образа и нет. Но, может быть, Марья Дмитриевна захочет, чтоб эти деньги лежали у Вас до времени, то есть хоть до моего приезда. Ну это дело другое; тогда прошу Вас очень исполнить это ее желание, если б оно было. Вообще как она захочет, так пусть и будет. Очень, очень меня, голубчик мой, обяжете, если все это возьметесь исполнить. Ради Бога, не откажите. Я Марью Дмитриевну уж уведомил и сказал, что Вы ей напишите, то есть уведомите ее, когда деньги будут Вами получены, и спросите ее, как ей переслать.

Тогда я писал к ней, чтоб она Вас тотчас же и уведомила. Может быть, она Вам и раньше напишет. Сегодня только посылаю я деньги. Все бился и узнавал здесь, каким способом лучше выслать. На почте положительно не берут, потому что здесь принят один только способ высылки через банкиров. Мне же не хотелось высылать через банкира, потому что банкир взял бы дороже за пересылку и, кроме того, наверно обчел бы меня на промене, так как золото здесь дешевле нашего. Вот почему и нашел здесь какую-то частную, но верную контору транспортов. Через нее и посылаю. Каким способом она Вам доставит посылку — не знаю. Знаю только, что она доставит медленно, дней в 8, так что письмо это Вы получите гораздо раньше денег. Но, по крайней мере, Вы будете уведомлены. Если б на случай вышло какое-нибудь затруднение, обратитесь к брату Михайле Михайловичу. То есть напишите ему два слова, чтоб приехал к Вам *по моему делу*, и кончено. Но это я пишу на всякий случай. Я уверен, что не будет никаких затруднений. Во всяком случае, простите, добрый и многоуважаемый друг мой, что Вами так располагаю. Но я ведь на доброту Вашу надеюсь.

Здоровье мое так себе. В Париже останусь, я думаю, недолго. Может быть, поеду в Италию. Все зависит от обстоятельств. Напишите мне, голубчик, о всем, что знаете о Паше и что услышите (на случай, если услышите) о Марье Дмитриевне. Беспокоюсь я ужасно и сердечно о ее здоровье. Дай ей Бог лучшего! Да напишите все, что слышали (если только слышали) о брате Коле, как его здоровье. Да наставляйте, голубчик, Пашу. Напишите, что говорит о нем Родевич, если что услышите. Беспокоит меня Паша ужасно.

Наконец, напишите мне хоть два словечка собственно и о себе. То есть что и как, как Ваше расположение духа, здоровье и проч. Голубчик мой, я Вас крепко люблю и уважаю, и не считайте, стало быть, моей просьбы простым любопытством. Да пишите скорее, потому что я, может быть, в Париже долго не останусь, так чтоб письмецо Ваше здесь застало меня. Да не ждите, когда деньги получите. Пишите и до получения. Дойдут наверное, нечего беспокоиться.

Прощайте. Крепко жму Вам руку

Ваш Ф. Достоевский.

Ф.М. Достоевский — В.Д. Констант // Ф.М. Достоевский. Полное собрание сочинений в тридцати томах. Т.28. Кн.2. С. 39-42.

2 сентября

Ф[едор] М[ихайлович] действительно сказал, что деньги посылать лишнее, что это пустяки. Он думал, что этим я бессознательно *ищу предлога сблизиться с Саль[вадором]. Ф[едор] М[ихайлович] сказал, что это поведет к тому, что тот оправдается и обманет меня. — Так неужели же бояться этого, не верить себе, — сказала я, — бояться, что обманут, тогда не нужно уважать себя.*

Ф[едор] М[ихайлович] решительно не понял меня и не знал, что это за письмо, вот оно:

"Милостивый государь, однажды я позволила себе получить от вас услугу, за которую обычно платят деньгами. Я думаю, что можно получать услуги только от людей, которых считаем за друзей и которых уважаем. Я посылаю вам эти деньги, чтобы исправить свою ошибку по отношению к вам. Вы не имеете права мне помешать в этом намерении.

P.S. Я хочу еще добавить, что вам незачем от меня прятаться и меня бояться: я не имею желания вас преследовать. Вы можете меня встретить (может быть, это случит-

ся) так, как будто мы никогда не знали друг друга, даже я прошу вас об этом. Я вам говорю это, предполагая, что вы возьмете мои деньги; в противном же случае я советую вам действительно прятаться от меня подальше, как только можете (потому что тогда я на вас рассержусь, что довольно опасно).

Это будет лучше для вас, так как я особа некультурная (я вполне варварка) и не знаю совершенно искусственных ваших шуток. Говорю это серьезно".

Я рассказала это письмо Ф[едору] М[ихайловичу]. После этого он сказал, что, конечно, послать можно, потому что это по крайней мере не будет пассивно. Я послала это письмо третьего дня и до сих пор нет (и, верно, не будет) ответа. Признаюсь, я этого не ожидала. Человек этот не настолько развит, чтобы молчать из достоинства, и не настолько бесстыден, чтоб — от наглости, он струсил. Может быть, впрочем, он что-нибудь придумает ответить, но едва ли. Судя по его характеру, я предполагаю, что если б он не трусил, то прислал бы мне деньги, хоть без письма. Это письмо должно было очень уязвить не только самолюбие, у него есть даже своего рода честь, которая не в натуре и даже не в голове, а в памяти, почерпнутая из католического катехизиса.

А.П. Суслова. Годы близости с Достоевским. С. 57.

Петербург, 22 августа (3 сентября) 1863 г.
...Письмо твое мне показалось странным в одном месте. Ты пишешь о предчувствиях и ниже ни одного слова об Аполлинарии. Уж не случилось ли что-нибудь? Я, право, за тебя беспокоюсь. Напиши, пожалуйста.

М.М. Достоевский — Ф.М. Достоевскому//А.С. Долинин. Достоевский и Суслова. С. 198.

---

5 сентября. Баден-Баден

Перед отъездом из Парижа мне было очень грустно. Это не просто чувство привычки, Пет[ербург] я оставляла легко; я уезжала из него с надеждами, а в Париже потеряла многое. Мне кажется, я никого никогда не полюблю. Чувство мщения еще тлело во мне долго, и я решила, если не рассеюсь в Италии, возвратиться в Париж и исполнить то, что было задумано... Дорогой мы разговорились с Ф[едором] М[ихайловичем] о Лермонтове. Я вспомнила этот ха-

рактер, и все случившееся со мной показалось мне так ме-
лочно, так недостойно серьезного внимания...

"И ничего на этом свете благословить он не хотел".
Он был прав. Зачем же увлекаться.

Мне кажется, что я больна. Это было бы слишком
несправедливо. Мне кажется, что в природе есть какие-нибудь законы справедливости.

6 сентября. Баден-Баден

Путешествие наше с Ф[едором] М[ихайловичем] довольно забавно; визируя наши билеты, он побранился в
папском посольстве; всю дорогу говорил стихами, наконец
здесь, где мы с трудом нашли 2 ком[наты] с двумя посте-
лями, он расписался в книге "Officier", чему мы очень смеялись. Все время он играет на рулетке и вообще очень бес-
печен. Дорогой он сказал мне, что имеет надежду, хотя
прежде утверждал, что нет. На это я ему ничего не сказала, но знала, что этого не будет. Ему понравилось, что я
так решительно оставила Пар[иж], он этого не ожидал. Но
на этом еще нельзя основывать надежды — напротив. Вчера вечером эти надежды особенно высказались. Часов в 10 мы
пили чай. Кончив его, я, так как в этот день устала, легла на
постель и попросила Ф[едора] М[ихайловича] сесть ко мне
ближе. Мне было хорошо. Я взяла его руку и долго держала
в своей. Он сказал, что ему так очень хорошо сидеть.

Я ему говорила, что была к нему несправедлива и
груба в Пар[иже], что я как будто думала только о себе,
но я думала и о нем, а говорить не хотела, чтобы не обидеть. Вдруг он внезапно встал, хотел идти, но запнулся за
башмаки, лежавшие подле кровати, и так же поспешно воротился и сел.

— Ты куда ж хотел идти? — спросила я.

— Я хотел закрыть окно.

— Так закрой, если хочешь.

— Нет, не нужно. Ты не знаешь, что сейчас со мной
было! — сказал он с странным выражением.

— Что такое? — Я посмотрела на его лицо, оно
было очень взволнованно.

— Я сейчас хотел поцеловать твою ногу.

— Ах, зачем это? — сказала я в сильном смущении,
почти испуге и подобрав ноги.

— Так мне захотелось, и я решил, что поцелую.

Потом он меня спрашивал, хочу ли я спать, но я сказала, что нет, хочется посидеть с ним. Думая спать и раздеваться, я спросила его, придет ли горничная убирать чай. Он утверждал, что нет. Потом он так смотрел на меня, что мне стало неловко, я ему сказала это.

— И мне неловко, — сказал он с странной улыбкой.

Я спрятала свое лицо в подушку. Потом я опять спросила, придет ли гор[ничная], и он опять утверждал, что нет.

— Ну так поди к себе, я хочу спать, — сказала я.

— Сейчас, — сказал он, но несколько времени оставался. Потом он целовал меня очень горячо и, наконец, стал зажигать для себя свечу. Моя свечка догорала.

— У тебя не будет огня, — сказал он.

— Нет, будет, есть целая свечка.

— Но это моя.

— У меня есть еще.

— Всегда найдутся ответы, — сказал он улыбаясь и вышел. Он не затворил своей двери и скоро вошел ко мне под предлогом затворить мое окно. Он подошел ко мне и посоветовал раздеваться.

— Я разденусь, — сказала я, делая вид, что только дожидаюсь его ухода.

Он еще раз вышел и еще раз пришел под каким-то предлогом, после чего уже ушел и затворил свою дверь. Сегодня он напомнил о вчерашнем дне и сказал, что был пьян. Потом он сказал, что мне, верно, неприятно, что он меня так мучит. Я отвечала, что мне это ничего, и не распространялась об этом предмете, так что он не мог иметь ни надежды, ни безнадежности. Он сказал, что у меня была очень коварная улыбка, что он, верно, казался мне глуп, что он сам сознает свою глупость, но она бессознательна.

Того же дня вечером

Я сейчас вспомнила сестру, она осудила бы меня за поездку в Италию, но я себя не осуждаю. Какая-то страсть влечет меня путешествовать: знать, видеть, и что же, разве она незаконна? Вообще тот катехизис, который я прежде составила и исполнением которого гордилась, кажется мне очень узким. Это было увлечение, которое повело бы к ограниченности и тупости. Не есть ли, однако, это переход к тому совер[шенно] новому и противоположному пути... Нет, тогда бы я призналась себе, ведь я же его обдумала, и при-

том теперь я спокойна. Я замечаю, что в мыслях у меня совершается переворот.

Ф[едор] М[ихайлович] проигрался и несколько озабочен, что мало денег на нашу поездку. Мне его жаль, жаль отчасти, что я ничем не могу заплатить за эти заботы, но что же делать — не могу. Неужели ж на мне есть обязанность — нет, это вздор.

А.П. Суслова. Годы близости с Достоевским. С. 56-60.

Баден-Баден, 8 сентября/63

Милый друг и сестра, Варвара Дмитриевна, пишу Вам только несколько строк, чтоб уведомить и попросить. Сегодня же еду, через час или даже скорее, и потому нет времени ни минуты. Все дело в том, что здесь, в Бадене, я проигрался на рулетке весь, совершенно, дотла. Я проиграл до 3-х тысяч с лишком франков. У меня в кармане теперь только 250 франков. Я выехал из Парижа, чтоб ехать в Рим. На эти деньги нельзя ехать в Рим и потому остановлюсь на перепутье в Турине ждать из Петербурга денег. Пишу к брату, чтоб выслал, но так как этого мало, то написал и Марье Дмитриевне, чтоб она из высланных мною ей денег прислала мне 100 руб. Но только 100 руб., и не больше. Она ведь очень, очень добрая и, пожалуй, захочет выслать все, что я ей из Парижа послал.

Теперь, милая тетенька, вот какая до Вас огромная просьба: контора транспортов, которая взялась Вам доставить в Петербург деньги из Парижа для Марьи Дмитриевны, уведомила меня, что скоро не может доставить, а доставит разве только через 8 или через 9 дней. Итак, деньги могут быть еще у Вас, потому что Вы могли еще не успеть отослать их Марье Дмитриевне. Если же это так, то прошу Вас *убедительнейше*, немедленно, с получением сего, взять из тех денег 100 руб. и передать их брату Мих[аилу] Мих[айловичу] для отправки ко мне в Турин. Он их отправит через банкира. Все это чтоб выиграть время. Марье же Дмитриевне я пишу об этом самом, с этой же почтой, письмо и уведомляю ее, что, по моей просьбе, Вы, не спрашивая ее, может быть, возьмете 100 руб. из ее денег и мне вышлете. Если же Вы послали уже ей все деньги, то я ей пишу, чтоб она выслала на Ваше имя, а Вы с получением доставьте брату, а уж он мне вышлет.

Вот и вся моя просьба к Вам, просьба покорнейшая.

Целую Ваши ручки, тетенька, и умоляю Вас поскорей распорядиться. Я в Турине буду без гроша и заложу или продам часы. Приключения бывают разные; если б их не было, то и жить было бы скучно.

Прощайте, добрый друг, крепко жму Вам руку.

Ваш весь Ф. Достоевский.

Пишите мне, пожалуйста, и уведомляйте обо всем, о чем я Вас и прежде просил: очень умоляю Вас.

Адрес же Вам даю прямо в Рим:

Italie, Rome, poste restante, a M-r Theodore Dostoiewsky.

(NB. — Не франкируйте.)

Я еще Ваших писем не получал. Они в Париж придут после меня, а уж парижский почтамт их отправит в Рим.

Ф.М. Достоевский — В.Д. Констант //Ф.М. Достоевский. Полное собрание сочинений в тридцати томах. Т.28. Кн.2. С. 42-43.

14 сентября. Турин. 1863

Вчера мы обедали с Ф[едором] М[ихайловичем] в нашей гостинице за table d'hôte. Обедающие были все французы, молодые люди; один из них очень нагло посматривал на меня, и даже Ф[едор] М[ихайлович] заметил, что он как-то двусмысленно кивал на меня своему товарищу. Ф[едора] М[ихайловича] взбесило и привело в затруднение потому, что ему довольно трудно в случае нужды меня защищать. Мы решились обедать в другой гостинице. После того как француз кивнул на меня своему соседу, Ф[едор] М[ихайлович] подарил его таким взглядом, что тот опустил глаза и начал острить очень неудачно.

А.П. Суслова. Годы близости с Достоевским. С. 60.

Петербург, 2(14) сентября 1863 г.

Напиши мне подробно, отчего ты из Парижа так скоро уехал... Не понимаю, как можно играть, путешествуя с женщиной, которую любишь... Кланяйся сам от меня Ап[оллинарии] Пр[окофьевне].

М.М. Достоевский — Ф.М. Достоевскому//А.С. Долинин. Достоевский и Суслова. С. 198.

17 сентября. Турин. 1863

На меня опять нежность к Ф[едору] М[ихайловичу]. Я как-то упрекала его, а потом почувствовала, что не права, мне хотелось загладить эту вину, я стала нежна с ним. Он отозвался с такой радостью, что это меня тронуло, и стала вдвое нежнее. Когда я сидела подле него и смотрела на него с лаской, он сказал: "Вот это знакомый взгляд, давно я его не видал". Я склонилась к нему на грудь и заплакала.

Когда мы обедали, он, смотря на девочку, которая брала уроки, сказал: "Ну вот, представь себе, такая девочка с стариком, и вдруг какой-нибудь Наполеон говорит: "истребить весь город". Всегда так было на свете".

А.П. Суслова. Годы близости с Достоевским. С. 60.

Турин 8(20) сентября/63

Ты пишешь, милый и добрый Миша, что тебе Бог знает как трудно было читать мое письмо и вместе с тем исполнить мою просьбу о деньгах. Но если б ты знал, друг мой, как мне было тяжело от мысли, что ты непременно будешь поставлен в тяжелое положение моим письмом, то ты бы сам сказал, что я достаточно наказан за мой проигрыш. Вообще все время ожидания твоего письма в скучнейшем Турине проведено было мною мучительнейшим образом и, главное, от тоски по тебе и всех вас. Дело в том, что с самого отъезда из Петербурга я здесь на чужой стороне ровнешенько ни от кого из вас не получал еще никакого известия. Я Бог знает что, например, выдумывал о тебе и надодумывался до таких крайностей, что просто погибал от тоски. О физических наших страданиях говорить нечего. Их и не было, но каждую минуту мы дрожали, что подадут счет из отеля, а у нас ни копейки, — скандал, полиция (sic, это здесь

Михаил Михайлович Достоевский

так, безо всяких сделок, если нет поручителя и вещей, были наяву примеры и т.д. и т.д., а я не один), гадость! Часы заложены в Женеве одному действительно благородному человеку. Даже процентов не взял, чтоб одолжить иностранца, но дал пустяки. Теперь выкупать не буду, деньги нужны, она кольцо заложила. Но у нас написан уговор для выкупа: до конца октября (здешнего стиля). Но все это пустяки.

Главное в том: что делается с тобой? Вот это для меня главное. Повторяю, я черт знает чего здесь надумался. Думал я, что ты мне сообщишь хоть кой-что о журнале. Но ты пишешь так коротко, что об этом ни полслова. Разве это возможно? Ради Бога, уведомь. А главное — нужно работать, нужно стараться. Если не "Время", так другое что можно издавать. Иначе пропадем. Я вот чувствую, что мне много нужно будет денег, чтоб обеспечить себя хоть на три месяца писанья романа. Иначе не будет романа. Но где взять денег? Это я. Еще как-нибудь извернусь. Но ты-то, с семейством-то? Одним словом, я бы желал поскорей воротиться.

Ты спрашиваешь, почему я так скоро оставил Париж. Во-первых, он мне омерзел, а во-вторых, я сообразовался с положением той особы, с которой путешествую.

Про Колю прочел с грустию. Бессеру я ни в чем не верю. Это не доктор, а шарлатан; так по-моему. Кабы Боткин. Кланяйся Коле. Навещай его. Посылай кого-нибудь из семейства. Тяжело ему бедному, умирающему. Передай ему, что его целую и часто, каждый день о нем думаю.

О подробностях моего путешествия вообще расскажу на словах. Разных приключений много, но скучно ужасно, несмотря на А[поллинарию] П[рокофьевну]. Тут и счастье принимаешь тяжело, потому что отделился от всех, кого до сих пор любил и по ком много раз страдал. Искать счастье, бросив все, даже то, чему мог быть полезным, — эгоизм, и эта мысль отравляет теперь мое счастье (если только есть оно в самом деле).

Ты пишешь: как можно играть дотла, путешествуя с тем, кого любишь. Друг Миша: я в Висбадене создал систему игры, употребил ее в дело и выиграл тотчас же 10000 франк[ов]. Наутро изменил этой системе, разгорячившись, и тотчас же проиграл. Вечером возвратился к этой системе опять, со всею строгостью, и без труда и скоро выиграл опять 3000 франков. Скажи: после этого как было не увлечься, как было не поверить — что следуй я строго моей системе, и счастье у меня в руках. А мне надо деньги, для меня, для тебя, для жены, для написания романа. Тут шутя выигрываются десятки тысяч. Да я ехал с тем, чтоб всех вас спасти и себя из беды выгородить. А тут, вдобавок, вера в систему. А тут, вдобавок, приехал в Баден, подошел к столу и в *четверть часа* выиграл 600 франков. Это раздразнило. Вдруг пошел терять, и уж не мог удержаться и проиграл всё дотла. После того как тебе послал из Бадена письмо, взял *последние* деньги и пошел играть; с 4-х наполеонов выиграл 35 наполеонов в полчаса. Необыкновенное счастье увлекло меня, рискнул эти 35 и все *35* проиграл. За уплатой хозяйке у нас осталось 6 наполеондоров на дорогу. В Женеве часы заложил.

В Бадене видел Тургенева. И я был у него два раза, и он был у меня. Тургенев А[поллинарию] П[рокофьевну] не видал. Я скрыл. Он хандрит, хотя уже выздоровел с помощью Бадена. Живет с своей дочерью. Рассказывал мне все свои нравственные муки и сомнения. Сомнения философские, перешедшие в живье. Отчасти фат. Я не скрыл от него, что играю. Давал мне читать "Призраки", а я за игрой не прочел, так и возвратил не прочтя. Говорит, что написал для нашего журнала и что если я напишу ему из Рима, то он вышлет мне "Призраки" в Рим. А что я знаю о журнале?

Надо написать статью. Знаю это. Ибо на 1450 франков, тобой присланных, ничего не сделаешь, то есть много сделаешь, но домой не доедешь. Но писать мне ужасно трудно. Что написал в Турине, все разорвал. Надоело писать на заказ. Но, однако ж, не отчаиваюсь послать хоть из Рима. Потому что надо.

Дай Бог небесного царствия дяде. Думаю, тетке много хлопот и пакостей предстоит вынести. Насчет наследства нам не надеюсь. Однако ж, уведомь тотчас, ежели что будет.

Ради Бога, уведомляй обо всем, обо всем. Обнимаю тебя, благодарю и целую.

Твой Ф. Достоевский.

Naples. Italie. Poste restante. А m-r такой-то.

Пиши немедленно, пожалуйста, о своем положении пиши. В Риме найду все ваши прежние письма от всех. Я, может быть, из Рима статейку пришлю.

Ворочусь в срок. Да и денег мало.

Детей всех и Федю расцелуй. Страхову кланяйся особенно и всем, кому знаешь. Скажи Страхову, что я с прилежанием славянофилов читаю и кое-что вычитал *новое.* Что Ап[оллон] Григорьев? Что все? Обо всех напиши.

Не слышал ли чего о Родевиче и о Паше?

Пишу как можно короче. Спешу ужасно из гадкого Турина. А писать еще много: Марье Дмитриевне и Варваре Дмитриевне.

Поблагодари Варвару Дмитриевну, как увидишь.

Экая славная душа у ней. Боюсь вот чего, боюсь, что Марья Дмитриевна что-нибудь напишет тебе неприятное. Но не думаю. Конечно, до половины октября ей, может, не нужно будет денег. Но почем знать? Я, может быть, поставил ее в фальшивое положение. У ней была трата во 100 руб., которую она не решалась сделать, а после моего письма о том, что ей посылаю деньги, — сделала эту трату. И вот теперь, может, без денег. Трепещу от этого. Хоть бы кто-нибудь меня о ее здоровье уведомил.

Ф.М. Достоевский — М.М. Достоевскому//Ф.М. Достоевский. Полное собрание сочинений в тридцати томах. Т.28. Кн.2. С. 44-46.

Турин 8(20) сентября/63

Многоуважаемый и милейший друг мой, Варвара Дмитриевна, я получил сегодня от брата письмо и благодарю Вас сердечно за всю поспешность и готовность, которые Вы в моем деле выказали. Дай Вам Бог здоровья. Деньги так были нужны, что ужас. Слава Богу, вышел из беды. Боюсь, однако, что Вам доставил много хлопот и вот чего (главное) боюсь: не будет ли в претензии *на Вас* Марья Дмитриевна за Ваше *самовольное* распоряжение ее деньгами? А я ей, как нарочно, из Турина еще написал и просил отнюдь более 100 р. от себя мне не посылать, потому (писал я ей), что мне приятнее знать, что она хоть на некоторое время обеспечена. Видите: хоть я ей и выдал до октября денег достаточно, но я Вам рассказывал, возвратясь из Владимира, что она лечится и что в случае излечения ей надо дать доктору по крайней мере 100 р. Она говорила мне, что 100 р. для нее страшно много и что она не может. И вот теперь, получив мое письмо, где я уведомляю ее, что посылаю ей деньги, она, может быть, по щедрости своей (а она щедрая и благородная) и решилась дать эти 100 р., надеясь на мои деньги. Да кто знает, может, еще что-нибудь и купила себе. Так что теперь почти трепещу, что ей недостанет до октября. А это мне вдвое хуже, чем если б мне недостало.

Вы знаете сами, что брата она смерть не любит. Рассердится, пожалуй, оттого, что деньгами ее воспользовались, потому что у брата не было мне выслать. Наизусть знаю, что она обвинит брата. А след[овательно], пожалуй, и Вам что-нибудь напишет. Добрый, милый друг мой, не рассердитесь, не отвечайте ей жестко, если она Вам что жесткое напишет. Напишите ей так: что во всяком случае я бы был без денег и погиб бы. А след[овательно], надо было помочь. Время очевидно не терпело. Писать ей было некогда. Вот и распорядились ее деньгами.

Но главное: что если ей недостанет до моего возвращения? Боюсь, потому что она дорога мне. Тетенька, милая, если у Вас будут лишние деньги до моего приезда, то нельзя ли послать ей рублей 75 в виде того, что брат начал уплачивать, но не говоря, что от Вас. Спасли бы Вы меня. Разумеется, если Вас это *ни капли* не стеснит, то есть если деньги у Вас просто лежат, как это часто у Вас бывало. Если ж нет, то, разумеется, и думать нечего.

Письма моего никому не показывайте. Особенно Паше. Ради Бога.

Надеюсь, голубчик тетенька, получить от Вас письмецо в Риме (то есть прежнее, если Вы только писали мне в Париж. Я ведь, не дождавшись писем, из Парижа уехал).

Ради Бога, напишите мне по получении *этого* письма. Пишите о себе что-нибудь, чтоб я знал. Пишите хоть что-нибудь о Марье Дмитриевне и о настоящей истории с деньгами. Да напишите тоже о Паше. Но уже пишите не в Рим, а в Неаполь. Адрес мой:

Italie. Naples, poste restante. A m-r Theodore Dostoiewsky.

В Риме пробуду дней *10*. Даже в Турине еще очень жарко. Проклятый Турин, как он мне надоел! Письма Ваши не франкируйте, просто посылайте.

О себе не пишу Вам никаких подробностей. Спешу. Уезжаю немедленно. А надобно еще Марье Дмитриевне написать. Время нет. Братнины дела меня очень мучают. Что Коля? Брат пишет, что у нас дядя умер. (Вы знаете, я Вам рассказывал, больной и расслабленный.) Мне жаль тетку, а он уж несколько лет полужив был. Говорят, что, может быть, и нам по капельке оставил. Да вряд ли. Таких-то, как мы, у него много было.

Марье Дмитриевне сегодня же пишу. Постараюсь ей выставить все дело в настоящем свете.

Прощайте, милая, добрая Варвара Дмитриевна.

Благородная Вы душа.

Ваш весь Ф. Достоевский.

О здоровье Марьи Дмитриевны ничего не знаю. Ну что, если и в Риме от нее писем не найду.

В хлопоты (а может, и в неприятности) я Вас ввел, голубчик Вы мой.

Обо всем секрет полнейший от *всех*. А что *все?*

Ф.М. Достоевский — В.Д. Констант //Ф.М. Достоевский. Полное собрание сочинений в тридцати томах. Т.28. Кн.2. С. 46-48.

22 сентября, Генуя. Вторник

Ну, город! Дома с колокольню, а улицы в 2 вершка шириной. Дома расписаны и архитектуры чудовищной, крыши поросли травой; по улицам этим ходят итальянцы с открытой грудью и женщины с белыми покрывалами на голове; покрывало заменяет шляпку и мантилью.

Вчера в Турине читала о философии и сверх ожидания кое-что поняла. Авт[ор] говорит, что Кант остановился на положении: "Мы не можем понимать вещей в них самих". А Гегель дошел до того, что вещи существуют только в понятии. Под словом понятие он разумеет не личное понятие, но понятие, которое содержится в самих вещах. Потом авт[ор] делит понятие и понимание. Понимание у него общее, абсолютное, а понятие — частное, личное. Потом о понятии и реальности. Он говорит, что они хоть и посредственны, но диаметр[ально] противоположны: понятие существует о вещи, которая есть или может быть, а реальность — вещь, о которой <u>существует</u> или может <u>существовать</u> понятие.

24 сентября. Четверг. Ливорно. На палубе

Вчера была сильная качка, я думала, что мы погибаем. На корабле есть матрос, говорящий по-русски, и норвежец-писатель, который переводил и читал кое-что из русской литературы, пожилой человек. Сегодня мы должны целый день стоять в Ливорно, затем, что корабль наш берет новый груз. Матрос, говорящий по-русски, водил меня по кораблю, когда это было мне нужно, и при этом говорил мне "ты", что мне очень понравилось (это напоминает русского мужика, который не употребляет "вы"), да ведь он и учился у мужиков.

Сейчас пришли два итальянца, с которыми вместе мы переезжали "Мон-Сенис": один очень молодой, другой — лет 32, оба очень серьезные, даже строгие; дорогой старший читал "Petit Napoleon". Младший предлагал тогда мне виноград. Они оба мне нравятся. Тот итальянец, что у нас на корабле, который так усердно спрашивает меня о здоровье и ухаживает за всеми больными, мне не нравится, он больше похож на француза, особенно когда разговаривает с молоденькой девочкой, за которой он приударяет как-то на французский лад.

В эту минуту я сижу на верхней палубе очень близко к двум итальянцам. Француженка, едущая на поклонение св. Петру, проходя мимо меня, сказала, что я, верно, не

*хочу даром терять времени. Я отвечала, что имею слишком
много работы и жалею, что в дороге много приходится даром терять времени.*

Рим. 29 сентября

*Вчера Ф.М. опять ко мне приставал. Он говорил, что я
слишком серьезно и строго смотрю на вещи, которые того не
стоят. Я сказала, что тут есть одна причина, которой прежде
мне не приходилось высказать. Потом он сказал, что меня за-
едает утилитарность. Я сказала, что утилитарности не могу
иметь, хотя и есть некоторое поползновение. Он [не] согласился, сказав, что имеет доказательства. Ему, по-видимому, хотелось знать причину моего упорства. Он старался ее отгадать.*

*— Ты не знаешь, это не то, — отвечала я на разные
его предположения.*

У него была мысль, что это каприз, желание помучить.

*— Ты знаешь, — говорил он, — что мужчину нель-
зя так долго мучить, он, наконец, бросит добиваться.*

*Я не могла не улыбнуться и едва не спросила, для
чего он это говорил.*

*— Всему этому есть одна главная причина, — начал
положительно (после я узнала, что он не был уверен в том,
что говорил), — причина, которая внушает мне омерзение;
— это полуост[ров].*

Это неожиданное напоминание очень взволновало меня.

— Ты надеешься.

Я молчала.

*— Теперь ты не возражаешь, — сказал он, — не
говоришь, что это не то.*

Я молчала.

*— Я не имею ничего к этому человеку, потому что
это слишком пустой человек.*

*— Я нисколько не надеюсь, мне нечего надеяться,
— сказала я, подумав.*

*— Это ничего не значит, рассудком ты можешь от-
вергать все ожидания, это не мешает.*

*Он ждал возражения, но его не было, я чувствовала
справедливость этих слов.*

*Он внезапно встал и пошел лечь на постель. Я стала
ходить по комнате. Мысль моя вдруг обновилась, мне, в
самом деле, блеснула какая-то надежда. Я стала, не сты-
дясь, надеяться.*

Проснувшись, он сделался необыкновенно развязен,

весел и навязчив. Точно он хотел этим победить внутреннюю <u>*обидную*</u> *грусть и насолить мне.*

Я с недоумением смотрела на его странные выходки. Он будто хотел обратить все в смех, чтоб уязвить меня, но я только смотрела на него удивленными глазами.

— Нехороший ты какой, — сказала я наконец просто.

— Чем? Что я сделал?

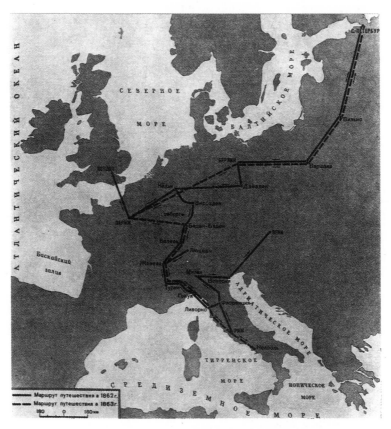

Маршруты заграничных путешествий Ф.М.Достоевского: пунктиром указано "итальянское путешествие" Ф.М.Достоевского с А.П.Сусловой

— Так, в Пар[иже] и Турине ты был лучше. Отчего ты такой веселый?

— Это веселость досадная, — сказал он и ушел, но скоро пришел опять.

— Нехорошо мне, — сказал он серьезно и печально.

— Я осматриваю все как будто по обязанности, как будто учу урок; я думал, по крайней мере, тебя развлечь.

Я с жаром обвила его шею руками и сказала, что он для меня много сделал, что мне очень приятно.

— Нет, — сказал он печально, — ты едешь в Испанию.

Мне как-то страшно и больно — сладко от намеков о С[альвадоре]. Какая, однако, дичь во всем, что было между мной и Сальв[адором]. Какая бездна противоречий в отношениях его ко мне!

Ф[едор] М[ихайлович] опять все обратил в шутку и, уходя от меня, сказал, что ему унизительно так меня оставлять (это было в 1 час ночи. Я раздетая лежала в постели). "Ибо россияне никогда не отступали".

А.П. Суслова. Годы близости с Достоевским. С. 60-63.

Рим 30(18) сентября/63

Милый и дорогой мой Паша, благодарю тебя за письмо твое. Я до сих пор не отвечал тебе, потому что не дождался писем в Париже и уехал в Рим, да в дороге опоздал и в Рим прибыл недавно, так что и письмо твое получил только теперь. Варвара Дмитриевна мне писала недавно, но ничего не написала о твоем экзамене. Из этого я заключаю, что ты его не выдержал. Если б выдержал, она бы непременно написала мне об этом, чтоб меня обрадовать.

Что мне сказать тебе на это, Паша? Друг мой, покамест я жив и здоров, ты на меня можешь, конечно, надеяться, но потом? Да что деньги; еще это второе дело. В солдаты можно пойти, в крайнем случае. Но быть невеждой сознательно, по своей воле, отстать от своего поколения, быть ниже и хуже других и, не имея образования, не понимать, стало быть, того, что кругом происходит — и беспрерывно чувствовать это — вот что скверно и ужасно будет. Будут дни, что проклянешь сам судьбу свою и вспомнишь наши слова. Ты думаешь, конечно, что с учением всегда можно поспеть. Нет, брат, учение вещь трудная, потому что требует огромного, усидчивого терпения; а коль не сделаешь к этому привычки с ранних лет — никогда потом не приучишься. Ну да что говорить! Много ведь раз я говорил тебе об этом.

О смерти твоего дедушки мне писала Варвара Дмитриевна. Конечно, может быть, лучше не писать мамаше. Так и Варвара Дмитриевна советует. Хотя, впрочем, мамаша, может быть, рассердится за это. От нее я еще ни одного письма не получил. И как я все это время мучился; думал, что она так больна, что уже и писать не может, и Бог знает что еще думал. Но вдруг Варвара Дмитриевна мне пишет недавно, что мамаша ей писала, будто она ни одного письма от меня еще не получила. Ужасно мне это было странно слышать. Я мамаше больше всех писал, поминутно писал. Как же она ничего не получила, тогда как к другим все мои письма дошли?

Дня через три из Рима поеду в Неаполь, где пробуду с неделю, и потом ворочусь в Петербург через Турин и Женеву. В Петербурге буду к половине октября.

Желал бы я знать очень, как ты проводишь время. Неужели не отстал еще от Юсупова сада и от привычки со всеми знакомиться? Много мне писал о тебе *откровенно* Михаил Васильевич. Многое из сообщенного им о тебе мне очень не понравилось, Паша, прямо тебе говорю. Надеюсь, впрочем, на твое доброе сердце и на Михаила Васильевича, житье с которым, верно, принесет тебе хоть какую-нибудь пользу.

Я здоров, припадков у меня не бывает, и хоть тут много развлечения, есть что видеть и осматривать, но очень хочется воротиться в Россию. Так что в иную минуту тяжело за границей.

Прощай, Паша, воспользуйся остальным временем, учись, пользуйся почаще обществом и разговором Михаила Васильевича и утешь меня хоть чем-нибудь.

Тебя очень любящий твой Ф. Достоевский.

Поклон тете, Коле и всем нашим добрым знакомым. Тетю и Колю навещай. До свидания, скоро увидимся.

Ф.М. Достоевский — П.А. Исаеву //Ф.М. Достоевский. Полное собрание сочинений в тридцати томах. Т.28. Кн.2. С. 48-49.

Рим, 30 сентября

Любезнейший и дорогой Николай Николаевич, брат в последнем письме своем, которое я получил дней 9 тому назад в Турине, писал мне, что Вы будто бы хотите мне написать письмо. Но вот уже я два дня в Риме, а письма от Вас нет. Буду ожидать с нетерпением. Теперь же я сам пишу к Вам, но не для излияния каких-нибудь вояжерских ощущений, не для сообщения кой-каких идей, во весь этот промежуток пришедших в голову. Все это будет, когда я сам приеду и когда мы нет-нет да и поговорим, как между нами часто бывало. Нет; теперь я обращаюсь к Вам с огромною просьбою и впредь предупреждаю, что имею нужду во всем расположении Вашем ко мне и во всех тех дружеских чувствах (Вы мне позволите так выразиться), которые, как мне показалось, Вы ко мне не раз выказывали.

Дело в том, что, исполнив просьбу мою, Вы, буквально, спасете меня от многого, до невероятности неприятного.

Все дело вот в чем:

Из Рима я поеду в Неаполь. Из Неаполя (дней через 12 от сего числа) я возвращусь в Турин, то есть буду в нем дней через пятнадцать. *В Турине* у меня иссякнут все мои деньги, и я приеду в него *буквально без гроша*.

Я не думаю, чтоб в настоящую минуту было разрешено "Время". Да и во всяком случае я имею основание думать, что брат ничем не в состоянии мне теперь помочь.

Без денег же нельзя, и, приехав в Турин, надо бы, чтоб я нашел в нем непременно деньги на почте. Иначе, повторяю, я пропал. Кроме того, что воротиться будет не на что, у меня есть и другие обстоятельства, то есть другие здесь траты, без которых мне совершенно невозможно обойтись.

И потому, прошу Вас Христом и Богом, сделайте для меня то, что Вы уже раз для меня делали, перед самым моим отъездом.

Вы тогда ходили к Боборыкину ("Библиотека для чтения"). Боборыкин, по запрещении "Времени", сам письменно звал меня в сотрудники. Следственно, обращаться к нему можно. Но в июле Вы обращались к нему с просьбою о 1500-х рублях, и он их Вам не дал, потому что июль для издателей время тяжелое. Впрочем, помнится, он Вам что-то говорил об осени. Теперь же конец сентября. Время подписное, и деньги должны быть. И не 1500 рублей я прошу, а всего только 300 (триста руб.).

NB. Пусть знает Боборыкин, так же как это знают "Современник" и "Отеч[ественные] записки", что я еще (кроме "Бедных людей") во всю жизнь мою ни разу не продавал сочинений, не брав вперед деньги. Я литератор-пролетарий, и если кто захочет моей работы, то должен меня вперед обеспечить. Порядок этот я сам проклинаю. Но так завелось и, кажется, никогда не выведется. Но продолжаю:

Теперь готового у меня нет ничего. Но составился довольно счастливый (как сам сужу) план одного рассказа. Большею частию он записан на клочках. Я было даже начал писать, — но невозможно здесь. Жарко и, во-2-х, приехал в такое место как Рим *на неделю*; разве в эту неделю, *при Риме*, можно писать? Да и устаю я очень от ходьбы.

Сюжет рассказа следующий: один тип заграничного русского. Заметьте: о заграничных русских был большой вопрос летом в журналах. Все это отразится в моем рассказе. Да и вообще отразится вся современная минута (по возможности, разумеется) нашей внутренней жизни. Я беру натуру непосредственную, человека, однако же, многоразвитого, но во всем недоконченного, изверившегося и *не смеющего не верить*, восстающего на авторитеты и боящегося их. Он успокаивает себя тем, что ему *нечего делать* в России, и потому жестокая критика на людей, зовущих из России наших заграничных русских. Но всего не расскажешь. Это лицо живое (весь как будто стоит передо мной) — и его надо прочесть, когда он напишется. Главная же штука в том, что все его жизненные соки, силы, буйство, смелость пошли *на рулетку*. Он — игрок, и не простой игрок, так же как скупой рыцарь Пушкина не простой скупец. Это вовсе не сравнение меня с Пушкиным. Говорю лишь для ясности. Он поэт в своем роде, но дело в том, что он сам стыдится этой поэзии, ибо глубоко чувствует ее низость, хотя потребность *риска* и облагораживает его в глазах самого себя. Весь рассказ — рассказ о том, как он третий год играет по игорным городам на рулетке.

Если "Мертвый дом" обратил на себя внимание публики как изображение каторжных, которых никто не изображал *наглядно* до "Мертвого дома", то этот рассказ обратит непременно на себя внимание как НАГЛЯДНОЕ и подробнейшее изображение рулеточной игры. Кроме того, что подобные статьи читаются у нас с чрезвычайным любопытством, — игра на водах, собственно относительно заграничных русских, имеет некоторое (может, и немаловажное) значение.

Наконец, я имею надежду думать, что изображу все эти чрезвычайно любопытные предметы с чувством, с толком и без больших расстановок.

Объем рассказа будет minimum 1 1/2 печатных листа, но, кажется, наверно два, и очень может быть, что больше.

Срок доставки в журнал 10 ноября; это крайний срок, *но может быть и раньше*. Во всяком случае, никак не позже десятого, так что журнал может напечатать его в ноябрьской книжке. В этом даю *честное мое слово*, а я имею уверенность, что в честном моем слове еще никто не имеет основания сомневаться.

Плата 200 руб. с листа. (В крайнем случае 150.) Но никак не хотелось бы сбавлять цену. И потому лучше настаивать на двустах. Вещь может быть весьма недурная. Ведь был же любопытен "Мертвый дом". А это описание своего рода ада, своего рода каторжной "бани". Хочу и постараюсь сделать картину.

Теперь вот что.

Простите, многоуважаемый и дорогой Николай Николаевич, что прямо и бесцеремонно Вас беспокою. Я понимаю, что это беспокойство. Но что ж мне делать? Если я, приехав дней через 15 или 17 (maximum) в Турин, не найду в нем денег, то я буквально пропал. Вы не знаете всех моих обстоятельств, а мне слишком долго их теперь описывать. К тому же Вы были уж раз слишком добры ко мне; а потому спасите меня еще раз.

Вот что надо.

По получении этого письма прошу Вас (как последнюю надежду) сходите немедленно к Боборыкину. Скажите, что я Вас уполномочил. Покажите часть моего письма, если надо; сделайте предложение. (Разумеется, так, чтоб мне было не очень унизительно, хотя за границей очень можно зануждаться. Да, к тому же, Вы *не* можете повести дело без достоинства). Получите деньги и тотчас же вышлите их мне, то есть выдайте брату. Он уж знает, как послать.

Если нельзя кончить дело с Боборыкиным, то хоть в газеты, хоть в "Якорь" (поцелуйте за меня Ап[оллона] Григорьева), хоть во *всякий* другой журнал (разумеется, не в "Русский вестник"), и по возможности избегая "Отечеств[енных] записок". Ради Бога, избегите. Даже лучше не надо и денег. Даже можно в "Современник", хотя, может быть, там Салтыков и Елисеев подгадят. (А почем знать, я, может быть, грешу.) Статья моя "Современника" наверно не изуродует. Во всяком случае, можно обратиться прямо к Некрасову. Это sine qua non, и с ним решить дело. Это бы даже очень недурно. Даже лучше "Библиотеки". Некрасов, может быть, не очень на меня сердит. Да и человек он, по преимуществу, *деловой*. Разумеется, голубчик Николай Николаевич, все дело надо бы было окончить дня в два, много в три. Я пропал, пропал буквально, если не найду в Турине денег. В Неаполь мне не пишите, а пишите теперь прямо в Турин, и умоляю Вас написать *во всяком случае*. Получив деньги, снесите их брату. Мне собственно надо 200 р., но никак не меньше, *сто же рублей остальных* брат отошлет Марье Дмитриевне. Итак, достать надо триста. Теперь все написал. Вверяю Вам себя и почти судьбу мою. Так это для меня важно. Может быть, я Вам потом расскажу. Но теперь умоляю Вас, затем обнимаю от всего сердца и остаюсь Ваш

Достоевский.

Странно: пишу из *Рима* и ни слова о *Риме!* Но что бы я мог написать Вам? Боже мой! Да разве это можно описывать в письмах? Приехал третьего дня ночью. Вчера утром осматривал Св[ятого] Петра. Впечатление сильное, Николай Николаевич, с холодом по спине. Сегодня осматривал *Forum* и все его развалины. Затем *Колизей!* Ну что ж я Вам скажу...

Поклонитесь от меня всем: Григорьеву и всем. Брату Вашему особенно. Да еще прошу Вас очень: непременно передайте мой привет и поклон от всей души Юлии Петровне. Сделайте это при первом же свидании.

Не поможет ли Вам в чем-нибудь Тиблен, разумеется, в самом крайнем случае. Ему и *Евгении Карловне* мой поклон. Передайте ей при первом свидании.

Славянофилы, разумеется, сказали *новое слово*, даже такое, которое, может быть, и избранными-то не совсем еще разжевано. Но какая-то удивительная *аристократическая сытость* при решении общественных вопросов.

Ф.М. Достоевский — Н.Н. Страхову//Ф.М. Достоевский. Полное собрание сочинений в тридцати томах. Т.28. Кн.2. С. 49-53.

6 октября. Неаполь

В Риме раз на улице встретила процессию: вели двух воров, молодых людей (20 и 16); на это зрелище сбежалась смотреть огромная толпа, дамы в экипажах останавливались и приподнимались.

В Неаполе, как только вышли в первый день на улицу, какая-то женщина сунула мне в руку желтый цветок и стала требовать денег; я встретила несколько таких женщин в первый день, но теперь их более нет. Дети тоже пристают с просьбой [?] и, когда одному дашь, — собирается около целая куча. Если не даешь, они выпрашивают всеми средствами: смешат вас, делают вам гримасы, кувыркаются перед вами, развертывают свои лохмотья и показывают голое тело. Когда извозчику прибавишь хоть гривенник, он бросится целовать руки. Если на улице чего спрашиваешь и не можешь растолковать, собирается целая куча и стараются растолковать. Вчера была в Колизее. Солдат, который провожал туда, тотчас мне сказал, что я русская, узнал по лицу. В трактире, подле Колизея, встретился какой-то господин, который заговорил по-русски; начал с того, что такую вдруг резкую перемену климата встретил он в несколько дней тут (он из Петербурга), и перешел к тому, что Генуя скучна, не дает ничего для жизни умственной, что он ее не любит, несмотря на то, что уроженец генуэзский и предки его там существовали за семьсот лет назад и у него там имение.

Он успел сообщить мне, что у него в России жена и 10 человек детей, что он знает Россию и был управляющим, что в Неаполе служит тут.

По дороге от Рима до Неаполя нас очень часто обыскивали и беспрестанно требовали паспорты.

А.П. Суслова. Годы близости с Достоевским. С. 63-64.

Турин, 18 октября/63

Любезнейший и многоуважаемый Иван Сергеевич, я все рыскал, был в Неаполе и завтра еду из Турина прямо в Россию. Несмотря на мои расчеты, я никаким образом не мог решить: как мне послать к Вам за "Призраками"? Во всех местах останавливался я на короткое время, и так случилось, что, выезжая из одного места, я почти еще накануне обыкновенно не знал, куда именно поеду завтра. Все эти разъезды, по одному обстоятельству, отчасти не зависели от моей воли, а я зависел от обстоятельств. Вот почему и никак не мог рассчитать, куда Вам дать адрес, чтоб Вы могли мне прислать "Призраки".

Я от брата еще в Неаполе получил письмо, в котором он писал мне, что надежды на разрешение издавать "Время" у него большие и что на днях это дело решится. Теперь уже может быть решено, и я сам думаю, по некоторым данным и отзывам, что "Время" будет существовать. Так как решение последует в октябре, то в ноябре брат непременно хочет выдать ноябрьскую книгу. Не получавшим же шесть месяцев ничего мы выдадим на будущий год шесть книг даром.

Пишу Вам откровенно: Ваша повесть и именно в ноябрьском номере для нас колоссально много значит. И потому, если желаете нам сделать огромное одолжение, то вышлите по возможности немедленно "Призраки" в Петербург. Я к тому времени уже буду в Петербурге. Но так как квартиры я теперь в Петербурге еще не имею, то адресуйте на имя брата, а именно:

На углу Малой Мещанской и Столярного переулка, дом *Евреинова*, Михаил Михайлович Достоевский.

Сделайте одолжение, при этом напишите мне хоть две строчки. Мне страшно досадно. Я еще в Петербурге решил быть в Бадене (но не за тем, за чем я приезжал), а чтоб видеть[ся] и говорить с Вами. И знаете что: мне многое надо было сказать Вам и выслушать от Вас. Да у нас как-то это не вышло. А сверх того вышел проклятый "мятеж страстей". Если б я не надеялся сделать что-нибудь поумнее в будущем, то, право, теперь было бы очень стыдно. А впрочем, что ж? Неужели у себя прощения просить?

Иван Сергеевич Тургенев.
С фотографии 1860-х годов

В Петербурге ждет меня тяжелая работа. Я хоть и поправился здоровьем чрезвычайно, но знаю наверно, что через 2-3 месяца все это здоровье разрушится. Но нечего делать. Я еще ничего не знаю, как все это будет. Журнал надо будет создавать почти вновь. Надо сделать его современнее, интереснее и в то же время уважать литературу — задачи, которые несовместимы по убеждениям многих петербургских мыслителей. Но с начинающимся презрением к литературе мы намерены горячо бороться. Авось не отстанем. Поддержите же нас, пожалуйста, будьте с нами. Я мое здоровье несу в журнал. Денег я получу мало, я знаю, едва литературный труд окупится (журнал в долгу), а я все-таки остаюсь в Петербурге, где мне докторами запрещено теперь жить и где я сам вижу, что нельзя мне теперь жить.

Да вот что еще: пожалуйста, будем от времени до времени переписываться. От всего сердца́ говорю Вам это.

До свидания, крепко жму Вам руку.

Ваш Ф. Достоевский.

О путешествии ничего Вам не пишу. Рим и Неаполь сильно меня поразили. Я первый раз там был. Но, знаете, невозможно оставаться дольше одному, и мне ужасно хочется в Петербург.

Напишите, очень прошу Вас, сколько Вам выслать за "Призраки"? Я сообщу это брату. Разумеется, все, что Вы назначите, будет выполнено.

Ф.М. Достоевский — И.С. Тургеневу//Ф.М. Достоевский. Полное собрание сочинений в тридцати томах. Т.28. Кн.2. С. 53-54.

ГЛАВА ШЕСТАЯ: *Октябрь 1863 – август 1864*

ПРОДОЛЖЕНИЕ ДНЕВНИКА: СЦЕНЫ ИЗ ПАРИЖСКОЙ ЖИЗНИ

Первый биограф Аполлинарии Сусловой, А.С. Долинин, в числе новонайденных рукописей называл и маленькую записную книжку, в которой имелись даты переписки А.П Сусловой с Ф.М. Достоевским. В первый год после итальянского путешествия эта переписка была весьма оживленной: Суслова написала Достоевскому десять писем и от него получила девять. Сохранились — увы! — только даты, но и они красноречиво показывают, как развивались их отношения.

Да, она продолжала писать в Петербург, адресуя письма на имя Михаила Михайловича Достоевского, а он уже пересылал их брату в Москву, где Федор Михайлович поселился около больной жены.

Однако о чем бы она ни писала ему, по-видимому, особых душевных переживаний это у нее не вызывало. Ни ее письма к нему, ни его письма к ней не оставляли никакого следа в "Дневнике", который она продолжала вести и после возвращения из Италии.

Правда, она начала новую тетрадку. Красивая, дорогая, в твердом красно-бордовом сафьяновом переплете, с плотной нелинованной бумагой в 114 листов тетрадь была куплена в специальном писчебумажном магазине на улице Святого Жака в Париже.

Открывалась тетрадь датой 16 ноября 1863 года. С этого дня дневниковые записи будут подробно фиксировать все, даже самые мимолетные, увлечения Аполлинарии. Она начинает коллекционировать поклонников, и пестрой чередой идут через ее "Дневник" их фамилии, имена, профессии или национальность. И раз после нового знакомства появилось полное тоски признание: "А люблю я все-таки Сальвадора".

В июне 1864 года Суслова пишет Достоевскому письмо (второе из двух сохранившихся ее писем), резкое, почти грубое ("у тебя ум за разум зашел"), без тени нежности или сожаления. Никаких надежд — у каждого своя дорога.

"Своей дорогой" — именно так назовет она и рассказ, последний из напечатанных в журнале "Эпоха" и последний из напечатанных ею вообще. Героиня рассказа страдает и мучается из-за каких-то ошибок, тяжелых личных неудач, получает какие-то волнующие ее письма... "На днях я получила от него письмо, наполненное таким сожалением, таким раскаянием о прошедшем, — рассказывает она старому другу. — Мне было очень грустно читать это письмо. Мне не жаль прошлого, моих чувств, страданий, надежд... Мне жаль моей веры в этого человека, наконец, мне жаль его самого".

Через три месяца после выхода рассказа в свет (июньский номер "Эпохи" появился только в августе) Аполлинария записывает в "Дневнике" убийственные слова об утрате веры в любимого человека: "Когда я вспоминаю, что была я два года назад, я начинаю ненавидеть Достоевского. Он первый убил во мне веру".

Между тем в жизни Достоевского происходили драматические события: умерла долго и тяжело болевшая жена, скоропостижно скончался брат Михаил, редактор "Эпохи".

Мария Дмитриевна Достоевская скончалась 15 апреля 1864 года. 17 апреля были ее похороны. И этим же числом датируется письмо Достоевского из Москвы, адресованное в Париж Сусловой.

В начале июля он вновь пишет Аполлинарии и, получив от нее незамедлительный ответ — тот самый, грубый и резкий, все-таки заказывает заграничный паспорт, берет у Литературного фонда в долг 1600 рублей серебром для заграничной поездки.

А 10 июля, проболев три недели (из-за чего Достоевский отложил свою поездку за границу), умирает брат Михаил, и 11 июля датируется несохранившееся письмо Ф.М. Достоевского А.П. Сусловой.

Что он мог писать ей в день похорон жены? Что уже свободен? Что хочет ее видеть? Что готов выехать немедленно? Так или иначе, но письмо к ней было единственной его корреспонденцией в тот день.

Она же, получая письма в столь тяжелое для своего бывшего возлюбленного время, ничем не могла ему ответить. Ничем — кроме холодной искренности и правдивости. Любви больше не было.

Трудно сказать, как бы вообще пережила Аполлинария этот год, когда мелькали и тут же исчезали новые лица и впечатления, когда Париж стал ненавистен до отвращения, а сама она то и дело подумывала о самоубийстве, если бы не знакомство и быстро возникшая дружба с графиней Салиас, которая была старше Аполлинарии на 24 года.

Личность Е.В. Салиас на долгие годы стала для Аполлинарии образцом человека и точкой опоры. Вовсе не надеясь вызвать к себе жалость или сострадание, она почти в каждом письме исповедовалась графине Салиас. Она видела в ней родственную душу — женщину, которая много страдала. В самом начале их знакомства Аполлинария писала ей: "...хоть я и увлекалась и много сделала ошибок, но всегда поступала честно и если страдала, то только потому, что не хотела и не могла лицемерить; жить хотела сознательно, а не идти избитой дорогой и ждать, что пошлет судьба. Я была уверена, что Вы поймете все, потому что сами *жили* и должны знать, как это дорого достается".

В конце лета 1864 года Аполлинария лечилась на курорте Спа в Бельгии. Она знала, что Достоевский не приедет. Сама же в Россию не торопилась.

...Охваченный состраданием к несчастной*, отец забыл свою ненависть, немедленно отправился в Тверь и уговорил умирающую ехать с ним в Москву, где она сможет лечиться у хороших врачей. Агония Марии Дмитриевны длилась всю зиму. Мой отец не отходил от нее и обеспечил тщательный уход за ней. Он редко выходил из дома, так как всецело

Федор Михайлович Достоевский.
С фотографии 1860-х годов

был поглощен своим романом "Раскольников", над которым тогда работал. Когда, наконец, весной Мария Дмитриевна умерла, Достоевский написал несколько писем своим друзьям, в которых сообщал о ее смерти и отзывался об умершей с уважением. Он признавался, что не был с ней счастлив, но утверждал, что жена любила его, несмотря на размолвки. Честь имени всегда была священна для Достоевского и вынуждала его скрывать от друзей неверность Марии Дмитриевны. Только родные знали печальную историю. Отец должен был скрывать истину и ради пасынка Павла, которого он воспитывал в духе уважения к его умершим родителям. Я помню, как однажды за обеденным столом Павел Исаев презрительно заговорил о своем отце, утверждая, что тот был "тряпкой" в руках жены. Мой отец рассердился, высказался в защиту памяти капитана Исаева и запретил пасынку говорить когда-либо в подобном тоне о своих родителях.

---

* Во время связи с Полиной Достоевский не переставал заботиться о больной жене. Путешествуя с Полиной по Италии, он часто пишет брату Михаилу, прося выслать Марии Дмитриевне деньги, причитающиеся ему за статьи во "Времени".

Л.Ф. Достоевская. Достоевский в изображении своей дочери. С. 90.

Достоевскому приходится думать о возвращении в Россию, Сусловой — в Париж. Они расстаются, и имя Достоевского все реже появляется на страницах ее дневника. На Достоевского по возвращении сыплятся удар за ударом. 15 апреля 1864 г. умирает жена. Несмотря на тяжесть обстановки, именно в этот период в Достоевском зарождается надежда на новую жизнь. В известном письме бар. А.Е. Врангелю от 31 марта —

14 апр. 1865 г., в котором он рассказывает о трагических обстоятельствах этого времени, неожиданно в конце появляется фраза: "А между тем все мне кажется, что я только что собираюсь жить. Смешно, не правда ли? Кошачья живучесть". Прошел год со смерти жены, это могло дать Достоевскому надежду, что Суслова не откажется стать его женою. Однако этой надежде не суждено было осуществиться. Он, действительно, встре-

тился еще раз с Сусловой в Петербурге и предложил ей стать его женою, Суслова ответила отказом.

Так рисуется, в общих чертах, этот роман в жизни Достоевского по дневнику Сусловой.

А. Бем. "Игрок" Достоевского (В свете новых литературных данных). С. 382.

...В отношениях Сусловой и Достоевского наступает полоса исключительно заочных сношений, путем переписки. Суслова живет в это время за границей — то в Спа, то в Монпелье, то в Париже, видит много людей, воспринимает разнообразные впечатления, увлекается новыми привязанностями, в которых, однако, преобладают чувственность и фантазия, без примеси глубоких и мучительных надрывов, как было с Достоевским. Последний в это время живет в Петербурге, и они оживленно обмениваются письмами. Страсть с обеих сторон идет на убыль, постепенно вытесняемая успокоением; содержание писем, по крайней мере со стороны Достоевского, гл. обр. деловое или полуделовое. Достоевский в это время схоронил свою жену, скончавшуюся в апреле 1864 года.

Е.В. Петухов. Из сердечной жизни Достоевского (Ап. Прок. Суслова-Розанова). С. 41.

Париж, 22 октября
Сегодня в 4 часа приехала, в 5 была у М. Выходя из кареты, я спросила извозчика, сколько ему нужно заплатить (хотя и знала, что 2 франка). Он сказал 2 франка, я отдала, но он вдруг сказал, что 2 1/2. Ни слова не говоря, я отдала остальные. Он внес мой сак на двор (чего извозчики здесь не делают) и старался мне услужить, ему как будто было совестно. Я стучалась у М., когда все еще спали, хотя было 5 часов. М-те Р. меня хлопотливо встретила, спрашивала, не хочу ли я чего есть, и пошла убирать мою постель, завтрак мой она принесла ко мне наверх и вообще очень около меня хлопотала.

Вся эта приязнь за какую-нибудь, подаренную мною ей, старую юбку... Бедные люди! Теперь, сходя вниз за чернилами, я встретила Katherine. Она обязательно спросила, не чернил ли мне нужно, и взялась достать, я согласилась, имея в виду подарить ей, когда придет ко мне, запонки, что я приготовила в Неаполе. Катерина была в восторге от запонок и тут же просила меня всегда во всем к ней обращаться.

Бедные, бедные люди!

На дороге, на корабле, в самом Неаполе мы встретили Гер[цена] со всем семейством. Ф[едор] М[ихайлович] меня представил как родст[венницу], весьма неопределенно. Он вел себя со мной при них как брат, даже ближе, что должно было несколько озадачить Г[ерцена]. Ф[едор] М[ихайлович] много говорил ему обо мне, и Г[ерцен] был внимателен. С мол[одым] Г[ерценом] я тоже говорила. Это

какой-то отчаявшийся юноша. Я, говоря о моих загр[анич-
ных] впеч[атлениях], сказала, что везде нахожу более или
менее гадость, а он доказывал, что не более и менее, а везде одинаково гадко. Во время моего разговора с ним Ф[е-
дор] М[ихайлович], когда я была одушевлена, прошел мимо
и не остановился, я подозвала его, он обрадовался. Молодой Г[ерцен] сказал, что зимой будет в Париже и придет
ко мне, спросил мой адрес, но прибавил, что узнает его от
Б.[?]. Я рассказала Ф[едору] М[ихайловичу], тот мне посоветовал дать адрес, чтоб таким образом больше показать
внимания. При прощаньи (в Ливорно) я дала Г[ерцену] адрес. Ф[едор] М[ихайлович] провожал Г[ерцена] и был у
них в гостинице. Возвратясь, он неспокойно сказал, чтобы я
ему непременно написала, если у меня будет Г[ерцен]. Я
обещала. Вообще он ничего не говорил со мной о молодом
Г[ерцене], но когда я первая довольно легко заговорила, он
продолжал и отозвался не совсем в его пользу. Еще он мне
сказал, что у Г[ерцена] уви-
дал мою карточку, которую я
дала ему с моим адресом.
На ней была записана
Алек[сандром] фраза отца:
"С одним рассудком люди
не далеко бы ушли".

В день отъезда из
Неаполя мы с Ф[едором]
М[ихайловичем] поссори-
лись, а на кор[абле], в тот
же день, под влиянием
встречи с Г[ерценом], которая
нас одушевила, объяснились и
помирились (дело было из-за
эмансипации женщин). С этого дня мы уже не ссорились; я
была с ним почти как прежде,
и расставаться с ним мне
было жаль.

Сестра пишет, что нет
возможности оставаться в
академии от пошлых выходок
студентов, и просит узнать,
можно ли слушать лекции в
Париже. Кажется, будет
можно. Да, еще об этом узнаю от m-eur Эмиля. М-eur

Александр Иванович Герцен
с Н.А. Тучковой-Огаревой и Н.П. Огаревым

Эмиль оказывается серьезным молодым человеком, а я-то прежде какую — к нему имела...

Тотчас по приезде домой я хотела спать, легла, но не могла заснуть. Мысли были как-то смешаны, но мало-помалу они определились... Я вспомнила то, как оставляла Париж... Я думала, и какие-то надежды приходили в голову против воли, надежда уязвить, отмстить, или в ней было что другое... Сердце страдало и требовало своей доли, убеждая, льстя. О, как оно ныло, как вертелось! Я пошла гулять и очутилась на St. Denis и около St. André Des Artes. Бедное сердце, к чему лукавить? Возвратясь домой и придя в мою комнату, я тотчас заметила на полу пятно — след сожжения бумаги в день, как в последний раз видела его.

Париж мне кажется решительно отвратителен.

Париж. Гулянье в Пале-Рояль. Литография, 1860-е годы

Октябрь 27.

Вчера получила письмо от Ф[едора] М[ихайловича], он проигрался и просит прислать ему денег. У меня не было денег: я только что отдала все m-me Mir. Я решилась заложить часы и цепочку и об этом стала советоваться с Тум. ... Тот вызвался, чего у меня недостанет, просить у М., кроме того, обещал своих, которых у него было 50 фр. М-те М. дала все 300 фр. на месяц. С посылкой денег были некоторые хлопоты. Тум. рассказал мне, как их по-

слать, и я отправилась, да по дороге немного запуталась, прихожу и встречаю — Алх[азова], это он пришел, чтобы растолковать мне, как послать. Этим дело не кончилось, нужно было зайти домой и идти опять. Я только что пришла, как на помощь является Т. В то время, когда я толковала поч[тмейстеру] об этом письме, в почтамт является молодой человек, который мне показался пох[ожим] на Баскова. Он стоял сзади меня. Я обер[нулась] и бросила на него быстрый взгляд. Я почти увер[ена], что это он, и загов[орила] с Ту. Он отошел и стал читать на стене уведомления. Уходя, я взглянула на него, хотя не так пристально, и знаю, что это был он. Он видел, зачем я приходила, и слышал г. Гомбург; видел также, что я посылала деньги и платила из моего кошелька, след[овательно], дело было собственно мое, а товар[ищ] только помогал мне.

Сегодня за столом зашла речь о кафе. Кто-то сказал, что в Лондоне нет кафе и мужчины больше дома, что, конечно, приятно дамам. Дама заметила, что, может быть, дам[ам] веселее и приятнее без мужей; хозяин на это возразил, что только бесчестным дамам может быть это приятно. Потом он защищал каф[е] тем, что там можно видеть своих друзей и толковать о пол[итике]. Ан[гличанин], его защищая, сказал: Вот, напр., русские, они не нуждаются в каф[е], потому что не имеют полит[ического] чувства. Я хотела ему сказать, что он не знает ни русского народа, ни истории.

9 ноября

Париж, начало ноября 1863 г.

А.П. Суслова — Ф.М. Достоевскому (несохранившееся письмо).

Неделю назад послала такое письмо С[альвадору]:

"Я вынуждена вам писать, чтобы спросить вас, получили ли вы то письмо, которое я вам написала в конце августа месяца. Благодаря некоторым известным обстоятельствам я опасаюсь, не пропало ли оно. Я должна знать непременно, получено ли вами то письмо или нет, потому что я не хотела так оставаться, не пославши вам и не сказавши то, что хотела вам послать и сказать. Меня уверяют, что письма, которые посылают таким способом, каким я послала, обыкновенно не теряются, но такие доводы меня не успокаивают, я не хочу доводов, я хочу знать, получили ли вы его. Вы очень хорошо знаете, что это дело коммерческое, а не личное. Вы не ответили мне на первое письмо, ни на второе, на которое я вас и не просила мне отвечать.

Если вы мне не ответите на это письмо, я буду думать, что вы не получили письма, которое я послала вам в августе месяце, и я вам пошлю такое же другое письмо".

15 ноября. Воскресенье

Не получив никакого ответа на письмо мое, я послала С[альвадору] *другое* с деньгами (денег не было, и я заложила кольцо). Вот это письмо:

"Ваше молчание, милостивый государь, мне доказывает, что вы или не получили мое письмо в августе месяце, или же, по крайней мере, что вы хотите получить еще раз подобное. Я вам его воспроизвожу, со всеми приложениями, как я вам его обещала. Посылая с тем письмом эти несчастные 15 франков, я хотела *рассчитаться* с вами за Вашу услугу, которую я приняла тогда за знак дружбы. Я не хочу более оставаться вам обязанной; это против моих принципов быть обязанной людям, которых я не уважаю. Я вам писала в том письме, что я не имею ничего против вас, как не имела бы против обломка, который упал бы случайно на меня на улице. Но если бы вы захотели протестовать против моего письма, я на вас взглянула бы другим образом, т.е. как на существо одушевленное. Впрочем, теперь я нахожу эту последнюю предосторожность ненужной... Люди, как вы, наделены инстинктом самосохранения... Вы будете жить очень долго и очень счастливо.

Посылая вам это письмо, я принимаю все предосторожности, чтобы предотвратить себя от обмана, как иностранку".

Это письмо я послала с комиссионером, приказала ему отдать письмо в руки и требовать расписки в получении. Я растолковала комиссионеру, что 2 письма, посланные таким образом, пропали, чтоб он сказал это С[альвадору].

"Братья, пустите меня с вами умереть".

Путевые записки

Германии я не видала. Двое суток прожила в Бер[лине] и потом ехала до Парижа, нигде не останавливаясь. Думала видеть Дрезденскую галерею, прокатиться по Рейну, но отказалась от всех этих намерений при одной встрече с немцами. Немцы решительно свели меня с ума. Тупость и ограниченность служащих на железной дороге чиновников и работников кажутся решительно баснословны.

Эта несчастная нация кажется мне решительно обиженной Богом. Благодаря им мне раз пришлось остаться на станции, другой — приехать не туда, куда следовало; оба раза случились при перемене вагонов.

16 ноября. Париж. Понедельник

Вчера ходила к комиссионеру, с которым послала

Петербург, 15 [27] ноября 1863 г.
... К тебе есть от кого-то письмо. Пришло на днях и лежит у меня на столе...
М.М. Достоевский — Ф.М. Достоевскому/ /Ф.М. Достоевский. Материалы и исследования. Л., 1935. С. 544.

письмо Кор., и не застала его, зашла к дворнику сказать, чтоб передал о моем посещении и пригласил ко мне в 6 час. ... *Не был сегодня; я пошла сама. Комиссионер едва взглянул на меня, когда я подошла с вопросом о моем деле. Он отдал мое письмо и сказал, что не нашел Кор. Что ему сказали, будто такого господина там нет и никогда не было. Это меня взбесило. Солгать-то не умел Кор. Пусть бы велел сказать: его нет, а то: [и] не было никогда. Я послала письмо по почте.*

Я было написала С[альвадору] такое письмо:

"Я не думала писать вам и, конечно, не написала бы, если вы не вздумали от меня прятаться. Вы подкупили несчастного комиссионера, чтоб он уверял меня, будто вас нет и никогда не было. Я, может быть, и поверила бы, если б не писала вам туда прежде и не получала ответы... Эта такая неудачная ваша уловка дает мне право предполагать, что вы получили все мои письма. Прошу вас ответить, так это или нет. Мне так [не хочется] обидеть напрасно подозрением в утайке денег, может быть, честных людей. Если вы мне не ответите удовлетворительно, я принуждена буду обратиться к моему посольству с просьбой разыскать через французскую полицию, кто был вором моего первого к вам письма. Не увертывайтесь же от прямого ответа, хуже запутаетесь, как это обыкновенно с вами бывает".

17 ноября

Сегодня, когда я пришла обедать, m-me P. мне сказала, что какой-то господин меня спрашивал и хотел прийти после. Это меня удивило, что ко мне кто-то пришел. Я невольно думала о С[альвадоре], и сердце мое забилось.

— Молодой человек? — спросила я.

— Да, высокий.

— С бородой, — сказала я, предполагая молодого Гер[цена].

— С черной бородой.

Я не могла придумать, кто бы это мог быть. После обеда меня позвали, сказав, что кто-то желает меня видеть. Это был высокий стройный молодой человек. Он мне сказал, что он от С[альвадора]. Я вспыхнула и задрожала. Я взяла свечку и попросила его идти за мной в мою комнату. Войдя, я подала ему стул и затворила дверь. Потом я села и спросила, что ему нужно от меня (голос мой очень дрожал). Он принес мне 15 ф. и сказал, что С[альвадор] получил уже в августе и больше получать не желает.

Я догадалась, что это брат С[альвадора], по портрету, который когда-то он мне показывал... Какой прекрасный тип плантатора, этот молодой человек; красивый, приличный, хорошо одетый, серьезный. Когда он сказал, что я обидела С[альвадора], глаза его горели. Он и в самом деле думает, что я обидела С[альвадора]. Я сказала, что не могу говорить о моих делах и т-еиг С[альвадора] с другими. Я очень плохо говорила, забыла все слова французские: я была очень взволнованна. Разговор наш был очень короток. Я встала, заметив, что нам не о чем больше говорить. Он мне предложил адрес С[альвадора], сказав, что, может быть, я желаю ему писать, но я сказала, что не имею никакой нужды в нем. Провожая его, я ему светила. Он просил меня не беспокоиться, но я его проводила до передней и сама пошла в залу, откуда слышались звуки музыки, но я скоро вернулась к себе. Глубокая тоска схватила мое сердце, я стала громко читать:

"Выводи на дорогу тернистую" и т.д. — так, как читают молитву от наваждения бесов. Мне стало легче.

А.П. Суслова. Годы близости с Достоевским. С. 64-70.

Torquay. Villa Alexandra
Понедельник. 23 ноября
1863 г.

Дорогой патриарх. Вот вам какое письмо будет сегодня. Нужно очистить и сдать некоторые вопросы для того, чтоб не возвращаться к ним после.

Вопрос о Сусловой. Я считаю этот вопрос очень важным и потому должен немного распространиться о нем. Суслова — одна из хороших людей, а хороших людей, как вам небезызвестно, мало. У Сусловой могут быть разные недостатки, некоторые странности, как и у всех, но, во всяком случае, она имеет право на уважение (в силу этого уважения я и прошу у вас внимания к вопросу об ней), потому что относится к людям, которые искренно хотят, по ее же выражению, идти честным путем правды. Спешу оговориться, что лично, например, я мало видался с нею, и вряд ли она сходилась со мною, уже по той простой причине, что она весьма дружна с Ф. Достоевским, и потому, как и естественно, вполне согласна с ним в своих воззрениях; я же не мог сойтись с Достоевским — я не мог согласиться с его мистикою и от-

Николай Исакович Утин

части резонерством — это не мешает мне уважать в нем страдания из-за убеждений, *личность* его уважать, он, вероятно, счел меня дерзким мальчишкою; это верно, хотя и грустно, тем более, что оно как бы общее правило, что и до сих пор, и у развитых, как Достоевский хоть, личностей остается неприязнь к мальчишеству, непризнание и в мальчишестве прав иметь убеждения и громко высказывать их. — Может быть, в мальчишестве и есть излишний задор, но на то люди неприязненные и считаются старшими, чтоб, несмотря на задор, ценить в мальчишестве *честность*, прямоту высказываний... Это, впрочем, отступление, пришедшее в голову к слову. Дело о Сусловой — у ней горе, она очевидно страдает, с своим родным домом она разобщилась, даже и с сестрою как-то не ладила (это, впрочем, ничего), и вот она хочет теперь *нарочно* для *того* приехать сюда, чтоб найти в *вашем кругу* хоть какое-нибудь утешение в горе; она смотрит на всю вашу семью, на Герцена, на Наталию Алексеевну, на вас, мой дорогой друг, и т.д. как на кружок, в силе и справедливой вере которого, в борьбе и понимании необходимости которого она видит возможный *приют* себе, уставшей в ненужной, в бесплодной борьбе, но борьбе *честной* прежде всего... Да, она хочет видеть приют, и не одна она хочет глядеть так на всех вас. Когда я часто толковал вам о вашем переселении в Швейцарию, вы, может, помните, что я говорил при этом и о том, как важно стать вам *центром* "не покорившихся, ушедших на волю..."

Вы, кажется, соглашались, что это было бы важно. Тяжело это? Это другой вопрос. Я думаю, что я не увлекаюсь, когда полагаю, что вокруг вас могла бы вырасти *целая коммуна*: отбросьте на минуту свой нещадный скептицизм; право, могла бы вырасти коммуна, и нечего бы бояться мелких сплетен, ничегонеделанья,

праздного шатанья, того, что вы зовете "kleinstadtisch", — нет, это ушло бы само собою, а много бы дельного, энергического, работающего могло выйти из такой среды; отсюда вышла бы та *преемственность*, о которой вы как-то, шагая по гостиной, *намекали*. Ну, а *суть* этой преемственности ясна... Во всем этом опять-таки я не считаю себя увлекающимся — так могло бы быть, сначала немного, потом больше, — задаваться многочисленно не чему бы — ведь как ни хорошо было бы здесь, хоть в Швейцарии, дома все же лучше, и как лучше!.. И если положение дел не изменится быстро, т.е. переворот в России, то *подобное* тому, что я говорю, здесь или в другом месте, так или иначе *должно будет быть* — иначе ведь мало смысла будет в *разрозненной жизни выброшенных из строя*, это была бы жизнь в оазисах; тогда уж действительно лучше сесть на корабль и плавать по морю, как предлагал Гарибальди; может, удастся где-нибудь пристать, успокоиться в какой-нибудь республике Сан-Марино... Это опять отступление... Факт все-таки, что вы понимаете, *почему* Суслова хочет приехать в Англию. *Ей нужно отвечать*. Она ждет ответа. А вы прислали мне письмо ее, и я уже вас спросил, хотите ли вы, чтоб я отвечал, и прибавил при этом, что это *затруднительно*. А причина затруднительности та, что, не объяснившись ясно с вами, нельзя ей отвечать...

Дело вот в чем — коротко и прямо... В наше последнее бытие в Тедлингтоне видно было слишком ясно, что Наталье Алексеевне оно в тяжесть, — дети, конечно, могут поглощать все внимание матери и делать ей тягость присутствие других. Затем, Наталья Алексеевна прямо сказала моей жене, что Герцен тяготится решительно всяким обществом, что он желает быть только с своей семьей и что ему приходится "брать на себя", когда бывают чужие.

Теперь на сцену является Суслова. Мы и она — дело разное хоть в том отношении, что нас "волна прибила к этому берегу", а она — она ведь может и совсем не ехать в Лондон. Значит, нужно или решить, что она будет приятна и симпатична, или лучше прямо написать ей и просто, чтобы для этого не ездила, что вы все живете теперь в совершенном уединении и потому предались уединению, что у вас у обоих много работы и дела, у жены вашей — дети поглощают все время. Суслова любит прямоту, и она нисколько не обидется; гораздо лучше сказать ей это искренно, чем если она приедет сюда и только уже здесь поймет это... Тут обоюдная выгода...

Н.И. Утин — Н.П. Огареву//Литературное наследство. Т.62. С. 629-630.

24 ноября.
Вторник

Престранная история! Есть у Мир. Англичанин, с которым я несколько раз говорила. Он немолод и очень серьезен. Мы несколько раз, оставаясь одни в зале после обеда, говорили с большой симпатией: о французах, о направлении русского общества; разговор всегда начинала я. Потом я как-то

Дом близ Лондона, где в 1863-1864 гг. жил А.И.Герцен

перестала с ним говорить, но в обыкновенное время являлась в залу, куда приходил и он.

Мы оба молчали.

В воскресенье (22) он объявил, что через два дня едет в свой дом. В этот день за обедом я была очень грустна и почти не ела, так что это заметили (Тум. и m-me). Мне было скучно в этот день особенно потому, что я чувствовала свое одиночество. М-me Мир. с А.Тум. и прочими были на конц[ерте], а мне не сказали, что пойдут, хотя я прежде высказывала желание быть в концерте. "Черт с ними", — подумала я и после обеда заговорила с Англич[анином]. Я его спросила о Д.Ст. Милле. Он с большой живостью отозвался на мой вызов говорить. Алхазов вмешался в наш разговор. Я стала им рассказывать, что в библиотеке есть один молодой человек, который со мной заговаривает, что он показал мне в своей книге трактат философа какого-то про любовь и спрашивал моего мнения, что мне доставило много смеха.

В этой статье автор говорит, что человек рожден ду-

мать, но этого недостаточно для полного развития, нужно испытать страсть, любовь и самолюбие.

Алх[азов] и Анг[личанин] очень этому смеялись. Ал-хазов заметил, что молодой человек, должно быть, очень молод. Они меня спросили, что я ответила. Я сказала, что нашла эти идеи средневековыми, что любовь и самолюбие могут быть, но смешно их обрабатывать, когда у нас так много дела, дела необходимого, что куда нам такая роскошь, когда мы нуждаемся в хлебе, умираем с голода, а если едим, то должны защищать эти права миллионами солдат и жандармов и прочая. Я говорила с большим жаром, в комнате было много народа и между прочим Уильям, который сидел подле Анг[личанина] и иногда с ним перекидывался словами. "Этот молодой человек, — сказал мне Анг[личанин], указывая на Уиль[яма], — заметил, что мы говорим с симпатией".

— Может быть, — сказала я.

— Может быть, — гов[орил] он, — а молодой человек (в библиотеке)?

— Что, — сказала я в припадке веселости, — я не монополист.

И мы очень хохотали, мой дерзкий ответ видимо понравился Англич[анину].

Он возобновил разг[овор] о молодом человеке и сказал, что это смешно, но лично, может быть, очень интересно. Потом он сказал, что молод[ой] челов[ек] может быть заинтересован лично в любви и самолюбии. Я сказала, что не имею права этого думать. Вдруг Ан[гличанин] мне говорит, что он в продолжение года постарается мне [по]лучше объяснить свое мнение о любви... и амбиции. Я посмотрела на него с изумлением, m-me сидела недалеко.

— Т.-е. в продолжение года я надеюсь лучше говорить по-французски, — сказал он.

На другой день за завтраком при встрече со мной он был суров. Мар. спросил, где его квар[тира] в Лонд[оне], что он поедет в Англию в январе и зайдет к нему.

— Вы приедете в Пар[иж] в ян[варе]? — спросила m-me.

— C'est probable! — ответил холодно Ан[гличанин].

После обеда я, по обыкновению, прошла в залу, куда и он скоро явился; несколько времени мы сидели вдвоем; он был угрюм и молчал.

На следующее утро (сегодня) m-me его спросила:

— Вы завтра едете, m-eur?

— Не знаю, — сказал он, — это еще неизвестно.

Я почувствовала сильное желание расхохотаться и отодвинулась к спинке стула, таким образом спряталась от глаз Ан[гличанина]. Однако мне было любопытно, что после всего этого от него будет, но ничего еще не было.

А люблю-то я все-таки С[альвадора].

5 декабря, суббота

Вчера была в кафе Rotond, где встретила и познакомилась с молодым медиком, голландским подданным, которого, впрочем, можно считать русским: он говорит и думает по-русски; родился и воспитывался в России и России хочет служить. Сегодня он у меня был, и мы долго говорили. Странный человек! Когда я сказала к чему-то, что в данном случае люди унизились бы до степени животных, он сказал: "так вы аристократка!" и потом доказывал, что животные умнее людей, ибо они умеют держать себя с людьми и понимают их, но что человек в обществе животных гораздо более невежда, что лошадей он считает святыми, а в природе уважает только нервы, которых расстраивать в животных без причин не позволит себе, что религия очень хорошее средство против подлецов. Он возражал на мое желание ехать в Америку, что там ничего нет хорошего, что змей можно видеть в Jardins des Plantes, что гораздо удобнее, ибо они за решеткой.

Ненавижу Париж и не могу оторваться от него. Может быть, потому, что этот город действительно имеет что-то для тех, у кого нет определенного места и цели. Желание видеть Америку не покидает меня... Несмотря на присутствие новых лиц, новых занятий, меня преследует одна мысль, один образ... И что я в нем нашла?.. То ли, что понятия его так узки, что он не может судить о некоторых вещах. Нет, это то, что нет людей, что в других людях все так мелко, прозаично.

12 декабря, суббота

Сегодня был Задлер.

— Знаете что, — сказал он, — мы хотим ехать в Англию, так, небольшая компания. Хотите, поедемте вместе.

— В самом деле, но как же? Когда?

— Да скоро, скорее очень удобно, дешево, главное, 37 ф[ранков] взад и вперед, билет на месяц, можно там пробыть неделю, все осмотреть и назад.

— В самом деле, это недурно.

— Так что же, поедемте!

— Поедемте, но как же, знаете ли язык?

— Нет, да это ничего, можно научиться.

— Но как же, когда?

— Да нужно торопиться, возьмите учителя, неделю займемся и баста.

— Как, только неделю?

— Ну да, а то что же? Что мы изучать, что ли, будем: подайте, принесите, позвольте спросить, где такая-то улица; вот ведь все, что нам нужно.

— Но одна неделя! согласитесь.

— Да что тут размышлять! Давайте завтра учиться, я сегодня же отправляюсь отыскивать учителя. Да что тут! Вот у вас тут, кстати, диксионер Райфа, тут есть английские слова.

Он развернул диксионер.

— Ну вот, что тут такое, я ведь учился когда-то английскому.

— Ну вот, здесь что такое, какие слова: озарять, оздоравливать... ну, это нам не нужно. Что дальше: порозоветь, перерождение, ну и это не надо... поворотить, а вот оно: return...turn take off. Сэр, позвольте вас спросить, как повернуть в такую-то улицу. Return есть, нужно искать: позвольте, потом улицу, ищите улицу; да, мы будем болтать, чего тут! Посмотрим улицы, здания, в театр сходим, в парламент, нужно видеть Пальмерстона, виват ему прокричим, право, прокричим. Я в Берлине был в палате и кричал — hurrah! hurrah! Постойте, как это по-английски: to see. Ну вот и на немецкий еще похоже. Ну так что же, едем?

— Едем.

— Прекрасно. За дорогу 37 ф. да на разные издержки 50, да на стол по 10 фр. в день, довольно всего 100 ф. Остановимся в дрянном отеле, что тут церемониться.

Потом он рассказывал, как здесь некоторые профессора держат себя с студентами.

Приходит на лекцию 60-летний старик. "Ну, господа, я начинаю, записывай[те]. Послушайте, вы, задний, что вы там сидите, чего не записываете? А вы чего смотрите?"

"Освистать профессора, — говорит он, — да смели бы вы меня освистать!"

— Такого-то недавно освистали, — гово[рят] ему.

— Что? Что?

— Освистали Г. за такое-то мнение.

— Как! что вы говорите. Да я тоже такого мнения. Ну что же? Ну, освистывайте меня.

— Г-н пр[офессор], да я ничуть не против этого мнения, напротив, я только вам сказал, что Г. освистали.

— А, так вы согласны с этим мнением?

— Совершенно.

— Прекрасно, давайте вашу руку.

Задлер принес с собой книгу Тьера, которую уже читал. Он говорил, что, читая о Священном союзе, краснел за род человеческий; говорил, что после этой книги ему стыдно принадлежать к человеческому роду.

12 декабря, суббота

До того все, все продажно в Париже, все противно природе и здравому смыслу, что я скажу в качестве варвара, как некогда знаменитый варвар сказал о Риме: "Этот народ погибнет!" Лучшие умы Европы думают так. Здесь все продается, все: совесть, красота; продажность сказывается во всем, в позах и выточенных словах m-eur М., в затянутых талиях и взбитых волосах девиц, что попарно гуляют по улицам. Особенно чувствуется продажность, когда живешь одна. Я так привыкла получать все за деньги: и теплую атмосферу комнаты и ласковый привет, — что мне странным кажется получить что бы то ни было без денег. Если я [спрошу] о чем кого на улице, мне как-то неловко, даже я боюсь невольно, что придется дороже, как однажды это было...

Я помню виноград, который я съела даром на Мон-Сент, совершенно даром.

Сегодня за обедом говорили о достоинстве шампанского вина. M-eur М. с большим жаром доказывал его индивидуальность, которую кто-то вздумал оспаривать.

Париж, вид Сены со стороны Лувра. Литография, 1860-е годы

23 среда (декабря)

Иногда глупость людей, которых я встречаю, приводит меня в отчаяние. Так было в воскресенье: хоз[яин] доказывал, что... брак по расчету очень хорошая вещь, и его никто серьезно не опровергал; не умели; тут говорились дикие вещи; в опровержение приводили, что... женясь таким образом, можно ошибиться, попасть на безнравственную женщину, но хоз[яин] говорил, что ошибиться в этом случае нельзя, можно собрать очень верные сведения, и был прав. Это до того меня расстроило, что я не выдержала, ушла и отправилась гулять. Долго ходила, как потерянная, забывая где я; сколько раз я решительно начинала плакать.

Я начала учиться испанскому — это меня очень занимает, мне нравится даже самый процесс учения языка. Я очень довольна, когда занимаюсь испанским, но иногда среди этих занятий мысль о нем нахлынет мгновенно, и сердце так больно, больно сожмется.

Сегодня к нам явились новые жильцы — два американца (северные). Мне они нравятся, особенно один: лицо такое энергическое и серьезное. Он на меня смотрел внимательно и серьезно, в это время и я на него смотрела. Это, должно быть, люди, слава Богу. Но, может быть, я не сойдусь с ними?

31 декабря, четверг

Сегодня я после обеда осталась в столовой читать полученное письмо. Хозяйка, хозяин, груз[ин] и еще кто-то были в зале. Хозяин заговорил что-то обо мне, хозяйка подхватила, я слышала только: Cette pauvre fille... Она замолчала (верно, кто-то заметил ей, что я недалеко), затем вошел Тум., сказал незначащую фразу, спросил, что пишут мне, и вышел. Прочтя письмо, я пришла сказать новость о Черныш[евском] и скоро ушла, потому что пришел какой-то господин.

Завтра за завтраком я заговорю с кем-нибудь о том, какими miserables кажутся путешественники в чужих краях, и особенно в Париже, и особенно русские.

Января 7. 1864

Недавно слушала Франсис. Мне очень понравился этот господин. Его идеи, смелые, честные и живые, не доходят до несчастной крайности оправдывать все целью; язык живой, но без напыщенности. Этот человек совершенно олицетворяет мой идеал француза; даже самая его наружность мне понравилась: сухощавый старик с подвижным лицом, проницательными глазами и какой-то неуловимой

*иронией на лице; он в то же время имеет какую-то простоту
и благородство.*

*Это фигура изящная, аристократическая; я заметила
его руки с тонкими длинными пальцами. Я заметила, что он
умеет льстить массе... и не прочь от этого. Он произвел на
меня хорошее впечатление, я давно не слыхала честного живого слова.*

*Сегодня была в библиотеке. Я начала ее посещать с
третьего дня, и вчера в первый раз встретила моего знаком-
ца, но я сидела на новом месте, за что он меня упрекал,
подходя ко мне. Сегодня, как я вошла в библиотеку, он
был уже там. "Вы, наверное, останетесь сегодня на старом
месте", — сказал он, когда я проходила мимо него.*

*И я осталась. Мы много говорили. Он спрашивал
мое мнение насчет польского восстания, спрашивал, есть ли
у нас образованные женщины, слушаю ли я публичные лекции. Потом он спрашивал меня о моей специальности. Я
тоже его спрашивала о его. Он занимается философией. Он
много спрашивал меня о России и говорил, что, может
быть, туда поедет; говорил, что у него есть молодой человек, который знает рус[ский] яз[ык], и стал меня спрашивать значение слов, которые хотел объяснить по буквам, но
я по обыкновенной своей откровенности сказала, что ничего
не понимаю, что лучше б он мне показал записочку, по которой говорил. Он немножко сконфузился, однако показал;
тут были слова: "Душенька моя, хорошая моя, милая девушка". Я сказала, что это глупости. "Ну, так я изорву",
— сказал он. Милый это мальчик, очень милый. Одно то
чего стоит, что заговорил со мной, это уж смелость.*

*С некоторого времени я опять начинаю думать о
Сальвадоре. Я была довольно спокойна, хорошо занималась, но вдруг иногда я припоминала оскорбление, и чувство негодования подымалось во мне. Теперь как-то особенно
часто я об нем вспоминаю, и убеждение, что я осталась в
долгу, не выходит у меня из головы. Я не знаю, чем и как
заплачу я этот долг, только знаю, что заплачу наверное или
погибну с тоски.*

*Знаю, что пока существует этот дом, где я была ос-
корблена, эта улица, пока этот человек пользуется уважением, любовью, счастьем, — я не могу быть покойна; внутреннее чувство говорит мне, что нельзя оставить это безнаказанно. Я была много раз оскорблена теми, кого любила,
или теми, кто меня любил, и терпела... но чувство оскорбленного достоинства не умирало никогда, и вот теперь оно
просится высказаться. Все, что я вижу, слышу каждый*

Париж, начало января 1864 г.

А.П. Суслова —
Ф.М. Достоевскому
(несохранившееся
письмо).

день, оскорбляет меня, и, мстя ему, я отомщу им всем. После долгих размышлений я выработала убеждение, что нужно делать все, что находишь нужным. Я не знаю, что я сделаю, верно только то, что сделаю что-то. Я не хочу его убить, потому что это слишком мало. Я отравлю его медленным ядом. Я отниму у него радости, я его унижу.

Париж, 13 февраля

Сегодня купила башмаки. Я была второй раз в этой лавке. Продавец и жена были необычайно любезны, примеривали и показывали бездну башмаков; мне даже совестно было, что я купила на 3 ф. только, — так они были услужливы. В конце концов оказалось, что они меня обсчитали на 1/2 ф.; меня это поразило.

Петербург, 14-15 (26-27) января 1864 г.

...Посылаю тебе
письмо, получен-
ное мною третьего
дня...

М.М. Достоевский —
Ф.М. Достоевскому/
/Ф.М. Достоевский.
Материалы и иссле-
дования. С. 546.

14 февр., воскр[есенье]. Париж

Вчера была у Гёр. Я была ужасно расстроена все эти дни и плакала дорогой, когда ехала к Г. ... Но мне казалось, что я найду в нем что-то очень хорошее. Мне представлялся идеал кроткого старика, проникнутого любовью и горестью. Вхожу я в час. Никого нет. Долго стояла, не зная, куда идти. Наконец услыхала, кто-то кашляет за какой-то дверью. Я постучала. "Аминь", — закричал голос громко.

— Извините, — начала я, отворяя дверь.

Я вошла; толстый сильный мужчина сидел за конторкой и что-то писал. Странно, что он мне показался совсем другим, чем в церкви.

— Что вам нужно? — сказал, приподняв голову и с видом суровым и нетерпеливым.

Такой прием окончательно сразил меня. Нервы мои и без того были в сильной степени раздражены. Я чувствовала рыдание в груди и не могла выговорить ни слова. — Ну, — сказал он, смотря на меня с недоумением и досадой.

Тут я не выдержала и зарыдала. Он стал смотреть в окно. В эту минуту кто-то постучался в дверь. Вошел какой-то работник и рассуждал с ним о покупке каких-то вещей и напечатании каких-то объявлений. О[тец] торговался, как жид. Эти рассуждения дали мне время прийти в себя. "Ты русская", — сказал он мне по уходе [пост]ороннего человека.

— У вас, верно, есть духовник какой-нибудь. Зачем же вы не шли к m-eur В. ...

— Я вас прошу меня извинить, что я к вам; я это сделала по неопытн[ости], мне о вас говорили.

— *Ничего, ничего,* — *ответил отец снисходительно,* — *но я думаю, что было бы гораздо приличнее вам идти к ваш[ему] духовнику.*

Я стояла молча, опустив голову на грудь.

— *Чем я могу быть вам полезен?* — *спросил он несколько мягче.*

[Я] долго не могла говорить.

— *Желаете получить какое-нибудь место? Денег нет у вас, нет родных, друзей?* — *начал скоро отец.* — *Или же согрешили против закона нравственности?* — *спросил он особенно строго.*

[Я] вспыхнула и невольно подняла голову. Видя, что я не отвечаю, видя, что что-то другое, [он] не мог понять, чего от него хотят, наконец, как-то, должно быть, догадавшись, начал говорить о Боге, но таким тоном, как будто говорил урок, даже глаза закрыл.

В заключение он мне сказал, что все мои мысли — это вздор. Что если есть на земле преступление и страдание, то есть и закон. А что страдают только ленивцы и пьяницы. А император Алекс[андр] — идеал государя и человека.

17 февр.

Мне опять приходит мысль отомстить. Какая суетность! Я теперь одна и смотрю на мир как-то со стороны, и чем больше я в него вглядываюсь, тем мне становится тошнее. Что они делают! Из-за чего хлопочут! О чем пишут! Вот тут у меня книжечка; 6 изданий и вышло в 6 месяцев. А что в ней? Lobulo восхищается тем, что в Америке булочник может получать несколько десятков тысяч в год, что там девушку можно выдать без приданого, сын 16-летний сам в состоянии себя прокормить. Вот их надежды, вот их идеал. Я бы их всех растерзала.

Среда, 3 марта

Вчера была на лекции Philaret Charles и была поражена паясничеством этого господина. Войдя на кафедру, этот господин закрыл глаза и начал читать, размахивая руками [?] иногда для комизму, к величайшему удовольствию публики, кувыркаясь так, что едва не ложился на стол. Он читает так:

"Я Вам буду читать лекции так, как до сих пор никто еще не читал: никому в Европе не приходило в голову принять этот метод... Я Вам скажу о веке Люд[овика] XIV. Вы думаете, это великий век? Как же, подите-ка почитайте. Да, да, почитайте, почитайте... Недавно вот вышла

книга одного немца, Вы, чай, ее не читали. Да, я уверен, что никто из Вас здесь не знает имени этого немца. Так вот, Люд[овик] XIV, Вы думаете, пок[ровитель] наукам, искусствам, литературе? Ну да, он, пожалуй, любил искусство: Аполлона Бельведерского, Венеру Медицейскую, потому что это красота, солнце; а знаете, как он относился к живописи фламанд[ской] школы? Это, говорит, дрянь, что они там рисуют мужиков с трубками. Вы знаете, гол[ланд]цы и ан[гличане]. Это серьезный народ, они не много рисовали — некогда было, дел много, а если рисовали, так не гонялись за красотой, правды только искали. Солнца у них нет, так, немножко, капельку есть солнца. Это не всегда красиво, полуденные эти не очень любят, совсем не любят, ненавидят. Ну так Люд[овик] XIV — у него все палачи были: главный палач, потом поменьше палач, маленький палач и самый маленький палач. Он вот как заботился о литературе: он говорил своему главному палачу: "Литературу запрещай, преследуй, жги". Иногда еще одного сожгли за книжку... Против его величества думаете? Против m-me Mentenon. О, это время было строгое, очень строгое, я очень рад, что не живу в это время, а то, пожалуй, с моим темпераментом плохо бы мне было. А романы теперь как пишут? Возьмите современный роман: с первого слова Вам покажется забавно, со второго — немножко скучно, с третьего и четвертого — заинтересуетесь, с пятого — непременно захотите узнать, что сделалось с такой-то и такой-то девочкой; это французский роман. Англичане так не пишут; их роман: проповеди, поучение. Над такими романами некоторые засыпают, а другие ничего, читают".

Говоря об ненависти между фр[анцузами] и англичанами:

"Я воспитывался в Англии, Вы не подумайте, что я англоман: чистейший француз; раз вошел я в церковь скромненьким таким мальчиком, стою в уголку, так они на меня все уставились, — догадались, что француз, потому что галстук не по-английски был завязан. Они уставились на меня. "Вон, говорят, чудовище". Ей-Богу (тут, чай, между Вами англичане, да мне все равно). Ну, теперь и англичане находят, что Мольер был не дурак. Мы тоже читаем Шекспира".

Сначала я очень хохотала; вскоре заметила, что и другие хохочут; только они хохотали другому — хохотали и хлопали; мне стало <u>досадно</u>.

Моя личность как-то обращает на себя внимание, и это мне надоело. Не то, чтобы женщины не посещали лекций или библиотеки — посещают, но физиономии их отличаются от моей. Это — женщины с цветами, оборками, с вуалями, в сопровождении маменек. Есть женщины и серьезные, особенно одна — нигилистка совершенная.

Я-то веду себя хорошо, а она хлопает, топает и кричит "браво" и одета дурно; приходит одна, но на нее никто не обращает внимания, потому что не молода. Всем кажется естественным, что состарившаяся в ожидании судьбы дева соскучилась и от нечего делать ударилась в науки. Но мне покоя не дают, пристают всякий раз в антрактах: "Вы, верно, учительница английского языка? Вы иностранка? Вы живете для изучения каких-нибудь наук?" Это мне надоело, так что в антракте, чтоб избавиться от вопросов, я берусь за книгу... "Письма из Франции" и притворяюсь углубленной в чтение.

— Это у вас польская книга или греческая? Вы ведь иностранка? — непременно меня спрашивают.

— Не польская и не греческая, — говорю я, не поднимая глаз и краснея от злости и не желая сказать мою нацию, чтобы этим еще более не возбудить внимание.

— Ну, так какая же?

8 марта, вторник
Скука одолевает до последней край[ности]. Погода прекрасная, из окна моего пятого этажа чудесный вид, и я сижу в моей комнате, как зверь в клетке. Ни английские глаголы, ни испанские переводы — ничто не помогает заглушить чувство тоски. Я уже чаем хотела себя потешить, да нет, что-то плохо помогает.

17 марта
Вчера была у Мачт. У него очень изящная квартира и большая библиотека из книг шведских, англ[ийских], фр[анцузских], рус[ских], полный комфорт. Он сидит перед камином и пописывает. Какая пошлая жизнь! А между тем, сколько я знаю молодых людей, которые трудятся, чтобы добиться такой жизни. Сколько сил, убеждений жертвуется для приобретения такой библиотеки и таких картин!

2 апреля
Назойливая тоска не оставляет меня в покое. Странное давящее чувство овладевает мной, когда я смотрю с бельведера на город. Мысль потеряться в этой толпе наводит какой-то ужас.

3 апреля
Вчера зашла в лавку; там никого нет; через несколько

минут входит с улицы хозяин, красный [?] в грязной блузе, с торчащим из носа табаком и немного подкутивши.

— Я заставил вас ждать, m-elle, — сказал он, — надеюсь, что я имел в вас хорошего сторожа?

Продавая бумагу, он вздумал дать мне два листа pour rien.

— Вы очень великодушны, — сказала я ему.

— Нет такого великодушия, которое было бы достаточно велико по отношению к девице, — отвечал он. Этот разговор происходил пресерьезно.

На днях проходила я вечером улицу Medecin. На углу Севаст. бульвара стояло несколько молодых людей и между ними хорошенькая молодая женщина с пышной тщательной прической и открытой головой. "Dites donc", — говорила она капризным голосом одному из молодых людей, положив руки ему на плечи. Эта картина врезалась мне очень ярко, и неизвестно, почему после этого я почувствовала облегчение от моих прежних страданий, какой-то свет озарил меня. Я ничего не знаю отвратительнее этих женщин. Я видела женщин с резкими жестами, наглым выражением лиц, и они для меня сноснее.

17 апреля

На днях я познакомилась с двумя личностями: с Евген[ией] Тур и Мар[ко] Вовчок. Евгения Тур услыхала обо мне от Корам. и просила ее меня прислать. С первого раза она совершенно очаровала меня. Живая, страстная — она произвела на меня сильное впечатление. И при всем уме и образовании какая простота. При ней я не чувствовала той стесненности и натяжки, которая обыкновенно бывает при первом знакомстве, даже с людьми очень образованными и гуманными. Я говорила с ней, точно говорила с моей матерью. Мы плакали и целовались, когда она рассказ[ывала] мне о польских делах. С пер[вого] раза она пригласила меня жить вместе (она живет с сыном), обещала давать мне уроки фран[цузского] и анг[лийского] языка и говорить всегда по-французски. Потом на лето пригласила гостить на дачу к своему другу и очень жале[ла], что прежде со мной не была знакома. Через день она ко мне пришла со своими приятелями, и мы в 5-м отправились на кладбище. Дорогой Лугинин, сидевший против меня (которого мне особенно пред[ставляла] гр[афиня] и сказала ему: когда пойдете куда гулять — то заходите за m-lle Сусловой), старался меня занимать, но я слушала графиню, которая говорила с др[у-

Париж, конец марта — начало апреля 1864 г.

А.П. Суслова — Ф.М. Достоевскому (несохранившееся письмо).

Петербург, 21 марта [3 апреля] 1864 г.

...Нынче я получил письмо из Парижа. Спешу тебе его отправить.

М.М. Достоевский — Ф.М. Достоевскому//Ф.М. Достоевский. Материалы и исследования. С. 549.

Москва, 27 марта (8 апреля) 1864 г.

Ф.М. Достоевский — А.П. Сусловой (несохранившееся письмо).

гим] господином. Она не любит уступок. Я удивлялась ее энергии.

— Если в 20 лет, — говорила она о каком-то господине, — он мирится, когда я, которая столько жила, и в 40 лет у меня есть еще сила ненавидеть, — что с ним будет в 30 лет! — Он будет шпионом.

Потом господин, с которым она говорила, ей сказал, что консервативные идеи также имеют право существовать. "Вот то, о чем я много спорила, — сказала она с жаром. — Действительно имеют право существовать, но не так, как у нас. Есть, напр[имер], партии консер[вативная] в Англии, во Франции, но не было примера, чтоб консер[вативная] партия стояла за кнут, как у нас; напротив, она иногда либеральней и гуманней революционных".

Она разорвала знакомство с Тур[геневым] за то, что он написал письмо госуд[арю], в кот[ором] говорил, что разорвал из уважения к нему все связи с друзьями своей юности.

К Маркович я пришла без всяких рекомендаций. Она приняла меня радушно и просто, сказала, что слышала обо мне, хотела сама прийти ко мне, да не знала адреса. На несколько минут она очаровала

Елизавета Васильевна Салиас де Турнемир
(Евгения Тур)

меня. Она предложила мне чаю, от которого я не отказалась потому, что испытывала страшную жажду. Потом скоро сообразила, что нужно было отказаться; ее любезность показалась мне манерой русской барыни, готовой всякого принять, напоить и накормить. Поговорив со мной, она меня просила (Бог знает для какой цели) подождать, пока напишет письмо, потом понесла его на почту и опять попросила подождать, но я отправилась вместе с ней домой. Погода была хорошая, m-me Мар[кович] пошла проводить меня до омнибуса... Дорогой мы о многом говорили: о Гер[цене], о том, что она пишет и что я пишу и писала. Она больше о том, как платят в журналах, покупала ли я себе летние платья, и почем, и какие.

Вообще я заметила в ней какую-то холодность, осторожность, она как-то всматривается в людей. Видно, что это женщина рассудительная, хладнокровная, увлекаться она не будет. Гр[афиня] сказала, что эта женщина тонкая, но вначале я нашла ее не такой, по крайней мере со мной. Гр[афиня] согласна со мной, что это она холодная. Я невольно сравнивала двух женщин. Я думала, что с Мар[кович] я бы не заплакала, а вышло иначе: через день я пошла к ней по ее приглашению в назначенные часы, она мне обещала к этому времени приготовить те из своих сочинений, которые я не читала. Дорогой, проходя через узкий переулок, я встретила женщину довольно молодую, очень бедно, но чисто одетую, которая плакала. Она робко подошла ко мне. Я думала, что она хочет спросить у меня какую-нибудь улицу. "Дайте мне, пожалуйста, 2 су, — сказала она, — я ничего не ела". Ее очень порядочный и грустно-покорный вид поразил меня. Я дала ей 1 франк, единственную бывшую у меня мелкую монету. Она поблагодарила и пошла прочь. Я пошла было своей дорогой, но эта встреча произвела на меня сильное впечатление; я подумала, не могу ли чем помочь этой женщине. Я вернулась и догнала ее. "Послушайте, — сказала я ей, — может быть, я могу вам быть чем-нибудь полезна. Вы, верно, были больны или с вами случилось какое несчастие. Если вы умеете работать, может быть, я вам достану работу. Приходите ко мне". Я хотела записать свой адрес, но не нашла карандаша. Она мне сказала, что не может запомнить наизусть адреса, и предложила зайти в лавку за карандашом. Я записала ей адрес и спросила лавочника, сколько должна заплатить за употребление карандаша. Сказали — ничего. Я поблагодарила и пошла. Я очень торопилась. "Я вас никогда не забуду", — с чувством сказала бедная женщина, прощаясь со мной. Мар[кович] я не застала дома. Мать ее предложила мне по-

Мария Александровна Маркович
(Марко Вовчок)

дождать, сказав, что дочь уехала к Тур[геневу], и старалась
дать мне почувствовать, что вчера Тур[генев] ждал ее дочь
целых два часа и все-таки уехал, не дождавшись. Еще она
сказала, что придет сегодня жена художника Якоби, хорошенькая, молоденькая, а главное, хорошая, по ее словам,
женщина.

Действительно, скоро пришла хорошенькая женщина. Я
догадалась, что это Якоби. Мы разговорились. Она либераль-
ничала, пускала мне пыль в глаза фразами очень неудачно.
Наконец пришла Мар[кович]. "Познакомьтесь", — сказала
она нам. Но не сказала наших имен. Мы молча пожали друг
другу руки. Мар[кович] сказала, что книг мне не приготовила,
— и опять заговорила о деньгах; потом стали рассматривать ее
портреты, кот[орыми] она была очень недовольна. Неудачного
нашла я в этих портретах только позу, драпированную в какой-то плащ, что не шло к некрасивой ее физиономии.

Заговорили как-то о Салиас; мне пришлось как-то
сказать, что она у меня была. Они, верно, подумали, что я
проговорилась с умыслом. "Если вы будете у графини, то
скажите ей, пожалуйста, чтобы она мне прислала мои книги". — Графиня Салиас? — спросила я. Она не обратила
внимания на мой вопрос и заболталась до того, что, наконец, стало понятно, о какой граф[ине] идет речь. "Извольте, я
передам, — сказала я, — только позвольте узнать ваше имя.
Ах, вот я какая неаккуратная, — сказала Мар[кович]... зна-
комила, а фамилии не сказала". "Якоби", — сказала хорошенькая женщина, и как я не выразила удивления при этом
имени, она, верно, подумала, что я так невежественна, что
могу не знать этого имени, и, смотря на меня с глубоким
состраданием, предложила записать мне его. Я сказала, что
и так не забуду. Она настаивала на том, чтоб написать,
т[ак] ч[то] я, наконец, сказала ей, что я знаю эту фамилию,
при этом я не могла удержаться от улыбки (я, конечно, не
скажу гра[фине] о книгах, а хорошенькой женщине скажу,
что забыла). Мне было ужасно грустно смотреть на этих
"ликующих", "праздно болтающих". Меня приглашали пить
кофей, но как я позавтракала перед этим визитом, то отказалась и пошла домой. Хозяйка заметила мою грусть и,
провожая меня, стала спрашивать причину. Грусть моя увели-
чилась, нервы были слишком раздражены, я не выдержала —
слезы навернулись у меня на глазах. "Скажите, что с вами
случилось?" — спрашивала m-me Мар[кович], с участием
взяв меня за руку, и отвела меня в спальню. Я бессознательно
следовала за ней, и слезы невольно покатились из моих глаз;
чувство бессилия и стыда терзали меня, я все свалила на улич-

ную сцену и скоро отправилась домой. *Она мне сказала, что, если буду иметь в чем затруднение, к ней обращаться.*

— Какие ж могут быть затруднения в цивилизованном государстве, — сказала я, насмешливо и грустно улыбаясь.

— Однако ж у вас было с вашей хозяйкой, — сказала она.

Потом она сказала, что придет ко мне на другой день, несколько раз это повторила. Она пришла в назначенный час. Я увидала из окна, как она входила в калитку, и вышла встретить ее на двор. Я встретила ее со всей любезностью, но без всякого благоговения. Мы говорили с час, потом я пошла ее провожать, и мы еще долго говорили. Она напомнила мне об обещании моем дать ей мои произведения, и, так как у меня их не было, она взяла с меня слово прийти к ней через неделю и прочесть свою повесть.

Лугинин во время прогулки на кладбище обещал мне составить список исторических книг, полезных для меня. Он хочет, должно быть, меня развить и пренаивно толковал мне об идеализме и материализме, когда я сказала, что не могу хорошо определить этих двух понятий.

Мар[кович] спросила, как меня зовут. Я сказала.

— А мне сказали — Надежда Суслова, — сказала она. — У меня сестра Надежда...

А.П. Суслова. Годы близости с Достоевским. С. 70-86

Москва, 9 [21] апреля 1864 г.
...На днях вышлю повесть Аполлинарии. Предуведомляю заранее для того, чтоб ты, получив пакет с моею надписью, не подумал, что моя повесть. Повесть же не хуже ее прежних и может идти.

Ф.М. Достоевский — М.М. Достоевскому // Ф.М. Достоевский. Полное собрание сочинений в тридцати томах. Т.28. Кн.2. С. 83.

Москва, 13 [25] апреля 1864 г.
...Повесть Аполлинарии посылаю отдельно. Обрати внимание. Печатать очень можно.

Ф.М. Достоевский — М.М. Достоевскому //Ф.М. Достоевский. Полное собрание сочинений в тридцати томах. Т.28. Кн.2. С. 88.

Москва, 15[27] апреля 1864 г.
Милый брат Миша,
Сейчас, в 7 часов вечера, скончалась Марья Дмитриевна и всем вам приказала долго и счастливо жить (ее сло-

ва). Помяните ее добрым словом. Она столько выстрадала теперь, что я не знаю, кто бы мог не примириться с ней...

Ф.М. Достоевский — М.М. Достоевскому //Ф.М. Достоевский. Полное собрание сочинений в тридцати томах. Т.28. Кн.2. С. 92.

Графиня!

Только что получила Ваше письмо: не буду говорить, сколько оно доставило мне удовольствия. Я боюсь только, что Вы увлекаетесь, предполагаете во мне более хорошего, чем оно есть: боюсь, что, узнав мои дурные и слабые стороны, Вы меня возненавидите. Мне было бы очень тяжело потерять Ваше расположение. Вы так мало меня знаете, что мне страшно принять Ваше предложение провести у Вас несколько недель, оно налагает на меня слишком большую обязанность в отношении к Вам. Как ни полезно мне Ваше знакомство, но я лучше соглашусь отказаться от него, чем допустить Вас обмануться во мне или самой обмануться в Вас, то есть как-нибудь неправильно понять и истолковать себе Ваше внимание.

Я ожидаю от Вас чего-то гораздо более, чем можно ожидать от знакомства с умной и образованной особой, Вы дали мне это право.

Хочу быть перед Вами откровенна, как перед моей совестью, предполагая, что это не будет Вам скучно. Буду всегда с Вами искренна, не сделаю для Вас ничего против своего желания из одного угождения, хотя очень желаю сделать Вам приятное. Я могу находить удовольствие в сношениях с людьми, но к Вам одной могу так относиться, потому что Вы меня приняли как мать.

Вы меня спрашиваете, что я делаю. Я тоже была в Брюсселе, у моих друзей, одну неделю. Висковатовы (муж и жена очень молодые) убедили меня к ним приехать, и я довольна этой поездкой. Мы много говорили, советовались насчет [?], по вечерам, иногда, вслух читали. Там я встретила Утина, бежавшего от ареста (не знаю, имеете ли Вы о нем понятие). Он Вас очень уважает и просил меня передать Вам глубокий поклон, хоть и не знает Вас лично. Утин прочел нам повесть Вашего сына "Тьма", которая нас всех восхитила. Насколько я могу судить, мне кажется, что "Тьма" — явление замечательное в нашей литературе.

Ради Бога, извините меня, Графиня, за это письмо, я чувствую, что пишу совсем не так, как нужно, потому что

Москва, 17(29) апреля 1864 г.

Ф.М. Достоевский — А.П. Сусловой (несохранившееся письмо).

*не успела еще отдохнуть от дороги (ехала в каком-то очень
медленном поезде в 3 классе, голова страшно болит).*
        Преданная Вам
        <u>*Аполлинария Суслова*</u>
        <u>*1864. Мая 1 дня. Париж*</u>

А.П. Суслова — Е.В. Салиас//РГАЛИ. Ф.447. Оп.1. Ед.хр.21.

<u>*3 мая, 1864. Вторник*</u>

*Когда возвращалась из Брюсселя, я спала, подъезжая
к Парижу. Единственная компаньонка, сидевшая со мной в
вагоне, разбудила меня, когда вагон остановился. Я поспешно встала и начала собирать мои вещи. В вагонах почти никого не оставалось; кондуктор подошел к моему вагону
и открыл дверь. "А вы еще здесь, — сказал и, видя, что я
спешу, прибавил: — не торопитесь, будет время". — Я
уже готова,— сказала я, подходя к двери. Он протянул
мне руку, я охотно ее приняла и выскочила. "Холодно..."
— начал было он, но я уже бежала в вокзал.*

<u>*8 мая, суббота*</u>

*Вчера была у Маркович. Она читала мою повесть
(1-ю), ей она понравилась. Мар[кович] сказала, что эта повесть лучше Салиас. Я ей читала ненапечатанную повесть,
и та ей понравилась, только конец не понравился. Во время
чтения Мар[кович] говорила: "Это хорошо! Прекрасно". В
разговоре после того она сказала, что "нужно смотреть на
людей во все глаза". Я ответила, что не могла бы, что это
мне кажется цинизмом.*

*И в самом деле, что за радость смотреть и остере-
гаться на каждом шагу. Я и счастья, такими средствами
приобретенного, не хочу. Это было бы деланное счастье...
Пускай меня обманывают, пускай хохочут надо мной, но я
хочу верить в людей, пускай обманывают. Да и не могут же
они сделать большого вреда.*

<u>*22 мая*</u>

*Сегодня я в первый раз встала после 2-недельной бо-
лезни, во время которой гр[афиня] Салиас оказала мне по-
печение материнское, и я еще более влюбилась в нее.*

*Лугинин и Усов часто ходили ко мне во время болез-
ни, и я с ними много говорила. Один раз мы имели спор о
русской национальности; оказалось, что они ее не уважают.
В тот же раз Усов сказал, что ему нравится обычай диких:*

взрослым сыновьям убивать и есть отцов. Он говорил, что
первое недурно бы принять.

Сегодня были у меня гр[афиня] Сал[иас] и оба эти
господина. Гр[афиня] говорила о воспитании племянника,
которого она отдает в школу в Швейцарии.

Между прочим она сказала, что есть одно зло швей-
царского воспитания, что дети делаются космополитами.
Лугинин начал утверждать, что это очень хорошо, что космополитизм очень хорошая вещь; не все ли равно, что желать добра русскому, что французу. Он сказал, что с большим бы удовольствием послужил бы Франции или Англии,
но остается в России, потому что знает русские обычаи и
русский язык, но с русскими ничего общего не имеет, ни с
мужиком, ни с купцом, не верит его верованиям, не уважает
его принципов. "Я гораздо более радуюсь парижским ассо-
циациям, чем..." Я недослышала, или он недоговорил. Я
была взбешена, но молчала. Гр[афиня] тоже молчала. Вначале только она отстаивала немного патриотизм, но только
со стороны привычки. Когда гр[афиня] заговорила о моем
докторе, мне пришлось высказать некоторые мои мнения,
противоположные ихним. Гр[афиня] мне с жаром возражала. Так вот каковы они! Нет, я не пойду с этими людьми.
Я родилась в крестьянской семье, воспитывалась между народом до 15 лет и буду жить с мужиками, мне нет места в
цивилизованном обществе. Я еду к мужикам и знаю, что
они меня ничем не оскорбят.

А.П. Суслова. Годы близости с Достоевским. С. 86-88.

*Париж, 21(9)
мая, 1864 г.*

А.П. Суслова —
Ф.М. Достоевскому
(несохранившееся
письмо).

Графиня,
Я давно собираюсь к Вам писать, мне хотелось поговорить с Вами, но в последнее время не приходилось видеть
Вас одну. Мне хотелось высказать Вам мою благодарность
и уважение к Вашей личности, хоть я и знала, что словами
всего не выскажешь, даже, оказывается, что ровно ничего
не скажешь, но мне хотелось, чтобы Вы знали, насколько я
Вас ценю. Вы не знаете, как много Вы для меня сделали.
Мне кажется, что без Вас я бы умерла, если не от болезни,
то от тоски быть на руках и во власти людей, которые заботятся только о том, как бы побольше извлечь денег из
несчастия своего ближнего. Главная Ваша заслуга в том,
что к Вам обращаешься без малейшего сомнения и колебания, без страха Вас обеспокоить, без мучительного раскаяния за свою неловкость. Перед Вами не страшно остаться в
долгу, этот долг не тяготит, а, напротив, радует, потому что

в нем видишь осуществление идеала, осуществление тех отношений между людьми, какими они должны быть. Вы одна умеете так поставить, Графиня!

Я почти совсем здорова, есть только кашель и насморк. Я уже начала пить зельтерскую воду. Мне можно будет к Вам приехать в субботу или в воскресенье. Но, кажется, придется остаться до понедельника, в понедельник я должна ехать к банкиру за деньгами (раньше получить не могу — так на векселе сказано). Я уже не говорю о том, с каким удовольствием к Вам еду. Для меня все это так хорошо и счастливо устроилось, как будто во сне или в сказке.

Мой доктор, кажется, очень хороший человек, он мной очень занимается. Он здесь с женой, и я думаю с ней познакомиться, этого как будто даже требовало приличие: он был со мной как хороший знакомый, почти как друг, но, с другой стороны, кто знает, что это за женщина. Я хотела с Вами об этом посоветоваться, но как-то не приходилось.

Прощайте, до свидания.

Ваша А. Суслова.

Париж

P.S. Вчера у меня был m-eur Усов, и мы с ним довольно долго поговорили. Он к Вам собирается, и я посылаю Вам с ним большой поклон.

А.П. Суслова — Е.В. Салиас//РГАЛИ. Ф.447. Оп.1. Ед.хр.21.

Версаль, 1864 г. Понедельник [начало июня]

На днях получила от тебя письмо от 2 июня и спешу отвечать: Вижу, что у тебя ум за разум зашел: писала тебе из Версаля и послала свой адрес, а ты сомневаешься, как мне адресовать письмо: в Париж или в Версаль.

Через две недели ровно поеду в Спа. Сегодня с доктором порешила окончательно. Ты можешь заезжать ко мне в Спа, это очень близко от Ахена, следовательно, тебе по дороге. Мне не хотелось с тобой видеться в Спа — там я, верно, буду очень хандрить, но иначе нам видеться, пожалуй, не придется долго, так как ты недолго думаешь пробыть в Париже, а я не скоро возвращусь в Россию. Я не знаю, сколько буду в Спа времени, думала ехать на три недели, но теперь оказывается, что нужно быть больше или меньше, но с тем, чтобы ехать на другие воды. Если вылечусь, то зиму буду жить в Париже, если нет — поеду в Испанию, в Валенсию или ост. Мадеру.

Что ты за скандальную повесть пишешь? Мы будем ее читать; Ев. Тур имеет случай получать "Эпоху". А мне *не нравится, когда ты пишешь циническия вещи. Это к тебе как-то не идет; нейдет к тебе такому, каким я тебя воображала прежде.*

Удивляюсь, откуда тебе характер мой перестал нравиться [ты пишешь это в последнем письме]. Помнится, ты даже панегирики делал моему характеру, такие панегирики, которые заставляли меня краснеть, а иногда сердиться: я была права. Но это было так давно, что тогда ты не знал моего характера, видел одни хорошие стороны и не подозревал возможности перемены к худшему.

Напрасно ты восхваляешь Спа, там, должно быть, очень гадко. Я ненавижу эту страну за запах каменного угля. Ты меня утешаешь, что в Брюсселе Висковатовы, но они давным-давно в Петербурге.

Прощай. Мне хочется посмотреть на тебя, каков ты теперь, после этого года, и как вы там все думаете. Ты мне писал как-то, убеждая меня возвратиться в Петербург, что там теперь так много хорошего, такой прекрасный поворот в умах и пр. Я вижу совсем другие результаты, или вкусы наши различны. Разумеется, что мое возвращение в Россию не зависимо от того, хорошо там думают или нет — дело не в этом.

Благодарю за заботливость о моем здоровье, за советы его беречь. Эти советы идут впрок, так что скорее меня можно упрекнуть в излишней заботливости о себе, чем обвинить в причине болезни. Эти обвинения не имеют ни малейшего основания, и я могу только их объяснить твоей вежливостью.

А.П. Суслова — Ф.М. Достоевскому (черновик письма)//РГАЛИ. Ф.1627. Оп.1. Ед.хр.5. Первая публикация — *А.С. Долинин.* Достоевский и Суслова. С. 268-269.

Петербург, 16(28) мая 1864 г. Ф.М. Достоевский — А.П. Сусловой (несохранившееся письмо).

Париж, 3 июня (23 мая) 1864 г. А.П. Суслова — Ф.М. Достоевскому (несохранившееся письмо).

Петербург, 2(14) июня 1864 г. Ф.М. Достоевский — А.П. Сусловой (несохранившееся письмо).

Париж, 27 мая (8 июня) 1864 г.
Извините меня, что я долго Вам не отвечала — я то больна была, то было некогда.

Я передала книгу, которую Вы мне прислали, и Ваши слова, которые Вы писали мне, Аполлинарии Прокофьевне Сусловой, она передает Вам, что потому оставила книгу и ушла сама, не повидавшись с Вами, что боялась Вас обеспокоить, что, не поняв хорошо Ваших слов, и думала, что Вы говорите книгу принести, а не самой ей прийти. Ее адрес теперь: Versailles, rue Mademoiselle 19, chez m-me la Contesse de Salias.

Она сказала, рада будет, если Вы ей напишите. Прощайте. Будьте здоровы и благополучны.
Преданная Вам М. Маркович.

М.А. Маркович — И.С. Тургеневу//Литературное наследство. Т.73. Кн.2. С. 302.

15 июня, Спа
Здесь хорошо. И вот чудо — немцы нравятся мне

более французов. Хозяйка, голландка, закармливает меня тартинками и запаивает пивом. Едят они раз по пять в день. Хозяин — угрюмый, на душегубца похож, но добрый. Кроме меня, у них жилец француз с женой. Хозяйка рассказывала, какие он делал с ней условия на бумаге (на 6 недель), удивлялась его недоверчивости. Условия, например, чтобы блох не было. Какая подлость и как это похоже на француза! Кухарка, немка, пресмешное первобытное существо, наивное создание. Когда была дурная погода, она очень тосковала, что на родине [в] Мекленбурге погибнут les grains, посеянные ее отцом. Она даже хотела сбежать. Каким образом ее присутствие могло помочь les grains — неизвестно. Теперь она иногда подходит ко мне и спрашивает: "А что, m-elle, как вы думаете, будет завтра дождь?" Я говорю: может, будет, — но, вспомнив заветное les grains, прибавляю, что если и будет, то в одном Спа.

Belqique, Spa, Rue Hotel de Ville 90 A. Souslowa. Ф.М. Достоевский. Записная книжка 1863-1864 гг. С. 133//Ф.М.Достоевский. Материалы и исследования. Т.6. С. 18.

А.П. Суслова. Годы близости с Достоевским. С. 88.

Июня 22. Пятница
Добрейшая Графиня!

Я сейчас получила письмо от m-me Маркович, адресованное в Версаль. Она меня уведомляет, что Бенни начал узнавать о возможности женщине посещать медицинские лекции и ему обещали, что можно. Она мне пишет, чтоб я приехала в Париж с бумагами сестры (в четверг 28 июня), предполагая, что я в Версале. Это значит уже начинать дело. Вы себе представить не можете, как я рада за мою сестру! Я готова все бросить и ехать в Париж, но, к счастью, у меня нет никаких бумаг сестры.

Сегодня же я получила письмо от отца, который мне пишет, что я могу оставаться за границей столько, сколько нахожу нужным, и просит меня узнать, можно ли где за границей слушать медицинские лекции моей сестре. Он только что получил письмо сестры об изгнании женщин из Медицинской Академии и просит меня ее утешить. Какой он добрый, Графиня! Он делает гораздо больше, чем можно требовать, и мне совестно перед ним, что он трудится и зарабатывает деньги, на которые я живу в свое удовольствие за границей. Он от меня никогда не спрашивает отчета, а только пишет всегда, когда и сколько прислать денег.

Я ему писала, что во время моей болезни Вы были со мной, и он в самых горячих выражениях благодарит Вас.

Я сейчас же буду писать моей сестре, чтоб она ехала или присылала свои бумаги.

Я привыкла с Вами советоваться и к Вам во всех

случаях обращаться, Графиня. Вы меня извините, если письма иногда бестолковы.

У нас здесь хорошая погода, но изредка бывают ненастные дни. Отец пишет, что в России страшная засуха, в южных губерниях все хлеба погорели.

До свидания, желаю Вам быть здоровой.

В свободное время, надеюсь, мне напишите, что не оставите меня без известий о Вас.

Ваша А. Суслова.

P.S. Мое здоровье гораздо лучше, но я думаю, что зимой, особенно если буду хандрить, — нездоровье возвратится.

А.П. Суслова — Е.В. Салиас//РГАЛИ. Ф.447. Оп.1. Ед.хр.21.

Спа, 23(11) июня 1864 г.
А.П. Суслова — Ф.М. Достоевскому (несохранившееся письмо).

Версаль, 24 июня [1864 г.]

Милая Полинька, только что хотела вам писать, получаю второе ваше письмо. Очень рада, что сестре вашей есть надежда (это только еще надежда) слушать лекции в Париже. Но вы и *думать не смейте*, не долечившись, оставлять Спа. Подумайте, вам надо набраться здоровья для зимы. Неужели вы думаете, что я так легко выпустила бы вас из Версаля, если бы не знала, что вам *необходимо* лечиться. Мне без вас, особенно вечером, ужасно скучно. После вас осталась нравственная яма, и ее заткнуть нечем; словом, вас недостает в этом домике, в этом садике и в этом уголке моего сердца, где вы приютились и засели. Я рада, что вам хорошо в Спа. Ни под каким видом *не смейте* оставлять Спа, не долечась. Вы видите, я принимаю материнский тон и способ выражения. Надо сил на зиму. Тогда будем ходить слушать лекции и будем заниматься, а иногда бегать в театр. Не так ли? У меня был такой же добрый отец, как ваш. Я говорю был, ибо он теперь стар, слаб, конечно, любит меня, но уж заботиться обо мне не может, а помогать не в состоянии. Мне пишут, что он нездоров. Я чувствую, что не увижу его и что эта болезнь кончится, как кончаются болезни в его лета. Кажется, полетела бы к нему, но пропасть всяческая разделяет меня с ним. Не благословил его Бог сынами, хотя другие дети для него хорошие дети, но как приехать туда, когда сын с ним. Он способен наделать всякого скандалу и гадостей, и, вместо радости, таким образом, приезд мой принес бы старику одно горе и тревогу. Это бы легко сократило и самую жизнь его. Глядя на старость моего отца, я себе такой *не желаю*. Лучше умереть, чем быть навеки разлучену с любимыми детьми.

Вот я и заболталась, но у меня на душе наболело, и мне легче, что могу высказать все это доброму существу, которое понимает, любит немного — ведь вы меня любите? Так-то иногда горько, милая Полинька. Вчера были именины моей Оли. Села я за стол одна, и встала одна, ни один кусок в горло не пошел. Иногда малодушие какое-то находит. Кажется, что все меня бросили, оставили, забыли — а в сущности, я бросила многих и оставила, я силюсь забыть, да не могу. Я не о детях говорю, сохрани Боже, а о политических друзьях. Не вытерпела я, ушла на волю, да воля-то эта постылая. Вы не знаете, как я была *избалована*, окружена, как за мной ухаживали, как меня любили. А теперь осталась я одна, или почти одна. Праздник на их улице, а мне и мне подобным надо надеть траур по нашим несбывшимся надеждам. Великолепная статья Герцена в "Колоколе" (последнем) — прочтите, если в Спа она есть.

У меня до вас просьба, милочка. Когда у вас будут деньги, купите в Спа, франков в 15, длинную шкатулочку, немного подлиннее и пошире этой страницы, для работы. Вы видели ту мерзость, в которую я кладу свои иголки, нитки, шелк. Надо бы, чтобы в крышке или сбоку (лучше в крышке) была бы подушечка, куда втыкать иголки и булавки. Я шкатулочки Спа ужасно люблю. Это цветы по темно-серому фону. Они везде выставлены, и вы их легко найдете. Ког-

да приедете в Париж или Версаль (я не теряю надежды, что к сентябрю вы ко мне в домик вернетесь), то я вам отдам, что вы истратите на покупку.

Откуда вы в Бельгии нашли *немцев?* Не фламандцы ли? Откуда быть немцам? Впрочем, я немцев не люблю как нацию, но личности есть отличные. Французов люблю как нацию, а как личности большинство их *пошло до тошноты.* Прощайте. Крепко целую вас. Когда долго не отвечаю, значит, что занята. Завтра еду к Труб[ецкому] в Бельфантен на два дня и буду назад в среду. Лечитесь хорошенько, серьезно, а зимой, Бог даст, займетесь, и хандры не будет.

Е.В. Салиас — А.П. Сусловой//А.С. Долинин. Достоевский и Суслова. С. 269-270.

16 июля. Спа. 1864.

Письмо.

Дорогая Графиня! Я на днях получила Ваше письмо и прочла его с особенным удовольствием. Вы такая добрая...

А.П. Суслова. Годы близости с Достоевским. С. 88.

17 июля. Спа

Дорогая Графиня!

На днях я получила Ваше письмо и прочла его с особенным удовольствием. Вы такая добрая. Мне было особенно приятно узнать, что Вы меня любите, но я думаю, что ничем не заслужила этой любви; если бы Вы были менее снисходительны, я была бы спокойнее.

Я с любовью вспоминаю теперь время, проведенное у Вас, и буду его помнить, потому что никогда не забываю, где мне было хорошо. Не было мне особенного счастья у Вас, но было более — точка опоры, вера в сочувствие и [?] хорошего человека; мне это было так необходимо. На меня часто находит тоска, и мне казалось, что никто не хочет меня знать, в то время, когда тупоумие и ограниченность хохотало над моей наивностью.

Но в Ваше сочувствие я верила и знала, что всегда могу к Вам обратиться и имею на это право, потому что хоть я и увлекалась и много сделала ошибок, но всегда поступала честно и если страдала, то только потому, что не хотела и не могла лицемерить; жить хотела сознательно, а

Черновик письма А.П.Сусловой Е.В.Салиас. Автограф

Спа, 4 июля
(23 июня) 1864 г.
А.П. Суслова —
Ф.М. Достоевскому
(несохранившееся
письмо).

Спа, 9 июля
(28 июня) 1864 г.
А.П. Суслова —
Ф.М. Достоевскому
(несохранившееся
письмо).

не идти избитой дорогой и ждать, что пошлет судьба. Я была уверена, что Вы поймете все, потому что сами _жили_ и должны знать, как это дорого достается.

Мне здесь хорошо, и я у этих немцев как член семейства. Они меня закармливают тартинками и потчуют пивом. Какие это типы, Графиня! Я нашла, что немцы симпатичнее французов, чего не ожидала. Они отчасти идиоты, но человечнее французов. Здоровье мое значительно лучше, хотя я только что начала купаться. Вы не поверите, милая Графиня, какие я длинные прогулки делаю и нимало не устаю. Гуляю я почти везде с хозяйкой, которая со мной за компанию начала пить воду.

Вчера я получила письмо от сестры, которое меня встревожило. Она, прежде чем выехать, хочет знать наверное, можно ли ей поступить в другую школу или по крайней мере выдержать экзамен, потому что она [?] настолько работала, что может в случае нужды обойтись без учителей. Во время каникул, пользуясь тем, что лекции закрыты, она ходит в клиники некоторых докторов, которые не враги женской самостоятельности. Доктора эти рассказывают и объясняют все, что нужно.

Я думаю и почти не сомневаюсь, что в Париже допустят к экзамену, так как есть женщины здесь, получающие разные ученые степени. Здешний доктор мне сказал, что в Государственные университеты женщину в Бельгии не пустят, но [в?] Брюсселе какой-то частный университет, так туда еще можно постучаться.

Сестре должно быть тяжело проситься у отца ехать за границу, не зная наверняка, будет ли из этого толк, он уже так много для нас сделал. Я решилась сама написать отцу, чтоб вместо меня послать за границу сестру, так как главный вопрос в деньгах. Мне очень не хочется ехать теперь в Россию по разным причинам, которые здесь не расскажешь, но делать нечего. Мне нужно учиться и видеть людей, а жить в Петербурге не могу, следовательно, нужно ехать в деревню.

Ваша А. Суслова.

Я во всяком случае буду еще в Париже, и мы с Вами увидимся.

Я думаю, что во всяком случае проживу зиму в Париже. Говорят, что в Америке нет возможности теперь учиться — беспорядки. Нельзя ли подать просьбу за сестру, о слушании лекций, в ее отсутствие?

Напишите мне Ваши соображения по поводу моей сестры. Не торопитесь, однако, ответом.

А.П. Суслова — Е.В. Салиас//РГАЛИ. Ф.447. Оп.1. Ед.хр.21.

Павловск, 11 (23) июля 1864 г.
Ф.М. Достоевский — А.П. Сусловой (несохранившееся письмо).

21 июля. Спа

Теперь я всего более занята делами сестры, относительно ее образования. От этого также зависит мое пребывание в Париже. Я почти [отдалась] этим маленьким делам и неприятностям. А то я начала уже возвращаться к моему убеждению, что жить незачем... Вот человек: то жить ему незачем, то он все ждет удовлетворения какого-нибудь каприза.

А.П. Суслова. Годы близости с Достоевским. С. 88.

8-9 [20-21] июля 1864 г., Павловск

Милый Паша... Брат при смерти. Не говори никому об этом. Я написал Коле...

Ф.М. Достоевский — П.А. Исаеву// Ф.М. Достоевский. Полное собрание сочинений в тридцати томах. Т.28. Кн.2. С. 94.

...10 [22] июля, в 7 часов утра — смерть брата Миши.

Ф.М. Достоевский. Записная книжка 1863-1864 гг.// Ф.М. Достоевский. Полное собрание сочинений в тридцати томах. Т.27. С. 93.

Июля 12 [24]. Выходит "Эпоха" N5 за 1864 г.

Июля 13 [25]. Похороны М.М. Достоевского в Павловске.

Летопись жизни и творчества Достоевского: В 3т. Т.1: 1821-1864. СПб., 1993. С. 460.

Спа, 3 августа (23 июля) 1864 г.
А.П. Суслова — Ф.М. Достоевскому (несохранившееся письмо).

Павловск, 2 (14) августа 1864 г.
Ф.М. Достоевский — А.П. Сусловой (несохранившееся письмо).

СВОЕЙ ДОРОГОЙ

(*Рассказ*)

Это было в Петербурге в начале весны (186*). Часов в 9 вечера в вокзале Николаевской железной дороги была страшная суматоха по случаю только что приехавшего поезда. Поезд был большой; между путешественниками встречались лица разного свойства: тут были купцы, чиновники, попы, офицеры, поодиночке и с семьями. Все индивидуальности сливались в один общий тон более или менее нетерпеливого желания скорей добраться до места. Нахлынув огромной массой к прилавку, у которого раздавался багаж, путешественники, с выражением крайнего нетерпения, требовали выдачи своих вещей; оставшиеся позади старались посредством толчков как можно ближе и скорей пробраться вперед, и почти всегда безуспешно: передовые мужественно выносили натиск и не уступали ни шагу до получения своего багажа. В задних рядах по этому случаю было большое волнение; особенно сильно выражали свое негодование двое иностранцев, с виду путешественники; они громко роптали на русскую полицию, правительство, нравы и пр. По мере того как бывшие впереди получали свои чемоданы и мгновенно с ними исчезали, а места их занимали другие, — спокойствие во-

ЭПОХА

ЖУРНАЛЪ

ЛИТЕРАТУРНЫЙ И ПОЛИТИЧЕСКІЙ

ИЗДАВАЕМЫЙ СЕМЕЙСТВОМЪ М. ДОСТОЕВСКАГО.

1864

ІЮНЬ

СОДЕРЖАНИЕ

I. Нѣсколько словъ о **Михаилѣ Михайловичѣ** Достоевскомъ Ѳ. М. Достоевскаго.   I

II. **Мудреное дѣло** (Очеркъ изъ лѣтописей русской словесности. *Въ трехъ частяхъ*) часть 2. МЕЖДУ СЛОВОМЪ И ДѢЛОМЪ. Н. Ахшарумова.   I

III. **Музыка, музыкальная наука, музыкальная педагогика.** Предисловіе. 1) Предварительныя понятія и точки зрѣнія. А. Сѣрова   100

IV. **Опыты изученія Фейербаха.** Н. Страхова .   125

V. **Своей дорогой** (разсказ) А. С—вой   157

VI. **Вилльямъ Шекспиръ.** 1. Шекспиръ Гервинуса. Перевелъ со втораго изданія Константинъ Тимоѳеевъ.

См. на оборотѣ

ПЕТЕРБУРГЪ
1864

Титульный лист журнала братьев Достоевских "Эпоха" (1864, № 6), где был напечатан рассказ А.П.Сусловой "Своей дорогой"

дворялось; толпа редела. В это время, в стороне от других, стояла молодая девушка, только что получившая свой чемодан. Она была одна и стояла совершенно спокойно, сложив руки и смотря вдоль галереи и в открытую дверь на путевой двор, где мелькали огни быстро разъезжающихся экипажей и двигались темные гигантские тени. Лицо ее выражало внимание и любопытство, которому она отдавалась вполне, как будто в это время у нее не было другого дела, другой мысли: видно было, что ей некуда торопиться. К ней подошел солдат мрачной наружности и предложил свои услуги. Она быстро обернулась и с лицом мгновенно оживленным устремила на него ясные глаза, но, встретив угрюмый, холодный взгляд, как-то смутилась. Приняв равнодушный вид, она молча указала солдату на свой чемодан. Тот взвалил его на плечи и, слегка пошатываясь, пошел вон; девушка следовала за ним. Она взяла первого попавшегося извозчика и приказала ехать на Васильевский остров в 9-ю линию. Дорога шла Невским проспектом, полным гуляющими. Пестрота и движение толпы, звуки уличной музыки, роскошь магазинов — весь этот фальшивый блеск самодовольного города, что так резко бросается в глаза чужому человеку, ослепил молодую путешественницу и, по-видимому, произвел на нее сильное впечатление. На лице ее не было ни удивления, ни испуга — на нем была печаль, почти безнадежность...

Приехав в 9-ю линию Васильевского острова и остановясь у ворот большого нового дома, девушка стала спрашивать стоявшего у ворот дворника о квартире г-жи Буковой. Тот охотно и подробно объяснил ей. Отыскивание не представило больших затруднений: по широкой, хорошо освещенной лестнице девушка взбежала в 3-й этаж, где нашла дверь с надписью статской советницы Буковой. Она остановилась на несколько времени, чтобы перевести дух. Из комнат слышался громкий говор и звуки фортепиано. Девушка позвонила. За стеной послышалась беготня и шум, прежде чем двери отворились. Высокий неуклюжий лакей встретил гостью в небольшой, плохо освещенной передней, заваленной разным платьем, мужским и женским. В зале гремела полька и слышалось шарканье танцующих; яркий свет, выходящий из нее, умерялся тонким облаком пыли, которое придавало ему тусклый красноватый оттенок. Входя, девушка заметила несколько женских и мужских фигур, поочередно выглядывающих из-за дверей; между ними ей бросилась в глаза высокая толстая дама в пестром шелковом платье, кружевной мантилье и наколке с красным бархатом и золотыми кистями.

— Г-жа Букова здесь живет? — спросила девушка.

При этом вопросе дама в пестром платье испустила легкий крик и, двигая ногами, устремилась навстречу гостье, широко растопыря руки, причем кружева мантильи заполоскались в воздухе и вся ее фигура приняла вид летящей птицы.

— Наконец-то! — проговорила она нараспев.— О, как я вас ждала, ma chère amie. — И она подставила свое широкое малиновое лицо с веселым и сладким выражением прямо к лицу девушки. Та немножко смешалась.

— M-me Букова... — проговорила она нерешительно.

— Конечно, конечно, — прервала дама. — А вы ведь Катерина Михайловна Содова?

— Точно так. — И девушка протянула ей руку.

— Дайте мне расцеловать вас, дорогая моя гостья. Вот так... Я вас заочно полюбила как родную дочь; поверите ли, с тех пор как Константин мне написал об вас, я просто лишилась покоя; все думаю, все думаю и день, и ночь: как это она доедет! Ну, как что случится, — шутка ли, почти две тысячи верст! Но теперь я вас вижу и совершенно счастлива. Раздевайтесь же, снимайте ваше манто и пойдемте в залу. Сегодня, кстати, у меня гости, я вас тотчас и познакомлю.

— Но я одета по-дорожному, а у вас, кажется, вечер.

— Пустяки! У меня ведь сегодня только интимные; каждую неделю так собираются, танцуют, болтают — я люблю общество. Идите же.

— Но я оставила внизу мой чемодан и не заплатила извозчику.

— Это все будет устроено. Андрей, — обратилась она к лакею, — иди возьми там у извозчика барышнин чемодан, да заплати ему сколько следует. Слышал?.. Да иди же, поворачивайся живей.

— Я сейчас вас познакомлю, — обратилась она к гостье. — Тут есть одна важная дама, аристократка; она имеет значительное родство и связи; для меня это, конечно, все равно — я ценю людей за личные достоинства; я в этом случае либерал; но вам, как особе молодой, таким знакомством нужно дорожить, оно может быть очень полезно.

С этими словами она ввела свою гостью в небольшую комнату, где кружилось пар пять танцующих, беспрестанно между собой сталкиваясь и всякий раз при этом извиняясь. Ряд стульев вдоль стен занимали около десятка пожилых дам, молча и умильно следящих за танцующими парами; тут же несколько девиц отдыхало после танцев. Приняв вид необычайной усталости, они обмахивались носовыми платками и украдкой, с видом нетерпеливого ожидания, взглядывали на двух юношей, которые стояли у дверей, скрестив руки, с видом меланхолическим и рассеянным. M-me Букова подвела свою гостью к чопорной даме, сияющей бриллиантами, которая сидела поодаль от других и небрежно играла золотой цепочкой лорнетки.

— M-me Рохлина, — заговорила m-me Букова сладким, заискивающим голосом, подойдя так близко к важной даме, насколько позволяли широкие складки ее пышного платья, — я хочу вам представить мою милую гостью. M-elle Содова, дочь моей близкой приятельницы.

При последних словах Катерина Михайловна с удивлением посмотрела на m-me Букову. Та подмигнула ей и продолжала тем же тоном.

— Мать ее — чудная женщина, необыкновенная женщина, но теперь, к сожалению, больна.

— Скажите, — проговорила дама и, поднеся к носу лорнетку, уставилась на девушку.

— И очень больна, — продолжала со вздохом и закатывая глаза m-me Букова, — доктора отказались лечить. Эта милая особа, как видите, на возрасте, 18 лет недавно исполнилось, ей нужно видеть свет; так как мать не может сама руководить по причине болезни, то и поручает мне эту обязанность, потому что я единственная особа, которой она может поручить свою дочь. Согласитесь, могла ли я отказать, вы знаете мое сердце, тем более, что m-me Содова друг моего детства, а эту милую особу я носила на руках.

— Certainement, — сказала m-me Рохлина.

— M-elle Содова была так мила, что согласилась немного заняться французским языком с моей малюткой, — продолжала m-me Букова. — Вы не подумайте, чтоб она была гувернантка, сохрани Бог! Это только для своего развлечения.

— Je comprend bien.

— Я полюбила m-elle Содову с первого взгляда. Что я говорю, ведь я носила ее на руках... ну, да это было так давно, что все равно как будто я ее вижу сегодня в первый раз. Я и вас прошу ее полюбить.

— Avec plaisir, — проговорила снисходительно m-me Рохлина и протянула свою пухлую руку Катерине Михайловне. Та подала ей свою.

— Trés gentille, — проговорила m-me Рохлина на ухо Буковой, но так, что Катерина Михайловна могла слышать.

— О'je crois bien, c'est une personne bien élevée.

Девушка сильно покраснела. М-me Букова взяла ее под руку и отвела в сторону.

— Я ей сказала, что знаю вашу мать, для того, чтобы она не подумала о вас худо, — сказала она ей. — Вы знаете, все могут предположить из того, что вы приехали одни в незнакомый дом, по рекомендации молодого человека.

— Мне все равно, что бы они ни думали, — сказала девушка.

— Ах, нет! Как можно, не говорите этого! Знаете, в свете нужно быть осторожной; вы так молоды, что еще не можете этого понять, но я многое видела и испытала; маленькая хитрость никогда не мешает.

Катерина Михайловна видела, что возражать бесполезно, и не сказала ни слова, но лицо ее стало задумчиво.

— Теперь я вас познакомлю с моей сестрой, — снова заговорила m-me Букова, — это девица не первой молодости, редких качеств, может быть, вы слышали от Константина. Она отказалась от замужества, Бог знает почему, — так, каприз какой-то; если бы вы знали, какие ей представлялись партии. Эта девица необыкновенного ума, не женского ума; ей бы министром быть, делами государства управлять. Я всегда скажу правду: хоть она мне и сестра, но я даром не похвалю, у меня характер неподкупный, это все знают... да что тут говорить, сами увидите.

Она ввела Катерину Михайловну в небольшую комнату, где за карточным столом, между двумя стариками, сидела высокая сухощавая женщина с оливковым лицом, вздернутым носом и большими оловянными глазами. Она была одета в синее шелковое платье с бесчисленным количеством оборок; на голове у нее торчали какие-то банты из лент цвета rose de chine.

— Додо, вот наша милая m-elle Содова, — сказала, подойдя к ней, m-me Букова.

Додо с недовольной миной повернула голову и через плечо посмотрела на обеих, как бы спрашивая, чего от нее хотят.

— Додо, — сказала m-me Букова жалобным голосом, — Catherine здесь одна, мы должны заменить ей мать.

— Гм... — проворчала Додо.

— Так это вы, m-elle Содова, — обратилась она к гостье. — Мой племянник так вас расписал, что мы ждали вас как что-то необычайное. Вы для нас просто феномен.

Катерина Михайловна с удивлением посмотрела на почтенную даму; та опустила глаза.

— Давно вы видели Константина? — спросила Додо. — Он, конечно, вас провожал.

— Нет, его в это время не было в С.

— Пойдемте в залу, Катерина Михайловна, — сказала m-me Букова, — после наговоритесь.

— Додо немного странна, — сказала она девушке, отойдя с ней в сторону, — у ней есть какая-то резкость, оригинальность в характере, что многим не нравится, особенно с первого взгляда, но потом вы привыкните и увидите, что она добрая.

Катерина Михайловна ничего не ответила.

— Я жалею, что сегодня нет моего племянника Владимира, — сказала m-me Букова, — вот с кем я хотела бы вас познакомить; да что я? Ведь вы, кажется, уже знакомы?

— Да, я видела Владимира Ивановича раза два или три.

— О, это человек необыкновенный, можно сказать, гениальный; поэт, музыкант, все, что хотите, и по службе идет прекрасно. Я уверена, что из него выйдет что-нибудь замечательное. Жаль только, что не светский человек, характер меланхолический: все мечтает, все воображает, думы у него какие-то необыкновенные ходят. Вот вы с ним получше познакомитесь; он живет у меня в доме, только на вечерах редко бывает; уж это такая странность в характере, знаете, как бывает иногда у поэтов — всегда что-нибудь необыкновенное. А девочка моя тоже большие надежды подает; способности прекрасные, особенно во французском языке. Одним словом, я так счастлива в моем семействе, так счастлива, что сказать вам не могу; мне все завидуют, решительно все. Одно у меня горе: с мужем в разлуке, вот уж скоро 2 года. Что делать, необходимость заставляет покориться обстоятельствам. Мне для воспитания дочери необходимо жить в Петербурге и для здоровья тоже — здесь и доктора, и все; а ему по службе нужно жить в С. Что делать, нельзя. Уж сколько раз он обещал мне приехать, и все не удается, никак его не отпускают; хоть бы на неделю приехал, и то нельзя — дел бездна. Хотел он даже службу бросить, да губернатор удержал; просит, умоляет остаться: вы, говорит, один у меня надежный помощник, что я буду без вас. Без вас, говорит, мы все погибнем, все дела остановятся, вся губерния будет несчастна... Однако мы заговорились, пойдемте к молодежи; что мы здесь стоим?

Они вошли в залу, где в это время танцы прекратились. Один из растрепанных юношей разыгрывал на фортепиано сонату Бетховена.

— Это артист, — шепнула m-me Букова девушке. — О, у меня общество замечательное; вы у меня встретите всевозможные таланты. Ну, а вы, моя милая Катерина Михайловна, вы играете или поете?

— Ни то, ни другое.

— Неужели! Ах, какая жалость! Ну, так танцуйте, сейчас кадриль будут начинать.

— Я должна вам признаться, что немного устала и желала бы отдохнуть.

— Ах, в самом деле! — воскликнула m-me Букова. — Вот ведь я какая недогадливая. Ради Бога, простите меня, милая Катерина Михайловна. Я не знаю, как перед вами виновата. На меня [нашло] какое-то затмение. Это от радости — уверяю вас; я в таком восторге, видя вас, что совершенно растерялась. Пойдемте же, пойдемте, я вас провожу; у меня уж и комната ваша готова.

Они вышли из залы. M-me Букова повела свою гостью по темному коридору и, остановясь где-то в закоулке, стала звать горничную. Явилась толстая женщина с одутловатым лицом и точно заспанными глазами. Расцеловав свою гостью, m-me Букова поручила ее этой женщине и поспешила к своим гостям. Катерину Михайловну провели в довольно просторную грязноватую комнату с каким-то нежилым запахом. Яркие обои местами отклеились, местами полиняли, но на столе, в простенке двух окон, стояли фарфоровые вазы и другие мелкие безделки. Молодая девушка поспешила выпроводить горничную, отказавшись от ее услуг, даже от ужина. Оставшись одна, она заперла дверь и долго ходила по комнате скорыми и неровными шагами, потом села на низкое, старое кресло и, опустив голову, задумалась.

Тишина и полусвет, распространенные в комнате, гармонировали с фигурой и выражением лица девушки. Это лицо, немного бледное, продолговатое, с несколько крупными чертами, не было красиво, но, тем не менее, его нельзя было пройти, не заметив: внутреннее одушевление придавало ему неизъяснимую красоту, которая действовала неотразимо. Особенно хороши были ее глаза, большие, темные, полузакрытые длинными ресницами, с глубоким медленным взглядом. Прижавшись тонким, изящно развитым станом к спинке кресла, она сидела несколько времени неподвижно, устремив глаза на одну точку, потом, как бы опомнясь, встала, начала раздеваться и легла в постель, но не гасила свечки и долго не спала. Неизвестно, какие мысли проходили в ее голове; лицо ее было задумчиво, но спокойно и серьезно.

На другой день Катерина Михайловна только что встала и начала одеваться, как к ней явилась горничная с предложением услуг, но молодая девушка отказалась от помощи, сказав, что всегда одевается сама. Через несколько времени ее позвали к завтраку. В небольшой комнате за чайным столом Катерина Михайловна нашла m-me Букову и ее сестру. Первая, в засаленной блузе, с разбитыми волосами, сидела развалясь в креслах и уподоблялась сильно порасклеившейся машине; вторая представляла совершенный контраст в этом отношении: движения ее были живы, тверды и показывали самоуверенность; костюм свеж, волосы пышно взбиты; вся фигура ее представляла что-то нераздельное с кринолином и корсетом, так что вообразить ее отдельно от этих вещей не было возможности. Между ними было третье лицо — молодой человек, высокий и бледный, с виду немного вялый. Это был племянник m-me Буковой. Катерина Михайловна радостно протянула ему руку и заговорила с ним как со старым знакомым — приветливо, почти дружески. Молодой человек говорил с ней немного церемонно и больше слушал, чем говорил. M-me Букова не замедлила вмешаться в их разговор.

— Если бы вы знали, Катерина Михайловна, как он вас ждал, — заговорила она. — Поверите ли, с тех пор как Константин об вас написал, — он сам не свой; хоть он и молчит, но я все замечаю. О! Я в этих случаях проницательна, от меня трудно укрыться... Я надеюсь, что вы, Катерина Михайловна, сойдетесь с Вольдемаром; вы, кажется, также мечтательного характера. Вы, пожалуйста, не смотрите, что он такой дикарь, — наружность обманчива; в нем столько души, столько души! Я вижу, что вы тоже чувствительная, вам хорошо будет мечтать вдвоем. Садитесь же, Cathérine! Додо, поскорей чаю нашей гостье. Ах, да ей и стула нет! Вольдемар, что же ты? Ай, ай, какой стыд! О, молодой человек, молодой человек! На кого вы похожи! Ради Бога, простите его, Катерина Михайловна; я уже вам сказала, что на него нельзя смотреть, как на других.

M-me Букова была в сильном волнении. Владимир пошел за стулом, но по дороге как-то задел и уронил маленький столик; поднимая его, он наступил на платье Додо, чем вызвал новый ропот со стороны двух дам. Наконец, когда все было улажено и Катерина Михайловна сидела за столом с чашкой чая в руках, Букова решилась дать отдых своему неутомимому языку. Она откинулась на спинку кресла и закатила глаза. Речь повела Додо.

— Вы имеете родных, m-elle Сотова? — спросила она.

— Содова, — поправил Владимир.

— Pardon! M-elle Содова.

— Да, у меня есть мать, сестра и братья.

— Но ведь вы, кажется, с ними не жили?

— Я жила с моей сестрой, которая в С. содержит пансион; мать моя с маленькими братьями живет в Москве.

— Скажите, это очень выгодно содержать пансион? Большой доход получает ваша сестра?

— Не могу вам сказать определенно, — отвечала Катерина Михайловна спокойно и холодно, — притом у ней многие учатся даром.

— Гм... Ваша сестра пожилая особа?

— Нет, она моложе меня.

— Сколько же ей лет?

— Двадцать три года.

— А вам, следовательно, больше?

— Мне двадцать шесть.

— Вам не понравилось жить с вашей сестрой?

— Да, — сказала девушка отрывисто.

Несколько времени длилось молчание, прерываемое только стуком чашек, жеваньем и прихлебываньем.

— Вы ведь одни ехали, m-elle Со... как бишь, все забываю, — начала снова Додо.

— Содова. Одна.

— И вам было не страшно?

— Нисколько.

— Но это риск. Я в первый раз встречаю девицу, которая путешествует одна так далеко; для этого нужно много храбрости.

— Помилуй, Додо! Что ты находишь странного ездить одной персоне, такой резонабельной, как Катерина Михайловна? — вмешалась m-me Букова.

— Я не знаю, — сказала Додо, — у всякого свой взгляд; я старше m-elle Содовой, но не решилась бы.

— Тем хуже для вас, — сказал Владимир.

— Хуже или лучше, это не вам судить, m-eur Вольдемар, — возразила Додо, сверкнув глазами. — Вы слишком молоды.

Молодой человек сильно покраснел.

— Вы любите вмешиваться там, где вас не спрашивают, — продолжала Додо, — вам нужно оставить эту привычку.

— Перестань, Додо, это скучно, — сказала m-me Букова, — что об нас подумает Катерина Михайловна?

Додо замолчала, затаив злобу.

— Давайте говорить о чем-нибудь веселом, — сказала Букова, — или займемтесь чем-нибудь. Катерина Михайловна, вы кончили ваш чай? Пойдемте в залу. Вольдемар, пойдем с нами, ты нам сыграешь что-нибудь.

— С удовольствием, тетушка, но я должен идти в должность.

— В самом деле! Ах, какая жалость! Неужели нельзя миновать один день? Я хотела бы, чтоб ты сыграл что-нибудь для Катерины Михайловны.

— Я буду слушать Владимира Ивановича в другой раз, — сказала Катерина Михайловна, — теперь мне хотелось бы заняться делом, я еще не видала вашей дочери.

— Ах, она не так здорова сегодня. Еще успеете, будет время заниматься; моя крошка так еще мала, что я не хотела бы слишком обременять ее ученьем. Французский язык, конечно, необходим, музыкой она тоже начала заниматься с Владимиром; что касается до других предметов, то я не хотела бы ее очень утруждать, тем более что она у меня слабого сложения.

— В таком случае я могу заняться моими собственными делами, — сказала Катерина Михайловна.

— Какие у вас дела! Все, что вам нужно, можете приказать прислуге. Пожалуйста, не церемоньтесь, распоряжайтесь всем как в своем доме. Я считаю вас за родную; вы дружны с Константином, а я его так люблю, так уважаю, что готова для него сделать все.

— Благодарю вас, мне нужно писать письмо.

— Не Константину ли? Кланяйтесь ему от меня и скажите, что я сама скоро буду ему писать.

— Нет, я буду писать моей матери и сестре.

— Вашей матери! А, это прекрасно, прекрасно! Это делает вам честь; особо ваших лет прежде всего нужно быть почтительной к родителям — это долг.

Катерина Михайловна только что хотела выйти, как в комнату вошла девочка лет 10, толстая и здоровая, завитая и разнаряженная, как кукла, но с кислой, капризной миной. За ней следовала нянька.

— Voila ma fille! — воскликнула m-me Букова, бросившись к ребенку. — Обними меня, сокровище, радость моя, обними свою мать.

Девочка кобенилась и что-то бормотала себе под нос по-французски, сильно картавя. Нежная мать со слезами на глазах наклонилась к ребенку и несколько раз поцеловала его.

— Ну, Зиночка, теперь пойдем к Катерине Михайловне, — сказала m-me Букова, — это твоя будущая наставница, ты скоро начнешь с ней учиться. — И, взяв девочку за руку, она хотела ее подвести к Катерине Михайловне, но Зиночка уперлась ногами в пол и, нахмурив брови, как бы собираясь сейчас заплакать, отдернула свою руку.

— Что с тобой, моя крошка? Отчего ты не хочешь знакомиться с Катериной Михайловной? Ведь она добрая. Пойдем же к ней.

Но Зиночка замахала руками и отвернулась.

— Заупрямилась, — проговорила m-me Букова, обращаясь к Катерине Михайловне. — Это все пройдет само собой, терпения только немножко. Не вдруг, понемногу. Если у вас есть дело, милая Катерина Михайловна, то идите к себе, не теряйте времени, после успеете познакомиться с этой капризницей.

— Хорошо. Если я буду нужна, вы пришлите за мной.

— Конечно, конечно.

Катерина Михайловна ушла в свою комнату и просидела, запершись, до обеда. Обед прошел скучно; m-me Букова охала и жаловалась на разные боли; Додо молчала и имела строгий вид; Катерина Михайловна была рассеянна и печальна. Владимир заговорил было с ней, но вышло неудачно; едва он к ней обратился с каким-то вопросом, как рука Додо, готовая положить ложку в рот, остановилась, точно замерла в воздухе; ее владетельница устремила на молодого человека оловянные глаза с выражением крайнего изумления. Владимир смутился; встретив потом ясный взгляд Катерины Михайловны, он ободрился и продолжал было разговор, но разговор вышел не занимателен, так что прервался сам собой.

После обеда все отправились в залу. Владимир стал играть на фортепиано; m-me Букова поместилась подле него и скоро задремала; Додо заняла место подле окна и, не обращая ни на кого внимания, чинно ворочала спицами какого-то вязанья. Ничто не мешало Катерине Михайловне слушать музыку, и она слушала внимательно, потому что Владимир играл прекрасно. Вскоре явилась какая-то гостья. Это была маленькая толстая женщина, очень вертлявая. М-me Букова встретила ее со всеми знаками радости и вскоре так оживилась, что забыла все свои боли. Додо тоже подсела к гостье.

— Знаете, mesdames, какую я вам новость привезла? — заговорила вертлявая женщина.

— Что такое? — спросила Додо.

— Ах, сделайте милость, расскажите, я так давно ничего не слыхала, — сказала m-me Букова.

— О, я уверена, что вы не ожидали того, что я вам расскажу.

— Что такое? Говорите скорей, не мучьте, пожалуйста.

— Нет, попробуйте догадайтесь.

— Где ж догадаться? Полноте же мучить напрасно!

— Хорошо, так и быть, скажу: Marie Голубева выходит замуж.

— Неужели! — воскликнули в один голос m-me Букова и Додо. — Marie Голубева, дочь Александры Павловны? Может ли это быть! Вы шутите, m-me Кубышкина.

— Какие шутки, помилуйте! Наверное выходит и как еще счастливо!

— Что вы говорите! Вот новость! Да за кого же это она выходит?

— За какого-то приезжего провинциала, откупщика. Богач, говорят, страшный и не стар, лет сорока пяти.

— Скажите, какое счастье Александре Павловне! Вторую дочь выдает, и Бог знает за что берут — ни красоты, ни приданого.

— Не говорите! И все это штуки Александры Павловны. О, это хитрая женщина! Она умеет дела обделывать.

— Это так! Проведет кого угодно. Ну кто бы подумал жениться на ее дочерях, если б это было просто.

— Я ее, впрочем, не осуждаю, — сказала m-me Кубышкина великодушно. — Помилуйте, семейство такое большое, а отец, сами знаете, человек недалекий.

— Конечно, конечно! Да и Marie хорошая девушка, дай ей Бог счастья, — сказала m-me Букова. — Говорили про нее много — помните вы эту историю с гусаром, ну да кто их знает, мы там не были, может быть, ведь и напрасно.

В это время явилось новое лицо — молодой человек с длинными волосами и бородой, с какой-то ленью и небрежностью в приемах.

— Что нового? — обратилась к нему m-me Букова. — Мы так давно вас не видали, m-eur Верхушкин.

— Ничего, — отвечал он, бросая на стул шляпу и перчатки и садясь подле стола, за которым помещались дамы. — Все по-старому, везде одно и то же. Погода скверная, вот что. — Он облокотился обеими руками за стол и, подпирая ими лицо, протянул во всю длину ноги.

— Вы слышали, m-eur Верхушкин, танцовщицу П. третьего дня освистали, — сказала m-me Кубышкина.

— Черт с ней! — сказал m-eur Верхушкин.

— Вот как! Но ведь вы были, кажется, ее поклонник? Говорят, она очень огорчена, больна даже, Каров мне рассказывал.

— Пускай ее. Надоели они мне все страшно.

— Ах, какой вы чудак! — сказала m-me Букова.

— Послушайте, были вы на прошлой неделе на вечере у Комовых? Правда ли, что в мазурке Волов уронил Камневу?

Разговор продолжался в этом роде. Катерина Михайловна слушала, слушала и не могла понять. "О чем это они говорят?" — спрашивала она сама себя, и голова ее шла кругом. Катерина Михайловна ушла в свою комнату и принялась было за книгу, но не могла читать — другие мысли шли ей в голову, сердце ныло.

Следующий день новая гувернантка занялась со своей воспитанницей. Много было труда и хлопот бедной Катерине Михайловне с капризной и бестолковой девчонкой; затруднения увеличивались вмешательством матери; девушка теряла терпение. Время между тем шло; Катерина Михайловна почти ничего не успела сделать, как ее позвали обедать. Ей было досадно, и в то же время она чувствовала необходимость отдыха. За обедом Катерина Михайловна была очень задумчива, так что вызвала замечание m-me Буковой. "Вы, верно, влюблены", — сказала она ей и, несмотря на отрицательный ответ, продолжала развивать эту интересную тему; потом как-то перешла на своего племянника Константина; но, несмотря на все тонкости, пущенные ею в этом интимном разговоре, она не могла добиться от Катерины Михайловны ничего, что могло бы хоть несколько удовлетворить любопытству, возбужденному дружбой и участием к Катерине Михайловне молодого человека. После обеда m-me Букова стала приглашать Катерину Михайловну с собой в гости, но та отказалась.

— Вам будет еще скучней одной — что вы тут будете делать?

— У меня найдутся занятия.

— Как знаете. Наконец у вас компания: Владимир тоже остается. Послушайте, молодой человек, — обратилась она к племяннику, — на вас лежит обязанность сделать все, чтоб эта девица не скучала.

— Я принимаю ее с большим удовольствием, но за успех не ручаюсь, — шутя отвечал он.

— Конечно, конечно.

По отъезде m-me Буковой Катерина Михайловна ушла в свою комнату, принялась за книгу и читала очень внимательно, только к концу вечера ее прервали: вошел Владимир.

— Я помешал вам? — спросил он.

— Нисколько! Напротив, я очень рада поговорить с вами. Садитесь.

— Но вы так внимательно читали.

— Да. Но нельзя же довольствоваться одним чтением; живая беседа необходима. Здесь я одна, не привыкла еще, никого не знаю, а с вами мы старые знакомые. — Говоря это, она немножко волновалась; щеки ее подернулись легкой краской, глаза светились теплым, ясным светом. Владимир следил за ней; с каждым ее словом он как будто поднимался в собственном мнении, так что становился смелее и самоувереннее.

— Однако сами вы не позвали бы меня? — спросил он.

— Не знаю, — сказала она задумчиво, — может быть, и позвала бы.

— Может быть, — повторил молодой человек, улыбаясь. — Ну и на том спасибо.

— Разве это так важно?

— А вы не догадывались?

— О чем? — спросила она просто.

Он взглянул на нее; ее лицо было спокойно и полно любопытства.

— Что это мне очень льстит, — поправился молодой человек.

Катерина Михайловна взглянула на него пристально и серьезно; лицо ее озарилось какой-то новой неожиданной мыслью, но это выражение скоро исчезло под влиянием других идей. "Пустяки", — решила она и стала думать о другом.

— Что вы читали? — спросил Владимир и взял из рук ее книгу. — Вы все читаете серьезные вещи, — сказал он, взглянув на заглавие.

— Вам это кажется странным?

— Да, оно не совсем обыкновенно.

— Почему?

— Потому что редко.

— Только?

— Как вам сказать... Я против серьезного направления в женщинах.

— А мне помнится, назад тому полгода вы были другого мнения.

— Едва ли! Может быть, я говорил, что лично мне нравится более общество женщины образованной, чем необразованной; но что касается до того, что должно быть, что лучше для общества, — это вопрос другой.

— Вот это мне кажется очень странным. Если нравится, то почему же не должно быть? Если не должно быть — следовательно, худо, вредно; но как же, когда вы сознаете это, оно может вам нравиться?

— О, это очень просто. Есть много хороших вещей, которых делать нельзя, потому что средств нет.

— Так ищите средства. Как можно отказываться от хороших вещей из-за того только, что они трудно достигаются. Но оставим это; скажите, почему вы думаете, что образование не в интересах общества?

— Я этого не говорю — напрасно вы мне навязываете такой обскурантизм; если я исключаю женщин, так это очень естественно, сама природа...

— Полноте клеветать на природу, — прервала Катерина Михайловна, — скажите лучше хоть, что вы боитесь конкуренции.

— А хоть бы и так! Что вы думаете? Экономический вопрос играет здесь очень важную роль.

— Так что же? Вам же лучше, если женщины будут вам помогать.

— Чего помогать, когда и без того довольно людей образованных, ученых даже, которые не находят себе работы; что же будет, когда женщины начнут учиться?

— Распространится образование.

— Кто же будет заниматься хозяйством, детьми, ремеслом?

— Те же, которые и теперь им занимаются.

— Да вы полагаете, что они согласятся?

— Конечно! А то как же? Иначе какие ж они образованные.

Разговор таким образом продолжался. Катерина Михайловна не замечала, как шло время, до тех пор, как в комнату влетела m-me Букова.

— Каков! — воскликнула она, указывая на племянника. — А ведь я думала, что он уже спит. Ну, Катерина Михайловна, вы у меня его, кажется, совершенно преобразуете.

— У нас был интересный спор, — сказала девушка.

— Да уж я вижу, вижу, — сказала m-me Букова, лукаво посмеиваясь и грозя ей пальцем. — Боюсь я, что вы его совсем приворожите.

Катерина Михайловна, видимо, была недовольна такими шутками, но m-me Букова не замечала и продолжала свое. Как вдруг дверь отворилась и в отверстие показалось нахмуренное, недовольное лицо Додо.

— Сестра, полночь, спать пора, — сказала она.

— Мне какое дело, что полночь! — возразила m-me Букова. — Я еще не хочу спать; когда захочу, тогда и лягу.

— Но нужно знать порядок; ты хозяйка дома, мать семейства.

M-me Букова повернулась спиной к двери и, обратясь к молодым людям, состроила пресмешную гримасу. Додо исчезла; но ее появление смутило и расстроило всех. Владимир поспешил удалиться; m-me Букова хотела показать, что она совершенно спокойна, и продолжала свою болтовню; но Катерина Михайловна слушала плохо, так что веселая дама принуждена была удалиться.

Так началась жизнь молодой девушки в чужом доме. Катерина Михайловна устремила все свое внимание на занятия; она серьезно понимала звание воспитательницы, к которому долго готовилась, и много о нем рассуждала. Но здесь она не нашла возможности приложения тех идей, которые думала осуществить. M-me Букова то и дело твердила ей не мучить ребенка ученьем. Что касается нравственного влияния, которым думала действовать Катерина Михайловна, то в этом отношении она встретила сильную и решительную оппозицию в m-me Буковой и особенно в ее сестре. То, чему Катерина Михайловна хотела учить девочку, было отрицаемо со стороны этих почтенных дам посредством противоположных внушений. Мало того, Додо открыто восстала против попыток Катерины Михайловны провести в воспитание Зиночки живую мысль и начала подозрительно следить за гувернанткой. Катерина Михайловна должна была уступить, что сильно ее разочаровало и охладило к занятиям, которые с этого времени она исполняла механически. Катерина Михайловна искала занять себя чем-нибудь другим; она бросилась на журналы, на знакомство с Петербургом; отыскала каких-то знакомых; ездила в театр, в гости; внимательно всматривалась в людей; прислушивалась к мнениям; но вскоре, неизвестно почему, это ей наскучило. В доме m-me Буковой Катерина Михайловна считала себя совершенно посторонним, бесполезным лицом. После первых восторгов m-me Букова ее оставила; хотя припадки любезности и возвращались, но весьма редко и в степени значительно слабейшей. Что касается Додо, она не упускала случая задеть девушку. Обращаясь к Катерине Михайловне с каким-нибудь вопросом, она как-то свертывала голову набок и говорила с особенным акцентом, но серьезно задеть гувернантку ей редко удавалось; Катерина Михайловна умела держать себя независимо и относилась к старой деве с невозмутимым равнодушием. Но нельзя сказать, чтоб придирки не трогали Катерину Михайловну; после всякой выходки Додо она дружественнее и доверчивее сходилась с Владимиром, — который в эти минуты находился всегда подле нее из противоречия к старой деве, — и менее холодно относилась к m-me Буковой, терпеливей сносила ее грубые ласки и начинала верить в искренность ее доброты, за которую готова была простить многое.

Между тем как m-me Букова разъезжала с сестрой по гостям и принимала у себя, распространяя везде высокое мнение о своих благодеяниях, о редких качествах ума и сердца членов своего семейства, Катерина Михайловна оставалась одна и тосковала. Тоска эта увеличивалась, появилась какая-то тревога, недоумение. Это состояние выразилось в ее письме к человеку, которого она считала своим другом.

"Мне захотелось писать вам, Константин Васильевич, и я это делаю, не спрашивая себя: почему и зачем, по какому праву, и не ищу отговорок, иначе вы не получили бы этого письма. Правда, последнее время мы с вами сблизились; но ведь это была случайность, и вы, конечно, не ожидали моего письма, тем более что знаете, как я люблю держаться условных форм в отношении к людям. В них очень удобно, главное — спокойно: нет никаких сомнений, а следовательно, и ошибок. Я готова была пожертвовать многим, чтобы приобрести этот покой, не от слабости — вы меня знаете: я ни перед чем не останавливалась к достижению того, что считала справедливым или нужным, и нашла в себе довольно силы отказаться от счастья, когда вы убедили меня, что оно ложно, — чего мне это стоило, я не говорю, — и что же из всего этого вышло?.. Но, оставаясь человеком, нельзя довольствоваться спокойствием.

О многом я хотела бы с вами говорить, Константин Васильевич, да что говорить — мы опять-таки не сойдемся. Я часто думаю о вас; особенно мне памятен наш последний разговор: помните, когда вы упрекали меня за аристократизм; я согласна, что ваши воззрения имеют основания, но не могу с ними помириться. Вы все относите к природе и оправдываете ею; вы отнимаете у людей волю, вы их не уважаете. Но есть минуты, когда я вам завидую; должно быть, вам очень хорошо жить на свете с вашими мыслями.

Что вам сказать о Петербурге? Вы его знаете. Он мне не понравился. Не люблю я больших городов; везде лавки, магазины, трактиры; все покупают, продают, толкуют о деньгах. В театре Бог знает что дают, и чему они хлопают!

Я все-таки довольна, что уехала из С.; мне необходима была эта перемена. Проездом я остановилась в Москве у матери и прогостила недели две. Она видела мою тоску и жалела меня отпустить; но поняла, что это необходимо, и не настаивала ни одним словом. Бедная, она очень страдала за меня. Перед моим отъездом он просил меня с ним видеться, но я отказала: мне было очень тяжело. Ах, Константин Васильевич! Неужели истина должна доставаться такими мучительными ошибками, такими разрушающими страданиями? И какая же цель этих страданий, где выход? Что такое самая эта истина, из-за которой было столько борьбы? Что она мне дала? Сознание своей правоты, спокойствие совести? Утешительные результаты! К чему они? На днях я получила от него письмо, наполненное таким сожалением, таким раскаянием о прошедшем. Может быть, это и благородно, но стоило ли об этом говорить? Мне было очень грустно читать это письмо. Мне не жаль прошлого, моих чувств, страданий, надежд — мне горько, что они ничего ему не принесли, что, несмотря на все мои усилия вырвать его из этого пагубного круга мыслей, открыть глаза на окружающих, возвратить к живой деятельности, я ни на шаг не подвинулась к цели. Мне жаль моей веры в этого человека; наконец, мне жаль его самого. Но ведь это все прошло! Довольно напрасно волноваться; хочется делать что-нибудь, учиться, работать. Но чему и как? Место это не совсем мне нравится — знаете вашу тетушку, — что тут сделаешь? Но все-таки оно не так худо, как могло бы быть. Я здесь еще довольно свободна и жалованье порядочное; мне совестно жить за счет братьев. Вот, пожалуй, и цель достигнута: можно жить независимо; но для чего жить? Кому это нужно?"

На это письмо Катерина Михайловна вскоре получила такой ответ:

"Я действительно не ожидал вашего письма, Катерина Михайловна, и тем более ему рад, что оно не вызвано никакими внешними причинами.

Да, вы хорошо сделали, что уехали из С.; жаль только, что очень поторопились, не сказали мне этого прежде и не подождали меня. У меня в Петербурге довольно большое знакомство; я мог бы устроить ваши дела гораздо лучше. Но вы как будто избегали этого. Неужели и в этом вы не хотели моей помощи? Но ведь это уж щепетильность, которой вы просто меня обижаете. Опять — я вижу, что вам не нравится жить у моей тетки; но почему вы этого не говорите, как будто не предполагаете, что это меня может интересовать. Вы шутите или притворяетесь? Неужели вы можете это делать?

Много я еще имею за что вас побранить, да теперь некогда: я страшно занят. Я все еще живу в деревне, у моих стариков. Славные люди эти старики! Простые люди, не тронутые цивилизацией. Народ здешний их любит, хотя они не особенно заботятся о нем. Должно быть, в них что-то есть. Они не суются в их дела, не умничают перед ними — вот что хорошо.

Я целые дни работаю: читаю, режу лягушек, лечу мужиков и приобрел между ними большое доверие, особенно между бабами; они лезут ко мне с больными ребятишками во всякое время, так просто, без церемоний. Я все более и более убеждаюсь, что здесь только жизнь моя и может иметь настоящий смысл; здесь я могу сделать хоть какую-нибудь пользу. Поучиться только еще нужно; съезжу за границу года на два и уже окончательно пущу корни в деревне. Что мне ваш Петербург? Что там делать? Перебирать решенные вопросы, слушать мысли, в которых страстно убежден? Все это я прежде любил, и сам, бывало, говорил с увлечением. Я считал, что это соглашение необходимо, что за ним неминуемо последует дело, но вместо того опять-таки следовали бесконечные рассуждения. Я ждал, ждал и не дождался, махнул рукой и отошел прочь. Но одиночество показалось страшно. Что делать? Куда идти? Для чего учусь? Какое этому будет приложение? Неужели выучиться и начать лечить! Лечить людей от чахотки, от лихорадки, когда эти болезни иной раз развились от экономических причин. Лечить микстурой человека, который живет в зараженном воздухе, задавлен работой. Лечить девушку от нервных болей, когда они Бог знает от чего пришли. Что за чепуха! Неужели нельзя употребить образование на лучший труд? Вот я думал, думал и решился... решился и пошел в трущобу, и не ошибся. Много ли, мало ли я сделаю, но задача будет исполнена, жизнь не будет напрасна. Чего же еще? Что касается личного счастья: будет оно — хорошо, нет — не надо.

Из соседей я здесь ни с кем не сошелся; они больше насчет карт прохаживаются, а это не по моей части. Есть тут, правда, неподалеку одна барыня, вдова молодая; с ней мы подружились и друг другу помогаем. Она у себя школу завела, и я прихожу туда учить. Это чудесная женщина! Вот с кем бы я вас познакомил; я знаю, что вы бы с ней сошлись. Вы говорите, жить не для чего; желал бы я, чтобы вы взглянули на эту женщину, как она умеет быть полезна окружающим! Вся окрестность ее знает, и всякий к ней идет за помощью и советом. И как она просто, как хорошо и счастливо устроила свою жизнь. Вы, Катерина Михайловна, заранее хотите определить, что начать делать, и как, и много ли из этого выйдет. Этого определить нельзя, да и не надо. Жизнь состоит из случайностей, ими нужно уметь пользоваться. В жизни есть много наслаждений, которые хороши сами по себе. Мало вам их, хотите большего — ждите, может быть, дождетесь чего-нибудь. Главное — не забегайте далеко, берите то, что ближе, и, уже имея это, идите дальше и домогайтесь большего — не то и этого не будете иметь и не увидите, как время пройдет. Вы находите, что людей нет, нет средств к достижению целей, везде препятствия, неудачи. Правда! Так будем работать, чтобы были хорошие люди. Только не там, не в Петербурге. Каких детей вы там будете воспитывать? Нет, Катерина Михайловна, там вам не место, оставляйте как-нибудь Петербург и выходите к нам в деревню, подойдите к колыбели этих чистых, здоровых детей, и вы увидите, что могут быть люди. Я давно и много думаю о вас. Ну, да что говорить, всего ведь не расскажешь. Прощайте, жму вашу руку. До следующего письма.

Константин Пороков".

Это письмо взволновало Катерину Михайловну; но она отвечала на него нерешительно, с какой-то странной недоверчивостью и грустью. С этого времени ее волнения и тоска еще более увеличились. Иногда на Катерину Михайловну находили припадки какой-то странной веселости: она мгновенно оживлялась и увлекала других своим остроумием. В эти редкие минуты в ней сказывалось свободное существо, не хотевшее подчиниться пассивному страданию, каким оно было в самом деле; но обстоятельства брали свое. Случилось, что m-me Букова уехала с сестрой на дачу к каким-то знакомым на несколько недель. Катерина Михайловна оставалась одна с Зиночкой и Владимиром. Девушка была рада остаться на свободе, но вскоре заскучала еще более, потому что была совершенно одна: Зиночка большую часть времени проводила с нянькой, которой было поручено следить и за гувернанткой; Владимир являлся только к обеду и то немного говорил. Раз как-то Катерина Михайловна его встретила, ходя по комнатам.

— Вы дома сегодня! — сказала она. — Скажите, где вы пропадаете целые дни?

— Помилуйте, да я весь день почти дома, исключая утра, когда на службе.

— Что ж вы делаете?

— Я занимаюсь.

— Делами службы, конечно?

— Отчасти. Потом читаю газеты, журналы.

— А вечером?

— Вечера провожу с товарищами или уезжаю куда-нибудь за город, как придется.

— Следовательно, веселитесь; я не ожидала.

— Почему? Что я на вечерах тетушки не бываю? Для мужчины могут существовать развлечения, исключая этих вечеров.

— И вам весело?

— Иногда.

— Сегодня тоже куда-нибудь отправляетесь? — спросила она.

— Сегодня... — отвечал он с расстановкой, как бы что-то обдумывая, — нет, сегодня дома.

— Что же вы будете делать?

— Ничего особенного; если позволите, буду сидеть с вами.

Катерина Михайловна улыбнулась.

— Давайте о чем-нибудь говорить! — сказала она после короткого раздумья.

— Давайте. Только ведь я плохой говорун.

— Знаю; да я не нуждаюсь в вашем красноречии.

— Ах, да! Я забыл; ведь вы не любите красноречия, но что же вы любите?

— Для чего вам это знать?

— Чтоб делать это.

— В самом деле? — смеясь, сказала Катерина Михайловна. — Вот как! О, да вы очень любезны, Владимир Иванович.

— Почему ж вы не хотите допустить, что я говорю искренно?

— Я вам не сказала, что не хочу допустить.

— Так вы верите?

— Опять — верите! Что за слово такое!

— Слово хорошее; жаль, что вы его не любите.

— Пожалейте лучше себя.

Владимир улыбнулся.

— Слушая вас, — сказал он, — я всегда припоминаю Константина Васильевича.

— Что ж вы находите общего между ним и мною? — спросила Катерина Михайловна, слегка покраснев.

— О, много.

— Вы ошибаетесь.

— Не думаю. А впрочем, кто знает. Кстати, вы, кажется, недавно получили от него письмо, что он пишет?

— Ничего особенного! — сказала Катерина Михайловна и, взяв со стола какую-то книгу, стала пристально ее рассматривать.

— Вы, кажется, с ним очень дружны?

— Да! — сказала она, перелистывая книгу.

— Скажите мне, пожалуйста, ваше мнение о нем?

— Хороший человек! — сказала Катерина Михайловна.

— Только. Но об этом можно сказать более.

— Что ж вам еще?

— Я не совсем его понимаю и хотел бы, чтоб вы мне объяснили.

— Но я ничего не нахожу в нем загадочного.

— О, нет; это характер оригинальный.

— Константин Васильевич очень умен, прост, правдив — неужели ж это так странно?

— А его мнение о человеке?

— Что ж? Он судит как материалист, как все медики и естествоиспытатели.

— Вы с ним согласны?

— В чем?

— В том, например, что люди немногим отличаются от животных.

— Что ж, разве это так обидно?

— А! Так вот вы как! — вскричал молодой человек. — Ну, после этого я с вами не говорю.

— Пожалуй, не говорите, сыграйте только что-нибудь.

— И играть не буду.

— Отчего?

— Вы меня расстроили.

— Очень жаль.

На другой день они по обыкновению встретились за обедом. Владимир был очень внимателен к Катерине Михайловне и просидел с ней целый вечер; они много говорили. Эти беседы стали повторяться; молодые люди сближались. Катерина Михайловна незаметно привыкла к обществу Владимира, и в те дни, когда его не было, ей чего-то недоставало. Раз вечером они сидели вдвоем, разговор не клеился — Катерина Михайловна была не в духе рассуждать.

— О чем вы задумались? — спросил ее Владимир.

— Так, ничего.

Владимир несколько времени молча смотрел на нее.

— Я замечаю, что вы похудели с тех пор, как к нам приехали, — сказал он, — должно быть, невесело жить в Петербурге.

Эти простые слова тронули девушку; она с удивлением взглянула на молодого человека, и бледные щеки ее слегка вспыхнули. Она встала и начала ходить по комнате.

— Что с вами? — спросил молодой человек, подходя к ней.

— Ничего. А что?

— Так, я подумал, не больны ли вы, и хотел вам посоветовать идти в вашу комнату.

— О, нет, — сказала она, стараясь казаться спокойной, — напротив, я хотела предложить вам идти гулять.

— Пойдемте. Только мне нужно на минуту зайти к одному товарищу; подождите немного, я скоро схожу, он живет недалеко.

— Что ждать? Пойдемте вместе, заодно; вы можете заходить, а я в это время буду ждать вас.

— Но где же? Это будет неудобно.

— Я буду ждать вас на улице; ведь вы же сказали, что недолго у него останетесь.

— Одну минуту. Мне нужно сказать ему только два слова.

— И прекрасно. Я сейчас же с вами иду.

Она пошла в свою комнату и через несколько минут возвратилась в шляпке и мантилье. Они отправились.

— Я все-таки не понимаю, как вас оставлю, — сказал Владимир, когда они вышли на улицу.

— Я буду ходить взад и вперед по улице, когда вы будете у вашего приятеля.

— Но ведь это будет заметно, что вы кого-то ждете.

— Так что ж?

— Мне очень неприятно, что о вас будут думать. Бог знает что.

— Что будут думать? Кто? Ах, какой вы чувствительный человек! При таком условии у вас должно быть много несчастий; когда и без того довольно на свете дурного, а вы еще навязываете на себя разные неприятности.

— Не я их выдумал, Катерина Михайловна.

— Тем хуже.

Владимир задумался.

— Может быть, вы и правы, — сказал он, — но как же идти против всех?

— Испытайте, ведь вы еще не пробовали; может быть, это не так страшно, как кажется; может быть, гораздо легче, чем нам распинаться во имя непонятных принципов.

— Кто знает. Вы говорите — испытайте; знаете ли, что один шаг к этому уже целый разрыв с окружающим.

— Если оно вам так мило — это дело другое; тогда я с вами не спорю.

Владимир начал было возражать, но принужден был уступить. Катерина Михайловна одушевилась и говорила с жаром, Владимир только ее слушал. Они дошли до дома, где жил товарищ Владимира; молодой человек оставил Катерину Михайловну, но вскоре вернулся. На возвратном пути он продолжал тот же разговор, который, по-видимому, занимал его, но Катерина Михайловна говорила мало и была рассеянна. Она смотрела, как звезды загорались на небе, как ложились кругом темные тени, и — задумалась. Они скоро вернулись домой. Владимир начал что-то играть на фортепиано, Катерина Михайловна села у открытого окна и слушала музыку. Темнело. Горничная принесла было свечи, но Катерина Михайловна отослала ее, сказав, что и так хорошо. И в самом деле было хорошо! Яркие полосы лунного света, проникая в комнату, прорезывали густую тень и обливали все предметы дрожащим, фантастическим блеском; задумчивые мотивы музыки одиноко и отчетливо раздавались среди глубокой тишины. Катерина Михайловна слушала их, слушала, и глубокая грусть ложилась ей на сердце; вспоминались ей другие вечера, задушевные разговоры, любовь...

Владимир кончил играть и подошел к ней. Он заметил ее волнение и молча сел подле нее. Катерина Михайловна смотрела в окно, грудь ее высоко поднималась и опускалась. Владимир сел к ней ближе и обнял ее талию. Катерина Михайловна слегка вздрогнула и быстро к нему обернулась; руки ее крепко обвились вокруг шеи молодого человека, она опустила голову к нему на грудь и не говорила ни слова. В соседней комнате послышались чьи-то шаги; Владимир быстро отскочил от девушки. Вошла нянюшка Зиночки.

— Катерина Михайловна, скоро 12 часов, — сказала она, — не угодно ли вам пожаловать в вашу комнату.

— Хорошо, — сказала девушка и поспешно вышла.

На другой день утром Катерина Михайловна по обыкновению давала Зиночке урок и занималась им очень прилежно. За обедом она встретилась с Владимиром; молодой человек казался задумчивее обыкновенного; Катерина Михайловна была взволнованна и избегала его взгляда. Оба молчали. Зато, оставшись после обеда вдвоем, они не могли наговориться. Владимир мало говорил ей о своей любви, но спрашивал ее, любит ли она его, и, улыбаясь, слушал ее горячие ответы. Он весело целовал девушку и, любуясь на ее оживленное лицо, говорил, что она никогда не была так хороша, как сегодня; потом он играл на фортепиано ее любимые вещи, и они разошлись очень поздно.

Прошло несколько дней. Как-то, увидя Катерину Михайловну грустною, Владимир стал ее спрашивать о причине. Катерина Михайловна отвечала как-то уклончиво.

— Но я догадываюсь, — сказал Владимир. — Ты имеешь что-нибудь против меня?

— Нет.

Он посмотрел на нее пристально и прибавил с уверенностью:

— А я знаю, что есть.

— Ну, так скажи, что знаешь.

— Ты, верно, думаешь, что вот ты одна в чужом доме, с такими неприятными людьми, и мне это ничего после того, как я уверял тебя в любви. Но это не так, я обо всем подумал.

Он взглянул ей в лицо. Она улыбнулась.

— Что, угадал?

— Нет. Но все равно, мне приятно слышать то, что ты сейчас сказал.

— Ну, так слушай. У меня есть дядя, который занимает значительную должность в губернии; он давно мне предлагал служить под его руководством; но прежде я мало об этом думал: мне было все равно; теперь же другое дело. Я хочу с тобой об этом посоветоваться — ведь я считаю тебя своей женой... Что ж ты молчишь?

— Так, ничего.

— Ну, так вот видишь, в чем дело: я думаю написать дяде; он меня вызовет. Сначала я поеду один, устроюсь там и приеду за тобой; здесь мы обвенчаемся и поедем, так ли? Или же лучше мне остаться в Петербурге и найти получше должность, попросить дядю похлопотать; как ты думаешь?

— Как знаешь, что лучше для тебя; это твое дело.

— Нет, теперь не мое. Ты должна решить.

— Устраивай как лучше, не торопись.

— Ты думаешь? Нет, нужно торопиться... Еще, пожалуй, заметят, насплетничают.

— Пускай! — сказала Катерина Михайловна с живостью. — Разве они этим разрушат наше счастье?

Владимир горячо ее обнял. Катерина Михайловна была как-то особенно оживлена и отдалась ласкам молодого человека со всем увлечением. Вдруг, взглянув ему в лицо, она побледнела и оттолкнула его.

— Катя, — прошептал он, — ведь ты меня любишь.

Катерина Михайловна снова подошла к нему; она положила руки ему на плечо и смотрела на него, улыбаясь. Столько мужественной доверенности и преданности будущему было в этой улыбке! И он снова привлек ее к себе на грудь.

С этого времени Катерина Михайловна совершенно изменилась: она стала спокойнее, веселее, прилежнее и терпеливее занималась с Зиночкой, много читала. Владимир не изменился, только чаще оставался дома. Время между тем шло. M-me Букова с сестрой возвратились из гостей, и внешняя жизнь Катерины Михайловны пошла по-прежнему. Случалось, что по целым дням ей не удавалось видеться с Владимиром наедине, но в присутствии теток они менялись взглядами и были довольны; случалось по вечерам, когда все семейство сидит в общей зале, тетки задремлют или выйдут из комнаты, — Владимир тихонько подходил к Катерине Михайловне и украдкой целовал ее руку. Оставаясь с ним наедине, Катерина Михайловна говорила ему о своих мыслях, о читанных ею книгах; но часто он слушал рассеянно, иногда прерывал ее каким-нибудь посторонним замечанием или просто поцелуем. Катерину Михайловну огорчала эта беспечность, но она находила ей оправдание. Катерина Михайловна была счастлива и не думала о будущем.

Однажды m-me Букова послала зачем-то племянника к Катерине Михайловне; Владимир немного замедлил исполнением этого поручения: сидя рядом с Катериною Михайловною в ее комнате, он совершенно забыл о нем. Обняв талию девушки и смотря ей в глаза, он нимало не думал о тетке. Как вдруг дверь отворилась, и из-за нее выглянула пышная голова, увенчанная розовыми бантами. Додо испустила громкое "ах!" и мгновенно скрылась. Владимир побледнел и поспешно вышел.

Это происшествие не замедлило принести свои плоды. На другой день, придя к завтраку, Катерина Михайловна тотчас заметила перемену в хозяйках; за сухим поклоном, каким встретили ее m-me Букова и ее сестра, следовало молчание, которое продолжалось все время завтрака. Владимира не было. M-me Букова имела какой-то огорченный и обиженный вид; Додо смотрела строго. Они не говорили с Катериной Михайловной, но между собой изредка вполголоса перекидывались словами. Это бесило Катерину Михайловну, но она держала себя презрительно-спокойно. После завтрака Додо скрылась; m-me Букова и Катерина Михайловна остались вдвоем. M-me Букова взглянула на свою собеседницу, как бы желая ей что-то сказать, но почему-то затруднялась. Она откашлялась, подняла глаза к небу, обдернула платье и опять взглянула на Катерину Михайловну. Та в это время встала, чтоб выйти из комнаты. M-me Букова приняла какой-то испуганный вид.

— M-elle Содова, сделайте милость, подождите, — заговорила она торопливо.

— Что вам угодно? — спросила Катерина Михайловна, медленно к ней оборачиваясь.

— Я имею кое-что вам сказать, — сказала она, меняя тон и стараясь принять строгий вид.

— Сделайте милость, — сказала Катерина Михайловна сухо и холодно, так что m-me Букова невольно смутилась.

— Дело вот в чем, — сказала она, — с некоторого времени я замечаю, что вы неравнодушны к моему племяннику.

— В этом я никому не намерена давать отчета, — сказала Катерина Михайловна.

— Да... но как бы то ни было, а в моем доме допустить это... У меня, вы знаете, дочь растет, сестра девица.

— Это дело другое, — сказала Катерина Михайловна, — и завтра же я оставлю ваш дом. — Она поклонилась и вышла. Проходя через залу, Катерина Михайловна встретила Владимира и сказала ему, что скоро покидает дом его тетки. Он едва ее выслушал и поспешил удалиться. Все это подействовало на Катерину Михайловну слишком неприятно. Войдя в свою комнату, она заперла дверь и бросилась на стул. В голове ее был туман; досада и беспокойство наполняли ее душу. Она провела рукой по лицу и старалась собраться с мыслями. После некоторого размышления она вынула из кармана небольшой кошелек и сосчитала заключавшуюся в нем сумму, которой ограниченное количество привело ее в некоторое замешательство. Но это замешательство рассеялось вследствие каких-то особенных экономических соображений. Катерина Михайловна встала и начала поспешно собирать и укладывать свои вещи. Когда все было уложено, она послала за извозчиком, а сама отправилась к m-me Буковой, чтоб кончить денежный расчет и проститься.

Тем временем m-me Букова успела одуматься и нашла, что круто поступила с гувернанткой. "Не Бог знает что случилось, — думала она, — а между тем искать новую гувернантку, да еще на какую нападешь". И она соображала, как поправить дело. Она упрекнула было себя за горячность, но, впрочем, нашла, что попугать гувернантку было дело далеко не лишнее.

— Напрасно вы так торопитесь, m-elle Содова, — сказала она Катерине Михайловне.

— Ничего, это меня не беспокоит.

— Как можно, что вы говорите! Вы могли бы подождать, пока приищите себе место или по крайней мере квартиру. Вы, кажется, совсем рассердились на меня. Мне очень жаль, что это так вышло. Я совершенно не ожидала, что вы до такой степени чувствительны. Ну что ж делать? Я погорячилась, из этого еще ничего не выходит, не всякое лыко в строку; я вспылю да тотчас и отойду; знаете мой характер: я не злопамятна.

Но это миролюбивое расположение милой дамы не произвело ожидаемого эффекта: Катерина Михайловна осталась при своем намерении. В тот же вечер она уехала и, до приискания квартиры, остановилась где-то в гостинице. Катерина Михайловна послала Владимиру записку со своим адресом; молодой человек тотчас к ней явился. Катерина Михайловна встретила его весело; хлопоты ее оживили; но, взглянув на встревоженное лицо Владимира, она не на шутку испугалась и спросила, что случилось.

— Тетки ужасно сердятся, — сказал он, — они ни за что не хотят, чтоб я на тебе женился, и написали обо всем дяде, который, конечно, будет на их стороне и не даст мне должности.

— Ну пускай их, — сказала с досадой Катерина Михайловна. Владимир задумался.

— Но что ж мы будем делать? — сказал он наконец.

На это Катерина Михайловна ничего не ответила. Владимир, однако, скоро успокоился и начал строить планы их будущей жизни вдвоем. Но Катерина Михайловна слушала рассеянно; горькая дума легла ей на душу тяжелым гнетом.

Прошло несколько недель; время приближалось к осени; томительно и грустно оно проходило для Катерины Михайловны. Она наняла себе крошечную комнатку; где-то на чердаке, в глухой и грязной улице. Одна, без друзей, без знакомых, почти без денег, она не знала, что делать. Катерина Михайловна пробовала искать себе места или какой-нибудь работы; обращалась для этого в разные конторы, но безуспешно. С нее брали только деньги и взамен давали одни обещания или предлагали невозможные условия. Присутствие Владимира не облегчало ее тоски. Он приходил к ней унылый; жаловался на теток, на начальство, на свою судьбу и то предавался мечтам о их жизни после брака, на которую в то же время не имел никаких определенных планов, то пугал ее трудностью, даже невозможностью исполнения этих мечтаний. Для Катерины Михайловны стало ясно, что он ее не любил, что только чувство приличия удерживает его при ней, а она не имела мужества разорвать эту связь; она держалась за нее с каким-то отчаянным упорством — тем не менее связь эта разрушалась. Владимир реже и реже приходил к Катерине Михайловне и меньше у ней оставался. Раз как-то он пришел к ней взволнованный и смущенный; он начинал и прерывал разговор, как бы имея сообщить ей что-то особенное, но видно было, что у него недоставало духу; он ждал, что Катерина Михайловна догадается и по обыкновению сама наведет его на предмет, который его затруднял, но она молчала и, казалось, не хотела понять его положения. Наконец Владимир как-то собрался с духом и сказал ей, что дядя приглашает его к себе на житье. Катерина Михайловна слегка побледнела, она подняла голову и взглянула ему в лицо медленным, проницательным взглядом, от которого похолодела кровь в жилах молодого человека.

— Ну так что ж? — спросила она голосом таким ровным и спокойным, что вся тяжесть мгновенно свалилась с плеч Владимира и он почувствовал себя необыкновенно хорошо.

— Если б я мог избирать, — сказал он, — но это от меня не зависит.

— Если от меня, так поезжай.

— Ты думаешь? Конечно, это было бы хорошо во всех отношениях: там лично я лучше мог бы действовать на дядю и скорее склонить его к согласию на нашу свадьбу; но как же ты останешься? Конечно, я постараюсь скорее вернуться за тобой, но все же ты здесь одна.

Эти колебания разрешились, однако ж, довольно просто, и Владимир вышел из затруднительного положения очень легко и с совершенно спокойной совестью. Выйдя от Катерины Михайловны, он почувствовал себя в очень хорошем расположении духа и, возвращаясь домой, всю дорогу насвистывал какую-то веселую арию.

Оставшись одна, Катерина Михайловна долго сидела неподвижно, как очарованная, не сводя глаз с двери, за которой скрылся Владимир. Наступали сумерки; кругом была мертвая тишина; в комнате становилось темно, все предметы приняли какие-то неопределенные формы. Глубокая тоска овладела сердцем девушки, и она громко, болезненно зарыдала.

На следующий день Катерина Михайловна послала Владимиру письмо, в котором просила его больше к ней не приходить. На это письмо не было никакого ответа. Катерина Михайловна не удивилась этому, но печаль ее была велика.

Внешние хлопоты много развлекали Катерину Михайловну и отвлекали ее от печальных мыслей; отсутствие денег становилось ощутительно, и Катерина Михайловна поневоле должна была серьезно обратить внимание на этот предмет. Не желая просить помощи у братьев и сестры, зная их ограниченные средства, она деятельно принялась отыскивать себе работу и добилась наконец, что ей обещали место гувернантки в отъезде; нужно было только подождать немного. Тем временем Катерина Михайловна совершенно неожиданно получила письмо от Константина Васильевича. Он упрекал ее, что она перестала ему писать, и спрашивал о причине ее удаления от m-me Буковой. "До меня дошли слухи о вас, — писал он ей между прочим, — слухи странные, невозможные; будто у вас вышла какая-то история с теткой по поводу Владимира. Скажите, пожалуйста, что это значит?" Катерина Михайловна отвечала ему, что слышанное им правда. Письмо ее было коротко, но в нем ясно выражалось состояние ее души. Константин Васильевич не замедлил ответом. "Меня одно удивляет в вашем письме, — писал он, — что обстоятельство, на которое можно было смотреть гораздо проще, заставляет вас столько страдать и раскаиваться. Вы говорите, что это так вас огорчает, что сердце ваше разрывается. Друг мой, милая моя Катерина Михайловна, я не хочу этому верить. Я убежден в одном, что встреча с таким подлецом могла оставить на вас тяжелое впечатление: нужно быть осторожнее, нужно смотреть на людей во все глаза, и только. А убиваться, что подлец встретился, — это такое беспощадное самоистязание! Горевать, что подлец встретился... да мало ли их на свете, и неужели после встречи с каждым тратить благородные порывы на печаль и хотя на святые, но все ж бесполезные, изнуряющие слезы? Нет, нет, если оказался негодяем человек, к которому мы по ошибке расположились, так черт с ним — мы найдем себе других людей. Чего ж вы недоумеваете? Вы, которая так трезво умеет понимать вещи, струсила и отступает перед лицом жизненной правды. Ваши печаль и раскаяние не есть ли следствие тех заготовленных заранее правил, которые мы на себя берем, не спрашивая, в состоянии ли исполнить. Все это мудрствования и расчеты; бросьте их, Катерина Михайловна; идите прямо навстречу жизни и требуйте своей доли; может быть, счастье недалеко, вы имеете на него полное право. Давно собирался я с вами об этом поговорить, но отношения наши странно сложились и как-то перепутались: я боялся злоупотреблять моей ролью друга. Через неделю я к вам приеду и доскажу остальное".

Прошла ровно неделя. Был пасмурный, скучный осенний день; Катерина Михайловна сидела в своей комнате у окна; на коленях у ней лежало какое-то шитье, но девушка не работала, глаза ее были устремлены на улицу, лицо было задумчиво, но спокойно. Кто-то к ней постучался. "Войдите!" — крикнула Катерина Михайловна. Дверь отворилась, и в комнату вошел молодой человек, высокий, статный, с открытым лицом и добрыми веселыми глазами.

— Константин Васильевич! — вскричала Катерина Михайловна, поспешно вставая. Она хотела подойти к нему, но вдруг остановилась, взволнованная и смущенная.

Молодой человек подошел к ней.

— Здравствуйте, Катерина Михайловна, — сказал он, взяв ее за руки.

При звуке этого голоса Катерина Михайловна подняла голову, лицо ее было оживлено каким-то вдохновенным чувством: она бросилась к нему на шею и зарыдала. Он чувствовал волнение ее груди и целовал ее волосы, его умные глаза светились теплым, задушевным чувством.

Он посадил ее на стул и сел с ней рядом; одной рукой обняв ее талию, в другой держа ее руку, он смотрел на нее с любовью и радостью.

— Похудела, — сказал он, продолжая смотреть на нее, — а отчего? Все мудрствования. — Он провел рукой по ее волосам и поцеловал ее гладкий прекрасный лоб.

Она все еще не оправилась от волнения и взглядывала на него как-то робко, будто не веря собственным глазам.

— Одна? — спросил он. — Совершенно одна?

— Одна.

— А Владимир?

— Не знаю.

Константин Васильевич только пожал плечами.

Несколько времени длилось молчание.

— Я любила его, — сказала Катерина Михайловна.

— Знаю, — сказал Константин Васильевич, — но ты и меня любила.

Она молчала; яркая краска выступила на ее щеки.

— Да, — ответил за нее Константин Васильевич.

Она протянула ему руку, но он обнял ее; Катерина Михайловна прижалась головой к его груди и тихо вздохнула; взгляд ее был ясен и тих.

— Я еду за границу, — сказал Константин Васильевич, — едешь ты со мной?

— Да, — отвечала она.

Он поцеловал ее.

— И скорее поедем, не правда ли?

— Да, да.

— На этой бы неделе отправиться, — сказал Константин Васильевич. — Только не знаю, успеем ли: нам будет еще много хлопот.

— Какие хлопоты?

— Паспорты нужно выправлять, потом венчаться нужно.

— Венчаться!

— Да, венчаться.

Они взглянули друг на друга и улыбнулись.

А. С-ва

Позже, при посредстве Достоевского, она печатает несколько своих повестей на страницах "Эпохи". Подписаны эти повести сокращениями "А. С-ва", и до последнего времени никто не отметил подлинного имени автора. А повести и в литературном отношении довольно удачны и стоили бы того, чтобы их извлечь из "Эпохи", особенно теперь, когда имя автора приобретает интерес в связи с жизнью Достоевского.

А. Бем. "Игрок" Достоевского (В свете новых биографических данных). С. 380.

В расходной книге редакции "Времени" два раза записана плата Сусловой за ее рассказы... рукою неизвестного под 7 сентября 1864 г. — г-же Сусловой за повесть 83 р.

А.С. Долинин. Достоевский и Суслова. С. 172.

ГЛАВА СЕДЬМАЯ: *Август 1864 — март 1866*

ПАРИЖ — ПЕТЕРБУРГ — СЕЛО ИВАНОВО. ПЛАНЫ НОВОЙ ЖИЗНИ

...Уже полтора года она жила за границей, то в Париже, то в Спа, то в Монпелье; лечилась от женских недомоганий, что-то читала, что-то писала, с кем-то виделась. В ее жизни и в ее "Дневнике" по-прежнему появлялись и исчезали и снова появлялись новые мужские имена, и она по-прежнему добросовестно описывала сцены встреч с ними — лейб-медиком, Робескуром, Валахом, поляком, Грузином, Утиным, молодым графом Салиасом, русским доктором, французским доктором, господином из библиотеки... Но никто из мужчин не задерживал ее внимания надолго, и никто слишком сильно не занимал ее сердца.

"Я чувствую, что я мельчаю, погружаюсь в какую-то "тину нечистую" и не чувствую энтузиазма, который из нее вырывал, спасительного негодования", — записала она однажды в "Дневнике".

Ей пора было думать о будущем.

У нее не было богатых покровителей — она была бы жестоко оскорблена от одной мысли о возможности быть чьей-то содержанкой. Но она ничего не зарабатывала сама.

Она жила на деньги отца, которые регулярно высылались ей на расходы. Этих денег вполне хватало, чтобы снимать комнату в частном пансионе с завтраками, обедами и ужинами, покупать книги и одежду, ходить в театры и в концерты, выезжать на курорты, платить за лечение. Из этих денег она попытается выручить из беды Ф.М. Достоевского, который летом 1865 года, приехав в Висбаден, дотла проигрался на рулетке. Она поехала к нему и встретилась с ним, но не оставила в "Дневнике" ни строчки об этом свидании.

Между тем положение ее семьи сильно ухудшилось. Отец был уволен с должности и почти разорен, однако из остатков былого состояния исправно посылал деньги дочери в Париж. В семье считалось, что Аполлинария учится и лечится за границей.

А она маялась и металась.

То пыталась помочь сестре Надежде, когда внезапно закрылась возможность получить образование в России: наводила справки, писала письма (сохранились черновики ее письма по-русски и по-французски некой влиятельной даме, предположительно Жорж Санд, в котором Аполлинария просит указать дорогу "младшим сестрам").

То вдруг захотела все бросить и вернуться в Россию, чтобы принять участие в революционной работе, "помочь общему делу".

То, люто возненавидев Париж — "продажный город с засасывающей пошлостью и общественной ложью", — в поисках уединения выехала в Монпелье.

Потом переехала к сестре в Цюрих, где та наконец начала учиться, и жила при ней.

Она по-прежнему жаждала ласки и нежности, чтобы забыться и забыть свое одиночество. Но каждый новый любовный эпизод лишь унижал и оскорблял ее.

О дневниковых записях А.П. Сусловой того времени А.С. Долинин писал: "Это исповедь рано вышедшей на дорогу женщины 60-х гг. в поисках идеала свободной и чистой любви, на себе, на своем личном опыте давно уже убедившейся в иллюзорности его, потерявшей было в этих поисках свою душу, теперь с великим трудом, с борениями вновь ее обретающей..."

Исподволь начинали вырисовываться контуры будущего, пути воскрешения.

"Я теперь хлопочу только устроить жизнь свою так, чтоб ни в чем и ни в ком не нуждаться", — решает она.

Все чаще ее посещают уже вполне трезвые мысли о возвращении в Россию. Сначала скептические ("Куда я поеду, к кому? к брату, отцу? Я никогда не могу быть свободна так, как мне нужно, и какая цель выносить зависимость?"). Потом все более определенные — жить в губернском городе, иметь свой кружок, открыть школу...

В октябре 1865 года Аполлинария уже была в Петербурге. Ее планы прояснились и установились: начать с малого, сдав экзамен на сельскую учительницу.

После Парижа Петербург страшно разочаровал ее. Ей долго пришлось привыкать к грязным улицам, к пьяным в подворотнях, к разбитым дорогам. И она вновь встретилась в Петербурге с Ф.М. Достоевским и с нескрываемым раздражением отметила это в "Дневнике". Его предложение руки и сердца она сочла нелепостью. Она цитирует его слова, сказанные 2 ноября 1865 года и тогда почти не понятые ею: "...если ты выйдешь замуж, то на третий же день возненавидишь и бросишь мужа... Ты не можешь мне простить, что раз отдалась, и мстишь за это..."

Четыре дня спустя, 6 ноября, она делает свою последнюю запись еще об одной встрече с "Ф.М.", когда они опять "спорили и противоречили друг другу".

Закончился "Дневник"; ушла в прошлое целая полоса жизни, наверное, самая яркая и значительная, хотя тогда она думала об этом иначе.

В начале декабря Аполлинария уехала из Петербурга к матери, в село Иваново под Владимиром. Неизвестно, что она писала Достоевскому в двух своих письмах из Иванова — от 6 и 15 декабря. Они, как и еще десятка три ее писем к Достоевскому, бесследно исчезли.

"Я здесь не скучаю, — сообщала она графине Салиас, — в Петербурге было бы мне хуже, там постоянное раздражение: досада и злость на умных людей...". Интересно, поняла ли графиня Салиас, кого Аполлинария имела в виду?

Впрочем, графиня Салиас, как женщина тонкая и проницательная, отреагировала на письмо Аполлинарии по-своему: "Дай вам Бог полюбить хорошего, честного человека, выйти замуж и воспитать честных детей. Это лучшее для женщины. Жизнь девушкой слишком одинока и, скажу, безрадостна, что бы там ни говорили".

Александр Иванович Герцен. 1860-е годы

Давно гневались старички на суровых нигилисток и искали случая их подвести под сюркуп.

А тут, как нарочно, Каракозов выстрелил... "Вот оно, государь (стали ему нашептывать), что значит не по форме одеваться... все эти очки, клочки". — "Как? не по утвержденной форме? — говорит государь. — Строжайше предписать". — "Попу-щенье, ваше величество, попущенье! Мы только и ожидали милостивого разрешения спасать священную особу вашего величества".

Дело не шуточное — принялись дружно. Совет, сенат, синод, министры, архиереи, военачальники, градоначальники и другие полиции совещались, думали, толковали и решили, во-первых, изгнать студентов женского пола из университетов...

Затем совет, синод, сенат приказали в двадцать четыре часа отрастить стриженые волосы, отобрать очки и обязать подпиской иметь здоровые глаза и носить кринолины...

Чрезвычайные меры эти принесли огромную пользу, и это я говорю без малейшей иронии — кому?

Нашим *нигилисткам.*

Им недоставало одного — сбросить мундир, формализм и развиваться с той широкой свободой, на которую они имеют большие права. Самому ужасно трудно, привыкнув к форме, ее отбросить. Платье прирастает. Архиерей во фраке перестанет благословлять и говорить на *о...*

Студенты наши и бурши долго не отделались бы от очков и прочих кокард. Их раздели на казенный счет, прибавляя к этой услуге ореолу туалетного мученичества.

Затем их дело — плыть au large.

P.S. Одни уже возвращаются с блестящим дипломом доктора медицины — и слава им!

А.И. Герцен. Былое и думы. Часть восьмая: "Цветы Миневры"//А.И. Герцен. Соч.: В 9 т. Т.6. С. 462-463.

Прокофий Григорьевич был вскоре после царского манифеста уволен графом Шереметевым с поста главно-управляющего имениями, так как при проведении земельной реформы был уличен в том, что перестал блюсти графские интересы и начал "держать руку крестьян", отводя им при межевании "самые лучшие земли и угодья"...

Оставшись без службы, Прокофий Григорьевич решил уехать из Петербурга в Иваново-Вознесенск и открыть там на паях с братом ситценабивную фабрику.

Денег для начала такого дела было мало, и потому большая часть затрат была произведена под заемные письма, в кредит.

Нижегородский купец Сироткин был злопамятен и мстителен. Пользуясь огромными связями в торговом мире, он решил "рассчитаться" с Сусловым за тот "отказ", который получил от него несколько лет назад при попытке заполучить дармовую рабочую силу. Он скупил все векселя Суслова и предъявил их ко взысканию в самую тяжелую минуту, когда весь капитал был вложен в оборудование и сырье и фабрика еще не успела выпустить ни одного аршина ситца. Суслов пытался было вырваться из петли, захлестнутой безжалостной рукою вокруг его шеи... Заметался в поисках добавочного кредита, но встретился с организованным Сироткиным сговором купцов... В самом коротком времени он вынужден был признать себя несостоятельным. Новая фабрика пошла на торги с молотка, а сам Суслов не попал в "долговую яму", только распродав все, что у него было, что было нажито за долгие годы службы у Шереметева... От былого достатка не осталось и следа.

После этого внезапного разорения Прокофий Григорьевич получил приглашение от сына переехать к нему в Нижний Новгород, где тот был присяжным поверенным при губернском суде. Там он купил себе небольшой домик на Солдатской улице. Туда на летние вакации приехала и Надежда.

Перед отъездом из Петербурга в мае 1864 года Надежда Суслова получила печальное известие о том, что ее учение в Медико-хирургической академии должно быть прервано... Правительство запрещало женщинам посещать лекции как в академии, так и в университетах. Перед женщинами закрылись двери всех высших учебных заведений.

Надежда, получив такое сообщение, не растерялась. Она уже была готова к этому и решила продолжать свое образование за границей, в рекомендованной Сеченовым Швейцарии...

А.А. Смирнов. Первая русская женщина-врач. С. 117-118.

ДОНЕСЕНИЕ О КОММУНЕ СЛЕПЦОВА

петербургского обер-полицмейстера И.В. Анненкова генерал-губернатору кн. А.А. Суворову

Обязанностью считаю донести вашей светлости, что в Петербурге образовался в недавнее время кружок молодежи очень безнравственного и вместе с тем очень вредного направления, в котором хотя и не видно теперь ничего политического, но нельзя быть уверенным, что со временем оно не приняло другого характера.

В настоящее время мужчины и женщины, составляющие этот кружок, обращают на себя общее внимание тем, что вздорные и нелепые идеи свои стараются применить в практике к ежедневным занятиям своим и к образу жизни.

Безнравственная сторона их

Надежда Прокофьевна Суслова. 1860-е годы

учения состоит в том, что они, не признавая церковного брака, заменяют его, как объясняют сами, браком гражданским, то есть допускают чувственные удовольствия без всякого ограничения и делают всех женщин и девиц их кружка общей принадлежностью всех членов их общества...

Известно было, что кружок этот группировался около бывшего преподавателя Казанского университета Афанасия Щапова, который пользуется и до сих пор от болезни в клинике 2-го Военно-сухопутного госпиталя, что его навещали там преимущественно студенты Медико-хирургичес-

Литературное наследство. Т.71. С. 451.

кой академии, вольноприходящая слушательница медицинских наук купеческая дочь Суслова и дочь умершего чиновника 10-го класса Александра Комарова. Из них Суслова более прочих проповедовала и распространяла упоминаемые несообразности и привлекла к себе названную выше Комарову... Что же касается до Комаровой, то она имела любовную связь с братом своей наставницы Сусловой, студентом университета Сусловым, и в январе нынешнего года родила от него ребенка.

...Девицы известны под именем стриженых.

8 марта 1864

В ведомостях о фабриках и заводах Вознесенского посада, составлявшихся полицейским управлением в течение десяти с лишним лет, значилось набивное и каландренное заведение Асафа Григорьевича Суслова. По первоначальной регистрации за 1860 год в этом заведении насчитывалось 20 рабочих и 10 набойных столов. В 1870 году фирма имела уже 93 рабочих и продала 15 тысяч кусков набивных платков, а также пропустила "через каландры" 100 тысяч кусков мануфактуры.

Еще в 1863 году к Асафу приехал брат Прокофий Григорьевич Суслов, который вступил к нему в пай. Поначалу дела шли бойко, но затем братья вынуждены были ликвидировать свою фирму.

История как будто обычная. Начинающих фабрикантов вытеснили более сильные конкуренты. Документы, однако, говорят о более серьезной подоплеке ликвидации фирмы.

Прокофий Суслов, бывший крепостной, добился "вольной" и стал, благодаря своим способностям, управляющим имениями графа Шереметева. Он сумел дать дочерям, Аполлинарии и Надежде, хорошее по тем временам воспитание: они знали европейские языки, умели играть на фортепиано. Девушки восприняли полученное ими образование не как своеобразное приданое, а как ступеньку для проникновения в науку, для отдачи всех своих сил и способностей народу.

Т. Лешуков. Сестры Сусловы//Рабочий край (Иваново). 1965. N 256. 29 окт.

...Когда несколько лет тому назад некоторые русские женщины стали посещать лекции здешней Медицинской Академии, общество почему-то вдруг испугалось этого факта; он показался ему и диким, и неприличным, и невероятным; общество вдруг увидело в нем начало какой-то страш-

ной деморализации; оно подняло на смех этих женщин, отвернулось от них и довело дело до того, что правительство сочло нужным запретить женщинам вход на лекции. Мы хорошо помним, что и Надежде Прокофьевне Сусловой пришлось перенести от нашего общества очень много неприятностей; ей противодействовали на каждом шагу, на нее сплетничали, ее оскорбляли, старались набросить тень на ее личность и на ее дело, и только глубокая вера в свои силы и в правоту своего дела помогла ей не смущаться придирками общества и твердо идти к своей цели до тех пор, пока запрещение посещать лекции не заставило ее искать себе выхода в чужих странах... Почему же общество в этом случае поступало так дико и непоследовательно? Почему оно так настойчиво действовало во вред самым насущным и очевидным своим потребностям? "Вероятно, — говорит г. Сеченов, — из теоретического предубеждения, что задача не по женским силам". Вероятно — скажем и мы, — общество сомневалось в том, что русская женщина может быть медиком. Ну, а теперь оно сомневается ли? А если не сомневается больше, то как оно примет этот новый факт? Одумается ли? Отзовется ли? Что скажут наконец теперь начальствующие лица медицинского мира?

Но такова бывает судьба почти всех передовых людей, идущих в разрез с застарелыми привычками и взглядами общества, и если даже такая страна, как Америка, всячески мешала первым попыткам женщины к медицинской карьере (как мы это знаем из биографии Елизаветы Блекуель), то тем более это понятно у нас.

...Подвиг Елизаветы Блекуель, как мы знаем, имел громадное влияние на положение женщин: он открыл женщинам доступ к медицинской деятельности; сотни тружениц тронулись по ее следам, и вследствие этого даже вскоре были учреждены там особые медицинские коллегии, предоставленные исключительно женщинам...

Конечно, наши притязания не простираются так далеко; у нас еще не хватает смелости верить, что и в России очень скоро откроются академии для медицинского образования женщин, мы не уверены в этом на том простом основании, что Россия ведь не Америка; но мы смеем надеяться, что успех дела Н.П. Сусловой убедит наше общество в способности русской женщины к этой новой для нее деятельности и тем даст возможность и другим женщинам испытать свои силы в том же деле. Мы хотим верить, что в это дело не вмешаются те дряхлые скептики и враги нашей самодеятельности, которые из разных видов стараются очернить в глазах правительства и общества все хорошие начинания нашей женщины и подорвать доверие к ним в самом их зародыше. А там хорошее дело скажет само за себя — лишь бы дали ему развиться.

Первая русская женщина-медик//Женский вестник. 1867. N8. С. 82-84.

Я Вам пишу, чтобы просить Вас об одолжении [?]
Кроме удовольствия видеть представительницу новых начал лучшего общественного устройства, до которого [?] Старая Европа [?] Общий интерес нашего пола заставляет меня добиваться своей цели [?] Высокое положение, которое Вы себе приобрели, дает Вам возможность [обязывает Вас] помогать и указывать дорогу младшим сестрам, которые хотели бы следовать за Вами на поприще труда одной дорогой с Вами. Я русская и для [многих сестер моих] других русских женщин, начавших серьезно изучение медицины и не имеющих возможности его продолжать вследствие тех условий [?] в которые поставлена европейская женщина [?]

Черновик письма
А.П.Сусловой
к Жорж Санд (?).
Русский вариант.
Автограф

Черновик письма
А.П.Сусловой
к Жорж Санд (?).
Французский перевод.
Автограф

Прошу Вашего совета и указания [?]

[?] моя сестра [готова] решилась ехать в Америку по неизвестности настоящего положения тамошнего порядка [?] много препятствует ей [?] той решимости, по какой... трудный путь [?]

А.П. Суслова — неизвестной (Жорж Санд?). Черновик письма//РГАЛИ. Ф.1627. Оп.1. Ед.хр.6.

30 августа, Версаль

Сегодня разговорились с Е[вгенией] Тур по поводу Свифта. Она сказала, что он был дурной и злой. Я говорю: Он был озлоблен. — Чем, на кого? Что он терпел? Разве он не был богат и уважаем? — Это еще более оправдывает его озлобление, что лично он был счастлив.

— Чем же он был озлоблен? Что род людской нехорош; откуда этот низменный взгляд? Не доказывает ли он отсутствие высших стремлений? Отсутствие уразумения, что человечество назначено для высокой цели. Я знаю человека образованного, развитого, который был в Сибири, где его секли, и то верит и любит человечество. Значит, высокая душа.

Значит, мистик, подумала я.

— А Свифт, — продолжала она, — который добивался места архиепископа, снедаемый честолюбием, и для этого менял партии.

— Может быть, он добивался, чтобы иметь влияние.

— Какое влияние? Вы говорите, чтоб противоречить.

Я не спорила. Может быть, и правда, что он был глупо честолюбив, но разве за это можно обвинять? Это грустный факт, но нам обвинять, не имея доказательств! Я слишком уважаю людей, которые страдают, даже несмотря на материальное довольство и личное счастье, я понимаю это страдание.

Раз она при мне бранила девушку, которая не вышла замуж за хорошего человека, которого не любила, но с которым верно была бы счастлива. Я вступилась за девушку и говорю, что урезывать своих требований нельзя. — Ну так вот и сиди старой девой с ведьмой-матерью. — Тем более я уважаю эту девушку, что при дурных обстоятельствах она не пошла на сделки.

Она меня упрекала за хандру, представляя выгоду моего положения перед другими девушками. Как будто в моей грусти есть об них вопрос.

Потом она напала на Помялов[ского] за его люби-

мую мной фразу, говоря, что человек создан для исполнения обязанностей, а не для наслаждения. Обязанности! Какие обязанности у частного человека перед обществом, что он может сделать для него?

15 сентября, Париж

Сегодня был лейб-медик. Он говорил, что читал "Накануне" и восхищается счастьем Инсарова. "Неужели, — говорит, — есть такие девушки?" — Я говорю, что удивляюсь встречать в нем, в медике, внимание и интерес к художественным произведениям. Он доказывал, что не химия, а они (худож. произведения) воспитывают людей. "Я теперь прочитал и имел такие минуты, что не даст никакая химия".

— Да, я понимаю, что можно иметь минуты.

— Эти минуты западают и составляют развитие.

Потом мы говорим о Пек., о Стоянове, о Лугинине, которого он назвал русским жирондистом. Он рассказывал, что, когда встретил его в первый раз, Лугинин сидел над книгой Прудона о федерализме, которую только что прочел, и толковал, что патриотизм и национальность — вздор. — "Молодец Лугинин, прочел Прудона, и баста, значит, готов".

С самого моего приезда я почти все молчала за обедом. С одной стороны сидели старухи, с другой — студент с любовницей; стал ходить обедать вскоре после моего перемещения; но с некоторого времени около меня стал садиться, отделяя от меня старух, какой-то господин, который болтал, болтал и наконец вызвал меня на разговор, в который вмешался и студент. Господин слева спросил, что читаю, и, узнав, что историю, рекомендовал несколько книг; одну из этих книг студент предложил мне взять у него. Я, по обыкновению, вышла из-за стола тотчас по окончании обеда и пошла в сад. Проходя мимо Робескура, должна была остановиться, потому что он со мной заговорил. Едва я вошла в сад, как вышел студент со своей дамой и отдал мне книги. Дама тоже старалась принять свое участие; во время обеда она обертывалась в мою сторону с беспокойством. Эта дама заискивает как-то моего расположения: передает через своего кавалера мне блюда и прочее. Я ей отвечаю любезно. Англичанка не ходит обедать вниз на том основании, что должна сидеть с публичной девкой за одним столом. Это слишком. Отношения у студента с дамой трогательные. Она уступает ему за столом свои кусочки; нали-

Версаль, 17(5) сентября 1864 г.
А.П. Суслова — Ф.М. Достоевскому (несохранившееся письмо).

Петербург, 2(14) сентября 1864 г.
Ф.М. Достоевский — А.П. Сусловой (несохранившееся письмо).

вая себе вино, сперва наливает ему, но отчасти она испол-
няет его прислугу: метет и убирает его комнату.

21 сентября

Хозяйка выводит из терпения: тысячу раз прошу уб-
рать комнату, а она не делает этого, хотя всегда обещает;
просто не обращает внимания, как будто шутя все обещает.
Прислуге также дала денег, и это не помогает.

Marie как-то взяла башмаки чистить, мне понадоби-
лось идти; и уж искала, искала я ее с этими башмаками,
лакей помог мне отыскивать, закричал ее, чтобы подавала
башмаки Сусловой, она откуда-то с седьмого неба грубо
отозвалась, что ей некогда, и я должна была идти в нечи-
щеных, которые взяла, сердясь. На другой день, взяв мои
башмаки, она сказала, шутя, что не сделает по-вчерашнему,
и я же покраснела. В другой раз она забыла дать мне завтрак, и на другой день точно так же сама об этом напомнила, и я же стала ее перед ней оправдывать.

На днях был лейб-медик. Он рассказывал про гувернантку, которая его просила вылечить от седых волос. Я
ему сказала, что и у меня седые волосы.

— От несчастия! — сказал он.

Это меня так сильно взволновало.

— У меня не было несчастий, — начала было я, на
минуту преодолев себя, но слезы хлынули на глаза и мускулы лица задрожали еще более.

— У всех они бывают, — сказал он, по-видимому,
тронутый.

Я пыталась заговорить, но не могла преодолеть себя.

— Вам можно помочь, в ваш возраст это возможно,
— заговорил он.

— Неужели вы думаете, это меня огорчает? — сказала я с насмешливой грустью и все еще смотря в сторону.

— Нет. Я так только, чтоб что-нибудь сказать, —
сказал он взволнованно и тоже смотря куда-то не на меня.

24 сентября

Вчера лейб-медик был, и я занималась с ним фр[ан-
цузским] яз[ыком]. Я была в веселом расположении, так
что держала себя как-то не солидно. Просто нервы были
расстроены. Он мне заметил, что я рассеяна, — верно, думаете о Валахе (я перед этим что-то говорила о Валахе).
Мне стало досадно, и я не умела ответить, но я в следую-

щий раз постараюсь держать себя солиднее. Он заметил, что у нас в саду молодежь гуляет, и спросил, всегда ли это так. Я ему сказала, что когда я в саду, то никто не гуляет, и если и проходят мимо, то стороной, что они меня боятся, и это хорошо: нужно, чтоб кого-нибудь боялись.

Сегодня ездила к т-те М[аркович] и дорогой встретила *его*. Проезжая в коляске мимо госпиталя, я увидела несколько молодых людей, вышедших у ворот, тотчас вспомнила о нем и в самом деле его увидела. Он выбежал к воротам без шляпы, растрепанный, с помятым лицом, некрасивый. Он тотчас узнал меня, хотя я была за вуалью (я была вся в черном, исключ[ая] шляпки), и в смущеньи повернулся к своему товарищу (я глазом не моргнула). Это меня начинает занимать. И вот после этого я целый день взволнована. Мне было досадно на себя за это волнение. Неужели я его не забуду? И я приходила в отчаяние. Но отчего приходить в отчаяние, лучше ли бы было, если б я его забыла, лучше, что ли, мне было зиму, когда я его не видала? Лучше ли даже было мне в *наше время?* Я помню ночи, когда я вдруг просыпалась, в ужасе припоминала происшедшее днем, бегала по комнате, плакала. Лучше ли? Может, тогда, когда в первый раз услыхала от него слова любви или когда в первый раз он обнял меня. Отчего было тогда хорошо? Оттого, что ново, неожиданно. И можно ли желать, чтобы всего этого не было? Пустота была бы или другая ошибка, может быть, более бесцветная. И как могло бы быть лучше с ним? Хорошо было бы, если б до сих пор мы вместе оставались, даже если б я была женой его? Это такой прозаический барин. И чего хочу я теперь от него? Чтоб он сознался, раскаялся, т. е. чтоб был Ф[едором] М[ихайловиче]м. Что же бы тогда было, между тем как теперь я имею минуты такого торжества, сознания силы.

Мне говорят о Ф[едоре] М[ихайловиче]. Я его просто ненавижу. Он так много заставлял меня страдать, когда можно было обойтись без страдания.

Теперь я чувствую и вижу ясно, что не могу любить, не могу находить счастья в наслаждении любви, потому что ласка мужчин будет напоминать мне оскорбления и страдания. Новое может меня занять, и то до известных пределов.

На днях, после обеда, вышла я в сад, за мной (в первый раз) вышел Валах и стал говорить, как приятно ему меня видеть. Я заметила, что, верно, не слишком приятно, когда не был в Версале. Он объяснил, что у него был экза-

мен. Мы долго говорили, и, когда я пошла домой, он крепко жал мою руку. Он простой, наивный, это новизна.

Когда мы говорили, другие молодые люди ходили
мимо и меньше говорили с девицами. Дамы с любопытством заглядывали на нас. На другой день я не пошла в сад.

Париж, 27(15)
сентября 1864 г.
А.П. Суслова —
Ф.М. Достоевскому
(несохранившееся
письмо).

29 сентября

Больна. Валах бывает через день аккуратно. Лейб-
медик всякий день. Главной причиной болезни была, кажется, встреча с Плантатором.

Я сказала лейб-мед[ику], что была взволнована одной встречей. Он этому придал большую важность и был
грустен. Я тоже бывала часто грустна и взволнована, и он
часто, прощаясь со мной, был в волненьи, всякий раз по
нескольку раз принимался крепко жать мою руку, предлагал свои услуги; уходя, оборачивался в дверях, чтоб еще
раз взглянуть на меня. Раз он мне сказал, что в известный
день придет m-me Маркович, и она пришла, когда мы занимались с лейб-медиком французским. Она пробыла несколько минут и как-то странно себя держала. Мало очень
говорила, сказала, что ее ждут в Пантеоне. М-me Якоби
говорила о том, что сын ее учится русскому языку, она сказала, что не заботится, чтоб он знал точности русских выражений. Такого тупоумия я от нее не ожидала. Хоть это и
мода, народность, но нужно же понять смысл. Уходя, она
спросила, какой улицей идти. Лейб-медик взялся ее провожать. Она отказывалась, говоря, что и не в этакие места
хаживала одна, но он сказал, что ему нечего более у меня
делать, и они ушли.

Сегодня мы с ним очень разболтались, хотя вначале
он был грустен. Я сказала, что, кажется, m-me М[аркови]ч
мною недовольна. Он поспешил меня разуверить. Я сказала, что m-me Якоби, кажется, фразерка. Он подтвердил. Я
спросила: его знакомые, откуда они: из Америки или из
Испании? Он отвечал, что все из Америки, рассказывал очень
остроумно о их характере, говоря, что они нравятся дамам
французским. Я спросила, чем? Он отвечал: наружностью —
молоды и хорошо одеты, глаза вот по этакому стакану. Зубы
такие белые, перчатки свежие и ботинки хорошие.

— О, какой Вы злой, — сказала я.

Он сказал, что я еще не знаю его.

Он спросил, для чего мне, хочу ли я познакомиться?
Я сказала: нет. — Не хочу ли я брать уроки? — Я сказа-

ла, что у меня есть американка. *Чтоб сказать что-нибудь, я сказала, чтоб он спросил, какие там книги в Испании, романы, и прибавила, что они, верно, не знают. — Нет, это знают, — сказал он, — у них салонное образование — есть. — Мы очень развеселились, я это заметила, он согласился, прибавив, что пришел очень расстроенный и злой. Я спросила причину. Он сказал — столкновение с долгом, говоря, что долг иногда исполняется из трусости, а иногда из того, что какое же право имеем мы возмущать чувства других. С Валахом мы говорили о Прудоне, Герцене, которого я читала.*

Потом он мне рассказывал о Молдавии. У них так же, как и у нас, в обществе подражают французским модам и говорят по-французски. Он мне обещал принести Расина.

1 октября

Вчера была у меня m-elle Jullette. Она грустная почему-то, я это ей заметила. Она согласилась. При ней пришел Валах и посидел немного, простился холоднее обыкновенного, хотя я на прощанье была любезна, приглашала приходить. Мне почему-то показалось, что он причиной грусти Jullette. Он меня спрашивал о моем докторе. Рассказывая, я разговорилась о том, как этот молодой человек много знает. Валах сказал как-то серьезно, что ничего нет мудреного знать: когда читаешь, так и узнаешь что-нибудь.

Потом была англичанка, предложила мне чаю и прислала. Дрянь она и сплетница, в ней все худы (английские) качества, английские с прибавкой общечеловеческих, и нет при них английских качеств. Вчера я к чему-то сказала, что мне дадут диван, когда один из жильцов уедет. Она оживилась. "Кто уедет? Когда?" Я не могла удовлетворить ее любопытству. Потом вдруг с ужасом рассказывает мне, что у m-lle Stward любовник (это дело m-elle Stward, кажется, не наше). — Но она не ночует дома! — с ужасом продолжала англичанка. — Так что же, нам с ней не детей крестить. Если 6 m-elle S[tward] была сестра моя, с ней бы еще можно было мне поговорить об этом. M-elle же S[tward] не дитя, верно, знает, что делает, и нам дела нет до нее и даже знать-то не нужно и неприлично о ее поведении. Она хочет уйти в другой дом, где все старики и старухи, там уж должна преобладать нравственность. Любовниц и любовников быть не может, но чем же виновата бедная m-elle Stward? Я думаю, и она, так же, как и другие, не будет иметь любовника, когда состарится. Англичанка еще

*колеблется переходить, потому что в том доме грязь и тес-
нота. Итак, она поставлена выбирать между нравственнос-
тью и удобствами. Потом она мне говорила о нрав[ствен]-
ности] девочки, живущей в глубине сада, которой никто никогда не видит. — Да мало ли кто может жить в доме? —
Но в Англии дома, где по одному семейству живут. Муж
этой англичанки такой смешной, только и делает, что бегает
по Парижу; раз пять в день бегает и возвращается с бу-
тылкой или двумя под мышкой. Куда б я ни пошла, всегда
почти его встречаю или догоняю, он бежит по средине улицы, съежившись и скорчившись так, как будто посторонняя
сила его несет. По временам он бросается направо и налево,
ткнется носом в какой-нибудь магазин, отскакивает и опять
несется далее. Иногда он гуляет с женой, [на улице] я их
не встречала вместе; но двором он идет без своего обычного
полета, но как-то еще более съежившись, плетется за хвос-
том своей бретонки. Он, кажется, принимает немалое участие в бабьих сплетнях.*

А.П. Суслова. Годы близости с Достоевским. С. 89-95.

[Осень 1864]

Не знаю, что вам понравилось сочинение "*В своем краю*", я только знаю то, что на деле творится *в своем краю*. Не угодно ли послушать. Недавно здесь со мною обедал *сановник*, приехавший из Петерб. Он рассказывал, что *сам* обедал с лицами начальствующими в цитаделях и крепостях. Они *не скрывают*, открыто говорят, что пытают и пыткой добиваются *правды*. "Молчит, каналья; ну его в розги! Молчит — ну а как я велел ему ногти повырвать, так *признался*". Другой говорит: "Я их не мало вешал, да что вешать, сперва надо до признания довести". Нравится, что *в своем краю*? А вот еще. Теперь обвиняют (в правительстве и обществе) *русскую молодежь* в поджогах Симбирска и других русских городов — будто русская молодежь с польской жжет Россию. В Симбирске народ (сей народ, у которого хотят, чтобы сапоги все лизали, — просто дикари, вот что теперь еще наш народ) рас-

терзал двух. Вероятно, назначится комиссия *открыть* поджигателей, и откроют!!! С пыткой чего не откроешь! Все, что угодно!

Теперь еще, что *в своем краю* хорошенького. Не зная, как добыть назад [детей] за границу бежавших молодых людей, придумали отлично, по-азиатски (да и там, говорят, это вывелось), брать родителей, отцов, матерей, детей. Теперь *Утина отца* требуют в крепость вместо сына. Успокойтесь, однако. *Суворов* его не выдает. Притом, Утин богат, он откупится. А не угодно ли другим попробовать? Каков *край*! А они там романы пишут *в своем краю*. В своей Татарии! И все это молчит, только по разнице разосланная, растрелянная, угнетенная молодежь гибнет. В земле, где *безнаказанно* совершаются такие беззакония, все проклято. Пути не будет. Эта льющаяся теперь кровь сменится, быть может, потоками другой, только не невинной крови — а результаты?.. Разве через двести лет, когда *России*, этой громадной, глупой, жестокой и невежественной Федоры, уж не будет, а будут различные земли — славянские, небольшие, но вольные, — быть может, тогда будет жить возможно. Теперь в этой Татарии одно Божие проклятие.

Благодарю вас за книги. А где же *Русс. Вест.* и *Магницкий*, о котором я просила? То, что вы прислали, мне было не нужно. Мне именно надо было *Магницкого*. Благодарю и целую за хлопоты всякие. Я взяла попиньку, именно потому, что жаль было расстаться. Я сама нездорова. Многое и это все меня расстроило. Получила известие о новых ссылках, где и *наших* не мало. Я не знаю, когда буду в Париже — как буду, забегу к вам. Целую вас очень крепко.

А *propos*. Я взглянула на подпись. Писал "В своем краю" Леонтьев. Я его знаю *хорошо*. Недоучившийся медик, с ума сходящий из самолюбия и тщеславия, невежества *уничтожающего* и как всегда при этом *самонадеянности* неизмеримой. Это настоящий [сам] потомок длинного ряда Черакезов и Татар. Я прочту этот роман.

Е.В. Салиас — А.П. Сусловой//А.С. Долинин. Достоевский и Суслова. С. 271-272.

4 октября [1864]
Добрейшая Графиня!

Вы мне в последнем Вашем письме сообщаете вести, которые меня поражают, хотя бы, кажется, и можно было привыкнуть. Но подобные случаи убеждают меня, что нужно ехать по возможности скорее и что при ограниченных средствах все-таки можно быть полезной там. Впрочем, может быть, я ошибаюсь; это было бы очень грустно, потому что другого выхода мне нет. Не думайте, однако, чтоб я слишком заботилась о себе.

Роман "В своем краю", тем не менее, хорош.

Не понимаю, как Вы не получили "Русского вестника", я в тот же день его послала, при Изабелле запечатывала у Вашей кузины и тотчас отнесла на почту. Сегодня буду справляться на почте об этих книгах. Я страшно недовольна, что так случилось; я думала, что книги давным-давно получены.

Ваша А. Суслова.

А.П. Суслова — Е.В. Салиас//РГАЛИ. Ф.447. Оп.1. Ед.хр.21.

6 октября, пятница

Идя на урок, встретила поляка, который, Бог знает зачем, был у меня два раза. Первый раз он спрашивал какую-то даму, я ему отвечала из дверей очень сердито; в другой раз он пришел сказать, что получил распечатанное письмо, спрашивал, не я ли его распечатала. Я его пригла-

сила в комнату, выслушала и, когда он кончил о письме, спросила, вставая, все ли, что он имеет сказать? Он смутился, встал и раскланялся. Сегодня, проходя мимо *Ecole de Medecine*, слышу за собой: "Мое почтение"; не оборачиваясь, иду далее. "Мое почтение" повторяется, и вслед за ним является поляк, говорит мне, что, проходя мимо него, я улыбалась, верно, смеялась над ним и смеюсь. Я отвечала, что его не заметила. — А я вас заметил, — сказал он, — потому что имею интерес. — Я на эту пошлость не ответила. Потом спросил, не сержусь ли я на него за то, что он два раза приходил. Я ответила, нет, потому что думаю, что он пришел по серьезным причинам. Он начал мне говорить, с какой ловкостью я его выпроводила, так, что он не нашелся, что сказать, хотя имел желание поговорить. Он еще продолжал довольно пустой разговор, когда я поравнялась с домом, где живет *m-me B*.

Я сказала: прощайте, и перешла на другую сторону. Он остался, но вскоре побежал ко мне и сказал: "Вы опять отделываетесь от меня с такой же ловкостью". Я ответила, что мне нужно идти в этот дом, в котором и скрылась вслед за этим.

Вчера перед обедом в нашем саду встретила Валаха и разговорилась с ним. Сказала, что покупала чай, что я пью чай от скуки, что он заменяет мне все: удовольствие, друзей. Он заметил, что, верно, не очень хорошо заменяет. Я согласилась. Потом он спрашивал, какую нацию я больше люблю, и сказал: "нужно любить соседов валахов". Я ответила, что их не знаю, что они ничем себя не показали, "мы", русские, хоть дурные, да показываем себя".

Петербург, 26 сентября (8 октября) 1864 г.

Ф.М. Достоевский — А.П. Сусловой (несохранившееся письмо).

9 октября, вторник

Вчера, идя на урок (исп.), встретила на *Rue Medecins* Плантатора; он шел по другой стороне улицы с тем самым товарищем, с которым разговаривал подле госпиталя. Он шел, разговаривая и усмехаясь и так низко наклонившись, что я едва узнала его; вероятно, он заметил меня прежде, нежели я его увидела.

Несколько дней тому назад я написала очень интимное письмо лейб-медику, когда он меня не застал дома. Он отвечал на него письмом, холодным до грубости, где говорил, что у него нет довольно времени ходить ко мне (два раза не застал меня), предлагал приходить один раз для уроков и для консультаций, просил сам назначить дни и *часы с условием только не вечером, потому что вечера он посвящает отдыху. С этим вместе назначил день прихода и цену уроков. В назначенный день он явился с видом [?] и стал спрашивать о здоровье. Я ответила и взяла было тетрадь, говоря, что вот занималась. Он вдруг сказал, что не может заниматься и пошел. Я все еще не хотела верить его фатовству и спросила, не сердится ли он на меня. Он сделал удивленные глаза и спросил, откуда у меня такая мысль. "Верно, борьба с долгом кончена и добродетель победила", — подумала я. Меня неприятно поразил этот тон; не в состоянии скрыть своей грусти, я отвечала, что, может быть, ошиблась, и потом прибавила, грустно улыбаясь: "Подите же, подите". После этого, придя в назначенный день, он тотчас начал с важным видом расспрашивать о здоровье, но вдруг небрежно прервал разговор и предложил заниматься. Садясь, он показал мне часы. Я смотрела на него с удивлением и любопытством, но вдруг какая-то грусть схватила мое сердце. Я почувствовала себя оскорбленной глупцом и едва могла удерживать негодование, некоторые идеи читаемой книги увеличили мое волнение. Так что к концу я должна была выйти из комнаты, чтоб скрыть его. Когда он ушел, я плакала. Бедное сердце! Не выносит грубых прикосновений. Этот случай навел меня на серьезные мысли. Я, конечно, поступлю решительно и выйду с честью, потому что ничего не прячу и не виляю.*

Но сколько же сил тратится на то, чтоб отражать такие маленькие нападки!

М-те Робескур больна, вчера сделался нервный припадок, весь дом был встревожен, и всю ночь бегали за докторами и за лекарствами. Я хотела пойти к ней, но не знаю, как это сделать, будет ли это ей приятно. Он был за завтраком, пришел к концу, ему пришлось сидеть подле меня. Он спросил меня о здоровье, его все стали спрашивать о его даме, он спокойно отвечал, что ей лучше. Я тоже думала спросить о ней, но не пришлось, было неудобно.

А.П. Суслова. Годы близости с Достоевским. С. 93–98.

13 октября. Париж [1864].

Дорогая Графиня!

Я только что получила Ваше письмо. У меня вчера была Изабелла и рассказала Вашу радость, что меня несколько оживило. Скука у меня такая, хоть повеситься. Впрочем, это глупо и не только не великодушно, но и бес-

честно с моей стороны. *Я очень рада за Вас: я не думала,
что в это время Вы меня вспомните. Может быть, теперь
Вы не поедете уже в Швейцарию?*

С нетерпением желаю Вас видеть.

*Париж наводит на меня нестерпимую тоску. Я открываю новые доказательства падения рода человеческого.
Я понимаю святых, которые шли спасаться в пещеры.*

*Прежде я смотрела снисходительно на порочных людей, предполагая причину зла в обстоятельствах скорее, чем
в воле человека, а теперь мне приходится видеть, что зло
совершается, — там, где только может совершаться безнаказанно, — с возмутительным равнодушием, без малейшего
сожаления и раскаяния.*

*Я все одна и скучаю иногда, еще великобританцы
меня отчасти развлекают (мои соседи, муж с женой), по вечерам приглашают меня к себе чай пить и болтать.*

*Но я более люблю американку, у которой беру уроки
испанского языка, только она уже очень прозаична.*

До свидания.

Ваша А.С.

*P.S. Сейчас был у меня Утин, меньшой брат, эмигрант, что в Швейцарии. Он очень интересуется с Вами познакомиться и с Вашим сыном. К сыну Вашему он пишет
письмо от Слепцова. Потрудитесь непременно написать
мне, когда будете в Париже. Если Вы желаете познакомиться с Утиным, я скажу, чтоб он ко мне пришел в день
Вашего приезда. Он очень, очень желает с Вами познакомиться. Я его совсем не знаю, видела несколько раз мельком в Петербурге. Он, должно быть, еще мальчик — дитя,
но он хороший и добрый. А.С.*

А.П. Суслова — Е.В. Салиас//РГАЛИ. Ф.447. Оп.1. Ед.хр.21.

[16 октября 1864]

Милая Полинька, будьте завтра дома в три с половиной часа; от трех до пяти я буду у вас. Я приеду в Париж в час, в два буду у Левицкого снимать свою фотографию, а оттуда прямо к вам. Ждите до шести часов. Если Утин в Париже, то я желаю с ним познакомиться. Пригласите его к себе. Итак, до свидания. Целую вас.

Завтра — это во вторник, ибо ныне — понедельник.

Я получила письмо от моего пожилого приятеля Барановского, русского. У его матери, 70-летней женщины, секестровано имение и ссылают ее за *делание корпии во время восстания*. Хорошо? Быть может, хлопотами, просьбами еще можно спасти от Сибири (от ссылки навряд, но ближе), но она уже нищая. В 70-то лет!

Каково правительство — какова сторонка! Что ни говорите, *нигде в другой стране такого рабства, жестокос-* тей, преступлений и бесчеловечий не вынесут. Отчаяние берет.

Е.В. Салиас — А.П. Сусловой//А.С. Долинин. Достоевский и Суслова. С. 272.

[17 октября 1864]

Милая Полинька, я не могла приехать ныне, ибо Левицкий написал, что он не свободен. Я приеду в четверг или пятницу и уведомлю вас заранее. Очень жалею, если вы из-за меня просидели дома, но я уже собиралась ехать на железную дорогу, когда получила записку от Левицкого, что он занят и просит меня приехать в пятницу. Следст., в пятницу после 4 1/2 часов ждите меня у себя — или приходите в два с половиною часа к Левицкому, rue de Chaiseul 22. Я там буду и оттуда могу пройти к вам. Вообще я желаю вас видеть и познакомиться с Утиным. Я думаю, его надо попросить прийти к вам после сеанса Левицкого. Т.е. от Левицкого прямо к вам, а от вас на железную дорогу.

Если я поеду в Швейцарию, то не более как на *две недели*, а в Париж на всю зиму. Мне очень хочется иногда вас видеть, особенно с тех пор, как я знаю, что вы скучаете.

Е.В. Салиас — А.П. Сусловой//А.С. Долинин. Достоевский и Суслова. С. 272.

19 октября

С лейб-медиком почти помирились. Я ему сказала после этого, что я не помню его визитов, что не хорошо их считала и в этом виноват он, его непоследовательность; напомнила, что он когда-то денег не хотел от меня брать даже, но теперь, когда комедия кончена, можно быть точным. Он был озадачен и сказал, что никакой комедии со мной не играл, хотел оправдываться, но я просила его отложить хотя до следующего раза: я была слишком взволнована. При следующем свидании я была весела, и он после некоторого разговора начал так:

— Вы теперь в хорошем расположении духа, так что можно возобновить прошлый разговор.

— Зачем? — сказала я. — Вы мне сказали, что комедии со мной не играли, и прекрасно, значит, кончено, я обязана вам верить. Я сознаюсь, что не имела даже прав говорить то, что было мною сказано, я это сказала только потому, что уж много с вами говорила.

— Но скажите, ради Бога, без обязанностей, — думаете ли вы, что я хотел вам сделать неприятность?

— Вы могли даже не знать, что мне может сделать неприятность.

— А вы знаете, что мне делает неприятность?

— Вы хотите сказать, что были со мной просты.

— Я не скажу этого, потому что была бы слишком прозрачная ложь, я скажу только, что у меня были причи-

ны, которых вы не знаете. *Вы десятой доли того, что есть,
не знаете...*

Он говорил с жаром, и мне было его жаль. Он спросил меня, не неприятно ли мне, что он ко мне ходит, что он
может оставить меня.

— *Нет*, — сказала я, — *зачем?*.. И зачем только
вы меня спрашиваете об этом, вы будто не знаете, что мне
приятны ваши посещения, — добавила я сколько возможно
спокойнее.

— *Да, но оно могло стать неприятно.*

Я ему сказала, что приехал один знакомый русский,
Утин, что у него здесь никого нет, следовательно, он будет
часто ко мне ходить.

— *Зачем же здесь следовательно*, — сказал он серьезно.

Я не поняла его и наивно переспросила.

Когда он повторил так же серьезно, я догадалась и
сильно покраснела.

Утин, услыхав от меня его имя, сказал, что брат его
нехороший человек. Это меня поразило и осветило его многие поступки.

19 октября, четверг

Сегодня за завтраком один француз сказал мне, что
перед моим приходом у них был спор, где лучше жить, в
деревне или в городе; он сказал мне, что *m-eur R.* стоит за
город, но он за провинцию. Я сказала, что удивляюсь *m-eur*
Робескуру, что я не люблю большие города, где нельзя
иметь ни дружбы, ничего. Он говорил, что боится застыть
в провинции, где ни науки, ничего. (Будто нельзя читать
книжки.) А я думала, что жизнь больших городов — жизнь
стада, но не жизнь индивидуальностей, что человек должен
быть человеком прежде всего, а потом гражданином и после
уже ремесленником и ученым. Что мелкая жизнь городов,
подчиненная мелкому интересу, плохое развитие для личности.

А.П.Суслова. Годы близости с Достоевским. С. 98-99.

[19 октября 1864]

Милая Полинька, после обеда около 7 часов я буду у вас; достаньте Утина на вечер. Завтра мне некогда его будет видеть. Если вы его не достанете ныне вечером, то пусть придет завтра утром с вами, в 10 или 1/2 11-го к кузине, rue de L'aneat 40. Но лучше бы и ныне вечером у вас. Эту записку принесет вам Женя.

Е.В. Салиас — А.П. Сусловой//А.С. Долинин. Достоевский и Суслова. С. 273.

20 октября, пятница

Вчера вдруг является молодой С[алиас] от матери с запиской, где она уведомляет, что в этот день придет ко мне. Я его пригласила. Мы говорили вздор. С[алиас] все-таки мне не понравился, хотя я и не ожидала, что он особенно мне понравится, но все-таки ждала лучше: он какой-то вялый. Правда, Грузин неразговорчив, но это не то. Вместе с тем он старается зарекомендовать себя: не то чтобы казаться тем, что он не есть, но показать, что он понимает то и то, но он может казаться довольно простым. Он мне сказал, что, ища меня, встретил какую-то старушку, которая, верно, служила во время óно, но теперь накопила деньжонок и живет в свое удовольствие. Утин в тысячу раз его лучше; живой, смелый, умный мальчик, Грузин всех их лучше.

Вечером пришла Ев[гения] Т[ур] с сыном, пришел У[тин] и Груз[ин], который пришел раньше всех; не ожидая встретить столько лиц и увидя Ев[гению] Т[ур] с сыном, сказал мне тихонько: "Я хочу удрать". — Нет уж, теперь поздно, нельзя, — сказала я ему комически. Он остался. Ев[гения] Т[ур], разумеется, говорила больше всех, и я встретила взгляд, который допытывался, почти спрашивал: "Какое впечатление произвел В[адим]".

Сегодня я, чтоб видеться с г[рафиней], пошла к ее кузине и нашла там всех вчерашних (исключая Груз[ина]); болтали вздор. Они очень уж подружились за это время. След[овательно], я их облагодетельствовала, познакомив.

С В[адимом] я сказала несколько слов насчет языка, причем одушевилась.

Утин спросил меня об Алхазове. Когда я пошла домой, со мной вместе шли У[тин] и В[адим], говорил о Испании. "Это прошедшее", — сказал он. "Но его можно сделать настоящим", — сказал справедливо У[тин].

— Нет, это уж будет не то, это все равно, что второй раз жениться, что второй раз любить, любить можно только однажды.

— Это очень печально, — сказал У[тин]. — Вы так рассуждаете, потому что вы молоды.

Это очень несправедливо, подумала я. Я привела Лук[рецию] Флориани, которая много любила, и ей всякий раз казалось, что она любит в первый и последний раз. В[адим] сказал, что это еще впереди для него и очень далеко. "Будь готов к смерти на всякий час", — заметил

У[тин]. Но тот упорно отрицал. "Вы хороший христианин, — заметил ему Утин. — Смерти не боитесь".

Какое это понятие грубое и чувственное.

Они проводили меня домой. У ворот я хотела прощаться, но В[адим] предложил провожать дальше. — Хотите идти ко мне в гости? — спросила я. Они отказались. Когда я протянула на прощанье руку У[тину], он крепко ее сжал и не выпускал. Я посмотрела на него с удивлением. Я его пригласила к себе, говоря, что каждый вечер дома. Потом я обернулась к В[адиму] и сказала, что надеюсь с ним видеться часто. На дворе нас обогнал Валах. Он мне показался печальным.

Сейчас смотрю в окно, что выходит в сад, и вижу, идет Жюли с одним из валахов, самым некрасивым. Они были ко мне спиной, и мне казалось, что она плакала. Я стала смотреть пристально. Жюли вскрикнула и упала вверх лицом. Валах посмотрел на нее, потом спокойно перешагнул через ее ноги и позвал хозяйку. Та вошла в сад, взглянула издали, сказала с досадой: "Comme c'est inutile" и позвала прислугу. Лакей и горничная втащили бесчувственную Жюли в залу и кажется, что оставили одну, потому что вскоре я слышала, как хозяйка с этим валахом разговаривала весело. Слова валаха, долетевшие до меня, были: mauvais sujet. — Придете обедать? — спросила его хозяйка. — Не знаю, — отвечал он, — какой будет у вас обед. — Она стала вычислять блюда. Больная была одна. Это не так, как в первый раз. Повторение всегда неудачно.

В тот же вечер

С тех пор как Роб[ескур] мне сказал, что едет, и до сегодняшнего дня я все собираюсь попросить у него его портрет, но как-то не пришлось. Я надеялась, что он придет проститься. Сегодня он должен был ехать и пришел ко мне. Я сказала, что жалею его, и попросила его портрет. Он сказал, что у него нет, но что он мне его пришлет, и попросил у меня мой. Я ему дала. Я ему хотела дать книгу, но он попросил ее оставить в знак памяти. Тут вошла англичанка; увидя постороннего, ретировалась было, сказав: "pardon", но я попросила ее войти. Она вошла и посидела. Мы поболтали. Я рассказывала об У[тине]. Англ[ичанка] скоро ушла. Робескур потом сказал мне, когда мы остались вдвоем, что в апреле он приедет и постарается меня отыскать. Потом просил меня писать изредка и, если я буду в Нанси, видеться с ним. Он мне оставил свой адрес. Потом, уже

*совсем уходя, он сжал мою руку и поцеловал ее. Тут я ста-
ла что-то говорить, и голос мой дрожал. Он снова поцеловал обе мои руки. Я взглянула на него, и рука моя обвилась
вокруг его шеи, наши губы встретились... Затем начался
бессвязный разговор, прерываемый поцелуями. Он весь
дрожал, и у него было такое счастливое, улыбающееся
лицо. Я тоже чувствовала себя счастливой, но прерывала
пламенные объятия просьбами меня оставить. Я его отталкивала, то вдруг с увлечением протягивала ему руки. Он
спрашивал, хочу ли я, чтоб он не ехал в Нанси, и когда ко
мне прийти. Я сказала, завтра вечером. Несколько раз начинали мы снова прощаться. Я его гнала, но он упрашивал
еще хоть один поцелуй, наконец, я сама нашла его шляпу и
отворила дверь. После его ухода я немножко оправилась и
со щеками, пылающими от поцелуев, пошла к англичанке.
Возвратясь от нее, я вскоре услышала на лестнице голос m-me
Роб[ескур]. Я подошла к окну и увидала, что она шла по
двору с ним, сопровождаемые прислугой с мешками. Он вернулся и что-то говорил с хозяйкой. Голова моя идет кругом; я
не знаю, что из всего этого будет. Мне кажется, он меня любит, я даже была уверена в этом за два часа до сих пор, пока
не слыхала голоса m-me Р[обескур]. Его лицо было так не-
поддельно счастливо. И этот трепет и дрожание голоса.*

23 октября

Валаха нет, и нет от него писем.

*Вчера был лейб-медик. Я ему сказала, что прекрас-
ный испанец — дрянь. Он возразил, что это слишком решительный отзыв. Я сказала: "Конечно, но все-таки он
плох. И мне сказали, что он красив, — нимало". — "А
брови, брови чего стоят, шириной в мой лоб". Потом я ему
сказала, что облагодетельствовала троих особ, познакомя их
между собой. "То есть способствовали распространению цивилизации", — сказал он.*

*О Печорине он сказал, что он такой же фат, как
Груш[ницкий]. Это сравнение меня поразило, потому что я
перед этим думала точно то же.*

*Утин защищал В[адима], сказал, что долго говорил с
ним и нашел его ничего. Он был поражен моим отзывом,
который не был так резок.*

*Сегодня была англичанка и с негодованием сообщила
мне, что m-me Кобриньо обшивает кружевом чепцы для
бедных и что в Париже по костюму нельзя отличить, к какому классу принадлежит особа.*

2 ноября

Были Усов и Утин. Утин к чему-то сказал, что английская нация узколобая. Усов вступился за англичан. Утин сказал, что политическое их значение теперь пало, так как они были побиты и в вопросе датском и в вопросе польском.

Петербург, 18(30) октября 1864 г.

Ф.М. Достоевский — А.П. Сусловой (несохранившееся письмо).

— Да ведь это ничего не значит. Внешняя политика теперь пала. Они держатся принципа невмешательства. Теперь и Люд. Напол[еон] выводит свои войска из Рима.

— Да, хорош принцип невмешательства; сегодня выводит, а вчера дрались в Мексике; погодите, если завтра не будут драться где-нибудь.

— Это так, все же этот принцип невмешательства доказывает направления умов А[нглии]. В Англии до того распространена свобода, что едва ли где может быть.

— Да, все в руках промышленников.

— И работники свободны.

— Да, благоденствуют без власти капитала, без денег.

— Вот без капитала у них капиталы огромные, они живут лучше наших чиновников.

— Они? что вы говорите! Отчего же у Тэна на каждой странице об этом бедствии? А откуда этот голод?

— Да, это потому, что тут есть одна маленькая вещь, это что не всякий может быть работником.

— А вот то-то и есть, значит, к тому же и пришли.

— Нет, не к тому же. Это положение улучшается. Теперь каждый работник может быть собственником.

— Это ведь весьма малый процент.

— Что ж тут правительство сделает? Правительство не может вмешиваться. Это хорошо, что оно не вмешивается.

— Мы видим, как это хорошо. Отчего ж оно помогает буржуазии? Нет, тут борьба слишком неравная, когда на одной стороне все, а с другой ничего, и вы увидите при следующем перевороте, который должен случиться, потому что готовится.

— Я не могу отрицать, что не случится. Все может случиться. Но я не поклонник революции, мне кажется, давно было пора бросить эту мысль, что революцией только и можно добиться путей; конечно, в стране, как Россия, где шестьдесят миллионов жителей невежд, и если между ними один образованный и ему затыкают горло, — всякое средство хорошо, но там, где есть хоть какие-нибудь задатки, — непростительно. Вы посмотрите, что со временем выйдет из этого скромного начала, которое сделало такие огромные успехи в короткое время. Мы его не замечаем, потому что привыкли к эффектам. Нам нужна революция. (Я не радуюсь революции, но смотрю на нее как на печальную необходимость.)

16 ноября

Эти дни каждый вечер была у гр[афини], у ней был Бак[унин?]. Он мне понравился.

Без веры ничего нельзя сделать, говорил он однажды, но вера иногда убивает. То, что относят небу, отнимается у земли.

На днях как-то лейб-мед[ик] попросил у меня денег; ему это было, видно, трудно. Я ему тотчас дала в форме самой милой. Он был рад. Мы очень много говорили. Под конец, уходя, он начал говорить так: "Талейран сказал, что слово дано для того, чтоб затемнять мысль, а Гейне — что для того, чтоб говорить любезности. Кто из них прав? Теперь вопрос, нужно ли говорить". Я его не поняла... Вскоре он ушел. Я догадалась только после. Вчера он был очень мил. Он простой и милый. Его нельзя полюбить до безумия, но им можно увлечься страстно.

Вчера, когда кончили урок, он захотел сесть ближе к огню и предложил мне подвинуться к камину. Я отказалась, потому что у меня болела голова. — Ну, так и я останусь, — сказал он и снова, через несколько времени, стал предлагать подвинуться.

— Подите один, — сказала я. — Не все ли равно, что за каприз! Мы и так можем <u>говорить</u>.

— Да, именно каприз, но это ничего, каприз — хорошая вещь.

И откуда у него была такая храбрость?

Я пошла к камину, но он поставил свой стул довольно далеко. Увидя хлеб, он попросил позволения его есть. Я согласилась и сама стала есть с ним, предложила чаю, но он отказался, сказав, что я буду хлопотать, тогда как он хотел говорить со мной, притом нужно идти на лекцию.

— Можно и не ходить, — сказала я.

— И то, можно, — сказал он радостно, но спохватился и печально прибавил: "нужно".

Я не настаивала. Он ничего особенного не сказал, но, прощаясь, так просто и <u>наивно</u> благодарил.

Раз, говоря о красивом греке, я сказала, что в первую молодость не обращала внимания на красоту и что первая моя любовь был человек — 40 лет.

— Вам тогда было 16 лет, верно, — сказал он.

— Нет, <u>двадцать три</u>.

<u>*19 ноября*</u>

Сегодня был Вадим. Мы говорили о любви.

— Какой у нас нежный разговор, — сказала я, — впрочем, самый приличный.

— Нет, неприличный.

— Как же с женщиной говорить о любви, о <u>цветах</u>, стихах?

— Стихи и цветы — глупость, а любовь — вещь серьезная, существует от начала мира, и тот, кто ее не ощущал, — не достоин названия человека.

— <u>Ц</u>веты и стихи тоже давно существуют, и кто не ощущает их прелести — не человек.

<u>*30 ноября. Среда*</u>

В воскресенье была в концерте парадном с Carrive. Оттуда шли пешком и говорили. Я его спрашивала о его родине, куда он скоро собирается, и не добилась хорошенько толка.

Он мне сказал, что пойдет по следам своего отца, будет обрабатывать землю, будет иметь семейство, а может быть, и получит место где-нибудь в городе.

Перед этим случилась со мной история: русский доктор, недавно приехавший, повел себя со мной так, что я должна была ему отказать от дома. Carrive у меня его видел, и в субботу спросил о нем. Я сказала, что принуждена была его выпроводить, что я считаю его глупцом. Он сказал, что именно то об нем подумал. Он был доволен, что я ему сказала. Я буду знать, как себя держать с ним (они встречаются в госпитале); я ему ответила, что его ни о чем не прошу.

— Я его вызывать на дуэль не буду, — сказал он, — но все-таки мне лучше знать, что за человек.

Он мне предложил ехать вместе в С.-Жермен, и я с удовольствием согласилась.

Вчера, когда я брала урок по-фр[анцузски], пришли Вадим и У[тин]. Они как-то с шумом вошли и, увидав, что не вовремя, будто сконфузились, однако попросили позволения остаться пять минут и поговорили не-

много. Когда я просила Вад[има] сказать матери, что в этот вечер не могу ехать в Шатль, Ут[ин] посмотрел на меня с такой улыбкой, что мне захотелось в этот вечер пойти к графине показать, что мне нет особенного интереса остаться дома, но я не пошла. Прощаясь, я сказала Б. к чему-то:

— Вы не ходите, а то мы бы посмеялись.

Он говорил, что так много дела; и я знала, что это так.

— Вот бы и остался теперь. Хорошо у вас, да надо на курсы, а там в госпиталь. Вы хоть бы меня пожалели, — сказал он уже из дверей.

— Вы сами себя пожалеете.

— О, не думайте, чтоб я был так горд, чтоб не хотел, чтоб меня жалели.

— Мне нужно самое себя пожалеть, меня-то жалеть некому.

Он поспешно подошел ко мне и пожал мою руку.

— Или отложить до того, когда случится transformation, — сказал он, вспомнив читанную книгу, и ответил сам себе: "или будет поздно..."

— Прощайте.

Он мне говорил, что постарается увидеть меня прежде субботы. Потом он заметил, что молодые люди не затворили дверь и что я должна их за это побранить.

Графиня была сегодня; отдавая ей повесть ее сына, я сказала ей, что на месте цензора запретила бы ее. Вот ловкая штука... лестная и добросовестная.

А.П. Суслова. Годы близости с Достоевским. С. 99-106.

[Осень 1864]

Я замедлила ответить вам, потому что были разные хлопоты, о которых долго рассказывать. Я удивилась вашему письму. Чем это вы хотите помочь общему бедствию? Притом о этих бедствиях нет и сознания. Половина к ним равнодушна, половина и не знает, не слыхала о них. Малая часть *знает*, но еще три четверти этой части уверяют, что это *слухи, вранье*, преувеличение. Целое государство, вся административная машина ринулась в самоуправство, варварство и самодурство. Произвол царит один, общество в апатии (большинство), а народ, погруженный в невежество, ничего не сознает и ни о чем не имеет понятия. Теперь во многих местах он бросается на поляков и раздирает их (к радости правительства) за поджоги. И вы хотите ехать? Для того чтобы *помочь*! Опомнитесь, Полинька, ведь это безумие. Чем же помочь? И если бы была возможность помочь, неужели люди сильные, умные, всесторонне образованные не старались бы помочь. Я не говорю ничего — скучно вам, вы хотите возвратиться, возвращайтесь, но не воображайте, чтобы кто-нибудь мог поправить непоправимое *теперь*.

Я очень еще взволнованна и не

могу писать. Когда приеду в Париж, зайду к вам сейчас.

Е.В. Салиас — А.П. Сусловой//А.С. Долинин. Достоевский и Суслова. С. 273.

...Так думают и мать его тоже и все порядочные люди, следовательно, я покоряюсь, нельзя идти против всех. Еще если б я была уверена, что у меня действительный талант и меня [?] за границу. А то как пойдешь напролом, потеряешь уважение всех людей, и из этого ничего не выйдет.

Итак, я совсем бросила эту мысль. Отдаюсь вся семейной жизни, любви и дружбе. Буду как римская матрона. Постараюсь быть полезной окружающим. Сойтись с Сергеем и друзьями Павла. Учить читать мужиков — мало ли дела около. Куда идти, чего добиваться, когда дома и свет, и простор сердечный, и живые речи...

А.П. Суслова — неизвестному. Черновик письма//РГАЛИ. Ф.1627. Оп.1. Ед.хр.8.

Суббота. Декабрь 1864 года

На днях сделалась больна и к тому же вышла чепуха из-за денег, по которой нужно было ехать к банкиру. Я попросила гр[афиню] прийти посоветовать, что делать. Она тотчас пришла, но была холодна, советовала поручить дело Бенни. Я сказала, что он занят и мы с ним не дружны. Она усомнилась, что он занят. Посоветовала обратиться к Алхазову. Это было более всего невозможно. Посоветовала к Утину. Я не сказала ничего, а когда пришлось говорить, сказала, попрошу хозяйку.

На другой день я послала Утину письмо, прося его поскорее прийти, говоря, что больна. Мне сказали, что сейчас придет, но он пришел через 4 часа и пришел с Салиасом. Он уже был у них и знал все мое дело. Я была взволнована чтением и потом этим явлением и была с ними груба и, особенно, с Салиасом. Когда он сказал: нужно вас посещать, я ответила, зачем?

Утин пришел на другой день, я ему сказала, что вспоминаю, что была груба с Салиасом, и он сознался и сказал, что даже удивился. Сказал еще, что Салиас обиделся за что-то накануне, что было вовсе незаконно.

Я сказала Утину, что видела Carrive'а и что он просил у меня позволения познакомить меня с своим товарищем. — Когда они придут? — спросил он.

Я отвечала: не знаю.

Вот уж самолюбие и затронуто, рады прийти, когда хорошо мне и без них.

— Скучно вам? — спросил Утин.

— Нет, ничего, — ответила я, — я ведь не очень больна и могу заниматься, и чем же отличается собственно теперешняя моя жизнь от всегдашней?

— Я спросил, потому что вы вздохнули.

Прощаясь, он мне сказал, что с ним я не должна опасаться, он будет понимать мои слова так, как надо.

Сделавшись больна, я вечером написала записку Benni; он пришел на другой день рано утром, когда я была в постели. Отворяя дверь ему, я сказала, чтоб он подождал, когда я лягу в постель. Я улеглась. Он вошел. Он был очень встревожен и, прощаясь, жал мою руку так сильно. Я слегка удержала его руку. Но он пошел. Потом он пришел вечером, и на другой день, и на третий. На другой день он долго сидел со мной, сидел, развалясь в противоположном углу, и говорил много, хорошо, но он был совершенно спокоен. Он говорил, как дурно, что люди не уважают свободы других при дружбе, знакомстве даже: "Ну, он мой друг, — говорил он, — какое ему дело, что завтра я украду деньги, всякий отвечает за себя".

Сегодня я брала у него урок. Мне стало жарко сидеть у печки, я отодвинулась и, наконец, ушла. Он сказал, что я очень далеко. — Так подите сюда! — Но он не пошел. Я сказала, что деньги менять нужно, он вызвался мне сам разменять, и я дала ему, чтоб еще раз его увидеть. Он пришел, но в этот раз у меня был Carrive. Он точно не в духе стал, когда заметил его, и скоро ушел, сказав, что придет во вторник, т.е. когда только нужен, потому что я уже почти здорова. Гордый мальчик!

Понедельник

Я теперь думаю о моем возвращении в Россию. Куда я поеду, к кому? к брату, отцу? Я никогда не могу быть свободна так, как мне нужно, и какая цель выносить зависимость? Что у меня общего с этими людьми? Идеи проводить! глупо. Да и детей мне своих никто не даст. Мне кажется, что в России теперь совсем не так худо, как говорят. Ведь какая, собственно, цель всего — чтоб хорошо было народу, т.е. чтоб он ел хорошо, а он ест лучше, чем когда-либо, а с этим он пойдет далеко, а что университеты-то закрыты — экая важность!

*Как-то мой лейб-медик говорил, что нет у него отече-
ства, а что такое значит: иметь отечество?*

14 декабря

*В воскресенье был Алхазов; рассказывал о притес-
нениях, которые у них делают. Он приходит в отчаяние
от невозможности что-нибудь сделать, он хочет ехать в
Турцию: там свободнее. Вот положение современного человека! искать свободы в Турции! Эта мысль мне понравилась.*

*— По крайней мере там не нужно надевать фрака и
перчаток, — сказал он. Потом он говорил, что хотел выписать маленького брата, — там плохи школы, — но разду-
мал, смотря на здешние нравы. — Конечно, я мог следить
за ним, сказал он, но то многое, что могу сделать для него,
не заменит то, чего он лишится: я не могу заменить ему
мать и братьев, природы, всего того, из чего складываются
впечатления, из которых образуется характер, а это главное.
Учение можно добавить после, а характера не приобретешь.
Мы с ним от души потолковали.*

*Сегодня была у гр[афини]. Она только что возврати-
лась из путешествия, провожала m-me О[гареву]. Она мне
рассказывала вещи ужасные: m-me О[гарева] — это женщина, о которой люди всех партий и мнений отзываются
так дурно, бежит от мужа и овладела Г[ерценом]. При ней
Г[ерцен] к ней пришел пьяный, и, как только он вошел, она
ему предлагает вина под предлогом, что некуда вылить.
Она, говорят, и мужа своего прежде так завлекала, спаива-
ла. Расставаясь с S[alias], m-me О[гарева] дала ей записку.
Для О[гарева]? — спросила эта. — О нет, для Г[ерцена].
Скажите ему, чтоб он провожал О[гарева] и ехал скорее ко
мне. Он человек сильный, но я за себя не ручаюсь. — Говоря о своих детях, она сравнивала отношения свои к ним с
отношением Св. Девы к сыну.*

*В субботу, когда я сказала лейб-медику, что еду в
П., — в нем я заметила некоторое волнение. Когда он уходил, я сказала довольно просто:*

*— Можете вы мне сделать одолжение, узнать один
адрес.*

— Чей?

— К.

*Голос мой изменился, когда я произносила это имя...
Он обещал. Я просила не торопиться. Сегодня он*

принес этот адрес. Я очень удивилась, увидав его не в определенное время.

— Дайте бумаги, — сказал он, поздоровавшись.

Я дала и стала выражать удивление, что его вижу. Он избегал произнести имя К. и то, зачем пришел.

Я ушла за углем и, вытаскивая его из шкафа, спросила:

— Вы мне принесли тот адрес, что я просила?

Потом я просила его посидеть. Он оставался недолго и был очень грустен.

Я чувствую, что я мельчаю, погружаюсь в какую-то "тину нечистую" и не чувствую энтузиазма, который из нее вырывал, спасительного негодования.

Я много думала, и мне стало легче. Во мне много предрассудков. Если б я не любила прежде, если б л[ейб]-м[едик] не был моим доктором, наши отношения были бы не те. Куда девалась моя смелость? Когда я вспоминаю, что была я два года назад, я начинаю ненавидеть Д[остоевского], он первый убил во мне веру. Но я хочу стряхнуть эту печаль.

20 декабря

Л[ейб]-медик сказал о графине (после, как я ему сказала, что она его не любит, что он признал: ему было неприятно), что она неспособна никого любить. Как это верно!

Париж, 29 (17) декабря 1864 г.
А.П. Суслова — Ф.М.Достоевскому (несохранившееся письмо).

Montagnard сказал, что предпочитает характер поэзии Андре Шенье характеру Альфреда де Мюссе; о последнем говорит, что он видит зло, ничего не находит высокого, и это потому, что лично он несчастлив, что он слишком везде занят самим собой, что он эгоист.

21 декабря

Был лейб-медик. Он говорил по поводу любви, что в жизни личностей, как и в жизни государств, есть акции и реакции; в одну эпоху человек *любит*, в другую говорит себе: довольно, пускай меня любят, когда хотят, а нет, не надо.

22 декабря 1864 г. [3 января 1865]
...Ответ С[условой].
Ф.М. Достоевский. Записная книжка 1864-1865 гг.// Ф.М. Достоевский. Полное собрание сочинений в тридцати томах. Т.27. С. 97.

31 декабря

Сегодня получила от сестры письмо и отвечаю ей следующим.

14 января

Число людей, у которых легкая победа над женщиной теряет достоинство этой женщины, может быть, гораздо более велико, чем я предполагала.

15 января

Наконец я увидела действие пропаганды. Хозяйка высказала мне претензию за то, что я ей не сказала, что даю Леони. "Вы должны были держать сторону хозяев, а не слуг", — сказала она мне. "М-те, я не могу держать ни сторону хозяев, ни сторону слуг, — сказала я. — Я держусь только правды, впрочем, если хотите, я заплачу деньги, которые вы через меня потеряли", — и я ушла. Она спрашивала прислугу, что я говорила после, та сказала: ничего. Спустя несколько часов *m-me Ruit* приходила ко мне извиняться. Впрочем, не обошлось без донкишотства. Леони, чтоб взять с хозяйки деньги, сказала, что я ничего ей не давала, что у меня куча дела и беспорядок и что я самая беспокойная и изнеженная.

Был сегодня У[тин], с которым мы имели великий диспут о любви, по поводу А.К. Разговор начался с того, что он увидал ее портрет у меня. Я спорила, страшно горячо стояла за В., доказывая, что могли быть уважительные обстоятельства, по которым он с ней разошелся. Я говорила, что несправедливо требовать, чтоб молодой человек отвечал за себя и за других. Он отрицал, говоря, что он должен был жениться и, пожалуй, разойтись на другой день, если разлюбил, или обеспечить. Это мне нравится! В первом случае, значит, молодой человек из-за этого должен навеки отказаться от счастья и любви, ибо во второй раз жениться нельзя. А обеспечить? — следовательно, бедный человек не должен любить.

Я уезжаю из Парижа в какой-нибудь маленький город Франции. Надоела мне общественная ложь, хочу быть совсем одна, — будет правда; а то и одна, а порой кажется, что не одна, чего-то невольно жду, и надеюсь, и беспокоюсь.

Мне хочется быть ближе к природе. Она одна всех награждает одинаково, никому не отказывает в своих дарах. Хотелось мне поселиться на берегу моря, чтоб было грандиознее.

Montagnard был несколько озадачен моим решением. У[тин] немножко тоже. Лейб-медик принял совершенно равнодушно, но после двух положительных напоминаний моих об отъезде спросил: "Неужели в самом деле Вы едете?" Вот вопрос! Каламбур, что ли, я буду строить с ним. Алхазов радовался за меня, моему...

21 января

Вчера обедала в Hôtel Fleures. Рассказывали о женщине, удавившейся: подробности объясняли, как была затянута веревка. "Кто это ее так затянул, вероятно, ее муж", — заметила m-me Верней.

Сегодня мне были медицинские истязания. Я стала советоваться с лейб-мед[иком], куда лучше ехать, и сказала о Исп[ании], Валенции. "Поезжайте в Валенцию, — сказал он, — и я думаю туда ехать. Вам только стоит мне написать". Я была озадачена. "Это роскошь", — сказала я, чтоб сказать что-нибудь. Потом, не обращая много внимания на его предложение приехать, перевела разговор на другой предмет — предложила ему быть моим лейб-медиком _из прекрасного далека_. Он согласился и предложил мне дать рекомендательное письмо к доктору.

Он предложил мне урок через несколько часов, но, придя, предложил отложить урок, найдя меня довольно слабою.

После его ухода [я думала] о грандиозной прогулке в Испанию...

Петербург, 13(25) января 1865 г.
Ф.М. Достоевский — А.П. Сусловой (несохранившееся письмо).

26 января

Вчера был лейб-медик, давал урок, по обыкновению, болтали. Я ему, показывая портрет Катеньки, сказала: "Вот кто хорош". Но ему не очень понравился, он сказал, что его идеал красоты женской — Венера Милосская. Я сказала, что она выражает чувственность. Он не находит этого, говорит, что она такая гордая.

Третьего дня вечером, возвращаясь от обеда, я вздумала о Плантаторе и захотела спросить, там ли он живет, для этого решилась пойти в дом, где, мне говорили, он живет. Я повернула от Одеона к улице Racine. По улице Cornel я встречаю его с какой-то дамой. Было тут очень темно, и я сомневалась, он ли это. Я обернулась несколько раз, и он обертывался. Когда в последний раз я обернулась, он стоял с этой дамой. Сердце мое билось неистово, я перешла улицу и вошла на ступени Одеона. Под сводами, где обыкновенно продаются книги, было темно. Я пробиралась, как вор, чтоб стать напротив его и следить за ним. В это время он с той же дамой перешел улицу и пошел под сводами с той стороны, где продаются газеты и где было освещено. Я невольно шла за ним и следила его в толпе издали. Он шел все далее и далее по улице *Vaugirar*, я *все* шла за ним. Я еще сомневалась, он ли это, около Люксембурга я его догнала и шла шаг за шагом. Мне хотелось видеть в лицо его даму, но не удалось. Я заметила только, что она блондинка. Он мало с ней говорил, с ними шел еще какой-то господин, он шел со стороны Плантатора. Я ничего не могла слышать из их разговора. Подходя к улице М., Плант[атор] обернулся. Тут я хорошо его увидела. Он должен был меня заметить, но не знаю, узнал ли, не думаю этого; он обернулся без всякой внешней причины (по силе магнетизма, что ли?). Я немного отстала. Стыд и горе охватили меня. Я не знала, идти ли дальше или вернуться. Я остановилась, [но] какая-то сила влекла меня вперед, я пошла. Но куда, зачем идти? Я снова остановилась, увидя, что прохожие этой большой улицы смотрят на меня. — M-elle, чего вы ищете? — спросил меня какой-то мужчина. — Убирайтесь, оставьте меня в покое, — отвечала я резко.

Я повернула в темную улицу М. и потом вернулась домой. Моя первая мысль была идти в *Hôtel du Méd[ecin]* и узнать наверное, там ли он живет, но я как-то не решалась идти одна и потому отправилась к граф[ине], надеясь найти там Утина или даже просить самого Салиаса проводить меня.

Я была страшно взволнована, глупо как-то говорила и сказала, наконец, что иду домой. Усов предложил подождать немного и идти вместе, но я отозвалась, что нужно идти сейчас. Гр[афиня] просила Усова остаться, говоря, что я могу дойти одна, так как только 9 час., но я сказала, что я желаю именно, чтоб меня кто-нибудь проводил немного, что потом можно вернуться тому. Утин вызвался настоятельнее. Я старалась быть покойна, как только могла. — Отчего вы хотите, чтобы вас немного проводили? — спросил он. — Так, мне нужно зайти в одно место. Мне нужно узнать адрес одного господина, — отвечала я небрежно и стала говорить о его повести, о моем отъезде.

Он стал спрашивать, кто этот господин, я отвечала уклончиво, и он вскоре стал мне говорить, что я делаю глупости и пр. Мы, однако, зашли в этот дом. Он не хотел спрашивать, я должна была спросить сама.

— Такое имя здесь неизвестно, — отвечал мне хозяин довольно грубо.

— Ну, что, взяли? — спросил меня У[тин].

— Ничего, завтра буду знать, — отвечала я. Потом он опять меня бранил, я оправдывалась и говорила ужасный вздор и очень живо.

— Вы ужасно взволнованы, — сказал он мне.

— Да, — отвечала я и вдруг прервала разговор, оставила его руку и пошла прочь.

А вчера, прощаясь, я сказала лейб-медику, что адрес К. неверен. Он предложил узнать, так как видит его каждый день. И сегодня, идя к гр[афине] по улице Ecole de Médecine, я вдруг встречаю его. Я не ожидала. Я как-то смутилась и растерялась, даже мои щеки облились горячим румянцем, я на него не смотрела, но он был как будто смелее, самоувереннее. Бедное сердце!..

Он, кажется, похорошел. Верхняя губа его покрылась желтым пухом, и это придает мужественный отпечаток его оригинальному, энергичному лицу. Как хорошо это лицо! Есть в нем какая-то юношеская мощь, сама себя не сознающая.

28 января

Вчера за обедом Усов предложил идти в театр Бабино, и мы отправились вчетвером: я, он, хозяин и Никалопуло. Страшная грязь этот театр! Говорятся сальности, и дамы выделывают такие жесты, что смотреть совестно. Это смесь сала и глупости и наглости солдатской. Публика, состоящая из работниц, большей частью хохотала от чистого сердца. Не грязь тут особенно заразительна, а ее смелость и успех, если б я видела подобную картину в [?] это понятно, но в публике, в театре! В нашу ложу, в которой я с Усовым занимаем первые места, забралось множество студентов, которые вели себя очень фамильярно: стучали без милосердия, кричали, делали вслух разные замечания актерам. Усов стал уверять меня, что их выведут, но все ограничилось замечанием прислуги театральной. В антракте У[сов] предложил мне идти в кафе. После еще картины! Страшная распущенность и фамильярность запечатлены на всем и на всех. Около нас сидели двое молодых людей с чахоточными фигурами и дулись в картишки; около одного из них сидела дама и рассеянно что-то пила из чашки. По временам она обращалась к своему соседу, играющему в карты, и клала руку ему на плечо; он, как спросонья, к ней обертывался и трепал ее по щеке. С другой стороны другая дама, но в шляпке, сидела между мужчинами и читала "Petit journal". Сидевший против нее господин, с которым она была фамильярнее, к ней обращался и целовал ее руку. Эти дамы некрасивы и вялы. Хозяйка к нам подбежала с необыкновенной развязностью и, положив свою руку на мою и наклонясь к нам обоим, сказала, что сейчас нам будет спрошенное нами пиво. А в театре я заметила, как делают знакомства молодой человек с дамой, сидевшей рядом. Он в антракте, разговаривая с ней, смотрел ей в лицо и поправлял ее шаль.

Люкрас усердно ухаживает за m-me Верней, но как глупо и нахально это ухаживание. Он становится в стороне от взглядов других в картинную позу и не сводит с нее сладких глаз, садится в конце обеда в соседней темной комнате против дверей и оттуда наводит на нее глаза.

Сегодня лейб-медик давал мне урок. У меня были расстроены нервы, и я несколько раз во время чтения принималась плакать. Он, кажется, был тронут, но, вероятно, не мог определить причины этого волнения. Сначала я сидела на диване, а он у камина, но, когда у соседей стали играть на фортепиано, он подвинулся ко мне довольно близко, облокотился на диван, так что, когда кто-то постучался, он отодвинулся (была племянница хозяйки), но я на него не смотрела и потому не видела ни позы, ни выражения лица. Когда кончили, он спросил, когда прийти. Я назначила вторник, он обещал зайти в понедельник, узнать о здоровье.

Я заговорила что-то о поездке в Испанию. Он сказал, что для нее, кажется, не нужно вовсе визировать паспорта. Я утверждала: нужно. — Вы все знаете, что касается Испании, — заметил он (нет, мало знала, если б знала, не то бы было). Он не сказал, однако, адрес Плантатора. Следующий раз спрошу. Он сказал, говоря о моей поездке, что это хорошее дело, что и ему хотелось бы проехать в те края.

Я ему скажу, что он не понравился племяннице хозяйки, но что я ей сказала, будто он добрый, только с женскими капризами.

4 февраля. Суббота

На днях выхожу из омнибуса около Пале-Рояля. Какая-то девочка подошла ко мне и предложила купить пуговицы. Я дала денег и отказывалась от пуговиц, но она настаивала, чтобы я их взяла. Я взяла пуговицы и дала ей еще денег, но она снова стала совать мне пуговицы, от которых я снова отказывалась.

— Довольно, ей больше не нужно пуговиц, оставь ее, — вмешался кондуктор, стоявший подле, и, обращаясь ко мне, объяснил, что эта девочка никогда не берет денег даром, и при этом воздал ей должную честь.

Сегодня был лейб-медик. Он приходил было прощаться и дать последний урок, но оказалось, что еще увидимся. Он был расстроен и ушел, не докончив урок, сказал, что болен.

— Это заметно, — отвечала я. — Что у вас?

— Не знаю сам.

— Простудились или не спали?

— Не спал, скверно спал. Когда бы не спал, то это по причине, а тут их не было.

Я не говорила ничего, и мы расстались, как обыкновенно.

— Вы непременно придете в понедельник? — спросила я его.

— Да, я ведь должен еще принести вам адрес (разве для этого только?). Он говорил об адресе Кор., но я сделала вид, что понимаю адрес доктора в Montpellier.

Перед этим, когда он был, я сказала, что теперь, когда увидимся, он будет занимать у меня второе место как медик, первое займет сестра.

— Я буду ревновать, — сказал он, — хоть в этом я имею право.

Сейчас был Утин. Говорил очень откровенно. Я ему сказала, что им можно увлечься, но любить его нельзя. Он был очень заинтересован и приставал, чтобы я ему объяснила, почему.

Как это объяснить?

— Странный вы человек, — сказала я и остановилась.

Он опять пристал, чтобы объяснила.

— Я вздор хотела сказать.

— Ну все равно, что за важность!

— Я хотела сказать, отчего ко мне не ходите. Очень просто; и дело есть, и, наконец, медовый месяц с Салиасом.

— Вы не хотите поискать причин поглубже? — сказал он.

Я начала шутить над этим, и он сказал, что он вздор сказал.

— Нет, я знаю, почему вы не ходите ко мне.

— *Что ж, эта причина поглубже тех, которые назвали?*

— *Да... пожалуй.*

Он пристал, чтоб сказала.

— *То, что нами немного занимались.*

Он восстал против этого.

— *Это очень понятно,* — *сказала я.* — *Зачем же ходить к женщине. Во мне ведь не много интересного. Ума-то и знаний не здесь же искать.*

Он шутя стал говорить, что интересуется испанкой. — *Вы разве не видели, как я с ней разговаривал у камина?* — *Я сказала, что видала, но не бывала в обществах и не знаю, что означает ухаживать, быть влюбленным или просто вежливым. Он меня спросил, зачем я так рано уехала. Я объяснила очень просто, что это не рано для меня, что я была нездорова.*

Потом спросил, пишу ли я Д[остоевскому] и отчего не иду за него замуж, что нужно, чтоб я прибрала к рукам его и "Эпоху".

— *Оттого, что не хочу,* — *отвечала.*

— *Как так?*

— *Да так, хотела, так была бы там, а не ехала в Монпелье.*

— *Да, может быть, он сам на вас не женится,* — *сказал он комически.*

— *Может быть,* — *отвечала я.*

Прибрать к рукам "Эпоху"! Но что я за Ифигения!

А.П. Суслова. Годы близости с Достоевским. С. 107-117.

Париж, 2 марта (18 февраля) 1865 г.

А.П. Суслова — Ф.М. Достоевскому (несохранившееся письмо).

22 (10) февраля 1865 г. Лондон

...Насчет Сусловой ты можешь всегда сговориться с отелем в небольшой прибавке или особом блюде (вперед только надобно спросить цену...).

А.И. Герцен — Н.А. Тучковой-Огаревой// А.И. Герцен. Собр. соч.: В 30 т. Т.28. С. 80.

17 февраля. Montpellier [1865]

Дорогая Графиня!

Я только со вчерашнего дня в Montpellier, а Париж оставила в субботу. Не подумайте, что я шла пешком всю эту дорогу. К сожалению — нет. От Лиона до Монпелье почти на каждой станции какие-нибудь памятники исторических событий, так что стыдно ехать по железной дороге.

Я уже была у m-me Огаревой, она меня приняла чрезвычайно любезно.

Я ждала все письма от Вас к этому господину Got, впрочем, m-me Огарева говорит, что и так можно познакомиться.

К Вам уже я не заехала, сберегала свои силы для поездки. Впрочем, всякий непарижский воздух имеет на меня хорошее влияние; я как только выехала из Парижа, почув-

ствовала себя ужасно хорошо, несмотря на страшный холод. Здесь, должно быть, будет скучновато. Мне будет очень приятно хоть изредка получать от Вас письма. Писать мне нужно: *Poste restante.* Сейчас пойду с m-me Огаревой искать себе квартиру.

Ах, графиня, какой великолепный папский замок в Авиньоне! Теперь в нем казармы. Вот здесь было судилище инквизиции, рассказывал проводник, здесь пытки, с этой башни анархисты в 93 году сбрасывали папистов. *Ce moderne,* сказал он, входя в одну залу, где солдаты ели, чистили свою сбрую, пели и бранились... Это была зала совета кардиналов. Кроме замка, я ничего не видела, а там еще могила Петрарки и Лауры, башня Филиппа Красивого и еще что-то. Мне нужно было спешить, чтоб возобновить леченье, без которого, я увидела, что будет плохо.

Ваша Полинька
[P.S.]
Лиза очень довольна куклой. Она теперь какая-то смирная и серьезная. Впрочем, я еще хорошенько ее не видала. M-me Огарева сказала, что она Вам обязана спасением этого ребенка.

Потрудитесь передать мой поклон молодому графу, и не молодому, и Утину. Молодые люди, особенно Утин, нехорошо сделали, что не пришли со мной проститься, но Бог с ними. Еще передавайте мой поклон Усову.

Какая сегодня великолепная погода. И тепло.

Дорогой я познакомилась с одной дамой, которая приглашала меня к себе гостить. Очень милая немолодая женщина, отчасти сентиментальная.

Когда мне нужно будет посоветоваться насчет выбора книг или что-нибудь в этом роде, Вы мне позвольте, Графиня, к Вам обращаться.

Я, должно быть, очень бестолково Вам пишу, не отдохнула хорошенько с дороги. Прощайте.

1865 19 февраля
Добрейшая Графиня!
Вчера я получила Ваше письмо от m-eur Gautt, с которым случайно сошлась у m-me Огаревой. Я ужасно рада Вашему письму. Я не знала, чему отнести, что нет от Вас обещанного письма, и по обыкновению предавалась мрач-

ным предположениям. *Я каждый день ходила на почту (здесь), впрочем, кроме Вашего, ждала еще одно письмо, и всегда возвращалась с тяжелым чувством.*

M-eur Gautt сегодня утром уж был у меня и все, что нужно, предлагал мне устроить. Он мне понравился более других знакомых m-me Огаревой. Здесь несравненно меньше возможностей, чем в Париже, устроить жизнь свою независимо. Здесь предрассудки сильнее, а все и вся на виду, и сплетничать любят, кажется.

Я хотела жить в женском учебном пансионе, но там предлагают невозможные условия, напр., не выходить одной и пр. Я взяла комнату в maison garnie, а обедать буду ходить, как в Париже последнее время.

Я уехала из Парижа, потому что мне как-то было тяжело последнее время, я была сама не своя, не то делала, не то говорила, что нужно. Я чувствовала, что сделаю какую-нибудь глупость, влюблюсь, пожалуй, и буду много страдать. Влюбиться, пожалуй, можно, можно и страдать согласиться, но в том, что мне предстояло, я видела какую-то ложь. Выбор на Montpellier выпал почти случайно. Да и климат здесь лучше и расстояние от Парижа больше. Так что разница значительнее.

Обо мне теперь можно сказать: "От людской любви и дружбы в лес дремучий убежал, стал кореньями питаться, стричься, бриться перестал".

Скучать здесь я, должно, буду сильно.

Здесь тепло, по крайней мере.

До свиданья. Не забывайте Вашу Полиньку.

Здоровье хорошо.

Это я второе письмо Вам посылаю. У меня сегодня тоскливое и сентиментальное настроение духа, чувствую, что вздор напишу, если буду распространяться. Жаль, что бить меня некому.

Лиза смирная, кажется, но, впрочем, любит все, чтоб было по ее вкусу и желанию; может быть, и смирною она мне показалась потому, что тут нраву ее никто не препятствует, так что ей не из-за чего блажить.

А.П. Суслова — Е.В. Салиас//РГАЛИ. Ф.447. Оп.1. Ед.хр.21.

29 февраля. Середа [1865]
Дорогая Графиня!
Третьего дня я получила Ваше письмо, которым, на-

конец, успокоилась. Я так глупа, что не могла сообразить причины Вашего молчания и подняла тревогу, даже Утину писала, чтоб он мне об Вас сказал что-нибудь.

Моя сестра едет в Цюрих по совету Сеченова, который дает ей письма к разным профессорам этого города. Я еще не знаю, когда и где с ней увижусь, а между тем брат зовет скорей к себе, мать и отец ждут, и в Петербурге продержат меня старые знакомые.

Здесь побуду еще месяц для леченья. Лечусь радикально; сегодня только встала с постели после трехдневного лежанья, не шевелясь, даже один день не читала. Впрочем, кажется, окончательно выздоравливаю.

1 марта. Здесь я была нечаянно прервана и до сих пор не могла продолжить этого письма.

Сестра моя уже в Цюрихе, сегодня я получила от нее письмо. Я еще не знаю, останется ли она там и где мы увидимся. Я до сумасшествия рада приезду сестры, потому что чуть не потеряла надежду видеть ее в здешнем мире.

У нас здесь тоже холод. Говорят, лет 90 не было такого холода, 5 градусов холода было вчера. Но здесь ветер только, дождя нет. В Каннах, говорят, сильный дождь выпал.

Прощайте, т.е. до свидания, думаю, что недолго здесь останусь. Да, много будет о чем поговорить. Я очень довольна своей поездкой; все-таки я узнала более или менее еще одну большую сторону французской жизни. Жаль, что нездоровье мешало мне ближе с ней познакомиться, а можно б было увидеть еще многое.

Я никого и ничего здесь не встретила симпатичного особенно, но мне не скучно.

Полинька.
Hôtel Hauradon 9 Rue St.Rock.
А.П. Суслова — Е.В. Салиас//РГАЛИ. Ф.447. Оп.1. Ед.хр.21.

2 марта. Montpellier [1865]
Добрейшая Графиня,

Я только сегодня получила Ваше письмо от 19 февраля. Дело в том, что я оставила на почте мой адрес с просьбой пересылать мне письма на дом, как это я делаю всегда, во всех других городах, но здесь чиновники почтамта не очень аккуратны и, если б я положилась на их [?] и не решилась наконец справиться, отчего так долго нет писем, — мне бы не видать Вашего письма.

После первого моего письма к Вам, о котором Вы пишете, я писала Вам 2 раза и послала Лизино письмо.

В Montpellier жить можно, но Вам и другим лицам было бы невыносимо скучно. Через Го я сделала много знакомых. Да еще мой парижский француз надавал мне писем в разные города к своим кузинам, теткам и т.д. Бездна встречается людей, которые стараются Вам услужить всеми возможными средствами. Из-за чего, подумаешь, хлопочут. Только человек не всегда удовлетворяется тем, что судьба ему посылает.

В эту минуту я немного больна, видимо, сглазила себя, слишком поспешила наслаждаться красотами природы. Тут великолепные виды — воздух, горы и всякие штуки. Когда я смотрю на эти горы и это небо, то начинаю больше уважать в себе человека.

Лиза теперь немного больна, до ее болезни я очень часто виделась с ее матерью. В этой женщине я нашла бездну хорошего, но ее, кажется (я позволяю себе выражение сентиментальное, потому что оно идет здесь), никто не понимает. В ней много странностей, она, кажется, очень несчастлива.

Я очень обрадовалась Вашему письму, хоть и приучаю себя обходиться без людей (симпатичных). Благодарю Вас за предложение насчет книг, теперь я читаю более необходимое: историю Lavallée и историю литературы (французской) Demageot. Если вновь выйдет что-нибудь хорошее, Вы мне скажете. От своих не получаю писем более месяца, но это бывает. Французским языком занимаюсь серьезно, и не так, как с Бенни: уроки идут без примеси жалких слов.

Я теперь хлопочу только устроить жизнь свою так, чтоб ни в чем и ни в ком не нуждаться. Это главное, это обязанность, но пока еще все в идеале.

Го хлопочет об нас (обо мне и m-me Огаревой) как отец родной и совершенно искренне. Он добрый, здесь его не любят, так что он один, но ему хочется быть в хороших сношениях с хорошими людьми. М-me Огарева слишком к нему строга и с ним несколько небрежна, но я его ценю, хотя он мне несимпатичен. Тут много интересных людей, в Париже люди все как-то на одно лицо, а здесь индивидуальность есть.

Пока прощайте.
Ваша Полинька.

Монпелье, 3 марта (19 февраля) 1865 г.

А.П. Суслова — Ф.М. Достоевскому (несохранившееся письмо).

Адрес мой: Montpellier, Rue St.Rock. 9. Hôtel Hauradon. Го и газет разных и книг дает. Мне очень нужно прочесть из Вашего романа "Племянница" рассказ Антонины. У Вас, кажется, нет этой книги, но, может быть, у Вашего сына или у кого-нибудь из друзей Ваших есть. Очень бы Вы меня обязали, если б дали возможность прочесть этот эпизод.

А.П. Суслова — Е.В. Салиас//РГАЛИ. Ф.447. Оп.1. Ед.хр.21.

8 марта. Montpellier.

Здешний народ ужасно добр, но с предрассудками страшнейшими. Когда я была больна, хозяйка со мной сидела и предлагала разные услуги, прислуга забегалась за моими комиссиями, на которые сама вызывалась, и только спрашивала при каждом удобном случае, нет ли еще за чем сбегать. Я люблю здесь простой малообразованный народ более, чем образованный, это, как и везде: необразованные люди готовы все усвоить, что непредосудительно и хорошо. Они уважают смелость, хоть сами и нейдут на нее, но образованные думают, что они уже все знают, до всего дошли и ничему не удивляются. Провинциалы ненавидят парижан, и эта ненависть доходит до смешной крайности, вроде того, как ненависть французов к англичанам. Вчера Го мне говорит, что все умы, таланты вышли из провинции, что парижане дураки; он может доказать парижанину, что книга не книга, а дерево, и тот согласится. В ненависти моего учителя есть что-то злостное, а вместе боязливое. Он и m-eur Chancel меня любят и уважают, они говорят о свободе и правде: все это хорошо, но что будут говорить? — Поверьте, что не так это страшно, как вам кажется.

— Да, да, нужно быть философами, — говорят они.

— Немножко, — отвечаю я.

— Нет, много.

Они любят, когда другие делают свободно, а сами не делают. Они любят свободу платонически.

M-me О[гарева] престранная женщина. То она хочет, чтоб женщины жили отдельно от мужчин, чтоб не вмешивать в жизнь семейную все дрязги хозяйства и видеть только в свободное время (уж не сераль ли), то не хочет, чтобы женщина выходила замуж и паче всего, чтоб не иметь страстей, то хочет выселиться из Европы и составить братство, но нет еще товарищей. Она постоянно убеждает Г[ерцена], что нужно ему патрироваться и писать для

Франции брошюры. Наконец, сегод-
ня мы с ней как будто договорились.
Я говорю, что польза *нужно* приносить, *хоть одного мужика читать вы-*
учить. Она доказывает, что это не
польза, ибо мужику читать еще не-
чего, он забудет читать, ибо книг для
него не написано. Тургенев ему не
годится, непонятен. Только одного
Кольцова он понимает, но с Кольцо-
вым далеко не уйдешь.

— Стало быть, нужно, чтоб
народ сам для себя написал книги.

— Нет, не то. Нужно, чтоб
цивилизованные *в [?] составили*
для модели общество, в котором
бы не венчались и не крестили де-
тей, написали бы книжки для рус-
ского народа (те, которые не забы-
ли русский язык).

— Но как составить такое
общество? Пожалуй, никто не пой-
дет.

Наталия Алексеевна Тучкова-Огарева

— А Лугинин и Усов!

Я просила считать меня кандидатом. Но что я буду
делать, если туда попадут Лугинин и Усов?

Потом она просила меня достать ей яду через моего
доктора. Я, как особа без предрассудков, гуманная и обра-
зованная, обещала ей, но я не знала, как было подступить к
моему доктору с такой просьбой, слишком уж стыдно, и она
меня предупредила, достала сама через своего доктора, ко-
торый глуп и ничего не понял.

Сегодня со мной случилось комическое обстоятельство.

Приходя нанимать здесь квартиру с m-me О[гаре-
вой], я встретила поляка, немолодой человек, который, слы-
ша нас, говорящих по-русски, заговорил; а в день, когда я
перебиралась, ни с того ни с сего зашел ко мне, когда ком-
ната была отворена. Я приняла его холодно и с тех пор не-
дели две его не видала.

Сегодня я его встречаю на лестнице и поклонилась
ему, кажется, первая. Он очень радостно принял мое при-
ветствие и повел меня знакомить со своей женой.

В небольшой комнате я встретила пожилую женщину.

Петербург, 6(18)
марта 1865 г.

Ф.М. Достоевский
— А.П. Сусловой
(несохранившееся
письмо).

При рекомендации я тотчас же почувствовала не-
ловкость.

— М-те, — заговорила я, — хоть я и русская...

— Но... либеральная, — сказал поляк.

— Я не разделяю мнений... — продолжала я.

— Мур[авьева], — сказала за меня дама. — Вы не
русская душой.

— Извините, — сказала я, — всегда русская. — И
тут я почувствовала всю нелепость этого знакомства и по-
спешила повернуть разговор на другие предметы.

А.П. Суслова. Годы близости с Достоевским. С. 118-120.

[Конец марта — начало апреля
1865]

Любезная Mademoiselle Pauline (виновата, не могла вспомнить
имени вашего отца).

Сегодня я к вам с прось-
бой — мне пишут из Дрездена сходить на Poste restante и [дать] справиться, есть ли письма на имя m-me
Polialogute и m-me Zion и дать их адрес, прося пересылать в Дрезден. Так
как порученье это застало меня уже
здесь, будьте так добры, сделайте это
за меня — вот адрес их.

Здесь хорошо, но погода часто
очень не хороша, и дождь, и ветер, и
даже раз снег шел; Гер[цен] приехал,
мы были уже с ним в Ницце.

Как ваше здоровье? Что ваша
сестра, имеете ли вы от нее письма?
Прощайте, крепко жму вашу
руку.

Вторник,
rand. Hôtel
Cannes
Dep. du Var
Преданная вам

N

Н.А. *Тучкова-Огарева* — А.П. Сусловой//А.С. Долинин. Достоевский и Суслова.
С. 278-279.

Montpellier, 24 апреля

Недавно с Hault говорили довольно симпатично. Он
говорит, что русские женщины симпатичнее и лучше рус-
ских мужчин, точно так же, как и итальянки. Он говорит,
что у всякого политического деятеля Италии непременно
где-нибудь сидит женщина, которая его одушевляет. "Я
много имею сношений с русскими женщинами через письма,
— сказал он. — Но отчего у самых легких и ветреных из
них внутри всегда печаль?"

Он говорит, что русская народность вовсе не обещает
такого развития, какое ждут от нее Герцен и другие. Что
Россия тоже имела свою цивилизацию и стоит в этом отно-
шении наравне с другими государствами Запада, что во
французском народе тоже много нетронутых сил.

Потом смеялся над современной фр[анцузской] моло-

дежью, над ее резонабельностью и рассказывал, какие они
были в свое время, сколько было у них удали и энтузиазма.

Вчера он рассказывал, как свободны итальянские и испанские женщины, что молодая женщина, давая вечер, все
время почти остается с человеком, который ей нравится. Все
это замечают и находят натуральным. Все уходят домой, он
остается. При нем она раздевается, даже ложится в постель.
И все это делается свободно, искренно и без злоупотребления.

Вчера была на ярмарке, которая тут только что началась. Прелестно, как хорошо. Балаганы, качели. Я с пле-
мянницей m-me Chancel тоже буду качаться на качелях когда-нибудь вечером. А балаганы! Théâtre de pation, Chiens et
singe savants и пр. А паяцы! Есть одна очень интересная
девочка, которая танцевала на галерее. Танцевала с грацией
и одушевлением. Потом с особенным добродушием каким-
то раздавала билеты. К ней протягивались из толпы разные
жилистые руки. С какой приветливостью улыбалась она и
кивала головой своим знакомым! С какой живостью схватила огромную некрасивую собаку и поцеловала ее в морду.
Подле же стояла другая девочка, помоложе, но похожа на
нее и в одинаковом костюме (она серьезнее и как-то больше похожа на мальчика).

Петербург, 15(27) апреля 1865 г.
Ф.М. Достоевский
— А.П. Сусловой
(несохранившееся
письмо).

А.П. Суслова. Годы близости с Достоевским. С. 120-121.

Петербург 19 апреля 65
Любезнейшая и уважаемая мною Надежда Прокофьевна,
Прилагаю к этому письму к Вам письмо мое к Аполлинарии, или вернее — копию с письма моего к Аполлинарии, посланного ей с этой же почтой в Монпелье. Так как Вы
пишете, что она очень скоро, может быть, приедет к Вам в
Цюрих, то и письмо мое к ней в Монпелье, пожалуй, придет
туда уже, когда ее там не будет. А так как мне непременно
надо, чтобы она это письмо мое получила, то и прошу Вас
передать ей эту копию при свидании. Прошу еще Вас прочесть
это письмо самой. Из него Вы ясно увидите разъяснение всех
вопросов, которые Вы мне задаете в Вашем письме, то есть
"люблю ли я лакомиться чужими страданиями и слезами" и
проч. А также разъяснение насчет цинизма и грязи.

Прибавлю, собственно для Вас, еще то, что Вы, кажется, не первый год меня знаете, что я в каждую тяжелую
минуту к Вам приезжал отдохнуть душой, а в последнее

время исключительно только к Вам одной и приходил, когда уж очень, бывало, наболит в сердце. Вы видели меня в самые искренние мои мгновения, а потому сами можете судить: *люблю ли я питаться чужими страданиями, груб ли я (внутренно), жесток ли я?*

Аполлинария — больная эгоистка. Эгоизм и самолюбие в ней колоссальны. Она требует от людей *всего*, всех совершенств, не прощает ни единого несовершенства в уважение других хороших черт, сама же избавляет себя от самых малейших обязанностей к людям. Она колет меня до сих пор тем, что я не достоин был любви ее, жалуется и упрекает меня беспрерывно, сама же встречает меня в 63-м году в Париже фразой: "Ты немножко опоздал приехать", то есть что она полюбила другого, тогда как две недели тому назад еще горячо писала, что любит меня. Не за любовь к другому я корю ее, а за эти четыре строки, которые она прислала мне в гостиницу с грубой фразой: "Ты немножко опоздал приехать".

Я многое бы мог написать про Рим, про наше житье с ней в Турине, в Неаполе, да зачем, к чему? К тому же я Вам многое передавал в разговорах с Вами.

Я люблю ее еще до сих пор, очень люблю, но я уже *не хотел бы* любить ее. Она не *стоит* такой любви.

Мне жаль ее, потому что, предвижу, она вечно будет несчастна. Она нигде не найдет себе друга и счастья. Кто требует от другого всего, а сам избавляет себя от всех обязанностей, тот никогда не найдет счастья.

Может быть, письмо мое к ней, на которое она жалуется, написано раздражительно. Но оно не грубо. Она в нем считает грубостью то, что я осмелился говорить ей наперекор, осмелился выказать, как мне больно. Она меня третировала всегда свысока. Она обиделась тем, что и я захотел, наконец, заговорить, пожаловаться, противоречить ей. Она не допускает равенства в отношениях наших. В отношениях со мной в ней вовсе нет человечности. Ведь она знает, что я люблю ее до сих пор. Зачем же она меня мучает? Не люби, но и не мучай. Тоже много было в том письме сказанного в шутку. Сказанное в шутку она читает как серьезное с досады, и выходит как бы грубость.

Но довольно об этом. Не вините хоть Вы меня. Я Вас высоко ценю, Вы редкое существо из встреченных мною в жизни, я не хочу потерять Вашего сердца. Я высоко ценю Ваш взгляд на меня и Вашу память обо мне. Я

Вам потому *так прямо* про это пишу, что Вы сами знаете, я ничего от Вас не домогаюсь, ничего от Вас не надеюсь получить, след[овательно], Вы не можете приписать моих слов ни лести, ни заискиванию, а прямо примете их за искреннее движение моей души.

Вы в Цюрихе и надолго, пишет Ваша сестра. Слушайте (если можете и хотите): где бы Вы ни были, черкните мне изредка хоть два слова о себе, уведомляйте меня. Я не требую, чтобы Вы утомляли себя, писали часто. Мне хочется только, чтобы Вы иногда вспомнили обо мне. О Вас же мне в высшей степени будет всегда интересно слышать.

Опять хочу повторить Вам свой всегдашний совет и пожелание: не закупоривайте себя в исключительность, отдайтесь природе, отдайтесь внешнему миру и внешним вещам хоть немножко. *Жизнь* внешняя, действительная развивает нашу человеческую природу чрезвычайно, она материал дает. Впрочем, Вы не смейтесь надо мной очень.

Положение мое ужасающее. Как его улажу, не знаю. Из письма к Аполлинарии кой-что увидите.

Адрес мой покамест тот же. Если напишете мне вскорости, отвечу Вам и приготовлю к тому времени адрес *более постоянный*, который мог бы служить на все время.

До свидания: когда-то? Прощайте. Будьте счастливы, будьте счастливы всю Вашу жизнь. Крепко жму Вам руку и очень желаю с Вами хоть когда-нибудь встретиться. Что-то мы тогда будем оба? А Вы мне всегда будете очень памятны.

Ваш весь Ф. Достоевский.

P.S. У вас теперь юность, молодость, начало жизни — экое счастье! Не потеряйте жизни, берегите душу, верьте в правду. Но *ищите* ее *пристально* всю жизнь, не то — ужасно легко сбиться. Но у вас есть сердце, Вы не собьетесь.

А я — я кончаю жизнь, я это чувствую. Все равно, — Вы мне как молодое, новое дороги, кроме того, что я люблю Вас как самую любимую сестру.

На конверте:
Schweiz. Zürich. Plattenstrasse, N165
Bei Frau Brändli, Fräulein Nad.
Suslowa. Fluntern.
Штемпеля:
С.-Петербург 21 апр 1865, Zürich 6 Mai 65
Fluntern 6 Mai 65

Ф.М. *Достоевский* — Н.П. Сусловой//Ф.М. Достоевский. Полное собрание сочинений в тридцати томах. Т.28. Кн.2. С. 121-123.

Дата этого письма, сохранившегося в автографе, отводит читателя к тому времени, когда прошло уже около полутора лет после итальянского путешествия Достоевского и Сусловой, в течение которых они не виделись: Достоевский жил и деятельно работал в Петербурге, а Суслова, живя за границей, переезжала из города в город для лечения и ради перемены места. Адресат письма — сестра Сусловой — училась тогда в Цюрихе, всецело погруженная в медицинскую науку и в мечты о будущей своей общественной работе в России. Сестры, хотя изредка, в эти годы переписывались, причем, судя по сохранившимся немногим отрывкам из этой переписки, между ними была известная дружеская и родственная интимность, было сходство некоторых переживаний. Над. Прок. не только занималась медициной, но и живо воспринимала современную общественность, была энтузиасткой женского движения, любила Жорж Занд и художественную литературу вообще. Она и сама, подобно сестре Аполлинарии, пробовала свое перо в беллетристической форме, выражая в ней свои взгляды на современность; печаталась она в "Современнике".

К приведенному письму Достоевского, как видно из его начальных строк, присоединено было письмо его к Аполл. Пр. Сусловой или, точнее, копия письма, посланного ей Достоевским в Монпелье; едва ли можно сомневаться в том, что оно было датировано 16 апреля 1865 года и было своевременно получено Сусловой... Содержание его нам неизвестно в точности, но намек на него дают слова Достоевского: в нем было разъяснение всех вопросов, которые Над. Прок. ставила Достоевскому касательно сестры и его отношений к ней, ставила в тоне упрека и обличения. Очевидно, этот вопрос служил темой бесед между сестрами: они обсуждали проблемы любви и в личном смысле, и вообще.

В последней части письма Достоевский обращается к своей корреспондентке с "советом и пожеланием"; "совет" продолжает он и в P.S., становясь в несколько искусственную позу наставника молодежи, умудренного опытом жизни. В содержании этого наставления звучит личная разочарованность, сознание допущенных ошибок и совершенно теоретическое отношение к действительности; мало этого: в совете Достоевского избегать "исключительности", отдаться "внешнему миру" и "внешней природе" чувствуется переживший себя идеализм человека 40-х годов. Фактически — этот "совет" поколению 60-х годов был не нужен; оно уже само шло по той дороге, на которую указывал Достоевский, да и собственный его опыт шел не более как из соприкосновения с этой самой современностью, которая тоже его самого многому научила. P.S. письма написан в несколько сентиментальном тоне, мало идущем к Достоевскому, каким мы его знаем в пору полного развития его гения; он несколько напоминает разочарованный тон "лишнего человека" Тургенева, которого так не любил Достоевский именно за эту его слащавость и позу.

"Ужасающее положение" Достоевского, о котором он говорит в письме, — его финансовые затруднения, вытекавшие из издательских обязательств, принятых им на себя после смерти брата ("Время" и "Эпоха").

Е.В. Петухов. Из сердечной жизни Достоевского (Ап. Прок. Суслова-Розанова). С. 43-44.

Montpellier, мая 6-го

На днях была мне операция, которая меня встревожила и напугала особенно тем, что доктор не предупредил меня о ней. *Почувствовав, что меня режут, я струсила и, думая, что еще будут резать, умоляла доктора оставить меня, но как он не оставлял, это меня убеждало в предположении, что он еще будет меня резать. Боль, страх и обида, что он сделал операцию обманом, раздражили меня до крайности. Я плакала и рыдала. Доктора это сильно смутило и растрогало. Он утешал меня и чуть не поцеловал мои руки, а я его, кажется, обняла. Я скоро успокоилась и, когда, через несколько минут, я лежала на диване, усталая и огорченная, и покорная, и молчаливая, утешая меня, он взял меня за руки и наклонился так близко к моему лицу, что мне стало неловко, и я отвернулась.*

Монпелье, 6 мая (24 апреля) 1865 г.

А.П. Суслова — Ф.М. Достоевскому (несохранившееся письмо).

(Он мне сказал с удовольствием, что уж больше не будет меня ни резать, ни жечь. Это объявление вызвало во мне чувство радости и благодарности.)

Он сказал, завинчивая свои инструменты, что после такой операции я, если выйду замуж, то буду иметь детей. Я сказала, что это меня ничуть не утешает. "Почему же? — спросил он, — все женщины желают иметь детей". "Потому что я не умею их воспитывать", — сказала я. Размышления, нашедшие на меня по поводу этого разговора, навели на меня грусть и вызвали слезы, которые я не удерживала.

На другой день я его встретила спокойно и отдалась его распоряжению с обыкновенной доверчивостью, но, когда он снова начал меня мучить, мне почему-то показалось, что он опять будет меня резать, и, несмотря на его уверение, что мне ничего не будет, я продолжала встревоженно упрашивать его оставить меня в покое.

Эскулап мой вломился в амбицию и говорит: "Вы не верите честному слову медика". В его тоне было что-то такое, что напоминало мне моего лейб-медика, когда на мое замечание, что если мы запремся с ним вдвоем, то можем пострадать за правду, он сказал, что это было бы действительно пострадать за правду. "Потому что все люди не макиавеллисты", — ответила я моему эскулапу, и на этом мы примирились.

Вчера был Gault, и у нас с ним был сентиментальный разговор: о любви, браке и пр. Gault напустил мне тумана, мне показалось, что он как будто меня экзаменовал, допытываясь, сколько раз была я влюблена и вылечилась ли от последней любви. Я ему ответила, что еще не совсем. Потом он отчасти спрашивал, как я думаю устроить свою бу-

дущую жизнь, и советовал мне выйти замуж, тогда как накануне говорил против брака. Весь этот разговор он перемешал рассказами и остротами, в заключение мне предложил полагаться на него, буде мне встретится нужда в совете и пр.

Несколько назад он мне говорил, что брак хоть и полезное учреждение, но для некоторых людей, особенно тех, которые свободы вкусили, — не годится, что жениться хорошо человеку, имеющему собственность и занимающемуся обработкой земли, но тому, кто живет своим умственным трудом, хочет многое видеть и знать, нельзя себя связывать. "А любовь, — сказал он, — страсть что такое? Лишний скандал. Занимайтесь литературой, окружите себя дельными людьми, и только".

Я с ним согласилась. А на другой день мне говорил мой учитель, обожающий свою молодую жену и ребенка, что в любви только и есть счастье. Они все против. Кого же слушать? Вчера Gault мне говорит, что нужно выходить замуж только не по страсти; нужно избрать человека с умственными, нравственными и физическими качествами, с положением в свете.

Может быть, он и прав, может быть, выходя замуж таким образом, я и не удалюсь слишком от его программы жизни умственной, но как бы то ни было, что б ни значили его слова, я дешево не сдамся.

А.П. Суслова. Годы близости с Достоевским. С. 121-122.

16 мая [1865]

Милая Полинька, какие вы чудные: уехали, адреса не прислали, сами не пишите — словом, пропали! Я должна была отыскивать адрес Лугинина и тогда узнала, что и вы живете в одном с ним доме.

Я ездила на пасху в Брюссель; я очень люблю тамошнюю русскую церковь и еще более хозяев моих. Разумеется, приехала я на 4 дня, но прожила более двух недель. Когда заедешь в Брюссель, никогда не знаешь, как выедешь. Ныне да завтра, а все живешь.

А вы что поделываете? Я, не получая от вас вестей, соскучилась по вас. Имеете ли вы известия из России? Я слышала, что "Эпоха" Досто-

евского приказала долго жить, что "Современное Слово", "Отечественные Записки", "Библиотека" при последнем издыхании. Это все доказывает, как много там денег и как любят там читать. Говорят, что Дост. собрал своих сотрудников и, как прилично честному человеку, заплатил все деньги, возвышавшиеся до 40 т. сер., и закрыл журнал. Все это весьма печально. Лучше, как я, сидеть с цветами и птицами. Время приходит такое, что надо *смириться*. Ничего не поделаешь! Будем ждать всего от далекого будущего.

Мое перо не хочет писать, а другого нет под рукою. Целую вас тысячу раз и люблю по-прежнему. Надеюсь, что вам хорошо с сестрою

— ведь вы с ней, не правда ли? Сын мой и Утин вам кланяются. Утин ездил в Берлин с больным братом, которому там делали операцию, и возвратился. Здесь он узнал о болезни другого брата, Николая. Кажется, оба они (т.е. и жена его) больны. Жаль их очень.

Говорят, что Н. Ут. приедет в Париж советоваться с докторами. Верно, и она с ним приедет.

А вы когда? Целую вас, моя милая Полинька, и, надеюсь, до свидания.

Neuilly Rue Peraunet 27.

16 мая.

Ев. С.

Е.В. Салиас — А.П. Сусловой//А.С. Долинин. Достоевский и Суслова. С. 273-274.

---

17 мая. Вторник.

"Презабавная шутка — жизнь, раз ее попробовал. — Видишь, что скверно; но думаешь, нет, это не то, я был слишком опрометчив, слишком скор, и в другой раз человек уж не опрометчив и не скор, — говорит Го. — А вы, вы будете так же, как другие, будете обманывать, будете обмануты".

Петербург, 7(19) мая 1865 г.

Ф.М. Достоевский — А.П. Сусловой (несохранившееся письмо).

27 [мая].

Gault мне объяснил сегодня, отчего на Espelani такие низкие дома. От того, что они vis-à-vis с цитаделью, построенной во время Louis XIII.

А.П. Суслова. Годы близости с Достоевским. С. 123.

[1-ая половина июня 1865]
Boissièe...
Route de Chène.
Genève.

Любезная Аполлинария Аркадьевна.

Книги получила, не могу ли еще чем служить, приказывайте? Время идет, и я радуюсь, что скоро увижу вас и вашу сестру.

Мне бы очень хотелось, чтоб вы съездили в Берн, Г[ерцен] остался очень доволен школой. Ольга отправляется туда послезавтра. Школа эта для народа, из России присланы разные особы осмотреть ее, мне бы хотелось, чтоб вы повидались с этими господами, может, вам было бы это полезно для ваших планов.

Об себе не могу сегодня ничего сказать, я все еще в тумане, не знаю даже, приедет ли сестра или нет, кажется, что нет. До сих пор не решено, где и как мы проведем зиму, — говорят, что Boissière слишком холодна. Читаете ли вы "Колокол"? Когда едете в Россию? Вы бы смеялись, если б видели, как я себя заваливаю матерьяльной работой, чем больше, тем лучше — кто меня бы любил, тот бы меня никогда не избавлял от физического труда, даже если б он вредил здоровью; как-то деревенеешь — и становится понятно, как в крестьянском быту работа спасает человека от страшных страданий. Меня тянет в монастырь, где бы не было религии, а строгий чин, работа беспрестанная да тишина могильная — а вы скажете нет, я знаю, вам жизнь нужна, ну да вы правы, потому что вы *живы*.

Крепко жму вашу руку, а вы пожмите за меня руку вашей сестры, что вы мало об ней пишете?

Что делает m-me Salias? Если вам когда-нибудь случится узнать, чем я могу ей служить, вы мне скажете, не правда ли — я не хочу платить ей за то, что она для меня сделала, а дать себе великую радость быть ей хоть раз полезной перед смертью.

Дайте вашу руку, до свиданья
Вся ваша Наталья.
Мне кажется, что я совсем отвыкла писать...

Н.А. Тучкова-Огарева — А.П. Сусловой//А.С. Долинин. Достоевский и Суслова. С. 279.

[Середина июня 1865]
Boissière.
Route de Chène.
Genève.
Любезная Аполлинария Аркадьевна,

Мы будем дома и очень радуемся вас видеть, но Таты и Мейз. нет.

Они уехали в Берн отдать Ольгу, Тата пробудет дней пять, а

Мейз. месяца два.

Не пишется сегодня — крепко жму вашу руку и также руку вашей сестры.

Вся ваша *N*

Когда бы вам ни вздумалось приехать, напишите накануне, и мы будем вас ожидать — Гер. собирался ехать к Quenet и Мишеле через неделю.

Н.А. Тучкова-Огарева — А.П. Сусловой//А.С. Долинин. Достоевский и Суслова. С. 280.

Цюрих. Plattenstrasse 165 Fluntern. Июня 12 [1865]
Дорогая Графиня,

Очень вам благодарна за уведомление о Вашем отсутствии, я устрою, чтоб с Вами хорошенько увидеться. Мне Цюрих страшно надоел, я готова сбежать хоть сейчас. Так что, может быть, я с Вами увижусь до Вашего отъезда в Швейцарию. Не самый Цюрих и не Швейцария, а рос-
сийский нигилизм выживает меня из Цюриха. Еще можно б было согласиться выносить это российское произведение у себя дома, а то за границей [?] перед чужими людьми. Нет, это слишком тяжело, уверяю Вас.

Вы, Графиня, иногда попрекали меня нигилизмом и коммунистами, но уверяю Вас, что "я с ними не служила". Ибо эта служба, как и всякая другая, казенная служба с бесчисленными обрядами. Но я вдвойне виновата, что, не зная всех таинств нигилистического ордена, стояла за его служителей перед Вами... Но об этом поговорим, может быть, после.

Я на днях думаю ехать в Берн и Женеву. В Берне замечательная какая-то школа, куда сегодня везут Ольгу Герцен. М-те Огарева советовала мне видеть школу и предлагает мне познакомиться у них с какими-то лицами, приехавшими из России для школ.

Я непременно по возвращении в Россию поступаю в школу учительницей. Я буду учить читать деревенских крестьянских детей, а за высокие предметы не берусь. М-те Огарева при всяком случае спрашивает о Вас и вспоминает об услуге, которую Вы ей оказали прежней зимой. Она изобретает средства сделать Вам со своей стороны какую-нибудь услугу. Я ей ответила, что время и доброе расположение, если они есть, ей помогут.

До свидания, добрая Графиня, позвольте Вам желать всего хорошего.

Ваша Полинька.

А.П. Суслова — Е.В. Салиас//РГАЛИ. Ф.447. Оп.1. Ед.хр.21.

17 (5) июня 1865 г. Женева
...Далее вот какие дела. Была нигилистка Симанович и сильно спорила, с ней ее муж-дурак — еще сильнее молчавший; с ними — вице-нигилистка из Цюриха Суслова с сестрой — доктором медицины (эта девушка очень умная — жаль, что ты ее не увидишь...)

А.И. Герцен — Н.А., О.А. Герцен// А.И.Герцен. Собр. соч.: В 30 т. Т.28. С. 80.

Июня 26 [1865]. Цюрих
Дорогая Наталья Алексеевна!
Я получила книгу "С того берега" и ваше письмо. Мы еще не дочитали книгу, потому что девочки (моя сестра и одна наша соотечественница) очень заняты, манкировать лекциями страшно, можно быть на дурном замечании у профессоров; они все педанты. Сестра моя, сознавая всю силу ума и таланта Герцена, не может принять некоторых его мыслей, она как будто искала защититься от них, задумывалась над каждой страницей и не спала ночь после этого чтения. Это хорошо, что не скоро сдаются, но главная причина непонимания Герцена — в необразовании. Наши петербургские женщины и мужчины даже ничего не хотят читать, прочесть ищут все готового, чего-нибудь полегче, и оттого развиваются в одну сторону. Я им ставлю в пример Герцена, учителя, лучше которого у нас не было и нет, который сам так образован и никогда не рекомендует, как наши петербургские либералы, — не читать.

Я не знаю княгини Голицыной, один раз только ее видела. Говорят, она очень умна, но, должно быть, крайне одностороння. Притом, знаете, сколько во всех нас, русских этого времени, завладевших силой вершками образования и свободы, — угловатости. Мы или не в меру застенчивы или не в меру дерзки, часто то и другое вместе, к этому *бездна самолюбия, ложно понятого, и всякой нетерпимости. Это явления ненормальные. Сильные натуры перерабатывают всю эту дрянь и выходят людьми, другие остаются изуродованными на всю жизнь. Смеяться над ними грешно, сердиться не стоит.*

В Берн непременно съезжу. Скажите, как там найти эту школу.

Я не знаю, что вы находите в Лугинине, я его знаю за очень доброго человека, но он мне несимпатичен, его взгляд на Россию нехорош, даже циничен.

Я очень рада нашей переписке, она мне доставляет большое удовольствие.

Книгу "С того берега" вам пришлю, как только прочитаю; я ее берегу пуще своего глаза, а другие я теперь дала почитать своей соседке, жене русского доктора, очаровательной женщине, очень молоденькой, и простой, и умной.

Ваша Аполлинария Прокофьевна Суслова

А.П. Суслова — Н.А. Тучковой-Огаревой//Литературное наследство. Т.62. С. 432.

Июня 26, Цюрих [1865]

Добрейшая Графиня,

Мне очень досадно, что до сих пор я не могла написать Вам и, таким образом, лишила себя удовольствия иметь от Вас известие, так как я писала Вам в небольшом письме из Цюриха, то скоро напишу другое.

Ваше дорогое письмо, которое я нашла по приезде в Цюрих, вызвало у меня желание передать Вам все, что у меня было на душе, поэтому мне хотелось на свободе поговорить с Вами, но тут я не настолько свободна, чтоб спокойно говорить и думать: у меня голова идет кругом от рассказов о Петербурге. Потом я все рассматривала петербургских лиц, которых здесь нашла, наконец читала вместе с другими разные книги, которые нужно было кончить.

Теперь не знаю, с чего начать писать Вам. Все, что прежде думала, смешалось или испарилось.

Мне приходится часто Вас вспоминать по поводу разных споров, которые я веду с нигилистами. У них в Петербурге в последнее время было Вавилонское столпотворение, от которого самые здоровые головы пострадали. Нужно с Вами согласиться, что необразование у нас страшное, и это, может быть, главная причина зол. Мне приходится здесь защищать многие из Ваших мнений, даже те, с которыми прежде сама не соглашалась. Я иногда заставляла Вас выслушивать дичь, мне даже стыдно вспомнить.

Надеюсь скоро с Вами увидеться. Мне нужно непременно знать, будете ли Вы в Париже, когда я туда приеду (месяца через полтора). Если в это время Вы будете в отсутствии, я могу приехать несколько позднее, чтоб непременно Вас застать, потому что я останусь в Париже на неделю и оттуда прямо отправлюсь в Россию.

Будьте так добры, потрудитесь написать мне, когда я Вас застану в Париже.

До свидания, добрая, дорогая Графиня.

Мой поклон Вашему сыну. Я слышала, что он был в Женеве, значит, Вы опять были одна. Напишите мне хоть несколько строк, как и где Вы все это время. А здесь ужасная тоска с немцами, но сестра меня радует. Она вышла хорошей и доброй девушкой, хотя все еще немного завирается.

Ваша Полинька.

P.S. Я немного застала здесь Лугинина, он просил меня Вам от него кланяться. Теперь он куда-то уехал. Если Вы знаете что-нибудь о жене Утина (Николая), то потрудитесь мне написать, мне хотелось ее увидеть, но я не знаю, как ее найти. Эта женщина, кажется, очень несчастлива и меньше всех виновата в своей судьбе. Я не знаю наверное адреса Евгения Утина, а то бы я от него могла узнать наверное о жене его брата. А.С.

Я, кажется, писала Вам, что была в Женеве и видела семейство Герцена и Огарева. Огарев значительно, на мои глаза, постарел с того времени, как я его видела у Вас, кажется, он очень болен. Они все просили меня Вам очень много кланяться. М-те Огарева с Мезенбук думают школу какую-то заводить, но что-то не вытанцовывается.

Буду ждать с нетерпением письмо от Вас.

А.П. Суслова — Е.В. Салиас//РГАЛИ. Ф.447. Оп.1. Ед.хр.21.

---

28 июня [1865]

Милая Полинька, я пишу через силу, ибо совсем больна. Я никуда теперь не располагаю ехать, но если бы уехала (внезапно), то напишу вам. Между нами сказать, по секрету, у меня было много горя, но писать об этом неловко. При свидании, разве, если скажется, то скажется.

Вы не сетуйте, что писать не могу, — страшно устала от этого. Я пишу целый день, но в саду.

Меня не удивляют Петерб. безобразия. Недавно я здесь видела также образчик. Вы честный человек, Полинька, и когда приедете, я расскажу вам, а пока обо всем молчите. Я не хочу предположений и комментариев от вашего рассказа. Утин с женою на водах где-то. Он через две недели будет в Париже.

Она больна, *но не несчастлива*. Я ее видела, и она мне очень понравилась, по своей скромности и приличности. Я думаю, что все, что о ней говорят, одни сплетни. Мы, русские, ими богаты, и отличаются русские сплетни от европейских своим неприличным характером. Грубость, разврат, клевета — вот русская сплетня

— это [?] не простые пересуды, а [?] более отвратительное.

Целую вас. Вы бы [?] дорогая девушка [?] всех отношениях, если бы не попали в Петерб. омут, где у вас многое в голове смешалось и взболталось. Одно за вами несомненное и дорогое и для меня неоцененное: ваше нежное сердце и ваша неподкупная честность и искренность. Христос с вами. Я прошу Бога просветить вас светом истинным.

Е.В. Салиас — А.П. Сусловой//А.С. Долинин. Достоевский и Суслова. С. 274-275.

29 июня. Цюрих

Сегодня видела какое-то национальное торжество, встреча стрелков. Первый мне дал знать о нем, когда я выходила из библиотеки, старик, служащий в ней при выдаче книг, а потом, когда я сошла вниз, встретила Вериго, он объяснил мне и предложил идти вместе смотреть. Этот господин уже давно, с самого моего приезда [уделял] какое-то особенное внимание. Раз, когда я за чаем спросила вина и мне подали воды, не желая сконфузить прислугу, я хотела показать ей, что именно этого было нужно, но не знала, куда деть воду, пить не хотелось, он храбро налил стакан, взглянул на меня выразительно и выпил залпом. К счастью, никто не заметил. Сегодня, насмотревшись на стрелков и затем на горы, мы пришли вместе пить чай. Уходя после чаю из столовой, я предложила Княжниной гулять. Она пришла и сказала, что с нами идет В., но ему прежде нужно зайти в лабораторию; мы отправились вместе. В лаборатории он мне показывал разные вещи, какое-то очень красивое вещество, и потом сделал искусственное освещение. Я его уговаривала не делать ничего опасного, говоря, что я трусиха. Он говорил, что опасного нет. Я ему поверила и осталась подле него, тогда как К[няжнина], химик, убежала, и когда хлопнуло, я схватила его за руку и отдернулась.

27 июня. Цюрих

Были мы все когда-то на празднике стрелков; дорогой, на одной станции, не успевшие сесть в вагон дети заплакали. Я с беспокойством следила за ними. Сидевший против меня молодой человек сказал в успокоение мне, что он скоро возьмет другой вагон. С девочками у меня постоянные споры, в Женеве когда были — тоже...

Вчера, когда я рассказывала про американцев, путешествующих пешком в Европе, говорят, что это глупо, знание страны, осматривания не нужны. Я хотела после этого уехать, но не удалось, да и к чему?.. Жена соседа-доктора толкует о естественных науках, но допускает живопись только плохую. Говорит, что в исторической живописи нечего понимать и никто не может ее понять. Кто же может понимать, человек, не понимающий горести [?], которого рисовал мой знакомый испанец?

— Как, изучать страну нельзя?

— Конечно, без естественных наук ничего нельзя.

30 июня. Цюрих

Вчера ходили гулять с Лиденькой. Она говорит о своей глупости, я жалею, что ей возражала, она просила меня остановиться посмотреть картины. Я указала ей на Венеру Милосскую, она с презрением отвернулась, дескать, искусство, его надо отрицать, а виды Швейцарии на лубочных картинках, вот так знаменитые женщины XIX столетия. "Ах ты, сукин сын, камаринский мужик". Rien n'est sacré pour un tapeur.

А.П. Суслова. Годы близости с Достоевским. С. 123-124.

[Конец июня или начало июля 1865]

Хотелось отвечать длинным письмом на ваше, но вообразите себе, что ни минуты нет — m-lle Turner серьезно занемогла — ее болезнь похожа на вашу, но еще труднее. Доктор говорит, что она должна воротиться в Англию и поселиться в больнице навсегда — жаль ее, бедную.

Я была очень рада вашему письму, работайте, трудитесь, от всей души желаю вам и сестре вашей успеха — проводите мысль серьезного освобождения женщины, ее серьезного права на жизнь и труд — победите неверующих серьезностью жизни вашей, строгостью к себе — жизнь идущих по новому пути не совсем им принадлежит, надо жертвовать многим личным для осуществления новой мысли в этом старом мире.

Посылаю вам последнюю брошюру Г[ерцена] о литер., не могу найти до сих пор: la France ou l'Angle[terre], если найду, пришлю тотчас.

Читайте "С того берега" с вашей сестрой, с каждым днем яснее становится воззрение Г[ерцена] на Европу (она его оправдывает), Америка и Россия все ярче выступают, а в Европе какой-то лепет страха и удивленье. Через сто или двести лет будут дивиться чутью Г[ерцена], пожалуй, будут сомневаться, что это все он говорил, как сомневаются иные в Шекспире.

Прощайте, дорогая m-lle Pauline, опять забыла имя вашего батюшки, простите меня, вы знаете, я немного пришибленная. Насчет наших планов ничего еще не могу сказать — это было бы мое счастье, но средств мало — как будет что-нибудь положительное, сейчас вам напишу. M-lle

Meysenbourg думает, что, если вы хотите сделаться преподавательницей в школе, вам бы хорошо осмотреть лучшую школу в Европе на вашем пути в Россию. Школа эта в Франкфурте — мы все узнаем, и Мейз. может об вас написать, если вы хотите.

Крепко жму вашу руку и от души благодарю за ваше доброе посещение. Дружески кланяюсь вашей сестре.

Вся ваша *N.*

Хочу выпросить мой портрет у детей, будет с них оригинала, и тогда пришлю вам. [Лизин Г. отдает сегодня фотографу — я наверное пришлю до вашего отъезда.]

Ваше участие ко мне лично меня трогает, внутренно мне все так же больно и противна жизнь — я отпетая — работа, постоянная работа, хоть малейшая польза, вот единственный выход, а самый естественный все-таки смерть — как я ее уважаю и люблю теперь, она конец страданий! — что же было бы без нее для несчастных?

Деньги я получила, простите, что не написала.

Н.А. Тучкова-Огарева — А.П. Сусловой//А.С. Долинин. Достоевский и Суслова. С. 280-281.

8 июля. Цюрих [1865]
Добрейшая Графиня,

Уже больше недели прошло, как я получила Ваше милое письмо. Вы все такая же добрая. В это время тоже немножко больна, мне каждый месяц приходится по нескольку дней лежать в постели, и я не страдаю, если не встаю.

Мне очень больно, что Вы в горе и беде. Чаю, не очень сладко было жить при виде всех [?], которые совершались и совершаются. Вы не легко их переносили. Взять бы да к Вам и уехать, но и здесь у меня близкое и милое существо, моя сестра, которой тоже не очень тепло жить на свете. Мне теперь все хорошие люди вдвое дороже, потому что я вижу, что их не так много, как казалось, и что на их долю достаются всевозможные страдания. Никакие несчастья, никакие нелепости человеческие не пройдут мимо, не задев их сердца или чувства человеческого достоинства. Есть люди хорошие, до известной степени, хорошие отрицательно, которые честны сами по себе и делают свое дело, независимо ни от каких событий, хотя и говорят о них постоянно. Таким людям и нужна преданность и симпатия, но я им, право, не завидую. Это, должно быть, люди более или менее ограниченные.

Здесь тоска ужасная. Это настоящее <u>допотопное государство</u>, как сказал Герцен. Я целый день почти одна, сестра уходит на лекции, когда я еще сплю, а после обеда на практических занятиях. Только половина субботы и целый день воскресенья свободны. Тут мы читаем вместе и веч-

но спорим по поводу читанного. К нам присоединяются соседи: русский доктор с женой — люди очень милые и приличные, и одна <u>нигилистка</u>. С последней все ведем войну за некоторые выходки нигилистические и довольно успеваем.

В августе месяце, когда здесь начнутся каникулы, собираемся все в Париж по train de plaisance. Здесь недавно был какой-то [?], но я его видела мельком. Он говорил, что был у Вас в Париже и что Вы обо мне вспоминали. Я кое-что почитываю, больше историческое, и очень хандрю, особенно когда больна. Нездоровье должно мне очень мешать во всем.

До свидания, дорогая Графиня.
Желаю Вам всего хорошего, главное здоровья.
<u>*Ваша Полинька.*</u>
P.S. Не оставляйте меня долго без известий об Вас.

А.П. Суслова — Е.В. Салиас//РГАЛИ. Ф.447. Оп.1. Ед.хр.21.

Цюрих, 7 августа (27 июля) 1865 г.
А.П. Суслова — Ф.М. Достоевскому (несохранившееся письмо).

Цюрих, 13 (1) августа 1865 г.
А.П. Суслова — Ф.М. Достоевскому (несохранившееся письмо).

[1-я половина августа 1865]
Любезная Аполлинария Прокофьевна.

M-me Salias уже давно здесь — а от вас ни строки — я думала, что вы приедете с ней повидаться.

Что вы поделываете, что ваша сестра, собирается ли она в наши края на вакации?

В Людмиловке происходят перемены, Якоби едет в Берн, Шелгунова на водах, говорят, будто Голицына одна хозяйничает — вот как.

Кланяюсь дружески вашей сестре, а вас прошу не забывать совсем преданную вам *N. Огареву.*
Воскресенье.

Н.А. Тучкова-Огарева — А.П. Сусловой//А.С. Долинин. Достоевский и Суслова. С. 281.

В августе 1865 года Достоевский, будучи за границей, виделся с Сусловой в Висбадене; к сожалению, мы ничего не знаем о характере этого свидания: Суслова не записала о нем в своем Дневнике ни слова, хотя продолжала вести его с известной последовательностью, и даже сообщает в нем, под 17 сентября 1865 г., об эпизоде нового своего увлечения: ясно, что прежняя страсть к Достоевскому уходила в прошлое.

Е.В. Петухов. Из сердечной жизни Достоевского (Ап. Прок. Суслова-Розанова). С. 44.

10 (22) августа 1865. Висбаден
Вторник.

Милая Поля, во-первых, не понимаю, как ты доехала. К моей преск黁internейшей тоске о себе прибавилась и тоска о тебе.

Ну что если тебе не хватило в Кельне и для третьего

класса? В таком случае ты теперь в Кельне, одна, и не знаешь, что делать! Это ужас. В Кельне отель, извозчики, содержание в дороге — если и достало на проезд, то ты все-
таки была голодная. Все это стучит у меня в голове и не
дает спокойствия.

Вот уж и вторник, два часа пополудни, а от Г[ерце]-
на ничего нет, а уж время бы. Во всяком случае, буду
ждать до послезавтрого утра, а там и последнюю надежду
потеряю. Во всяком случае, одно для меня ясно: что если
никакого не будет от Г[ерце]на известия, значит, его и в Же-

Игорный зал в Висбадене. С фотографии 1860-х годов

неве нет, то есть, может быть, куда-нибудь отлучился. Я потому так наверно буду заключать, что с Г[ерце]ном я в очень
хороших отношениях, и, стало быть, быть не может, чтоб он
во всяком случае мне не ответил, даже если б и не хотел или
не мог прислать денег. Он очень вежлив, да и в отношениях
мы дружеских. А след[овательно], если не будет *никакого* известия, стало быть, его нет в Женеве в настоящую минуту.

Между тем положение мое ухудшилось до невероятности. Только что ты уехала, на другой же день, рано утром, мне объявили в отеле, что мне не приказано давать ни
обеда, ни чаю, ни кофею. Я пошел объясниться, и толстый

немец-хозяин объявил мне, что я не "заслужил" обеда и что он будет мне присылать только чай. И так со вчерашнего дня я не обедаю и питаюсь только чаем. Да и чай подают прескверный, без машины, платье и сапоги не чистят, на мой зов нейдут, и все слуги обходятся со мной с невыразимым, самым немецким презрением. Нет выше преступления у немца, как быть без денег и в срок не заплатить. Все это было бы смешно, но тем не менее и очень неудобно. И потому, если Г[ерце]н не пришлет, то я жду себе больших неприятностей, а именно: могут захватить мои вещи и меня выгнать или еще хуже того. Гадость.

Если ты в Париж доехала и каким-нибудь образом можешь добыть хоть что-нибудь от своих друзей и знакомых, то пришли мне — maximum 150 гульденов, а minimum сколько хочешь. Если б 150 гульденов, то я бы разделался с этими свиньями и переехал бы в другой отель в ожидании денег. Потому что быть не может, чтоб я скоро не получил, и во всяком случае тебе отдам задолго прежде отъезда твоего из Франции. Во-первых, из Петербурга (из "Библ[иотеки] для чтения") *наверно* пришлют самое большее дней через *10* на имя сестры твоей в Цюрих, и во-вторых, если б даже Г[ерце]на и не было в Женеве, то во всяком случае, если он надолго уехал из Женевы, то ему, стало быть, пересылают приходящие на его имя в Женеву письма; а если он ненадолго уехал, то, стало быть, воротившись, сейчас ответит, а, след[овательно], я во всяком случае скоро получу от него ответ. Одним словом, если что можешь сделать для меня, но не отягчая очень себя, то сделай. Адрес мой тот же: Wiesbaden, Hôtel "Victoria".

До свидания, милая, не могу поверить, чтоб я тебя до отъезда твоего не увидел. Об себе же и думать не хочется; сижу и все читаю, чтобы движением не возбуждать в себе аппетита. Обнимаю тебя крепко.

Ради Бога, не показывай никому письмо мое и не рассказывай. Гадко.

Твой весь Ф. Д[остоевский].

Подробно опиши мне свое путешествие, если были неприятности. Сестре поклон.

Если же Герцен пришлет до твоего письма, то я, во всяком случае, уезжая из Висбадена, сделаю распоряжение, чтоб мне письмо твое переслали в Париж, потому что я туда немедленно поеду.

Ф.М. Достоевский — А.П. Сусловой//Ф.М. Достоевский. Полное собрание сочинений в тридцати томах. Т.28. Кн.2. С. 129-130.

[Висбаден] Четверг, 24/12 августа. [1865]

Я продолжаю тебя бомбардировать письмами (и всё нефранкированными). Дошло ли до тебя мое письмо от третьего дня (от вторника)? Доехала ли ты сама в Париж? Всё надеюсь получить от тебя сегодня известие.

Дела мои мерзки до nec plus ultra; далее нельзя идти. Далее уж должна следовать другая полоса несчастий и пакостей, об которых я еще не имею понятия. От Герцена еще ничего не получил, никакого ответа или отзыва. Сегодня ровно неделя, как я писал ему. Сегодня же и срок, который я еще в понедельник назначил моему хозяину для получения денег. Что будет — не знаю. Теперь еще только час утра.

Быть не может, чтоб Герц[ен] не хотел отвечать! Неужели он не хочет отвечать? Этого быть не может. За что? Мы в отношениях прекраснейших, чему даже ты была свидетельницею. Разве кто ему наговорил на меня? Но и тогда невозможно (даже еще более тогда невозможно), чтоб он *ничего* не отвечал мне на письмо мое. И потому я еще убежден, покамест, что письмо мое к нему или пропало (что мало правдоподобно), или он, к несчастью моему, теперь отлучился из Женевы. Последнее самое вероятное. В таком случае должно выйти вот что: или 1) он отлучился ненадолго, и в таком случае я все-таки на днях (когда он воротится) могу надеяться получить от него ответ; или 2) он отлучился надолго, и в таком случае всего вероятнее, что ему перешлют письмо мое, где бы он ни был, потому что наверно уж он сделал распоряжение о пересылке к нему писем, приходящих на его имя. А следств[енно], я опять-таки могу надеяться получить ответ.

Надеяться получить ответ буду всю неделю до воскресения, — но, разумеется, только надеяться. Положение же мое таково, что уж теперь одной надежды мало.

Но все это ничто сравнительно с тоской моей. Мучит меня бездействие, неопределенность выжидательного положения без твердой надежды, потеря времени и проклятый Висбаден, который до того мне тошен, что на свет не глядел бы. Между тем ты в Париже, и я тебя не увижу! Мучит меня еще Герц[ен]. Если он получил от меня письмо и *не хочет* отвечать — каково унижение и каков поступок! да неужели я заслужил его, чем же? Моей беспорядочностью? Согласен, что я был беспорядочен, но что за буржуазная нравственность! По крайней мере, отвечай, или я не "заслужил" помощи (как у хозяина обеда). Но быть не может, чтоб он не отвечал, его наверно нет в Женеве.

Я просил тебя, чтоб ты меня выручила, если можешь занять у кого-нибудь для меня. Я почти не надеюсь, Поля. Но если можешь, сделай это для меня! Согласись, что трудно сыскать положение хлопотливее и тяжелее того, в котором я теперь нахожусь.

Это письмо мое будет последнее до тех пор, пока не получу от тебя хоть какого-нибудь известия. Мне все кажется, что в Hôtel "Fleurus" письма как-нибудь залежатся или пропадут, если ты не там сама. Потому не франкирую, что нет ни копейки. Продолжаю не обедать и живу утренним и вечерним чаем вот уже третий день — и странно: мне вовсе не так хочется есть. Скверно то, что меня притесняют и иногда отказывают в свечке по вечерам, в случае, если остался от вчерашнего дня хоть крошечный огарочек. Я, впрочем, каждый день в три часа ухожу из отеля и прихожу в шесть часов, чтоб не подать виду, что я совсем не обедаю. Какая хлестаковщина!

Правда, есть отдаленная надежда: через неделю и уж самое позднее дней через десять получится что-нибудь из России (через Цюрих). Но до тех пор мне без помощи добром не прожить.

Не хочу, впрочем, верить, что не буду в Париже и тебя не увижу до отъезда. Быть того не может. Впрочем, в бездействии так сильно разыгрывается воображение. А уж у меня полное бездействие.

Прощай, милая. Если не случится никаких приключений очень особенных, то больше писать не буду. *До свидания.* Твой весь

Дос[тоевский].

P.S. Обнимаю тебя еще раз, очень крепко. Приехала ли Над[ежда] Прок[офьевна] и когда? Кланяйся ей.

4 часа.

Милый друг Поля, сию минуту получил ответ от Герц[ена]. Он был в горах и потому письмо запоздало. Денег не прислал; говорит, что письмо мое застало его в самую безденежную минуту, что 400 флор. не может, но что другое дело 100 или 150 гульд., и если мне этим было бы можно извернуться, то он бы их мне прислал. Затем просит не сердиться и проч. Странно, однако же: почему же он все-таки не прислал 150 гульд.? если сам говорит, что мог бы их прислать. Прислал бы 150 и сказал бы, что не может больше. Вот как дело делается. А тут очевидно: или у него самого туго, то есть нет, или жалко денег. А между тем он не мог сомневаться, что я не отдам: письмо-то мое у него. Не потерянный же я человек. Верно, у самого туго.

Париж, 13 (1) сентября 1865 г.

А.П. Суслова — Ф.М. Достоевскому (несохранившееся письмо).

Посылать к нему еще просить — по-моему, невозможно! Что же теперь делать? Поля, друг мой, выручи меня, спаси меня! Достань где-нибудь 150 гульденов, только мне и надо. Через 10 дней *наверно* придет от Воскобойникова в Цюрих (а может, и раньше) на имя твоей сестры. Хоть и мало придет, но все-таки не меньше 150 гульденов, и я тебе отдам их. Не захочу же я, *тебя,* поставить в скверное положение. Быть того не может. Посоветуйся с сестрой. Но во всяком случае отвечай скорее.

Твой весь Ф. Достоевский.

Теперь-то уж совсем не понимаю, что со мною будет.

Ф.М. Достоевский — А.П. Сусловой//Ф.М. Достоевский. Полное собрание сочинений в тридцати томах. Т.28. Кн.2. С. 130-132.

Игральный зал курзала в Висбадене. Гравюра, 1860-е годы

1865. 17 сентября. Спа.

Вчера только сюда приехала из Парижа, который оставила совсем, после 3-недельного пребывания проездом. Не скажу, чтоб это было мне легко. Усов предложил мне проводить меня до железной дороги, и я приняла это предложение с величайшей радостью: мне страшно было быть одной последние минуты. Итак, я бросила Париж, вырвала себя из него с корнем и думаю, что поступила с собой честно и решительно. Третьего дня вечером я отчаянно плакала и не думала, что у меня достанет мужества на этот плач. Вчера я приехала, устала, бросилась в постель и в первый раз после пар[ижских] трех недель уснула крепким спокойным сном и, проснувшись, с радостью увидела через окно ясное небо, зелень...

Дорогой думала о своей будущности и решила, нужно жить в губ[ернском] гор[оде] и иметь <u>свой</u> кружок, завести <u>античную</u> интимную школу, не в Петербурге, потому что лучше быть в деревне первым и пр., и не в деревне, чтоб не умереть со скуки. Значит, волки будут сыты и овцы <u>целы</u>. Теперь это решено. Стала на этой точке и держись на этой линии.

Расскажу, что было в Париже. Приехав с сестрой, я позвала Л[ейб]-М[едика] <u>без всякой цели, руководясь простым желанием его видеть</u>. Он тотчас явился, я была на балконе, когда он вошел; <u>сестра была в комнате; услыхав, что кто-то вошел</u>, я обернулась и сначала не узнала его. Узнав, я быстро подошла к нему и <u>с чувством</u> протянула [руку]. Говорили о разных разностях. <u>Я рассказывала о Го, говорила, что сама буду жить так же с кошками и сажать картофель, так как цветов у нас нельзя</u>. Потом он еще был и после этого скрылся на неделю. Наконец явился, сказав, что был болен. Говорили о <u>людях важных</u> и об искусстве, впрочем, говорили больше мы с сестрой. Он соглашался скорее со мной. Мне так надоели эти разговоры, что я убежала, оставив их кончать разговор. Во все эти визиты он искал случая говорить со мной наедине, но я не хотела, сестра не оставляла нас. Раз вечером он спрашивает, что у нас за балкон, и вышел посмотреть, но я не последовала за ним. Потом он приходит на другой день. Я сообщила ему эту новость с заплаканными глазами. В следующий раз он приходит, я крайне грустная, решилась ехать и писала ему письмо с предложением прийти проститься. Он заметил мое расстройство, я сказала, что я не в своей тарелке, и долго не могла сказать причины. Он приставал, спрашивал, не может ли чем помочь, говорил, что готов сделать все, но я отказывалась, наконец сказала, что еду. Он — когда и пр.

— Так как вас не увидишь, пожалуй, и вы не дадите о себе вести... — заговорил он. Я села к окну печальная и покорная.

— Странная вещь, — говорил он, — люди иногда, как дети, то ищут друг друга, то прячутся, как где-то в сказке. То он искал, а она пряталась, то она искала — так и не нашли друг друга.

*Потом он подошел ко мне, взволнованный, и протя-
нул руки. Я подала ему свои. Знакомый огонь пробежал по
жилам, но я крепко держала его руки и не давала ему при-
близиться. Он волновался и пожирал меня глазами.*

— Сядьте, — сказала я ему кротко и грустно.

*— Нет, — ответил он отрывисто, судорожно сжимая
мои руки.*

— Сядьте, — повторила я.

— Я сяду, когда вы сядете, — сказал он.

*Мы сели на диване, глаза наши встретились, и мы
обнялись. Часа два просидели мы вместе так. Руки его окружали мою талию, я прижимала к груди его* голову. *Гла-
дила его по волосам,* целовала *в лоб. Мы говорили беспеч-
ный вздор, никакие тревоги и сомнения не шли мне в голову. Потом я поехала к гр[афине]. Он меня провожал. Сидя
рядом с ним в карете рука об руку, я* почувствовала, *что он
нехорошо меня любит, если это только можно назвать любовью. Мы встали. В парке мы расстались. Пройдя довольно большое расстояние, я обернулась и увидала, что он стоял и смотрел мне вслед, но это был фарс, и даже неловкий.
Он пришел на другой день вечером; его страстности и вос-
торженности не было меры, я отдалась этим минутам без
тревог и сомнений.*

Он хотел большего, но я не допускала, и он увидел
свою ошибку. *Я сказала, что я еду. Моя поездка отложи-
лась только до* следующего *дня, до четверга. Он пришел на
след[ующий] день, в* среду, *и раскаивался и извинялся в
том, что было.* Он говорил, что не может любить, не создан
для этого, что он не хочет, чтоб обстоятельства или чувства
управляли его жизнью, *и пр., пр.*

*Я еще отложила на день поездку, до пятницы; в чет-
верг ждала граф[иню], которая обещала меня проводить. В
этот день утром я была у ней. На прощанье она стала мне
дружески, матерински давать советы. Усталая от чужих людей, желающих употребить меня всякий в свою пользу, я
была глубоко тронута. "Не забывайте Бога, Полинька, —
говорила она. — Это вас подкрепит, без этого плохо. Видите, куда без этого идут люди"... Я не* выдержала, *упала
перед ней на колени и громко зарыдала. Она даже испугалась, хотела мне достать воды. "Нет, нет, — сказала я, —
оставьте, мне хорошо так". И я рыдала на ее груди и целовала ее руки.*

— Я слишком несчастлива, — сказала я ей.

— *Полинька*, — *ответила она.* — *Кто же не несчастлив, спросите, есть ли хоть одна женщина счастливая из тех, которые любили.*

В четверг она пришла ко мне, и у нас было опять прощание, которое меня до того расстроило, что я сделалась больна и принуждена была на день еще отложить поездку.

Вечером, в четверг, он пришел. У меня был Усов. Усов не уходил, и он должен был уйти, не видав меня наедине.

— *Я еще с вами не прощаюсь*, — *сказал он, уходя,* — *завтра надеюсь вас видеть.*

— *Я не знаю, застанете ли вы меня*, — *сказала я ему довольно холодно.*

— *Но уж я как-нибудь постараюсь застать*, — *сказал он довольно настойчиво.*

Он пришел на следующий день вечером. Я была рада и не скрывала этого. Я весело с ним поздоровалась и просила садиться, думая, что он сядет не на стул, а подле. Я сидела на краю дивана, другая сторона которого была заставлена столом. Он просил меня подвинуться на диване и дать ему место подле себя. Я это сделала. Он взял мои руки, я сказала, что еще не знаю, поеду ли завтра, потому что все еще больна. Он советовал остаться. Я сказала, что буду жить в Спа, ждать денег. Он спросил, отчего не в Париже. Подали чай. Я беспечно предлагала ему. Он хотел было. — *Пожалуй, давайте разыгрывать холодных героев,* — *сказал он.*

— *Что ж руки ломать*, — *возразила я.*

Он был задет этой сдержанностью. Я одна выпила чашку. Он что-то заговорил.

— *Послушайте*, — *начала я.* — *Зачем вы мне тогда, как я была печальна, выражали готовность помочь и все сделать, поправить, если можно.*

— *Я и готов был сделать все.*

— *Что ж вы сделали?*

— *Я думал помочь вам сочувствием, пониманием.*

— *Я у вас милостыни не просила!*

— *Боже мой, какие вы говорите ужасные слова!*

— *Зачем вы так далеко заходили, если не любили?*

— *Я заходил настолько, насколько любил и чувствовал, но я очень ошибся, я думал помочь вам и сделал хуже. Я думал, что меня будут любить, ничего за это с меня не требуя, будут любить так, как я хочу: сегодня я хочу так,*

— пусть будет так, а завтра иначе, — и пусть будет иначе; в любви всегда так. Одни любят, другие любимы.

<u>Но какие все люди эгоисты, всякий любит для самого себя, я думал, что в вас что-то было для меня, и ошибся</u>.

Я была поражена. Он хотел взять меня за руки, но я не дала.

— Оставьте меня, — сказала я, — сядьте подальше, уйдите.

— Что это значит, — сказал он, — отчего, когда вы меня любили прежде? Я ничем не изменился.

— Вы говорите ужасные вещи.

— Что же такое я вам сказал?

— Подходить так к женщине, которую не любишь.

— О Боже мой, ведь это все условные слова, сколько раз другой на моем месте сказал бы, что любит. Вы мне нравитесь очень во многих отношениях, и нельзя ненавидеть людей, которые нас любят.

— Уйдите, уйдите, — говорила я.

— Отчего? Что я сказал такого ужасного? — И он приставал с этими вопросами, но я ничего не могла сказать. Я отвернулась, ушла в сторону, он оправдывался. Мне было тяжело, мне хотелось оправдать его.

— Боже мой, что это такое, — сказала я, — или я больна, или мне хочется себя обмануть. — Я стремительно взяла его за руки и зарыдала. — Обнимите меня крепче, — сказала ему, — и потом пойдите.

Мне хотелось на одну минуту забыться, думать, что он меня любит.

— Я к вам приду завтра? — спросил он.

— Нет, не надо, — ответила я, заливаясь слезами. — Я завтра уеду.

Я отталкивала его и снова привлекала, горько рыдая.

— Поцелуйте меня, — сказал он.

— Нет, нет.

— Я приду завтра.

— Не надо.

— Дайте поцеловать вашу руку.

— Нет, нет.

И мы расстались. Я долго еще плакала, и мне сделалось хуже, но я решилась <u>ехать</u> и уехала.

В это время тоски и <u>отчаяния</u> я так много думала о Gault, и, может быть, мысль эта, уверенность в его дружбе, <u>сочувствии</u> и <u>понимании</u> спасли меня. Уверенная в ней, я чувствовала себя вне этой жалкой жизни и способной подняться выше ее. *Тут только я поняла настоящую цену дружбы и уважения лиц, выходящих из общего круга, и нашла в уверенности этой дружбы мужество и уважение к себе. Покинет ли меня когда-нибудь гордость? Нет, не может быть, лучше умереть. Лучше умереть с тоски, но свободной, независимой от внешних вещей, верной своим убеждениям, и возвратить свою душу Богу так же чистой, как она была, чем сделать уступку, позволить себе хоть на мгновение смешаться с низкими и недостойными вещами, но я нахожу жизнь так грубой и так печальной, что я с трудом ее выношу. Боже мой! Неужели всегда будет так! И стоило ли родиться!*

А.П. Суслова. Годы близости с Достоевским. С. 124-129.

Спа, 26 (14) сентября 1865 г.

А.П. Суслова — Ф.М. Достоевскому (несохранившееся письмо).

Спа, 2 октября (20 сентября) 1865 г.

А.П. Суслова — Ф.М. Достоевскому (несохранившееся письмо).

Петербург, 29 сентября (11 октября) 1865 г.

Ф.М. Достоевский — А.П. Сусловой (несохранившееся письмо).

Петербург, 5(17) октября 1865 г.

Ф.М. Достоевский — А.П. Сусловой (несохранившееся письмо).

Аполлинария Прокофьевна Суслова. 1860-е годы

Октябрь. Петербург [1865]

Вот уже третий день я в Петербурге, где теперь мой отец; мы живем вместе и останемся еще недели две, по крайней мере.

Перед моим отъездом из Спа я не могла Вам написать, а Вашего письма с письмом к Новосильцевой, как Вы обещали, ждала очень и даже беспокоилась об Вас, да и теперь беспокоюсь очень. Дай Бог, чтобы причиной того, что Вы мне не писали, были занятия Ваши, а не другое что. Я ужасно, ужасно неспокойна за Вас. Здоровы ли Вы?

Я отдыхаю с дороги и почти никого еще не видела. Встретила уже некоторые безобразия, от которых отвыкла и которые забыла даже. Отец же — что рассказывать. Утешительного мало. Он человек простой и смотрит на вещи помимо всяких заданных теорий. Говорит, что теперь более зла, чем было при крепостном праве. Прежде дурной помещик берег мужика как рабочую скотину, теперь и этого нет; чиновники гораздо хуже и стараются узаконить зло. В народе страшная апатия. С народом еще нельзя обойтись без крика и брани. Если молодые чиновники из университета пытаются обращаться с мужиками по-человечески, то постоянно ими обмануты и в конце концов принуждены прибегать к сильным мерам, если не к брани и драке, то по крайней мере к угрозам. Что из нас будет, я не знаю. Образованное общество — глупо. Все еще сидят на одном — на отрицании брака. Теперь больше всех имеет влияние на молодежь Жуковский, заменил ли он им Чернышевского — не знаю. Прежде всего он... но лучше об этом не писать. В другой раз напишу. Много, много буду Вам рассказывать.

С нетерпением ужасным жду Вашего письма.

Теперь сама не знаю, когда я, на сколько времени поеду в Москву, но, должно быть, мне придется бывать там не один раз.

Прощайте, дорогая, божественная женщина.

Желаю Вам всего лучшего в мире.

Ваша Полинька.

P.S. Сегодня торопилась писать. Что здоровье Вашего сына? Я пока видела здесь только двух студентов и одну приятельницу (Брылкину), которая выходит замуж, за что подвергаюсь порицаниям со стороны своих знакомых, они говорят: мы не ожидали, что Брылкина так не развита, что выходит замуж.

А.П. Суслова — Е.В. Салиас//РГАЛИ. Ф.447. Оп.1. Ед.хр.21.

Петербург 26 октября. Вторник [1865].
Дорогая Графиня!

Не знаю, отчего я до сих пор не получаю от Вас письма, думаю, уж не забыла ль я написать Вам мой адрес: это со мной может случиться.

Еще меня беспокоит то обстоятельство, что в Париже теперь холера, но я надеюсь и почти уверена, что Вы там не останетесь, если есть опасность.

Я осталась в Петербурге дольше, чем предполагала, и живу с моим отцом, который тут на время по делам. Осталась я в Петербурге отчасти потому, что занимаюсь для экзамена, а здесь у меня и книги под рукой и учителя арифметики нашла в одном знакомом; здесь же мне и хлопотать придется о том, куда и как поступать. Думаю поступить учительницей в сельской школе, так как в такой должности более самостоятельности. Хочу уехать куда-нибудь на юг, может быть, в Киевскую губернию или в самый Киев, но не знаю, хорошо ли это будет: там все поляки и малороссы, они не любят русских. Другая причина, остановившая меня в Петербурге, — мое здоровье, или, лучше сказать, мое нездоровье: мне и отдохнуть от дороги нужно, и посоветоваться с хорошим доктором, и дождаться санного пути, потому что в Иваново, где теперь моя мать, нет еще железной дороги.

Я еще почти нигде не была, никого и ничего не видела, но каждый раз, когда выхожу на улицу, получаю неприятное и тяжелое впечатление. Я уж очень отвыкла от всего своего, много забыла, издалека все казалось лучше. Теперь куда ни выйдешь на улицу, непременно встретишь несколько пьяных, валяющихся по дорогам, услышишь брань и увидишь разные возмутительные сцены, которые вблизи вовсе не кажутся мелочами. Петербург со своими прямыми широкими улицами, низкими домами, заборами и безобразными площадями кажется ужасно уродливым после европейских городов; видно, что город построен по приказу солдатами и для солдат. На улицах встречаются барышни в мужских шляпах, надетых набок, с дерзкими физиономиями, короткими волосами, торчащими щетиной. Эти барышни (я с некоторыми встречалась по делу) необыкновенно развязны в обращении и с первой встречи говорят вам: голубчик, душенька и пр. Образованные мужчины крайне невоспитанны. Я холодна со всеми, с кем ни встречаюсь, и избегаю их фамильярности. Я и прежде ни с кем не сходилась, теперь и подавно. Скука меня одолевает здесь, ехать хочет-

ся поскорее, но куда и что будет там, в другом месте? По крайней мере дело будет в провинции, в сельской школе, я крепко надеюсь, может быть, оно займет, если нет, то плохо, другого спасенья искать нечего. Притом же я делаюсь все раздражительнее и требовательнее к людям.

Журналов и книг никаких не читала, сижу дома, читаю историю и занимаюсь арифметикой. Из журналов пользуются особенным успехом "Современник" и "День", в провинции их тоже особенно уважают. "Голос" пользуется очень дурной репутацией, недавно "Московские ведомости" в полемике с "Голосом" обвиняли друг друга в продажности. "Северная пчела" на них притопнула, но обвинение их не опровергала, так что "Голос" остался во мнении публики как подкупленный журнал. Говорят, что "Петербургские ведомости" честнее всех газет, хотя дельного и умного в них мало.

Через три недели еду к матери, через Москву, очень бы желала я получить к тому времени письмо от Вас для Новосильцевой.

Как-то Вы живете теперь, добрейшая душа! Я так часто думаю о Вас, и вспоминаю я Вас про себя постоянно, но почти ни с кем не говорю, потому что личность Ваша для меня священна и я не могу говорить о Вас спокойно. Вашего письма жду как праздника.

Прощайте до следующего письма, не забывайте Вашу Полиньку.

Мой поклон Евгению Андреевичу.

P.S. Надеюсь скоро прислать Вам денег для отдачи за кольцо и часы.

А.П. Суслова — Е.В. Салиас//РГАЛИ. Ф.447. Оп.1. Ед.хр.21.

Кельн 25 окт. [1865]

Милая Полинька, очень я удивилась, получив письмо ваше из Пет. Я думала, вы в Спа еще. Хуже всего то, что вы пишите письмо без адреса, и я не знаю, *куда* отвечать вам. Я была очень нездорова и опять у меня было много печали. Холеры я не боюсь, да она была очень слаба и теперь почти совсем прошла. Теперь у меня Соня Феоктистова, которую я так люблю, и я могу сказать, не имею ни минуты свободной. Я выбрала секунду, чтобы написать вам несколько слов и сказать, что я вас люблю по-прежнему и не забываю и не забуду.

Пишите иногда и что знаете нового. Ваше последнее письмо хотя не радостно, но интересно. Прошу и впредь всегда писать, что знаете. Рада я, что вы с вашим добрым отцом. Ему должно быть очень приятно и радостно жить с такою доброю и милою дочерью. Господь благослови вас, а вы его не забывайте. Спокойствие в религии, без нее жить худо. Целую вас.

Пришлите свой адрес.

Е.В. Салиас — А.П. Сусловой//А.С. Долинин. Достоевский и Суслова. С. 275.

Петербург, 2 ноября.

Сегодня был Ф[едор] М[ихайлович], и мы все спорили и противоречили друг другу. Он уже давно предлагает мне руку и сердце и только сердит этим. Говоря о моем характере, он сказал: если ты выйдешь замуж, то на третий же день возненавидишь и бросишь мужа. Припоминая Го, я сказала, что это один человек, который не добивался толку. Он по обыкновенной манере сказал: "Этот Го, может быть, и добивался". Потом прибавил: "Когда-нибудь я тебе скажу одну вещь". Я пристала, чтоб он сказал. "Ты не можешь мне простить, что раз отдалась, и мстишь за это; это женская черта". Это меня очень взволновало. Он пригласил меня в присутствии А. Осип. вместе в театр. Я сказала: не пойду с вами в театр, так как никогда не ходила, отнесите этот каприз той же причине, которую перед этим сказали. "Вы позволяете", — сказал он. "Что мне? Я не позволяю и не не позволяю, но вы-то своим тонким соображением непременно так должны думать".

Вчера была у Петра Ивановича. Он был необыкновенно любезен.

6 ноября

Был Ф[едор] М[ихайлович]. Втроем, с ним и с А.О., мы долго говорили. Я говорила, что сделаюсь святой, пройдусь босиком по Кремлевскому саду в Москве и буду говорить, что ангелы со мной беседуют и проч. Я много говорила. А эта О., которая верует, что из образа Богородицы текло

Дом в Петербурге, в Столярном переулке, где Ф.М.Достоевским были написаны романы "Игрок" и "Преступление и наказание"

масло, и не ест по средам скоромного, сказала под конец: "Вот так же говорил Филипп Демидов, но он потом сознался, что болтал чушь". Это меня поразило. Мне пришло на мысль, как скоро и легко можно попасть в чучело у этого народа. У меня мелькнула мысль написать повесть на этот сюжет.

А.П. Суслова. Годы близости с Достоевским. С. 129-130.

Сюжет новой повести.

Машенька, нежная, чувствительная девушка в гадкой семье. Она обладает талантами, много читает, но в семействе, особенно братья, глумятся над ней. Только в двоюродном брате, ей кажется, что она находит сочувствие, и она с ним разговаривает, но вдруг она нечаянно подслушивает в разговоре, что мать и братья насмешничают над ней. Он не возражает, даже вторит им, чтоб не попасть самому на зубы. Пораженная этим, она с отчаянья отдается человеку, которого любила, за то, что он казался ей наивным и простым. Она знает, что он ее не любит, но надеялась полюбить. Человек тот смотрит на нее легко и все говорит, что у него есть цели важнее любви. Когда она наскучивает ему, он оставляет ее под предлогом важных дел.

Из гордости девушка старается подавить тоску и расстается с полным достоинством, но вскоре отчаяние овладевает ею. В это время она идет к монаху искать утешения. От грубого приема св. отца она растерялась и расплакалась перед ним, но потом ею овладело чувство стыда и отчаяния. Вскоре она успокаивается, оправдывает себя, но горе побеждает ее. И она умирает, одинокая, непонятая, оскорбленная, но с верой в людей и с глубокой покорностью.

Черновой набросок, помещенный с обратной стороны тетради с "Дневником" (16 ноября 1863 — 6 ноября 1865)//РГАЛИ. Ф.1627. Оп.1. Ед.хр.4.

10 ноября С.-Петербург [1865].

Дорогая Графиня,

Вчера я получила, через Надежду, Ваше милое письмо. Очень рада, что Вы меня не забываете.

Не понимаю, как я не написала Вам своего адреса, я так об нем думала. Письмо Ваше, посланное Вами через Жуковского, я получила. Я здесь как-то закружилась; дело никакое не делается. Бог знает, куда время идет. Через 5 дней уезжаю, и вот мой адрес, чтоб опять не забыть: Село Иваново, Владимирской губернии. А.П. Сусловой.

В Москве на этот раз останусь очень ненадолго (дня
на два), но вскоре поеду к брату в Тамбовскую губернию.
Опять через Москву, следовательно, еще случай видеть
Новосильцевых. К брату я поеду ненадолго, он очень ску-
чает и взял с матери слово за меня, чтоб я приехала к нему.
А жить мне будет, в самом деле, лучше в Одессе.

У нас теперь (в России) не весело — денег нет, а
они нужны до зарезу армии, которые как всегда будут необходимы, на железные дороги и на введение всяких реформ. Все частные лица ужасно страдают от безденежья,
открывается множество фальшивых монетчиков, подделыва-
ют и кредитные билеты, и билеты сохранной казны, и билеты внутреннего займа, нолики прибавляют сколько вздума-
ется, открывают целые компании фальшивых монетчиков.
Не знаю, чем все это кончится. Реформы наши, говорят, из
рук вон плохи. Гласные суды только в четырех губерниях,
потому что денег нет. В обществе петербургском теперь гораздо тише; все понемногу [успокоилось?], дикости, конечно, есть, но ими меньше красуются.

Я здесь совершенно одна, и мне это тяжело, тут не
только соглашаться — говорить ни с кем нельзя. "Как Вы
можете читать такой журнал", — говорит мне один молодой господин. — Почему ж его нельзя читать? — "Да в
нем говорится, что мужчина и женщина не одно и то же во
всех отношениях существо". Я чуть не расхохоталась, но
ничего не сказала. А то утвердит, будто в Италии оттого
такое плохое политическое устройство, что слишком развито чувство изящного... Но что об этом говорить, Вы ведь
это наизусть знаете. И вся эта сухость, ограниченность
страшная и при этом самоуверенность. Есть добрые люди,
но скука с ними ужасная. Говорить не о чем, потому что у
них нет нерешенных вопросов, до всего дошли. Даже любо-
пытного ничего нет в этих людях. Жизнь идет своим путем,
о котором образованное общество и не подозревает. Они в
такой степени залюбовались на себя и заслушались себя же,
что не видят, что делается около, но их, кажется, никто не
слушает и не понимает. Какое ужасное время! Аксаков
только пользуется уважением!

Пьянство везде ужасное. Библиотеки и театры в маленьких городах еще могли бы отчасти удержать чиновников и
купцов (по их собственному признанию) от пьянства, но не
хватает смысла их совести, должно быть, нужны немцы на
это. Непременно нужно, чтоб кто-нибудь нами управлял.

Вашему сыну с его взглядами и характером будет тут невыносимо скучно. Одна погода, серое небо и отсутствие солнца с ума сведут. Дурацкий какой-то климат. Солнца совсем нет.

11 ноября. Я написала Вам ужасно глупое письмо. Порвала бы, но Вы добрая такая. Тупоумие на меня нашло эти дни, говорить не о чем не могу.

Нужно ли говорить, что я думаю о Вас ужасно много? Когда-нибудь увижу Вас, до тех пор буду учиться и постараюсь быть свободной, т.е. в отношении дел.

До следующего письма.

Вся Ваша Полинька.

P.S. Скажите мне, еще какую мне достать Историю Англии, на французском языке, вроде той Истории Франции Лаваля, которую покупали.

Здоровье мое довольно хорошо.

А.П.Суслова — Е.В.Салиас//РГАЛИ. Ф. 447. Оп. 1. Ед.хр. 21.

Цюрих. [Начало ноября 1865].
Милая моя, дорогая Аполлинария.

Только что получила письмо от тебя и от отца и обрадовалась им как сумасшедшая. Ваше общее молчание сильно огорчало, а в последнее время даже беспокоило меня. Но письма теперь получены, и я успокоилась.

Все это время я страшно *скучала* и даже сегодня возвращалась мрачная, угрюмая в шесть часов вечера с лекции. Когда я пришла домой — мне подали ваши письма: я читала их и радовалась, сама не зная чему. В это время сосед мой играл на фортепиано русские песни и все это — твое и отцово письмо, этот немец, играющий русские песни, — как-то взволновало меня, и я сижу, какая-то расстроенная, готовая по малейшему поводу и хохотать и плакать...

7 Ноября
Вчера я видела в клинике замечательного больного с необыкновенными нервными припадками. Он — поляк. Доктор рассказывал слушателям его трагическое прошедшее, которое

отчасти влияло на его болезнь.

Слушатели (некоторые) несколько раз обертывались на меня; сам больной смотрел на меня долго и пристально широко раскрытыми глазами... Я потупилась... Меня волновало странное тяжелое чувство...

Какая тоска! С.Н. Глобина говорит, что скучают одни дураки. Ты спросишь у нее — неужели у ней нет тоски от разлада с окружающею жизнью, от неудовлетворения ею, неужели нет горя глубокого [?] от невозможности примириться с окружающим и от несуществования того мира, о котором мечтаешь.

...Пусть она скажет, положа руку на сердце: "нет".

Жизнь, жизнь! Сколько я мечтаю о тебе, сколько думаю, сколько учусь для тебя, но еще не сделано мною ни одного шагу по выбранной дороге: я все еще готовлюсь, все еще не пришел мой час. До 22 лет я набивала голову теориями, думала над отвлеченными вопросами, до 22 лет я бегала увлечений, запирала сердце, все искала цели, для которых нужно жить, все искала *правды*... "J'ai evoqué tous les spectres, j'ai lutté avec tous les démons, j'ai supplié tous les saints et tous les anges, j'ai sacrifié à toutes les passions. Verité. Verité! Tu ne t'es pas révélée, depuis dix mille ans je te cherche et je ne t'ai pas trouvée"!

Неужели ты еще не прочла Lélia? Прочти ради Христа поскорее. Уж очень хорошо.

Мое одиночество здесь, отсутствие человеческого... меня иногда приводит в бешенство. Я хотела бы видать живое существо, посмотреть на чью-либо жизнь...

С моей происходит какая-то чепуха. "J'ai voulu glacer mon coeur par la solitude, par l'austérité, par la méditation; mais je n'ai réussi qu'à me fatiguer de plus en plus sans pouvoir accrocher la vie de mon sein". Это все говорила Lélia.

Прочти этот роман непременно. Я была просто больна от впечатления, которое он на меня оставил, и теперь часто, часто перечитываю его некоторые *мысли* — особенно горькие...

Не знаешь ли ты кого-нибудь в Петербурге, кто бы мог заняться разысканьем одного господина — Рудольфа М. Я просила Сочаву заняться этим делом, но ему, вероятно, некогда. Я бы была очень счастлива, если бы его кто-нибудь разыскал и передал ему письмо, которое я переслала Сочаве, кажется, еще в июне или в самом начале июля.

[?] очень кланяется. Они поумнели значительно. — Глобиной поклонись.

Н.П. Суслова — А.П. Сусловой//А.С. Долинин. Достоевский и Суслова. С. 282-283.

С. Иваново. 14 декабря 1865 г.

Дорогая Графиня,

Я страшно соскучилась так долго не получать от Вас писем и не писать Вам сама. Вот уже почти месяц, как я в Иванове с матерью, и до сих пор не могу прийти в себя от новой жизни и новых встреч.

Бывши в Москве, я отыскала Новосильцевых и была у них. Они приняли меня очень любезно, и мы много говорили о Вас. Я очень рада, что с ними познакомилась, потому что мне придется довольно часто бывать в Москве, так как здесь недалеко по железной дороге (часов 7). Жаль, что от железной дороги мы довольно далеко, верст 70, а то бы можно было еще чаще ездить в Москву. На этот раз я была там на очень короткое время, торопилась к матери. Брат мой скоро будет в Москве служить, и, может быть, даже отец скоро туда приедет. Так что все будем в Москве жить. Впрочем, я для себя, собственно, ничего еще не решила и не решаю до тех пор, пока не выдержу экзамен, до тех пор можно жить здесь. Здесь даже можно себе составить общество: я нашла двух женщин очень милых и неглупых, из купчих, кое-что знающих и понимающих. Здесь есть и такие дамы, что рассуждают насчет прогресса, эмансипации женщин и прочих высоких вещах не хуже питер-

Иваново (?), 6 декабря 1865 г.
А.П. Суслова — Ф.М. Достоевскому (несохранившееся письмо).

Иваново (?), 15 декабря 1865 г.
А.П. Суслова — Ф.М. Достоевскому (несохранившееся письмо).

*ских нигилисток, жизнь свою коверкают наподобие "Под-
водного камня" и других новейших сочинений, вообще прекрасный пол очень образован и далеко опередил мужчин.
Впрочем, своими глазами я еще почти ничего очень модного
не видела. Из мужского общества здесь: доктор и учитель
местной гимназии, последний, кажется, дельный господин,
герои романов: становые и разные офицеры.*

*А как мы здесь просвещены, можете судить по тому,
что в каждом купеческом доме увидите на столе книгу Бокля "История цивилизации в Англии". Хотя мы читаем
большею частью, как гоголевский Петрушка или некий из-
возчик: "Буки-аз-ба-ба, буки-аз-ба-ба, ба-ба, ха-ха, ха.
Смотри-ка, Ванюха, что вышло — баба". Признаться, у
Бокля и этого удовольствия никогда не имеем, попадается
иногда такое слово, что и не знаешь, что значит. Прежде
читали "Еруслана Лазаревича", а теперь читаем "Историю
цивилизации". Скажите, что мы не идем вперед.*

Дом Сусловых в Иванове

*Я здесь не скучаю, в Петербурге было бы мне хуже,
там постоянное раздражение: досада и злость на <u>умных</u> людей, а здесь только смех, и больше ничего.*

*Я думала об Вас, Графиня, все время, когда была в
Москве, и сравнивала Вас с Вашей приятельницей (Варва-*

рой Владимировной Новосильцевой). Она очень мила, а не такая, как Вы. Вы незаменима, кто Вас знал и оценил, тот никогда не забудет. У Вас какая-то аристократическая природа, невыносимая для мелких характеров и мелких самолюбий; с другими чувствуешь какое-то равенство, так что и промахиваешься так не очень конфузно, а при Вас-то другое дело, да и чувствуешь, что слушать Вас нужно.

Я думаю о Вас. Здоровы ли Вы? И кто у Вас есть близко из русских? Пожалуй, что никого или почти никого. Даже фельетонов Ваших что-то не видно; здесь в библиотеке получается "Голос".

Я надеюсь, что со временем, года через полтора, с Вами увижусь в Париже, это будет возможно.

Прощайте, целую Ваши руки. Ваша Полинька.

P.S. Я не знаю, где Е. Утин. Верно, Вы знаете, он где-нибудь за границей недалеко от Вас. Я ему должна и хотела послать деньги через Вас, но я Вас завалила поручениями.

А.П. Суслова — Е.В. Салиас//РГАЛИ. Ф.447. Оп.1. Ед.хр.21.

Кельн, 4 января 1866

Милая Полинька, я получила вчера ваше милое письмо и спешу ответить вам. Сперва на вопрос о книге. По-моему, всего лучше прочесть для истории Англии сперва простой учебник, хотя Лоренца, что ли? для голых фактов. А потом взять Маколея. В [предисловии] введении к истории Оранского дома он рассказывает всю почти историю Англии. Можно также прочесть историю Кромвеля Гизо (только она скучна). Впрочем, я ныне спрошу еще. Вот если бы вы по-английски знали, то куча книг. Теперь о вас. Я рада, что вы со своими родными — значит, вас любят, ласкают и балуют, как и следует такую добрую дочь и милую девушку. Рада, что вы не сердитесь, как в Париже, и смеетесь. Но и смех этот грустный, а мне от вашего письма повеяло тоскою. Когда в селах купчихи (вы меня довольно знаете, что я употребляю это слово не как термин презрения, а как выражение, рисующее *степень* образования) читают "*Подводный камень*" и другие книги, такие же, говорят о эмансипации женщин и поставляют ее *в том*, чтобы бегать по свету с любовниками, бросая мужа и детей, — дело *плохо*. Все это вместе взятое и соединенное ужасно! Бокль, нигилисты, патриоты, естественные науки, разврат, возведенный в принцип; с одной стороны краснокожие, с другой русопеты, с третьей бубошники, с четвертой красные социалисты, а посреди всего женщины, хранительницы семьи, матери-воспитательницы детей, потерявшие голову, в чаду, в невежестве и разврате, которые, сидя по горло в грязи [принимаются за прогресс — то далеко не отрадно], воображают, что они бегут и ловят и поймали прогресс! Что же это такое? Поверьте, это — *разложение общества*. Оно предшествует всегда катастрофам! Мне было больно, больно читать письмо ваше. Если уж дело дошло *до сел*, то где же спасение? Неизбежное совершается. И вот она, та Немезида, Полинька, о которой я всегда твердила вам, — это ее появление, это первые мерцания того факела возмездия, который она несет в руках. Я бы хотела ошибаться, но внутри меня крепко убеждение в этом.

Вы хорошо делаете, что хотите держать экзамен. Без него нельзя свободно располагать собою. Что вы пишите о мне и Вареньке Н. — несправедливо. Меня Бог одарил умом, как говорят, а ее наделил тем, что *лучше*: великим сердцем. Всю великость этого сердца измерить нельзя. Надо в продолжение 12 лет испытать [на себе] все блага, которые сыплятся на того, кто любим ею, чтобы оценить по достоинству, как она *умеет любить*. Я *так* любить не умею. Эта безграничная преданность, нежность, бесконечная забота встречаются в жизни весьма редко. Я такой другой не знаю. Если говорят о Рашели, что такие гении родятся один раз в продолжение веков, то поверьте, что такие сердца, чистые и бескорыстно любящие, выходят из рук Божиих еще реже. Они не для этой земли. Я убеждена, что ей именно, по словам Евангелия, суждено войти в Царствие Божие. *Блажени чистие сердцем, яко тии Бога узрят*, сказано будто о ней...

Я помяну вас, Полинька, поцелую мысленно и пожелаю вам всего лучшего. Дай вам Бог полюбить хорошего, честного человека, выйти замуж и воспитать честных детей. Это лучшее для женщины. Жизнь девушкой слишком одинока и, скажу, безрадостна, что бы там ни говорили. Женщине любовь необходима. Не забудьте, что мужчина-холостяк имеет всегда привязанность, связь... Женщина-девушка живет одиноко. Притом женщина создана, чтобы быть матерью, и если у ней нет детей, то всегда жизнь ее *отчасти* пуста (особенно в зрелые года), а если нет и мужа, то страшно пуста и безотрадна. Я еще не видала девушки пожилой счастливой. Всякая, самая умная и серьезная, жаловалась на одиночество томящее и пустоту, ничем, ни даже науками и искусством, ненаполняемую. Но пора кончить. Целую вас от всего сердца. Даст Бог, устроюсь я в Версале и буду звать вас погостить ко мне. Но это все еще в будущем. Пока прощайте. Пожелайте мне спокойствия — оно мне необходимо. Я устала и даже измучилась. Пора отдохнуть, а отдохнуть *нельзя*, не имея денег, следственно, все приходит к одному: пожелайте *сохранить* тех, кого я теперь имею и люблю, а денег, чтобы жить, жить без забот. Тогда это спокойствие, это счастье. Но прощайте, целую вас крепко, как люблю.

Е.В. Салиас — А.П. Сусловой//А.С. Долинин. Достоевский и Суслова. С. 275-278.

Как я уже упоминала раньше, у моего отца было намерение после смерти жены жениться на Полине. Но со времени их совместного путешествия в Европу мнение его о своей возлюбленной очень изменилось. Полина, впрочем, не придавала этому замужеству значения, гораздо больше ей, как красивой девушке, хотелось сохранить полную свободу. Не отец мой ей нравился, а его литературная слава, и особенно успех его у студентов. Как только Достоевский вышел из моды, Полина поспешила его оставить. Отец тогда начинал печатать "Раскольникова". Как всегда, уже с первых глав критики обрушились на эту вещь и взапуски ругали его. Один объявил публике, что Достоевский в лице Раскольникова оскорбляет студентов. Эта глупость, как, впрочем, все глупости, пользовалась громадным успехом в Петербурге. Студенты, только что восхищавшиеся Достоевским, как один, отвернулись от него. Когда Полина увидела, что отец мой вышел из моды, она перестала им интересоваться. Она заявила Достоевскому, что не может простить ему преступления против русских студентов, этой святыни в ее глазах, и порвала с ним. Отец не пытался ее удерживать; у него давно уже не осталось иллюзий в отношении этого легкомысленного создания.

Л.Ф. Достоевская. Достоевский в изображении своей дочери. С. 90-91.

Петербург, 4 февраля 1866 г.

Ф.М. Достоевский — А.П. Сусловой (несохранившееся письмо).

Петербург, 2 марта 1866 г.

А.П. Суслова — Ф.М. Достоевскому (несохранившееся письмо).

В ПОИСКАХ НАСТОЯЩЕГО ДЕЛА. ЛЕБЕДЯНЬ — ИВАНОВО — МОСКВА

*М*ечты о полезной деятельности, надежды на осмысленную жизнь в России — хотя бы и в роли сельской учительницы — с самого начала были поставлены под угрозу. Если заграница всего лишь опостылела Аполлинарии, то Россия оказалась для нее опасна.

С первого же дня возвращения на родину она попала, вместе с братом Василием, как нигилистка под полицейский надзор; и, конечно, никак не могла предвидеть, что ее сугубо личные переезды из Иванова от матери в Лебедянь к брату драматически совпадут с грозными событиями государственного масштаба.

4 апреля у Летнего сада в Петербурге стрелял в российского императора Александра II Дмитрий Каракозов. В течение апреля — августа велось дознание, и уже в июне отголоски выстрела были услышаны в тамбовской глуши: к брату и сестре Сусловым нагрянула полиция с предписанием из Петербурга произвести обыск. У нее отняли все бумаги, тетради с адресами знакомых и все письма. 10 июня она спешно уехала из Лебедяни в Иваново, начав хлопоты по возвращению отобранных бумаг.

Самым обидным, наверное, была для нее не потеря рукописей и дорогих ей писем. Если бы она была уверена, что пострадала за убеждения, все было бы проще. Но прежних убеждений не было. Ее шестидесятнический нигилизм, значительно смягчившийся за границей, в России вскоре обернулся почти полной своей противоположностью. В сентябре 1866 года Дмитрий Каракозов был повешен, а в декабре она писала графине Салиас: "Эти господа, оставшиеся на свободе нигилисты, лгут и сочиняют факты довольно бесцеремонно, и все сходит с рук".

Входящих в моду утилитаристов-писаревцев она называла жалкими, ничтожными, обиженными Богом людьми, но и они, "прогрессисты" ее поколения, видели в экс-нигилистке Сусловой всего лишь старомодную идеалистку. И она даже не подозревала, что во многих своих суждениях стала гораздо ближе к тому, кому еще недавно так азартно противоречила.

Пожалуй, только в одном пункте сохранила она взгляды своей молодости. "Вы говорите, Графиня, выйти замуж... — писала она. — За кого? (Если б даже не мое здоровье и не характер мой скучающий и наводящий скуку, ничем не удовлетворяющийся.) Вы говорите, не нужно искать непременно человека с умом. Это уж слишком демократично, я так далеко пойду. Притом выйти замуж значит связать себя с этим низким, рабским обществом, которое я не выношу. Я своих требований урезывать не могу; что есть — прекрасно, нет — не надо, уступок делать я не могу".

Она и не делала уступок. В самом конце 1866 года она уехала в Москву, чтобы сдать экзамен на преподавателя истории. Москва — то есть люди, которых она здесь увидела, и встречи, на которые, видимо, очень надеялась, — страшно разочаровала ее. Она чувствовала, что теряет способность к простому общению: "Все, кого я встречаю, мужчины и женщины, — необыкновенно мелочны и пусты... Всякий раз я возвращаюсь из общества в отчаянии... Лучше бы я никого и ничего не видала... Какая-то тоска ужасная и безнадежность давит меня".

Ей нужно было, однако, много работать: читать, писать экзаменационные сочинения на заданные исторические темы, консультироваться у профессоров. Судя по ее немногочисленным письмам к Салиас, она старалась всецело погрузиться в занятия, все более укрепляясь в намерении после сдачи экзамена открыть в Иванове школу.

В апреле 1867 года Аполлинария после долгого перерыва непонятно почему написала письмо Достоевскому — не зная, что два месяца назад он женился. Жалуясь ему на свое грустное и подавленное настроение, она и представить себе не могла, какую бурю негодования, страха, подозрений и ревности вызовет это письмо и само ее существование у другой женщины — у молодой жены Достоевского.

Очень скоро она получила ответ, в котором были слова: "друг вечный", "судя по всему, что о тебе знаю, тебе трудно быть счастливой".

По-видимому, она ответила Достоевскому уже из Иванова, куда вернулась в мае, провалившись на последнем этапе экзамена; ответила, скорее всего, очень раздраженно (именно об этом письме А.Г. Достоевская скажет: "Очень глупое и грубое письмо, не выказывающее особенного ума в этой особе"). Однако у Достоевского, когда он читал письмо, дрожали руки и улыбка была совсем жалкая и потерянная...

"...У меня было два личных, сердечных огорчения, одно похоже на оскорбление, но я была тронута ими только на минуту, а потом уже не хотела думать и не думаю", — написала она в конце мая графине Салиас. В этот момент она только что получила то самое знаменитое письмо Достоевского из Дрездена.

Снова было село Иваново, одиночество, скука, книги по истории. Только через полтора года она нашла в себе силы наконец-то сдать экзамен и открыть школу для девочек — но очень скоро лишилась не только школы, но и права преподавания: старое "дело о нигилизме" застало ее врасплох.

14 сентября 1869 года она писала графине Салиас: "Кое-как, почти случайно, я узнала, что мое дело проиграно безвозвратно, и поспешила убраться. Я все потеряла и не знала, куда и зачем ехать, у меня не было силы на новые планы".

Не было не только сил, не было и денег на жизнь. В Иванове, после скандального закрытия школы, она оставаться не могла, на жизнь в Москве родные давали слишком мало средств, в Нижнем Новгороде, где теперь жили родители и брат, ее, как она считала, ждала "самая бессодержательная жизнь без будущности и надежды".

Но ей было всего тридцать лет, и она все еще хотела любить и нравиться. Некто, кого она полюбила, пытался помочь ей и, как она писала, "вызывался не только поправить мои дела, но и открыть мне новую дорогу, какую только я могла желать". Он хлопотал о возвращении ей учительских прав, она снова готовилась к экзамену, теперь уже по русской словесности, и занималась переводами.

Летом 1869 года она получила заказ на перевод последнего французского издания книги М. Минье "Жизнь Франклина". "Работа эта вышла довольно удачно, мне за нее хорошо заплатили и обещали еще давать работу в этом роде", — сообщала она графине Салиас.

Перевод действительно получился прекрасным и вышел в Москве в 1870 году отдельной маленькой книжкой с ее именем на титульном листе (в качестве переводчицы книги М. Минье она и вошла потом в словарь князя Н.Н. Голицына).

Однако по непонятным причинам повторное издание книги, вышедшее в 1871 году в той же московской типографии А.П. Мамонтова, имени переводчицы не содержало.

Еще два года пыталась она жить на литературные заработки, но, видимо, сама, без посторонней помощи, добывать их не умела. А помощь человека, который обещал открыть ей новую дорогу, скорее всего, длилась недолго.

В историко-революционном архиве хранится дело под таким заглавием: "Производство Высочайше учрежденной в С.-Петербурге следств. комиссии о суд. следователе Лебедянского уезда Василии Прокофьеве Суслове и сестре его, дочери Вознесенского купца — Аполлинарии Прокофьевне Сусловой". Начато 2 июня 1866 г., кончено 17 апреля 1869 г. В основу дела положены показания некоей Ал. Комаровой о том, что Вас. Суслов давал ей прокламацию N2 "Свободы", а у Сусловой была большая пачка прокламаций "Великоросс". Комарова познакомилась с Сусловым на 2-й день пасхи 1863 г., жил он тогда, по ее сведениям, с матерью и сестрой.

В феврале 1864 г. Василий Прокофьевич был переведен в Тамбовскую губернию следователем.

В сентябре 1865 года за Сусловыми был установлен негласный надзор за принадлежность к партии нигилистов, а 2 июня 1866 г. послан был телеграфный приказ Муравьева: Суслова обыскать и бумаги переслать в Петербург. Про Суслову тамбовский губернатор сообщает, что она приехала из Петербурга в Тамбовскую губернию в марте 1866 г. и что ей 26 лет.

А.С. Долинин. Достоевский и Суслова. С. 251-252.

28 марта 1866 г. Лебедянь.

Дорогая Графиня,

Мне страшно подумать, как давно я Вам не писала. Все время это я была занята мельчайшими заботами, доса-

дой и нелепыми встречами, которые положительно мешали
мне думать и писать Вам, недоставало того спокойствия,
которое необходимо, чтоб верно передать свои чувства и
мысли. Впрочем, и теперь, даже в эту минуту, я не могу
похвалиться спокойствием. Бог знает от чего иногда человеку
делается грустно, без всякой, по-видимому, причины. Оттого
ли, что праздник сегодня такой большой, попы поют в домах,
колокола звонят — невольно вспомнишь прошлые годы...

Я думаю о Вас: где Вы и как встретили этот праздник? Я скорее предполагаю, что в Париже, а не в Брюсселе. Дай Бог, чтоб Вы были не одна.

Проезжая через Москву, я виделась с Новосильцевой, к сожалению, один только раз, потому что оставалась
там очень ненадолго из боязни, что дорога испортится. Варвара Владимировна была очень добра ко мне, и мы много
говорили. Возвращаясь из Лебедяни, я постараюсь пробыть
в Москве недели 3, чтоб с ней чаще видеться. Кроме личных достоинств их общества (я видела у ней ее сестру Софью Владимировну), так приятно, что все они, как кажется,
очень образованны, а мне говорить и делиться мыслями захочешь, но не с кем, с нигилистами я слишком расхожусь,
да из тех мало встречается таких, которые чему-нибудь
учились бы и что-нибудь читали или знали. Здесь, кроме
брата, — который хотя и очень добрый и честный человек,
но мы с ним расходимся более, чем я ожидала, я вижу
только одного молодого человека, сына здешнего помещика.
Этот господин без всякого образования, но с инстинктами
добра, тоже рассуждает о социализме и читает "Русское
слово". Мы с ним спорим о приличиях, о воспитании и о
пользе, особенно о пользе. Это несчастное слово особенно
как-то легко теперь у всех на языке и приняло довольно
пошлый характер от неуместного употребления. Так, напр.,
человек говорит, что он газет не читает, потому что: какая
ж от этого польза. Но споры мои с этими господами в Петербурге, Иванове и здесь очень скучны, приходится говорить
и слышать язык и те же вещи, даже одни и те же слова, но я
спорю по необходимости, потому что иначе нельзя говорить.
Спор обыкновенно начинается из-за слов, если я говорю: злой
человек, мне возражают, что злых людей не бывает, а причина
зла — общественное устройство и пр. Словом, все то, что
прежде я читывала в "Современнике". Слово "эгоист" поднимает то же самое объяснение. Все эти разговоры очень без-
вредны, но уж слишком скучны и глупы. Все эти несчастные

люди забили себе голову до того, что небольшой запас ума, который если был, — заглох совершенно. Впрочем, эти люди еще лучше других, ничего не читавших и не читающих, они хоть взяток не берут и не дерутся.

Книг здесь нет никаких, кроме "Русского вестника" и "Русского слова", да и тех достать трудно, если кто и получает какой-нибудь журнал, то более для украшения стола, чем для чтения; одни не читают по грубости и невежеству, другие — потому что читать что бы то ни было, кроме наук естественных, — не рационально. Но всего не перескажешь. К тому же Вы сами все это слышали и знаете, мне остается только сказать, что дух невежества и тщеславия своим невежеством еще в полном цвете по всей России и процветет, вероятно, долго. Говорят, что будущее поколение будет лучше, будто дети, которым теперь четырнадцать и тринадцать лет, что-то обещают. Это я слышала в Петербурге. Дай Бог. Но долго ждать, пока они, сделавшись лучше, овладеют несчастной русской мыслью. У Новосильцевой я встретила очаровательную девочку лет пятнадцати. Это была племянница. Меня поразил в ребенке здравый человеческий смысл и гуманное чувство вместе с простотой и наивностью. Перед ее приходом мы говорили с Варварой Владимировной о дочерях Г. В Наталье мне не понравилась холодность какая-то, отсутствие живого чувства и живого выражения своего мнения и желания. Может быть, я и не справедлива к ней, я так мало ее видела, но при взгляде одном на эту девочку я невольно сравнила и не могла не высказать моего впечатления Варваре Владимировне. "Неужели в самом деле она так понравилась Вам?" — сказала она, видимо, довольная. И потом рассказала мне, что это в самом деле хорошая девочка. Впрочем, это был, знаю, приятный случай для этой девочки выказаться с хорошей стороны: она просила Варвару Владимировну достать перевод одному бедному студенту и при этом принесла записку от Капустина, где говорится, что этот человек умеет переводить с трех языков, и на все вопросы о нем и о его занятиях отвечала своей тетке как взрослая женщина, видно было, что обо всем справилась и ничего не пренебрегла и не упустила из виду, а о книжках каких-то детских говорила как девочка, только очень хорошая девочка. Сам Бог, должно быть, учит таких детей, потому что мать ее, говорят, очень пустая женщина.

Много бы я еще хотела поговорить с Вами, дорогая Графиня, но тороплюсь писать, почта скоро отходит.

Как Ваше здоровье и что Вы делаете, кого видите? *Эти вопросы я задаю себе постоянно, особенно, когда вижу из Ваших писем, что Вы часто нездоровы. Я теперь поправилась, как говорится. А какая здесь дорога, Графиня! Мостов нет. Чтоб проехать маленькую [станцию?], нужно было перекладывать лошадей всякий раз. Почта две недели не ходила. А иногда и вообще вся обстановка хуже ивановской. Там как-то свежее. Скоро еще буду писать Вам.*

Адрес мой: Лебедянь. Тамб. губ.

Его Высокоблагородию Василью Прокофьевичу Суслову

С передачей А. С.

Я здесь пробуду месяца два. Я получила Ваше письмо для отца и ему его переслала. Вы доставили ему большое [удовольствие?] этим письмом.

Историю [?] я купила и читаю. Я постоянно читаю и не знакомлюсь ни с кем, чтоб читать больше, но все как-то идет медленно. Лучше уж читать что-нибудь, чем говорить о социализме.

Тамб. губ., 9 мая 1866 г.

А.П. Суслова — Ф.М. Достоевскому (несохранившееся письмо).

Целую Вас очень.

Ваша навсегда Полинька.

Мой поклон Евгению Андреевичу.

А.П. Суслова — Е.В. Салиас//РГАЛИ. Ф.447. Оп.1. Ед.хр.21.

Лебедянь. Июнь [1866]

Дорогая Графиня!

На днях я получила Ваше милое письмо. Меня ужасно беспокоит и печалит Ваше нездоровье, тем более, когда я знаю, что Вы неспособны вынести все условия лечения, на меньшее из этих условий — постоянное лежанье — и то едва ли Вы согласитесь. Я вылечилась от этой болезни, но у меня остались еще [?]; в последнее время я пользовалась одним железом, серебром и холодной водой. Ради Бога, не прекращайте лечения.

Мне кажется, что Вы живете довольно скучно (часто я стараюсь представить себе Вашу жизнь), когда Вы в карты начали играть. Я видела Вас вышивающую на канве, желала бы взглянуть, как Вы играете в карты. А я Вам скажу, что Ваша книга ("Катакомбы") произвела здесь решительный эффект, я всем давала ее читать, — я всех не знаю здесь, но тех, кого я знаю, давала всем.

Конечно, это не Ваше произведение, но Вашего труда

тут было немало, и то, что в нем Ваше, нетрудно, кажется, отличить: у Вас своя особенная манера выражаться, Вам самим принадлежащая. А меня так порадовал успех этой книги. Ведь такой успех доказывает, что сердца этих людей, — большей частью если не положительно дурных, то пустых, — не совсем закрыты для хороших чувств, может быть, большая часть этих людей и дурны-то потому, что до них не доходят хорошие слова. Но ведь это почти аксиома, что я сейчас начала говорить.

Вы меня спрашиваете, что я не пишу о впечатлениях своих за последнее время по случаю войны и прочая. Я здесь так далека от всякого умственного движения, что Вы представить себе не можете; я полагала, что знаю не больше Вас о том, что творится в русском обществе, потому что источник знания этого у нас с Вами один: газеты. Когда читаешь газеты, то чувствуешь, как будто происшествия, в них описанные, творятся где-то очень далеко, чуть ли не на Луне, но это так только кажется, а на самом деле происшествия эти нас задевают, только без ведома и сознания нашего. Наш денежный курс сильно упал, но это не производит ни малейшего впечатления на публику, по крайней мере лебедянскую, — говорят, что такой поворот чувствителен только для русских, живущих за границей. Но, помимо этих суждений, карманы наши пустеют, изредка, впрочем, доходят сюда разные слухи о Москве и Петербурге, по большей части такие, которым не всегда можно верить, тем более, что получаются они из двадцатых рук, может быть.

Вы еще о чем-то меня спрашивали, но я забыла, а письма Вашего под рукой не имею, как я его потеряла, сейчас расскажу. На днях к брату моему явилась полиция с приказом высшей Петербургской полиции обыскать его и отобрать все бумаги. У него нашли только одну ничтожную записку и в досаде на это или следуя логике Прелата, предводителя альбигойских войн, который на вопрос офицеров, что им делать с католиками, когда они найдутся в числе еретиков, отвечал: "Бейте всех, на том свете Господь разберет, кто прав и кто виноват", захватили и мои бумаги, все до последнего лоскутка, не исключая тетради с адресами моих знакомых, счета из лавочки и прочих важностей.

"Все это было бы смешно, когда бы не было так грустно".

Что Вам сказать о впечатлении того зрелища, когда

неизвестные люди [роются?] в Вашем грязном белье, пере-
бирают дорогие Вам письма? Из Ваших писем взяты все до
одного, которые когда-либо я получала, потому что с этими
письмами я не расставалась никогда, то же случилось и с
письмами моей сестры. В письмах этих, конечно, ничего
нет, но, знаете, какие бывают иногда комбинации. Я бесконечно рада, что те, которых я наиболее люблю, далеко, что
касается до меня лично, я, кажется, достигла того спокойствия, которого мне желала в старые годы одна англичанка:
"Спокойствия, которого свет не может ни дать, ни отнять".
Страдали и умирали от преследований люди получше нас;
правда, они страдали за что-нибудь, оставили память хорошую и сделались примером, а ведь мы гуртом захвачены.
Это убиение младенцев.

10 июня. Рязань

Не успела кончить письмо, дописываю в вокзале железной дороги. Не знаю, получите ли Вы это письмо, дайте
знать как-нибудь, если получите. Адрес мой прежний: В
Иваново Влад. Губ.

Желала б я теперь, чтоб Вы меня перекрестили, но
со мной Ваш образок.

Ваша Полинька.

Отец мой получил Ваше письмо, и я Вам об этом писала, но, должно быть, Вы не получили этого письма. Из
Москвы еще напишу Вам. Хотела писать маленькую записочку Вашей кузине с просьбой передать это письмо, но бумаги нет.

А.П. Суслова — Е.В. Салиас//РГАЛИ. Ф.447. Оп.1. Ед.хр.21.

Из "дела" же мы узнаем, что 4 июля того же года Суслова обрати-лась к лебедянскому исправнику с просьбой вернуть ей забранные при обыске рукописи, среди которых, как она пишет, имеются произведения, приготов-ленные для печати. Адрес же, по которому она просит их переслать, указыва-ется такой: Владимирс-кая губ., Шуй-ского уезда, село Иваново. Следова-тельно, в июле или в августе 1866 г. Суслова из Тамб. губ. уже уехала.

Такова первая стадия дела о Сусловой. Надо думать, что на этот раз обыск особенных последствий для нее не имел: она осталась на свободе, хотя из отобранных бумаг ее видно было, что за границей она находилась в "сношениях с лицами, враждебными правительству": с Утиным, с Герце-ном, и что в письмах к ней были "ру-гательства на Россию" за жестокую расправу с поляками во время поль-ского восстания (письма Салиас).

А.С. Долинин. Достоевский и Суслова. С. 252.

Иваново, 7 августа [1866].

Дорогая Графиня,

Я писала Вам из дороги, когда возвращались в Иваново, но не знаю, получили ли Вы это письмо. Оно, должно быть, показалось Вам, если Вы его получили, очень бестолково, уж в таком я была тогда настроении. Потом я писала Вам из Москвы, все это было в мае месяце. С того времени со мной ничего особенного не случилось. Живу я спокойно и даже слишком спокойно, так что не чувствую почти, живу я или умерла. Буквально никого не вижу и очень мало чего слышу, только по газетам узнаю, что делается на белом свете.

Я совершенно погрузилась в книжный мир и благодарю Бога, что у меня есть это убежище. Одно только плохо, что книг здесь достать нельзя почти, все нужно купить. Нельзя сказать, чтоб книг здесь совсем не было, купчики даже детей по книжкам воспитывают (точно кушанье готовят), да книжки их мне не нравятся; они любят новенькие книжки по преимуществу, а я читаю теперь только по истории. Впрочем, нельзя сказать, чтоб вообще не было ничего сообщить Вам, но неудобно писать. Что можно написать на каких-нибудь трех-четырех страничках?

В настоящую минуту народ более всего интересуется новыми судебными учреждениями, которыми очень доволен за их ясность и скорость. В газетах большое место занимают описания разных сцен у мировых судей, а это очень занимает и тешит народ, особенно когда передают смешные претензии какого-нибудь допотопного генерала или барыни. Интересно видеть отношение здешних фабрикантов к работникам: это тоже крепостное право, если не хуже, потому что здесь сила на стороне людей уже без всякого образования и без всяких принципов. Мнения в общественных делах покупаются за довольно дешевую цену: за несколько ведер водки, которые выставляют мужикам в воскресенье, или посредством угрозы не дать работы. Злоупотребления эти гораздо значительнее, чем можно предполагать, но еще, к счастью, у нас богатые мужики боятся становых, исправников и т.п., а то от них бы беда...

Я очень и очень беспокоюсь об Вашем здоровье, так как последнее письмо ко мне Вы писали больная, что было очень заметно и по почерку. К тому же у Вас должно быть много забот личных и других. Еще эта война дурацкая навязалась. Впрочем, может быть, и лучше будет, если все *хорошенько подерутся. Неужели будет что-нибудь хуже? А денег, все равно, и без войны у нас нет. Я никогда не перестаю думать о Вас и задавать себе вопросы тысячу раз на день о Вашем положении.*

Я очень счастлива, если мне приходится о Вас говорить, когда меня об Вас спрашивают. Я не устаю никогда говорить о Вас и всегда рада случаю вспоминать Ваши разговоры и мнения, которые так связаны для меня с Вашей личностью. А в провинции Вас очень уважают и больше понимают, чем в столицах, потому что менее сбиты с толку и отчасти думают сами, хоть плохо, да сами.

Если здесь читают (т.е. не в Иванове, а в Нижнем и Владимире) из любви к чтению, а не по моде, не для того, чтоб при случае блеснуть какой-нибудь оригинальной мыслью, от которой бы у слушателей волосы становились дыбом, — то книги достают из библиотек помещиков, так что их начитанность и понятия другие, хотя и от современности не отстают очень-то. В Нижегородской губернии помещики, кажется, довольно образованные и богатые, так что хорошую библиотеку найти не редкость. Но купцы ивановские и шуйские непременно читают Бокля, Дарвина, Локка и пр. и до того врут, что сами просветители не понимают и приходят в ужас. Я не понимаю только, как наше правительство смотрит на положительное направление и материализм нашей молодежи. Само оно ввело весь этот материализм в школы. В женских школах прежде не было почти введено преподавание естественных наук, а теперь оно на первом плане, прежде всякого понятия об истории и мифологии теперь знают зоологию и ботанику. Чудно что-то.

Издаваться будет с осени новый журнал "Женский вестник". Об издании этом ходили слухи еще с зимы, но что это такое будет, не знаю. Имена издателей какие-то новые. И что за занятие каким-то женским вопросом, когда обыкновенных журналов и книг нет. Говорят, что переводные книги, учебники так поправлены цензурой, что узнать нельзя.

Ради Бога, напишите хоть строчку, чтоб знала, здоровы ли Вы.

Мне писать больше некогда. Почта скоро отходит. Прощайте. Целую Ваши руки.

Ваша Полинька.

P.S. Мое здоровье очень порядочно.

А.П. Суслова — Е.В. Салиас//РГАЛИ. Ф.447. Оп.1. Ед.хр.21.

31 августа

...Жаль, что, бывши в Тамбове у брата, Вы не заехали к моей сестре (она милейшая и добрейшая женщина). Книг у нее бездна, особенно исторических. Вы бы могли прожить целую зиму приятно. Она была бы Вам рада, особенно зная, что я так люблю Вас. Если когда-нибудь будете в этих краях, заезжайте. Варенька от моего имени может дать рекомендательное письмо к ней...

Е.В. Салиас — А.П. Сусловой//РГАЛИ. Ф.447. Оп.1. Ед.хр.5.

6 сентября. С. Иваново [1866].

Дорогая Графиня!

Вчера был день Вашего ангела, и я много думала о Вас. Собиралась писать Вам, но была немного нездорова: лежать было нужно. Прежде всего выздоравливать Вам желаю, а все остальное, верно, будет по-Вашему, рано или поздно; так мне кажется, потому что [?]

На днях я получила Ваше милое письмо, которого ждала с некоторым беспокойством. Я предполагала эти две причины: беспокойство сердечное и болезнь, и потому письмо Ваше, хотя и Бог знает, какие приятные вещи рассказываете Вы в нем о себе, — меня успокоило, я видела, что то и другое из предполагаемых неприятностей хоть сколько-нибудь прошло. Думаю, что Вы переживали что-нибудь тяжелое, и я страдала за Вас. Разлука с сыном, верно, дорого Вам стоила, тем более, что это человек тоскующий и неудовлетворяющийся. Я очень рада, что Вы мне обо всем написали. Благодарю Вас за это очень.

Как это Вы будете жить в Версале зимой и одна? Это очень поэтично, но ужасно грустно. Это все равно, что в монастырь уйти. Не думаю, чтоб Вы могли ограничиться птицами и книгами, не похоже это на Вас, Вы слишком живой человек. В Вашем письме видно такое печальное настроение, что больно становится за Вас. Даже о старости заговорили. А я думаю, что Вы никогда не состаритесь. И Ваше настроение теперешнее оттого, что Вы не стареетесь, что Вам нужно многое и все Вас трогает и занимает.

Всякий, кто Вас видел в первый раз, удивлялся Вашей живости и завидовал. Зная отчасти жизнь Вашу, по Вашим же рассказам, я невольно сравнивала Вас, в некоторые минуты, с этой вялой и влюбленной в самое себя молодежью, с самой собой и, видя Вашу неутомимость, после жизни, полной испытаний и страданий, я оборачивалась на себя и думала: да чего же мы после этого стоим! Таковы были впечатления встречи с Вами моей сестры, Утина и других. А сегодня Вы говорите, что Вы стареетесь. Я не хочу этому верить!

Вот уже год, как мы с Вами расстались, и в эту минуту я Вас вижу так же ясно, как тогда, в последний день перед отъездом, и припоминаю до малейшей подробности все Ваши слова и жесты, которые шли прямо из сердца. Как Вы мне дороги и незаменимы! И как я это чувствовала тогда... Если в припадке сумасшедшей грусти или отчаянья, на которое так склонны несчастные современные люди, я не бросаюсь в какой-нибудь омут, так это потому, что я Вас уважаю и люблю, я должна была уважать себя, иначе бы я Вас оскорбила, потому что Вы меня любили. Я ничего не умела скрывать от Вас и ни в чем не боялась признаваться, потому что Вы все понимаете как надо, перед Вами не нужно оправдываться. Если я не люблю Вас больше всех на свете, то все же никого не люблю я больше Вас. Других я за одно что-нибудь люблю, а Вы мне дороги во всех отношениях, я люблю Ваш характер и Ваш взгляд на вещи, а Вашу необыкновенную честность я встретила в первый раз в жизни.

Мне кажется, чтоб мои письма к Вам были сколько-нибудь интересны и чтоб сколько-нибудь могли Вас развлечь, потому я пишу иногда разные посторонние вещи, которые могут Вас занимать. И теперь я рассказала бы Вам что-нибудь, но сегодня устала и притом поздно уже, а завтра рано нужно посылать письма на почту.

Недели через три поеду в Москву держать экзамен, остановлюсь у начальницы гимназии женской, увижу близко и юношество, и пастырей. Там моя двоюродная сестра учится. Я подарила ей Вашу книжку "Катакомбы", которая ее увлекла, хотя до этого времени девчонка (14 лет) ничего никогда не читала. Книгу она взяла с собой в пансион. Увижу Новосильцевых и буду говорить с ними о Вас. Какая это девушка будет жить с Вами? Русская она или француженка?

Прощайте. Целую Ваши руки.

Если б Вы были близко, то просила бы Вас перекрестить меня, но образок Ваш со мной, я с ним не расстаюсь и часто на него смотрю.

Ваша Полинька.

P.S. Читаю книги, Вами рекомендованные: историю Англии par Bonnechose. Книга очень хорошая. Lavallée история Франции, что Вы мне купили, была тяжелее, войны и разные битвы в ней с такими подробностями большими описаны, но книга эта принята очень во всех учебных заведениях в Москве.

Всегда Вас буду о книгах спрашивать.

А.П. Суслова — Е.В. Салиас//РГАЛИ. Ф.447. Оп.1. Ед.хр.21.

Иваново, 24 сентября [1866]

Очень и очень Вам благодарна за Ваше милое последнее письмо, за то, что Вы довольно много написали о
себе. Понимаю, как Вам должно быть скучно в Фонтенбло,
в обществе, которое Вы описываете. Я и прежде слыхала
от Вас несколько о княгине Трубецкой, о ее необыкновен-
ных отношениях к дочери и пр. Но я думала, что хоть
прежние знакомые, которые посещали Вас в Версале, наве-
щают Вас часто. А если б Вы сказали причину Вашего
горя, ни за что не догадалась бы, я думала, что еще хуже,
это хоть и очень нехорошо, но на время. А все-таки это чу-
деса, да еще нехорошие.

Радуюсь очень, что Вы так неожиданно (для меня)
хорошо можете устроиться в Версале. Нужно непременно,
во что бы то ни стало нужно Вам в Версаль, когда так.

Что я Вам могу рассказать, тоже не хорошо, было бы
смешно, если б это было частное, исключительное явление.
В конце прошлой зимы несколько петербургских юношей
горевали о том, что они, студенты (кажется, все мед. академии), проживают в день по 30 коп. Тогда как простые работники проживают только 15 к., следовательно, студенты
проживают лишнее и чужое. Собралось этих студентов
двадцать человек и решились они во что бы то ни стало заплатить петербургским работникам (<u>народу</u>) эти 15 коп.
Положено было бросить Университет, идти куда-нибудь в
необитаемую землю и там основать колонию. Ученье, разумеется, было брошено, только и делали юноши, что говорили о будущей колонии, да рассчитывали, как будут там
жить. Пошли к какому-то генералу просить <u>необитаемой</u>
земли, тот обещал. Теперь рассуждалось: каким образом
устроить любовные дела? (<u>Половые отношения</u>, как говорят
они, ибо слова: брак и любовь — между ними, — всеми
нигилистами вообще, — не существуют, — все заменяется
<u>отношениями</u>, на словах и на деле.) Решено было взять
каждому по женщине, которая могла бы работать вместе с
мужчинами полевые работы. Труд предстоял немалый, так
как не было ни скота, ни инструментов, все предполагалось
делать руками, но никто не отчаялся и не отступал. Но когда подумали, что через год народонаселение может увели-
читься на двадцать человек и работы двадцати женщин пре-
кратятся, — задумались, но не подумайте, что смутились и
упали духом, — нисколько. После разных вычетов и соображений решили ограничить количество женщин: приходи-

лось взять одну женщину, и такая женщина, которая решилась _пожертвовать собой для пользы общей_, нашлась. Отправились к генералу, обещавшему землю, но тут подошло 4 февраля, и генерал выгнал этих колонистов. Будут они или нет теперь возобновлять свои планы, неизвестно. Все это я передаю Вам буквально, так, как слышала, даже почти теми же словами.

Теперь скажите, что мы не изобретатели. И что может сравниться с изобретением таким, как эта колония, какие открытия и выводы современной науки? Это стоит изобретения пара. "У нас душа, а не пар", — говорит одна женщина в комедии Островского. А у нас так не душа, а, должно быть, сам пар.

Я непременно хотела сделать Вам подарок для Ваших именин, Графиня, но ничего нужного не могла изобресть. Мы здесь ничем русским не богаты, кроме линючего ситца. Все, что можно было найти, — это ярославское полотно. Не знаю, любите ли Вы его. Я сделала для Вас две рубашки и панталоны и послала Варваре Владимировне Новосильцевой для пересылки Вам. Не знаю, понравится ли это Вам. Если не понравится, отдайте кому-нибудь, а если понравится, то позвольте еще сделать Вам такие вещи. Мне доставит большое удовольствие изобретать и приготовлять для Вас разные вещи. То, что я Вам послала, должно быть обшито кружевами, но я нигде не достала кружев.

Я помню, что Вы любили полотенца, вышитые различными цветами и птицами. Я Вам приготовлю разные полотенца, только Вы, ради Бога, не рассердитесь на меня за это.

И писать больше некогда, тороплюсь посылать письмо на почту. В Москву собираюсь ехать, но как-то лень и даже страшно чего-то, точно в первый раз буду жить одна. Впрочем, я не буду жить одна, остановлюсь у начальницы женской гимназии.

Прощайте. _Целую Ваши руки и желаю Вам всего хорошего._

Ваша Полинька.

Здоровье довольно порядочное, но нельзя сказать, чтоб совсем хорошо.

А.П. Суслова — Е.В. Салиас//РГАЛИ. Ф.447. Оп.1. Ед.хр.21.

15 октября. С. Иваново [1866]
Дорогая Графиня!
Вчера я получила Ваше милое письмо, которое мне было особенно приятно. Очень рада, что здоровье Ваше по-

правилось и что Вы, как кажется наверное, переезжаете в Версаль.

Я очень рада, что рубашки Вам понравились. Хорошо, что Вы сказали мне о наволочках. Я и прежде думала приготовить Вам наволочки, но без мерки это не очень удобно. Очень Вас прошу смерить Ваши подушки на французский манер и написать мне, сколько в них сантиметров. Хотя одна наволочка уже почти начата, но все же будет удобнее уладить после с меркой. Я думаю, что соотечественники поедут на выставку и, следовательно, скоро представится оказия для посылок. Мне очень хочется послать Вам разные вещи. Я бы желала, чтоб Вы как можно меньше покупали себе в Париже белья машинной их работы. Не беспокойтесь о том, что мне стоит денег приготовить для Вас какую-нибудь вещь; если б и стоило чего-нибудь, то ведь здесь не Париж и не Петербург: расходов тут ужасно мало, а деньги есть, ведь это почти деревня. Мы с матерью почти ничего не тратим в Иванове: расходы по дому пополам с дядей, с которым живем вместе и в заведении которого затрачены наши небольшие деньги, которых, впрочем, теперь 15 тысяч. Это не безденежье. Отец получает кроме того довольно, хотя и много проживает в разъездах. Житье здесь привольное в материальном отношении, есть и лошади у нас свои и всякая штука. Туалет мой здесь самый скромный, хотя я одеваюсь лучше всех. Купчихи дома одеты ужасно дурно, даже грязно, и только в торжественные дни наряжены богато. Это народ, у которого ничего нет для себя: <u>парадные</u> комнаты, парадные постели, парадные платья. Здесь есть один купец-миллионер, либерал и образованный: принимает архиереев и губернаторов к себе в дом, а где дочери его спят, так в эти комнаты войти страшно — нет не только порядочной мебели — нет даже воздуха хорошего и чистоты. Мы находим, что французские буржуа жадны, жадны, но, однако, у них есть все для себя: и ковры, и занавесы, и платья, а это Бог знает что. Вот где нет ни малейшего уважения к себе.

Благодарю Вас очень за уведомление о Висковатовых. Мне их очень жаль. Они хорошие люди: добрые и честные. Непременно узнаю их адрес, напишу Вам.

Сегодня я Вам пишу коротенькое письмо, тороплюсь.

Не забудьте же смерить Ваши подушки, да простите меня, что я Вам надоедаю. Я знаю, что я неуклюжий человек, и часто мучаюсь, думая, не сделала ль я перед Вами какой-нибудь большой неловкости; а Вы добрая и снисходительная чересчур, так что не скажете.

Когда мать моя поедет в Нижегородскую губернию, на свиданье с родными, — попрошу ее отыскать там где-нибудь полотенец, вышитых разными петухами и цветами. Кажется, Вы любите такие полотенца. Очень благодарю Вас за рекомендацию книг, непременно достану [?].

В Москву все собираюсь, но еще не знаю, когда поеду; то отца дожидаюсь, — то нельзя его вдруг оставить, когда он только что приехал.

Я бы хотела у Вас просить Ваш портрет, такой, чтоб был побольше карточки. Хоть когда-нибудь нескоро иметь бы Вам такой Ваш портрет. Жаль только, что все Ваши портреты как-то безжизненны, нисколько не передают Вашего выражения.

Ваши письма я всегда с огромным удовольствием читаю: нахожу справедливым и верным, то есть очень разделяю все, что Вы говорили в последнее время по поводу американцев этих (я их тоже как-то не люблю), по поводу нашей общественной жизни и пр., хотя не отвечала Вам на это, потому что как-то некогда было хорошенько заняться письмом.

Прощайте, до следующего письма.

Целую Ваши руки.

Ваша Полинька.

P.S. Я сегодня очень бестолкова. У нас зима, почти — снег падает.

Фотографию дома Вашего в Версале я буду ждать.

Я недавно читала письма Вольтера, как это интересно!

Как ни милы мне Ваши письма, но я не прошу Вас писать часто; ведь это скучно писать письма, у Вас же большая переписка. Только во время нездоровья Вашего я ждала писем Ваших с мучительным интересом, а теперь я спокойна за Вас, притом же могу о Вас спрашивать Варвару Владимировну, а она такая добрая, что тотчас отвечает.

Я часто думаю, какая я была дикая и странная, должно быть, когда только что встретилась с Вами, но все-таки меня не оттолкнули.

Я надеюсь скоро получить Ваши письма, потерянные в Лебедяни. Мне говорили, зачем я не рвала Ваши письма. Я этого не могла делать и не могу. И за что рвать? Разве Вы скажете, что нужно рвать, тогда я их перепишу в особую тетрадь под заглавием какого-нибудь перевода?

А.П. Суслова — Е.В. Салиас//РГАЛИ. Ф.447. Оп.1. Ед.хр.21.

Версаль, 4 ноября 66 г.

...Никогда, милая Полинька, не сказали и не сделали Вы ничего неделикатного или дикого, как Вы говорите, в начале нашего знакомства. У Вас для этого есть верный руководитель — сердечный такт. Правда, иногда Ваши мнения мне были не по вкусу, но я всегда думала, что Вы перемените их, позднее, всегда принимала во внимание внезапное Ваше развитие, отсутствие в детстве нормального воспитания и недостаток в юности и первой молодости руководителя. Я не говорю о семейных связях и об образовании ума. Если бы Вы видели барыню, которая вчера явилась ко мне и ее неделикатность, Вы бы разозлились...

Е.В. Салиас — А.П. Сусловой//РГАЛИ. Ф.447. Оп.1. Ед.хр.5.

14 декабря. Иваново [1866].

Добрейшая, очаровательнейшая Графиня,

Я только что встала после болезни и сажусь отвечать на Ваше милое письмо, которое уж так давно я получила. Меня Ваше письмо ужасно взволновало, давно я не чувствовала так глубоко и так полно. Я была огорчена за Вас и в то же время радовалась, читая строки, написанные Вашей рукой, радовалась, что существуют еще умные и честные люди, понимающие наше положение, наше тупоумие и бесчестие. Кажется, только один честный голос и был в литературе в последнее время — Ваш голос, теперь и его не будет; право силы, большинства победно вытеснило все благородное, мыслящее, впрочем, его было так мало. Эти господа, оставшиеся на свободе нигилисты, лгут и сочиняют факты довольно бесцеремонно, и все сходит с рук. До чего изменились понятия! Даже слова, слова потеряли прежний смысл. Теперь если новейшему писателю придется, комментируя другого писателя, Белинского или Гоголя, выписать слово эгоизм или что другое в этом роде, он на целой странице объясняет значение этого слова. Вы этого не делали, Графиня, в Ваших статьях, Вы не говорили: буки-аз-ба, 2 раза повторенное, будет: баба. В Петербурге мне приходилось Вас объяснять; говорят мне: Евгения Тур аристократка, ее читать нельзя, она говорит, что образованная барышня не может выйти замуж за кучера. — Да, конечно, нет. — И повторяю все, что было Вами сказано когда-то по этому поводу (статьи я не читала). Вот мнение Евгении Тур. Молодцы соглашаются, но говорят: "У Вас-то так, это понятно, но все-таки, а Евгения Тур, кажется, совсем иначе это толкует".

Вы знаете, Графиня, теперь "Современник" уж отсталый журнал, нигилисты говорят, что он идеальничает... Нигилисты читают "Русское слово", а больше ничего не чита-

ют, ибо всего "не перечитаешь". Я не читала русских журналов, кроме газет, особенно "Русского слова" не думала читать, потому что слышала о его безобразии в Петербурге от умеренных нигилистов, которые еще держатся "Современника". Но, видя его необыкновенный успех и спрашивая суждения его поклонников, решилась посмотреть, что за журнал, и увидела очень скоро. Ах, Графиня, что это за безобразие! Попадается ли Вам когда-нибудь "Русское слово"? Прочтите для курьезу. Ведь четырнадцатилетние гимназисты разве могут так рассуждать, как там рассуждают о Пушкине и Белинском? Они презирают эстетику и эстетиков за то, должно быть, что Шекспир и Гете (как меня уверял мой знакомый) признают черта, а Пушкин говорит, что солнце всходит. Я только того и жду, что не сегодня, так завтра Писарев, популяризируя науку, будет уверять, что земля ходит вокруг солнца, и я думаю, что он будет выдавать это за свое открытие. Тогда уж нельзя будет сказать: солнце село, под страхом прослыть неучами, поддерживающими в народе суеверие. Скоро будут писать комментарии на такие выражения, как: солнце село, и это будет очень полезная пропаганда для российского прогресса, ибо еще до сих пор нигде в Европе, несмотря на успехи естественных наук, несмотря на революции, несмотря на то, что девятнадцатое столетие почти в исходе, нигде не запрещено говорить и даже писать: солнце село. Вы представьте себе нашу блестящую будущность, когда все мужики, и бабы, и ребятишки будут знать, что земля ходит вокруг солнца.

Недавно я беру читать в "Русском слове" статью "Европейские авторитеты" и что же нахожу в ней? Трактат Писарева о "свободном зарождении". Такой-то ученый, в таком-то году, в таком-то городе взял скляночку, припаял трубочку, положил жидкость и получил — то-то. Другой ученый, в другом году, в другом городе сделал то же и получил другое... После долгих споров ничего не решили; один думает так, другой иначе, но никто ничего не знает. Не правда ли, как много?.. И как полезно для читателя? (Предполагается, что учащиеся журнальных статей читать не будут.) Зато без суеверия и предрассудков. Уж правда, что без предрассудков.

Графиня, ведь это жалкие, несчастные люди, обиженные Богом. Но что такое публика? Умеренные люди (учителя, воспитатели юношества). Говорят, что они не будут читать каких-нибудь глупых классиков. Я слышала недавно, как один господин, учитель (при детях, при матери) уверял, что всякий человек учится для денег. Когда я сказала, что человек _должен_ учиться и развиваться, чтоб _быть человеком_, понимать прекрасное, по крайней мере не бить свою жену и своих детей, мне ответили, что, верно, я никогда не была голодна, потому что _идеализирую._ Значит, если можно воровать деньги, тогда учиться уж не надо? Спросила я. Нет, воровать нельзя, потому что не полезно. Т.е. не полезно потому воровать, что существует палка. Значит, нам палка нужна. Значит, нужно Бога благодарить, что существуют полиция, солдаты и палки в страшном количестве.

Я, может быть, утомляю Вас, Графиня, такими рассказами, что делать хорошего ничего нет, отдохнуть не на чем.

Поздравляю Вас, Графиня, с Новым Годом и желаю Вам всего хорошего в Вашем сыне. Нынешний Новый Год я встретила в постели, не раз вспомнила, как проводила этот день год тому назад. Я была больна моей обыкновенной болезнью, только в более сильной степени, чем прежде. Впрочем, перед этим все была здорова. Это несчастное здоровье расстраивает все мои планы. Насчет книг: я читала Историю Англии и Маколея, и Гизо, и Введенского... Теперь читаю Французскую революцию (par Daniel Stern) 1848 года.

Вы говорите, Графиня, выйти замуж. За кого? (Если б даже не мое здоровье и не характер мой скучающий и наводящий скуку, ничем не удовлетворяющийся.) Вы говорите, не нужно искать непременно человека с умом. Это уж слишком демократично, я так далеко пойду. Притом выйти замуж значит связать себя с этим низким, рабским обществом, которое я не выношу. Я своих требований урезывать не могу; что есть — прекрасно, нет — не надо, уступок делать я не могу.

Мне очень жаль, что я как-то невпопад выразилась о Новосильцевой, в один час нельзя узнать человека, но это [?] к тому, что Вы мне ее объяснили.

Евгению Андреевичу передайте мой большой поклон и пожелание всяких успехов. Говорят, он повесть какую-то написал, и я не знаю, в каком журнале, не могу найти и заглавия не знаю. Если найду и прочту, то напишу и пошлю ему _критику,_ прямо непосредственное впечатление свое выскажу.

Прощайте, дорогая Графиня.
Целуюсь с Вами.
Ваша Полинька.

*P.S. Дела судебные и всякие здесь идут по-прежне-
му, невыносимо плохо, целые палаты и канцелярии подкуп-
лены. Разбой, грабежи целыми шайками продолжаются,
страшно газеты в руки взять. Я все вспоминаю Ваши слова,
что дикая страна, в Китае только возможен такой характер
воровства, мщения, судопроизводства и пр.*

А.П. Суслова — Е.В. Салиас//РГАЛИ. Ф.447. Оп.1. Ед.хр.21.

4 января. Москва [1867]

Дорогая Графиня!

*Я уже давно собиралась писать Вам, но разные хло-
поты и еще непредвиденные обстоятельства останавливали
меня. А об Вас я все знала от Варвары Владимировны Новосильцевой, у которой была несколько раз.*

*Поздравляю Вас с Новым Годом. Как-то Вы его
встретили? По поводу Нового Года я много думала о Вас и
вспоминала, как два года назад мы встречали его вместе...
Этот Новый Год, т.е. 1867, я проспала, потому что накануне была на одном глупом вечере, где ужасно устала. Впрочем, я была рада, что проспала Новый Год, а то было бы
очень грустно. Кроме того, что я тут одна, какая-то ужасная тоска и безнадежность давит меня. Я думала в Москве
встретить людей, у меня здесь есть разные знакомые,
прежние студенты, а теперь мировые судьи, юристы и прочая. Это-та встреча с людьми, которой я так ждала, и довела меня до такой тоски. Все, кого я встречаю, мужчины и
женщины, — необыкновенно мелочны и пусты. Это не потому, чтоб я была особенно строга и взыскательна, мне кажется, что я иногда слишком снисходительна, я стараюсь
извинять человеческие слабости, но не нахожу в людях
того, во имя чего можно было бы извинять. Всякий раз я
возвращаюсь из общества в отчаянии и убеждаюсь, что лучше читать Филаретов катехизис, чем рассуждать с моими
знакомыми. А ведь некоторых из них называют умными
людьми. Умные в самом деле есть, но серьезных, развитых
не видно.*

*Лучше бы я никого и ничего не видала. Я была го-
раздо счастливее в Иванове. Совершенно одна, с своими
книгами, в которых что-нибудь можно понимать и уважать.
Но разве можно жить только с книгами и только для книг?*

*Варвару Владимировну я нашла бодрою и здоровою.
Она постоянно, кажется, занята то письмами, то какими-*

нибудь порученьями своих знакомых, вечно в хлопотах. Жизнь у них в доме какая-то странная: одна сестра в гостях, другая не выходит из своей комнаты, у третьей гости, четвертая куда-нибудь собирается. Все устали и торопятся. Что-то такое нестройное. Варвара Владимировна всех бодрее и здоровее.

Экзамен мой в Университете идет хорошо; я сдала словесный экзамен из истории русской и всеобщей, а последнее время все писала диссертации. Писать можно только в Университете, во время заседания, раз в неделю, и потому это ужасно много берет времени. Я взяла историю на главный предмет, и потому мне нужно писать из нее четыре сочинения. Из остальных предметов я ни о чем не забочусь, так как они даже не будут в моем дипломе, и я не буду иметь права ничего преподавать, кроме истории.

Теперешний профессор истории, Герье, очень добрый господин, экзаменует снисходительно, даже чересчур снисходительно, впрочем, не всегда. Иногда он ищет сделать что-нибудь для других, для экзаменующихся у него девиц, и это выходит очень мило и как-то наивно. Это еще очень молодой человек и до того симпатичный, что редко я встречала. Я ему горячо сказала на другой день словесного экзамена, что ничего не знаю, но желаю знать. Так как он предоставляет выбор темы сочинения самим экзаменующимся и требует, чтобы они писали на те исторические события, которые им хорошо известны, по каким-нибудь хорошим книгам, то я хотела выбрать для последнего сочинения, которое буду писать после праздников, — историю Абеляра par Guinet или Иеронима Савонаролы, но не нашла таких книг ни в одном из московских магазинов и взяла Michelet renaissance, из его Истории Франции. Michelet я не люблю за его слог и за его мысли, но взяла потому, что другого ничего не знала, совета Герье спросить не догадалась, а Вас было спрашивать поздно. Я уже написала и отдала профессору три сочинения: о первой Английской Революции, по Маколею, причинах революции в Нидерландах, по Прескотту, и об отношениях Новгорода к удельным князьям, по Беляеву; эти книги я читала уже довольно давно, особенно две первые. Мне очень совестно было писать эти сочинения, особенно когда думала, что человек серьезный должен читать такие глупости. Мне еще более совестно будет, если он напишет мне в дипломе: *отлично*, в чем я почти уверена.

А если б Вы видели, как барышни эти себя ведут в Университете! Одна чернильницу мою опрокинула, другая всю бумагу, на которой я писала, закапала чернилами и даже не извинилась, то место ваше, которое вы ненадолго оставили, займут, то стул ваш утащат, кричат, лезут к профессорам в ту минуту, когда те экзаменуют. Ну, уж барышни, <u>неземные созданья</u>! Смотря на них, убеждаешься, что необходимо иметь каких-нибудь казаков и жандармов "володеть и править нами".

В гимназиях здесь довольно курьезно учат. Учат всему, что должен знать человек, а выпускают из школы пятнадцати — шестнадцати лет. Учат с одиннадцати лет: зоологии и ботанике, алгебре и геометрии, физике и педагогии, всего не перечтешь, и все-то так плохо идет, как только можете вообразить. Девочка, выходящая из этих гимназий, из лучших учениц, не знает <u>ничего</u>, ничему не может учить. А если б Вы знали, что делают из несчастного французского языка!

Нет, еще в частных пансионах уважают те предметы, которым учат!

Учителя тут тоже артисты!

А в мужских гимназиях некоторые гимназисты разбежались из либерализма и революционных идей... Теперь шатаются, ничего не делают, вышли: "ни пава, ни ворота". Вот от этих господ, нигилистов и прочих, "сырой-то бор у нас и горит".

Пишите, ради Бога. Скажите, с кем Вы, а главное, что Ваше здоровье.

Варвара Владимировна мне сказала, что опять что-то плохо.

До следующего письма.

Целую Ваши руки,

<u>*Ваша навсегда Полинька.*</u>

P.S. По окончании моего экзамена думаю открыть школу в Иванове в товариществе одной немки.

Адрес мой здесь: Большая Дмитровка, дом Голицыной, в 1-й женской гимназии. Софье Федоровне Эштер, для передачи А.П. Сусловой. Мне придется пробыть здесь еще месяца два.

После буду Вас просить купить мне на платье, деньги скоро пришлю для этого.

А.П. Суслова — Е.В. Салиас//РГАЛИ. Ф.447. Оп.1. Ед.хр.21.

В начале 1866 года Суслова покидает Петербург, уезжает в провинцию и принимает участие в подпольной общественной работе, но письменные сношения с Достоевским не прерываются: они переписываются даже после женитьбы Достоевского в апреле 1867 года, и имя Сусловой не раз встречается по поводу этих сношений в самых мрачных очертаниях в "Дневнике" А.Г. Достоевской. Из этой переписки особенно замечательно письмо Достоевского от 23 апр./5 мая 1867 года из Дрездена, вызвавшее глубокую горечь и негодование молодой жены Достоевского; оно показывает с полной очевидностью продолжавшуюся духовную близость Достоевского и Сусловой и, вместе с тем, недостаток искренности великого писателя к новой, страстно и глубоко привязанной к нему подруге его жизни.

Е.В. Петухов. Из сердечной жизни Достоевского (Ап. Прок. Суслова-Розанова). С. 43.

...Я давно уже решила, в случае, если придется стенографировать в частных домах, с первого раза поставить свои отношения к малознакомым мне лицам на деловой тон, избегая фамильярности, чтобы никому не могло прийти желание сказать мне лишнее или вольное слово. Я, кажется, даже ни разу не улыбнулась, говоря с Федором Михайловичем, и моя серьезность ему очень понравилась. Он признавался мне потом, что был приятно поражен моим уменьем себя держать. Он привык встречать в обществе нигилисток и видеть их обращение, которое его возмущало. Тем более был он рад встретить во мне полную противоположность господствовавшему тогда типу молодых девушек.

А.Г. Достоевская. Воспоминания. М., 1987. С. 71-72.

Анна Григорьевна Достоевская.
С фотографии 1867 г.

31-е число прошлого года, понедельник. [31 октября 1866] В этот день я пришла последний раз и принесла Феде конец повести, продиктованной вчера, так что сегодня мы уж не диктовали, а только разговаривали. Он был еще любезней и милей со мной, чем всегда; когда я вошла, я видела, что он вдруг поднялся с места и даже краска показалась на его лице. Мне это показалось, что, значит, он меня любит, что, может быть, даже очень любит меня. Говорили мы с ним сегодня очень много. Я нарочно, не знаю почему — кажется, что шла на именины, — надела свое лиловое шелковое платье, так что была очень недурна в этот день, и он нашел, что ко мне цвет платья удивительно как идет, это случилось в первый раз, что он видел меня не в черном платье.

Показал он мне сегодня письмо Корвин-Круковской, где она называла его другом своим. Потом показал мне портрет Сусловой. Она мне показалась удивительной красавицей, так что я сейчас это и выразила. Он отвечал, что она уж изменилась, потому что этому портрету лет 6, не меньше, и что его просили назад, а он не хочет с ним расстаться и отдать его. Потом он меня расспрашивал, сватаются ли ко мне женихи и кто они такие, я ему сказала, что ко мне сватается один малоросс, и вдруг он начал с удивительным жаром мне говорить, что малороссы люди все больше дурные, что между ними очень редко когда случается хороший человек. Вообще видно было, что ему очень не хотелось, чтобы я вышла замуж. Потом я говорила про доктора, который ко мне сватается, и сказала, что, может быть, за него выйду замуж, потому что он меня любит, и хотя я его не так сильно люблю, но только уважаю, но все-таки думаю, что буду за ним счастлива.

Не помню хорошенько, в который раз Федя мне сказал, что как жаль, что вот скоро у нас работа кончится и тогда он меня никогда не увидит. Я ему сказала, что если он хочет, то я буду очень рада видеть его у нас. Он тогда поблагодарил меня за приглашение и сказал, что он непременно воспользуется этим случаем и придет к нам. Вот сегодня, так как это был уже последний раз, когда я к нему прихожу работать, то он и просил меня назначить, когда к нам приходить. Я сказала ему, чтобы он приходил к нам в четверг, хотела назначить раньше, но потом так и отложила до четверга, и он сказал, что непременно придет и будет даже с нетерпением ждать того дня. Вообще в этот день мне показалось, что Федя меня очень любит, с таким он жаром говорил со мной, видно было, что ему так хотелось со мной говорить.

А.Г. Достоевская. Дневник 1867 года. М., 1993. С. 363-364.

Отношения Достоевского с Сусловой были неровные; происходили, видимо, разрывы, возвращения, резкие вспышки при неугасимом взаимном влечении. С перерывами велась и переписка, не прекратившаяся даже после второй женитьбы Достоевского. Из Дрездена 23 апреля (5 мая) 1867 г., т.е. через два месяца после своего венчания с Анной Григорьевной, на второй неделе своего свадебного путешествия Достоевский посылает Сусловой подробное письмо о новом переломе в своей жизни. В глубоко задушевном и нежном тоне он пишет и о личности своей корреспондентки...

Из дрезденского дневника Анны Григорьевны видно, что чрезвычайно огорчавшая ее переписка Достоевского с Сусловой велась довольно оживленно. Письма "Полины" производили на него ошеломляющее впечатление.

Л. Гроссман. Путь Достоевского. С. 146-147.

Дрезден, 23 апреля/5 мая 1867 г.

Письмо твое, милый друг мой, передали мне у Базунова очень поздно, пред самым выездом моим за границу, а так как я спешил ужасно, то и не успел отвечать тебе. Выехал из Петербурга в страстную пятницу (кажется, 14-го апреля), ехал до Дрездена довольно долго, с остановками, и потому только теперь *улучил* время поговорить с тобою.

Стало быть, милая, ты ничего не знаешь обо мне, по

крайней мере, ничего не знала, отправляя письмо свое? Я женился в феврале нынешнего года. По контракту я обязан был Стелловскому доставить к 1-му ноября прошедшего года *новый роман* не менее 10 печатных листов обыкновенной печати, иначе подвергался страшной неустойке. Между тем я писал роман в "Русском вестнике", написал 24 листа и еще оставалось написать 12. А тут эти 10 листов Стелловскому. Было 4-е октября, а я еще не успел начать. Милюков посоветовал мне взять стенографа, чтоб диктовать роман, что ускорило бы вчетверо дело, Ольхин, профессор стенографии, прислал мне лучшую свою ученицу, с которой я и уговорился. С 4-го же октября и начали. Стенографка моя, Анна Григорьевна Сниткина, была молодая и довольно пригожая девушка, 20 лет, хорошего семейства, превосходно кончившая гимназический курс, с чрезвычайно добрым и ясным характером. Работа у нас пошла превосходно. 28 ноября роман "Игрок" (теперь уже напечатан) был кончен, в 24 дня. При конце романа я заметил, что стенографка моя меня искренно любит, хотя никогда не говорила мне об этом ни слова, а мне она все больше и больше нравилась. Так как со смерти брата мне ужасно скучно и тяжело жить, то я и предложил ей за меня выйти. Она согласилась, и вот мы обвенчаны. Разница в летах ужасная (20 и 44), но я все более и более убеждаюсь, что она будет счастлива. Сердце у ней есть, и любить она умеет.

Теперь вообще о моем положении:

тебе известно отчасти, что по смерти моего брата я потерял окончательно мое здоровье, возясь с журналом, но, истощившись в борьбе с равнодушием публики и т.д. и т.д., бросил его. Сверх того, 3000 (которые получил, продав сочинения Стелловскому), отдал их безвозвратно на чужой журнал, на семейство брата и в уплату его кредиторам. Кончилось тем, что я наколотил на себя нового долгу, по журналу, что с неуплаченными долгами брата, которые я принужден был взять на себя, составило еще свыше 15000 долгу. В таком состоянии были дела, когда я выехал в 65-м году за границу, имея при выезде 40 наполеондоров всего капиталу. За границей я решил, что отдать эти 15000 смогу только, надеясь на одного себя. Сверх того, со смертью брата, который был для меня *всё*, мне стало очень тошно жить. Я думал еще найти сердце, которое бы отозвалось мне, но — не нашел. Тогда я бросился в работу и начал писать роман. Катков заплатил больше всех, я и отдал Каткову. Но 37 листов романа и еще 10 листов Стелловскому оказались мне не по силам, хотя я и кончил обе работы. Падучая моя усилилась до безобразия, но зато я развлек себя и спас себя, сверх того, от тюрьмы. Роман мне принес (со вторым изданием) до 14000, на это я жил и, сверх того, из *пятнадцати* тысяч долгу отдал 12. Теперь на мне всего-навсе до 3000 долгу. Но эти три тысячи самые злые. Чем больше отдаешь денег, тем нетерпеливее и глупее кредиторы. Заметь себе, если б я не взял на себя этих долгов, то кредиторы не получили бы ни копейки, и они это знают сами, да и просили они меня перевести эти долги на себя *из милости*, обещаясь меня не трогать. Отдача 12000 только возбудила корыстолюбие тех, которые еще не получили по своим векселям. Денег у меня теперь раньше нового года не будет, да и то если начну новую работу, за которой сижу. А как я кончу, когда они не дают мне покою; вот почему я и уехал (с женой) за границу. Сверх того, за границей жду облегчения падучей, в Петербурге же, в последнее время, почти даже стало невозможно работать. По ночам уж нельзя сидеть, тотчас припадок. И потому хочу здесь поправить здоровье и кончить работу. Денег я взял у Каткова вперед. Там охотно дали. Платят у них превосходно. Я с самого начала объявил Каткову, что я славянофил и с некоторыми мнениями его не согласен. Это улучшило и весьма облегчило наши отношения. Как частный же человек это наиблагороднейший человек в свете. Я совершенно не знал его прежде. Необъятное самолюбие его ужасно вредит ему. Но у кого же не необъятное самолюбие?

В последние дни мои в Петербурге я встретился с Брылкиной (Глобиной) и был у нее. Мы много говорили о тебе. Она тебя любит. Она сказала мне, что ей было очень грустно, что я счастлив с другою. Я буду с ней переписываться. Мне она нравится.

Твое письмо оставило во мне грустное впечатление. Ты пишешь, что тебе очень грустно. Я не знаю твоей жизни за последний год и что было в твоем сердце, но, судя по всему, что о тебе знаю, тебе трудно быть счастливой.

О, милая, я не к дешевому *необходимому* счастью приглашаю тебя. Я уважаю тебя (и всегда уважал) за твою требовательность, но ведь я знаю, что сердце твое *не может* не требовать жизни, а сама ты людей считаешь или бесконечно сияющими или тотчас же подлецами и пошляками. Я сужу по фактам. Вывод составь сама.

До свидания, друг вечный! Я боюсь, что письмо это не застанет тебя в Москве. Знай во всяком случае, что до *восьмого* (8) мая нашего стиля я еще в Дрездене (это minimum, может быть, пробуду и долее), а потому, если захочешь отвечать мне, то отвечай *тотчас же* по получении этого письма. Allemagne (Saxe), Dresden, Dostoiewsky, poste restante. Дальнейшие же адрессы буду сообщать. Прощай, друг мой, жму и целую твою руку.

Твой Ф. Достоевский.

Ф.М. Достоевский — А.П. Сусловой//Ф.М. Достоевский. Полное собрание сочинений в тридцати томах. Т.28. Кн.2. С. 182-184.

...Надо отметить, что тон, с которым повествуется о женитьбе на А.Г. Сниткиной, несколько неожиданен: суховато, сдержанно, без намека на лирическую окрашенность этого эпизода, считавшегося Достоевским "великим *единственным* счастьем", и рассказана в этом письме важная страница жизни. Думается, была некая причина, заставлявшая так писать, опрощать событие, зарисовывать себя в тени, без жадного чувства влюбленности, личной интимной заинтересованности. Причина эта крылась в лице адресата, от которого Достоевский, по-видимому, хотел спрятать это напряженное личное чувство. Судя по заключительным строкам, по обращениям, адресат был близок писателю; с этой женщиной, властной, экспансивной, страстной, были у него какие-то сложные отношения. Достоевский убеждает ее, что то счастье, которое дала ему его жена и которое им самим считается *необходимым*, несмотря на его дешевую скромность, что такое счастье не для такой натуры, как у нее, что брак его с нею не был бы возможен. Кто эта женщина? Мне кажется, это была та самая Полина, о которой впервые поведала дочь Достоевского в своей мюнхенской книге, та Аполлинария Суслова, с которой Достоевский путешествовал за границей в 1863 году, скрыв ее, между прочим, от Тургенева в Бадене, хотя И.С. был у него два раза, та Полина, которая, судя по одному неопубликованному письму из Турина 8/20 сентября 1863 г., несмотря на свою инфернальность, счастья Достоевскому не дала. Ее характер, как он изображен в книге Л.Ф. Достоевской, соответствует душевному облику, проступающему в последней части дрезденского письма Достоевского. Есть указание на существование неизданных записок А.П. Сусловой; в наших архивах (петроградских и московских) имеются ее письма и письма Достоевского к брату Михаилу с любопытными подробностями о "приключениях" этого романа, пережитого Достоевским незадолго до смерти его первой жены, М.Д. Исаевой. Опубликование всех этих материалов раскроет тайну напечатанного нами письма к той, кто оставался в 1867 году для вторично женившегося Достоевского "милым другом", "другом вечным".

Н. Бродский. Неизданные письма Ф.М. Достоевского//Недра. Кн.2. М., 1923. С. 274.

...Самый тон этого письма, в высшей степени осторожный, определенно рассчитан на самооправдание. Именно чувством неловкости, м.б., и стыда, — само собою разумеется, если только не простой забывчивостью, — можно объяснить то, что он рассказывает ей здесь с такой излишней подробностью факты, которые, конечно, ей должны быть известны, т.к. она виделась с ним в Висбадене в августе 1865 г., уже после смерти брата и закрытия "Эпохи", виделась с ним в Петербурге в течение 2-3 месяцев, пока она не уехала в Тамб. губ. к брату. Впрочем, в одном месте письма Д. и пишет: "тебе известно отчасти..." Но он все же заполняет все письмо тем, что ей уже известно и, б. м., не совсем интересно, во всяком случае, менее интересно, чем то, чему посвящается всего несколько строк, — о женитьбе. Самооправдание, б. м., слышится также и в тех словах, которые он говорит про Каткова, — для Сусловой то, что Достоевский печатался в "Русском вестнике", должно было быть равносильным *измене* прежним и теперешним политическим идеалам. Дважды повторяется Достоевским, что Катков больше платит, а при его теперешнем материальном положении это в известной мере оправдывает его.

А.С. Долинин. Достоевский и Суслова. С. 267.

9 мая (27 апреля)

Сегодня утром мы вышли из дому. Федя пошел в C[afé] F[rançais] читать газеты, а я пошла доставать адрес той библиотеки, в которой можно доставать русские книги. Я скоро получила, что мне было нужно, и вернулась домой, чтобы прочитать письмо, которое я нашла в кармане Феди. (Дело, конечно, дурное, но что же делать, я не могла поступить иначе.) Прочитав письмо, я так была взволнована, что просто не знала, что делать. Мне было холодно, я дрожала и даже плакала. Я боялась, чтобы старая привязанность не возобновилась и чтобы его любовь ко мне не прошла. Господи, не посылай мне такого несчастья! Я была ужасно печальна, просто как подумаю об этом, так у меня сердцу больно сделается. Господи, только не это, это слишком будет для меня тяжело, потерять его любовь.

Я едва успела утереть слезы, как он пришел домой. Он очень удивился, увидя меня. Я сказала, что у меня живот болит (я была уверена, что и он придет домой, не знаю, почему). Потом я ему сказала, что мне нездоровится, что у меня дрожь. Он хотел, чтобы я легла в постель, очень стал беспокоиться, расспрашивал, отчего это у меня. (Он меня еще любит, он сильно всегда беспокоится, когда со мной что-нибудь делается.) Говорил, что мне не надо есть. (От нравственных мучений вздумал лечить голодом.)

...Я была весь обед скучна. Федя допытывался, отчего это происходит, но я ему не сказала. Он очень опасается болезни и рад, что не уехал сегодня. ...Потом мне сделалось ужасно грустно. (Вообще весь этот день я была ужасно несчастной.) Я пошла и стала смотреть в окно. Федя два раза призывал меня, потом пришел сам ко мне. Потом, когда я простилась и легла, он также приходил проститься, а потом пришел со свечой посмотреть, не плачу ли я. Его, очевидно, беспокоит, что со мной делается. Мне кажется, что он подозревает, что я знаю про письмо, потому что он спрашивал меня, не ревную ли я его. Я ответила, что ревную к англичанке, которую мы видели на террасе.

14 (2) мая

После чаю Федя объявил, что лекарство не подействовало и что придется принять еще раз, и пошел за ним в аптеку. Во мне, как во всякой ревнивой женщине, пробудилась страшная ревность. Я сейчас рассудила, что он, вероятно, пойдет к моей сопернице. Я тотчас же села на окно, рискуя выпасть из окна, и навела бинокль в ту сторону, из которой он пошел и из которой он должен был воротиться. Уже сердце мое испытывало все муки несчастной покинутой женщины, глаза мои поневоле стали наполняться слезами от слишком пристального взгляда, но Федя не показывался. Вдруг я нечаянно взглянула в другую сторону и вижу, что мой Федя смиренно идет домой.

май 16 (4)

... Мы не успели даже проститься. Вагон был полон, все 8 человек. Он сел возле какого-то старичка, очень старенького. Я стояла у окна, смеялась Феде, он улыбался и показывал рукой на грудь (означает любовь) и расставлял четыре пальца — он вернется через 4 дня. Я сказала ему "люблю", он благодарил. У меня слезы так и набегали на глаза, когда я смотрела на него, и я тотчас же отходила от вагона, а он мне грозил и умолял не плакать. Но когда поезд тронулся, то мне сделалось так грустно, что я отошла в сторону и расплакалась. Но потом, видя, что на меня смотрят, пошла из вокзала, закрывшись вуалью. На дороге я тоже плакала, но потом мало-помалу стала развлекать себя.

Я пошла по новому мосту, по которому ходит железная дорога. Это ужасно длинный мост, я думаю, больше Николаевского. Шла по Ostra-Allee, заходила в булочную и скоро вышла к почтамту. Я предчувствовала, что будет от нее письмо, и очень рада, что это случилось без Феди и что я могу его прочесть. Я заплатила за него 6 зильб. 6 Pf., тотчас же узнала почерк и пошла домой, не обнаруживая особенного волнения. Я торопливо пришла домой, страшно в душе волнуясь, сходила кое-куда, достала ножик и осторожно распечатала письмо. Это было очень глупое и грубое письмо, не выказывающее особенного ума в этой особе. Но я уверена, что она была сильно раздосадована

этим происшествием и что в этом выразилась ее обида. (Моя догадка оправдалась: письмо было послано из Дрездена.) Я два раза прочла письмо, где меня называют Брылкиной (очень неостроумно и неумно). Я подошла к зеркалу и увидела, что у меня все лицо в пятнах. Потом я вынула его чемодан и долго рассматривала его письма... Многие из них я уже читала прежде. Потом я вышла, чтобы купить сургучу. Я зашла в магазин, купила маленькую книжечку (5 зильб.), бумаги (по 1 Pf. за лист) и сургуч один, потом купила клею, кисточку и различных бус, из которых я хотела сделать убранство для моей кофты. Потом я пришла домой и стала разбирать письма.

Понедельник, 27 (15) мая

...Я не заметила, как пришел лейпцигский поезд. Я уже потеряла всякую надежду увидеть сегодня Федю, как вдруг вдали показался он. Я с минуту всматривалась, как бы не веря глазам, потом бросилась к нему и была так рада, так рада, так счастлива! Он немного изменился, вероятно, с дороги. Был запылен, но все-таки мы очень радостно встретились. Мы хотели нанять экипаж, здесь надо сначала взять билет или нумер от полицейского на крыльце вокзала, а без его позволения мы не имеем права нанять карету. Я поспешно подбежала к полицейскому, взяла от него билет, отыскала коляску, и мы сели.

Дорогою Федя мне рассказывал про свои несчастия. Я очень жалела, но все-таки была ужасно счастлива, видя, что он, наконец, приехал. Ида нас встретила у подъезда. Мы тотчас же спросили чаю. Я все время любовалась моим Федей и была бесконечно счастлива. За чаем он спросил, не было ли ему письма, и я подала письмо от С[условой]. Он или действительно не знал, от кого это, или притворился незнающим, но только едва распечатал письмо, потом посмотрел на подпись и начал читать. Я все время следила за выражением его лица, когда он читал это знаменитое письмо. Он долго, долго перечитывал первую страницу, как бы не будучи в состоянии понять, что там написано. Потом, наконец, прочел и все письмо. Мне показалось, что руки у него дрожали. Я нарочно притворилась, что не знаю, и спросила его, что пишет Сонечка. Он ответил, что письмо не от Сонечки, и как бы горько улыбался. Такой улыбки я еще никогда у него не видала. Это была или улыбка презрения, или жалости, право, не знаю, но какая-то странная. Потом он сделался ужасно как рассеян, едва понимал, о чем я говорю.

Вечером мы пошли погулять, зашли за сигарами и папиросами, а оттуда пошли на террасу. Я уже здесь не была, я думаю, недели две. Все по-старому. Мы хотели зайти на музыку, но боялись засидеться, а потому пошли пить кофе в кафе Реаль. Федя спросил себе мороженого, а я кофею. Придя домой, я легла спать, а затем, очень скоро, и он.

Вторник, 28 (16) мая

Сегодня мы проснулись довольно поздно. У нас теперь часов нет, и потому мы времени совершенно не знаем. Я сначала оправляла мое черное платье, а Федя все время, как потерянный, ходил по комнате, все чего-то искал, точно он что потерял, рассматривал письмо. Вообще видно было, что письмо это его очень заняло. Но мне очень, очень бы хотелось знать его мнение об этом поступке.

Понедельник, 10 июня (29 мая)

В 4 часа мы пошли на почту, и Федя получил два письма. Одно от Паши со вложением нескольких писем, присланных Феде со дня его отъезда, а другое было от Аполлона Николаевича. Федя тут же распечатал письма. Когда он читал, то я могла тоже читать те же самые письма. Я наполовину прочла письмо С[условой]... Федя дал мне прочесть письма Андрея Михайловича, письма Паши и

Майкова, но ничего не сказал о других письмах. Как это гадко, что он меня так обманывает, ведь этим он и меня приучает поступать не так, как следует, этим он дает мне право так же от него скрывать, что мне хочется. Это уж очень нехорошо, особенно для него, которого я считала за образец всего.

Среда, 12 июня (31 мая)

...Пришла я домой и всю дорогу думала, как я люблю моего Федю, как он мне дорог, и прочие обыкновенные мои думы. Я пришла домой, но он даже и не взглянул на меня. Он писал письмо к Эмилии Федоровне, это я увидела издалека. Потом спросил конверт. Я его спросила, к кому он пишет. Он мне отвечал, что какое тебе дело, к кому я пишу. Я отвечала ему, что мне все равно, хотя бы он к черту писал, не только в Петербург. Меня эта неоткровенность очень оби-

Анна Григорьевна Достоевская. 1860-е годы

дела. Я ее совершенно не заслужила. Это очень нехорошо.

Четверг, 13 (1 июня)

...Проходили мы по галерее до звонка, потом пошли на почту. Этот проклятый почтмейстер (не мой старый знакомый) вздумал сказать, что уже приходили спрашивать от Достоевских за 1/2 часа перед этим, но что писем не было. Федя тогда очень удивился и сказал ему, показывая на себя и на меня, что никому, кроме нас, не следует давать писем. Тогда тот сказал, что ведь это вы [?] взяли. Так как мы с Федей в это время уходили в галерею, то ему не могло прийти на ум, что спрашивала письма я. Это его ужасно растревожило. Я вполне думаю, что ему представилось, что это приехала С[услова], и ему это было неприятно. Я, разумеется, не созналась в том, что это была я. Пообедали, он пошел читать, а я пошла домой. Но на дороге купила земляники, сладкого пирога и булок. Феде все не нравятся здешние булки, он говорит, что они отзываются горьким маслом. Я этого не нахожу, но, разумеется, подтверждаю: зачем его огорчать на таких пустяках. Потом он пришел домой и предложил мне идти гулять. Но я отказалась, сказав, что мне гораздо веселей сидеть дома и делать что-нибудь, чем ходить с ним, когда он не говорит со мной ни слова. Потом он меня передразнил и сердился, зачем я грустна. Все-таки мне ужасно тяжело, мне все время казалось, что я совершенно здесь одна, что у меня нет друга, что единственный друг — моя мама, да и она в Петербурге, она, может быть, умрет без меня. О, Господи, Господи, сохрани мне маму, так она мне дорога всегда. Вот не умела я ценить этого прекрасного существа прежде. Право, я иногда очень, очень жалею, зачем я не осталась с нею навсегда. Право, это было бы лучше, ведь эдак же [сглупит] человек. Право, я и сама не знала, как я глупо поступила.

Пятница, 14 (2) июня

Сегодня для меня день неудачный. Я встала довольно рано и объявила Феде, что пойду в галерею. Он, разумеется, согласился со мною, что это похвальное желание. В 1/2 2-го я отправилась... В 1/2 4-го пришел Федя, и мы еще раз обошли с ним галерею.

Отсюда мы пошли на почту. Почтмейстер подал письмо, адресованное на имя госпожи Достоевской. Рука была женская. Федя тотчас же, вероятно, подумал, что это письмо от С[условой], потому что, когда я стала распечатывать, то он мне сказал: "Посмотри, чья подпись". Разумеется, он боялся, что эта дура напишет мне что-нибудь. Я ему показала, что это письмо от Сто[юниной]. Я была очень рада, что у них все благополучно.

Среда, 26 (14) июня

...Потом я сходила за конвертом и, уходя, когда он меня спросил, на какую я иду почту, я отвечала, что на эту и чтоб он не беспокоился, что я пойду на нашу почту и возьму его письма, что этого не будет. Он ничего не отвечал, но когда я отошла, он вдруг подошел ко мне и с дрожавшим подбородком начал мне говорить, что теперь понял мои слова, что это какие-то намеки, что он сохраняет за собой право переписываться с кем угодно, что у него есть сношения, что я не смею ему мешать. Я ему отвечала, что мне до его сношений дела нет, но что если б мы были друг с другом откровеннее, то я, может быть, могла бы избавиться от одной очень скучной переписки, которую должна была завести. Он спросил меня, кто это написал. Я отвечала, что одна дама. Ему ужасно было любопытно узнать, кто эта особа, он, вероятно, уже догадался, кто это может быть, а поэтому очень обеспокоился и начал выпытывать у меня, кто она такая, и не по поводу ли его брака у нас переписка, и что он очень желает узнать, как меня могли оскорбить. Я отвечала уклончиво, но он мне серьезно советовал сказать ему, потому что он мог бы мне помочь в этом случае и объяснить, как сделать, что, вероятно, он помог бы. Я отвечала, что эта переписка особенно важного не представляет и потому я могу сама обойтись без его совета. Его это очень занимало, так что он даже вечером и ночью говорил, что я с ним не откровенна, что получила письмо от кого-то.

Четверг, 1 августа (20 июля)

...После обеда Федя пошел на почту, и я осталась дома, но просила его не распечатывать моего письма... Я была очень рада, что Федя не распечатал письма, потому что тут Ваня опять пишет адрес С[условой], хотя я его уже знаю. Тут, вероятно, последовали бы расспросы: почему и для чего, и так далее; вообще гораздо лучше, что он не распечатал.

Пятница, 2 августа (21 июля)

...Я зашла с почты к банкиру... Потом, посидев немного и отдохнув, я окончила письмо к Ване; в начале оно было очень любезно и мило, но в конце, зная, что он сказал о нашем адресе, я ужасно его обругала...

Среда, 11 сентября (30 августа)

...Я думала, что мой день окончится мирно, как вдруг под вечер случилась у нас ссора, и вот каким образом: мы пошли немного погулять, хотели зайти на почту. Когда мы проходили мимо дома почты, я вспомнила, что я не взяла своей записи с нашими именами, а без записей спрашивать письма было неловко, потому что он не может запомнить имена и тогда требует визитную карточку. Я сказала Феде, что у меня записей своих нет, тогда он посмотрел в своем кармане, вынул какую-то маленькую бумажку, на которой было что-то написано карандашом. Мне захотелось знать, что это было именно, и я схватила записку; вдруг Федя зарычал, стиснул зубы и ужасно больно схватил меня за руки; мне не хотелось выпустить записки, и мы так ее дергали, что ра-

зорвали на половины, и я свою половину бросила на землю, Федя со своей сделал то же; это нас и поссорило, он начал бранить, зачем я вырвала записку, меня это еще больше рассердило, и я назвала его дураком, потом повернулась и пошла домой. Это я сделала для того, чтобы поднять остатки бумажки и знать, что такое она содержала. Я ужасно дрянной человек! У меня раздражение, подозрительность и ревность; мне сейчас представилось, что это очень новая записка, а главное, что эта записка одной особы, с которой я ни за что на свете не желала бы, чтобы сошелся снова Федя.

Когда Феди не стало видно, я подбежала к тому месту, где была брошена бумажка, подняла 3 или 4 клочка, с которыми и побежала домой, чтобы прочитать. В каком я шла домой волнении, так это и описать трудно. Мне представилось, что эта особа приехала сюда в Женеву, что Федя видел ее, что она не желает со мной видеться, а видятся они тайно, ничего мне не говоря, а разве я могу быть уверена, что Федя мне не изменяет? Чем я в этом могу увериться? Ведь изменил же он этой женщине, так отчего же ему не изменить и мне? Но вот этого-то я решительно не могла к себе допустить. Мне нужно было знать это непременно, я не хотела, чтобы меня обманывали. Она думала, что я ничего не знаю, смеялась бы надо мной, нет, этого никогда не будет, я слишком горда, чтобы позволить над собой смеяться, да смеяться, должно быть, особе, которая меня и не стоит, потому-то я дала себе слово всегда наблюдать за ним и никогда не доверяться слишком его словам. Положим, что это, должно быть, и очень дурно, но что же делать, если у меня такой характер, что я не могу быть спокойной, если я так люблю Федю, что ревную его. Да простит меня Бог за такой, должно быть, низкий поступок, что я хочу шпионить моего мужа,

к которому я по-настоящему не должна была бы иметь недоверия. Но дело в том, что Федя сам не хочет мне много доверить, ведь, например, он не сказал мне ни слова о известном дрезденском письме и вообще сохраняет на этот счет полнейшее молчание. Так разве я могу быть спокойна? Нет, пусть даже это будет нечестно, но я постоянно буду наблюдать, чтобы не быть обманутой.

Я просто бежала и плакала дорогой, так я боялась, чтобы мне не узнать чего-нибудь дурного из этой записки. Я прибежала домой раньше Феди, я желала поскорее прочитать разорванную записку, а тут как назло наша хозяйка начала мне [надоедать?] с вопросами, и я ее выпроводила из комнаты. Начала старательно складывать записку, кое-как сложила, прочитала: rue Rive, Mr Blanchard dessous, записочка мне показалась написанной рукой этой особы, совершенно ее почерком; положим, что это, может быть, и неправда, потому что таких почерков может быть бездна, да вот, например, у Андреевой решительно такой почерк, но это меня еще больше взволновало. Мне представилось, что он вместо того, чтобы ходить в кофейню читать газеты, ходит к ней, что вот она дала ему свой адрес, а он, по своему обыкновению, по неосторожности, вынул и таким образом чуть-чуть не выдал свою тайну мне. Особенно меня поразило то обстоятельство: зачем ему было так вырывать от меня записку, если он не боялся мне показать эту записку. Значит, ему не хотелось показать записки, значит, ее не следовало мне показать. Меня это до такой степени поразило, что я начала плакать, да так сильно плакала очень редко, я кусала себе руки, сжимала шею, плакала и просто не знала, боялась, что сойду с ума. Мне было до такой степени больно подумать, что вот человек, которого я так сильно люблю, и этот человек вдруг изменяет мне. Я реши-

лась непременно завтра идти, идти по адресу и узнать, кто живет именно там, и если бы я узнала, что там живет известная особа, то я непременно бы сказала об этом Феде, тогда, может быть, мне бы пришлось уехать от него. Но до завтра еще оставалось довольно много времени, я ужасно как мучилась. Я плакала Бог знает как и страдала невыносимо. Одна мысль об этой подлой особе, которая меня, вероятно, не любит, что она способна нарочно ему отдаться для того, чтобы только насолить мне, зная, что это будет для меня горько, и вот теперь, должно быть, это действительно и случилось, и вот они оба считают, что могут обманывать меня, как прежде обманывал Марию Дмитриевну.

Пришел Федя и ужасно удивился, увидя, что я плачу, сначала он спросил причину, но я была так огорчена, что очень грубо ему отвечала, просила оставить его в покое и продолжала плакать. Успокоиться я не могла, так мне было горько. Федя начал браниться и как-то сказал, что он был просто испуган, когда я бросилась к нему, чтобы вырвать от него записку, что это была записка, данная ему закладчиком, т.е. адрес другого закладчика, и проч. Вообще он ужасно как на меня рассердился. Это меня еще более взорвало, потому что нет ничего хуже, когда человек раздражен или расстроен, и вдруг ему начинают говорить колкости и смеются над ним. Я стала писать письмо к Ване, хочу его поскорее отправить и просить его узнать, там ли известная госпожа, узнать наверное, может быть, она уж оттуда уехала. Потом, когда я заснула, Федя не пришел ко мне прощаться. Вот это так было очень дурно с его стороны, неужели он не может быть снисходителен ко мне, когда он знает, что я в таком положении, право, должен бы был быть ко мне гораздо милостивее...

Четверг, 12 сентября (31 августа)

Сегодня утром я отправилась сначала к почте и думала как-нибудь поднять ценные лоскуточки, чтобы узнать номер дома, в котором живет B[lanchard], а оттуда думала идти искать и разыскать непременно, кто именно там живет...

Я отправилась искать дом на rue de Rive, это у того самого места, где мы постоянно обедаем. Я спросила у какой-то магазинщицы, и она мне сказала, что на углу улицы есть дом, в котором живет Bl[anchard], портниха. Я отправилась и действительно нашла и портниху и ее мужа [?]. Я вошла в подъезд, потому что зайти на квартиру я не могла, так как дама имеет довольно представительную наружность, а, следовательно, очень могло случиться, что они там оставались, и потом я была бы в очень сложном положении, попавшись Феде. Я нашла, где живет консьержка, но квартира ее была не заперта, а самой ее не было. Мне сказали, что она бывает дома около 12 часов. Я отправилась гулять по улице и пришла снова в 12 часов. Но и на этот раз не нашла ее, я спросила в магазине, и мне сказали, что ее если можно застать, так это вечером. Такая досада, просто ужас, пришлось идти домой, но я все-таки, пока не узнала человека, решилась примириться с Федей, потому что уж очень грустно сегодня. Когда он стал одеваться к обеду, я к нему подошла, расхохоталась, и как он ни хотел удержаться и представиться серьезным и холодным, улыбка потом невольно явилась на его лице, и он расхохотался. Я села к нему на колени, начала ему говорить, чтобы он на меня не сердился. Так мы совершенно помирились и пошли обедать. После обеда он читать не пошел, а пришли домой, и лег спать. Я воспользовалась тем временем, когда он спал, чтобы снова сходить туда, но и на этот раз тоже неуспешно, потому что опять ее дома не застала. Такая была мне досада, понапрасну хожу, а

я было хотела дать ей полфранка, разузнать хорошенько.

Потом вечером мы отправились гулять и вышли к католическому кладбищу, в котором в это время звонили к выходу, потому что было уже 7 часов и совершенная темь, как ночью.

Воротились домой и говорили довольно дружелюбно между собой, хотя сердце у меня так и прыгало. Мне все казалось, что он меня обманывает, что я не могу узнать, а между тем хотелось как можно дальше отложить время, когда я узнаю эту ужасную для меня новость.

Пятница, 13 (1) сентября

День сегодня отличный. Встала я довольно рано и опять отправилась, чтобы застать эту подлую консьержку, наконец, сегодня застала. Она мне сказала, что она не знает, чтобы кто-либо приехал туда, и очень удивлена, если это действительно случилось, потому что у него очень маленькая квартира, что несколько месяцев тому назад к ней приехала ее тетка, старуха, так и то едва досталось место, а уж отдать кому-нибудь, так и положительно нет никакой возможности. Так что этим она меня несколько успокоила, а то я была в таком волнении. Сегодня я была целый день почти больна, но вовсе не физически, а морально, так было тяжело, все казалось грустно и мертво, так что, должно быть, я окончила бы физической болезнью, если бы вдруг не решилась успокоиться. Я положила, что это все сочинила сама, что вовсе не следует печалиться, ничего не узнав, а все-таки я решилась следить за Федей, чтобы знать, что неужели он мне изменяет. Когда он после обеда пошел в читальню, я высмотрела, как он действительно туда вошел. Потом я отнесла домой книги и поспешила через другой мост в маленький парк, из которого было очень хорошо видно, если бы он вышел, но дожидаться там, пока он прочитает все газеты, было бы, право, глупо, потому что иногда он читает часа два, а стоять на одном месте 2 часа очень тяжело, потому я решилась тихонько пройтись мимо кофейни, вполне уверенная, что он меня и не заметит. Так и случилось, я прошлась и увидела, что он смирнешенько сидит себе у стола и читает газету, так что тут мои подозрения решительно рушились. Я решилась больше его не наблюдать и отправилась глазеть по магазинам.

Вторник, 29 (17) октября

...Я получила, впрочем, не неприятное, а нефранкованное письмо, что при наших очень небольших средствах было не совсем приятно. Федя захотел сейчас узнать, от кого оно, я хотя и видела, что оно от Стоюниной, но мне поэтому вовсе того сказать не хотелось, тем более, что я знала, что ее почерк сходен с почерком известной особы...

Когда Федя воротился из кофейной, то он обнял меня и просил, чтобы я не сердилась на него за его слова, что он это сказал сгоряча, а что тут речь шла вовсе не о деньгах, а о том, что ему очень хотелось поскорее узнать, от кого это письмо, а я ему не так скоро сказала. (Мне кажется, не боялся ли он, что это письмо от той дамы его сердца, а потому и рассердился, когда я ему не скоро сказала.) Я назвала его скупым, и мы помирились. Он принес с собой 4 книги "Былое и думы", которые получил от Огарева. Тут он познакомился с каким-то господином Спиридовым, которого я очень не люблю, хотя видела не больше двух раз на улице, но терпеть не могу его физиономии. Ходили немного гулять, а пришли, и я начала читать книгу. Как нарочно, запечатан конверт известной печатью с маминым именем; Федя рассматривал конверт. Рука ему, кажется, показалась знакомой и долго тоже смотрел и на печать; очевидно, у него было подозрение, что письмо именно от дамы, с которой он в ссоре.

А.Г. Достоевская. Дневник 1867 г. С. 19-21, 28, 33, 57-58, 76-77, 79-82, 101-102, 173, 175, 249-253, 336.

25 мая. С. Иваново [1867]
Дорогая Графиня!
Я так долго не переписывалась с Вами и так многое что-то хотела сказать Вам, что не знаю, с чего и начать. Отсутствие Ваших писем было мне очень чувствительно, несмотря на то, что в Москве я постоянно имела сведения о Вас от Вар. Влад. Новосильцевой. Всю зиму я была страшно занята — этим экзаменом, но он не удался. На последнем экзамене провалилась из Катехизиса.

Переэкзаменовываться было уже некогда, и теперь все отложено до сентября, а там начинать нужно все снова. Впрочем, я не очень жалею об этом: все равно заниматься-то.

Москву я оставила с ужасно грустным и тяжелым чувством. Причина этой грусти старая, это отсутствие хороших людей, особенно людей честных и людей с характером. Я не ждала встретить в Москве много хорошего, но как-то инстинктивно искала в людях добра и нашла не то что большую гадость, но страшную мелочность и пустоту. Впрочем, у меня было два личных, сердечных огорчения, одно похоже на оскорбление, но я была тронута ими только на минуту, а потом уже не хотела думать и не думаю. *Но последнее время я так раздражительна и грустна, как редко бывало: я почти не могу видеть людей.* От Вас почти никогда не приходится получать приятных вестей, так что мысль о Вас превратилась в болезненную рану и ожидание известий смешано со страхом неприятной вести. Варвара Владимировна все мне рассказывала о Вас. Жаль, что мне приходилось видеться с ней как-то урывками.

Дорогой из Москвы в Иваново (после железной дороги 70 верст на лошадях) я вспомнила Ваше намерение приехать в Россию мимо Петербурга и Москвы. Как ни хотелось бы мне Вас видеть, но я бы не желала, чтоб Вы рисковали ехать по нашим дорогам. Это чудовищно трудно, скучно и, право, небезопасно для здоровья. На семидесяти верстах я была до того изломана, что до сих пор (более недели, как я приехала в Иваново) у меня не зажила спина от ушибов вследствие толчков тарантаса. Прибавьте к этому случаи дурной погоды, невозможный стол и невозможный ночлег, ужасную грубость мужиков на станциях и пр. Прошлое лето я ехала в Тамбовской губернии и нигде не нашла молока в деревнях, за тем, что это было время поста, и молоко оставляли на сметану, так что оно было кисло. А дорога отвратительна даже в хорошую погоду, потому что ее портят быки, которых ведут из Малороссии. Особенно для Вашей болезни эта дорога много может сделать зла. И Варваре Владимировне нельзя будет видеться с Вами, если Вы не будете в Москве, она говорит, что брата ей нельзя оставлять даже на одни сутки, и потому ее беспокоила необходимость быть часто в Москве этим летом, по случаю приезда Вашей сестры и дочери, тогда как брат на даче.

В Иванове мне ужасная скука; я буквально никого не вижу; единственное утешение книги; читаю больше по истории. Вы мне как-то писали, что читаете много путешествий. Скажите, что Вы прочли особенно хорошего, я бы желала что-нибудь прочесть из путешествий для географии, так как мои сведения о ней очень слабы. Я вызубрила географию перед экзаменом, но это "зубренье" необыкновенно скоро улетучивается.

Я хотела начинать здесь пансион и нашла себе компаньонку, очень хорошую немку-музыкантшу, но не знаю, устроится ли что-нибудь, так как трудно мне сладить со своей матерью.

Общество ивановское и не очень мне нравится, но

где же взять хорошего общества? Если и можно что-нибудь начинать, так это здесь, в Москве содержательницы пансионов чуть не умирают с голода.

Думала поручить Вам купить платье, но отложила, потому что в Москве очень прокутилась, да и надобности же мне нет в нарядах.

Я часто думаю о Вас, что Вы теперь одна, как Вы теперь живете, — посмотрела бы на Вас.

И писать больше некогда, торопят посылать на почту.
Вся Ваша Полинька.
P.S. Письма Вашего жду как праздника.
Адрес: С. Иваново Владимирской губернии.
Когда-нибудь напишу Вам о наших судах. Я была один раз только. Адвокаты говорить совсем не умеют и не умеют защищать (по слухам знаю, то же самое), говорят ужасно книжно.

А.П. Суслова — Е.В. Салиас//РГАЛИ. Ф.447. Оп.1. Ед.хр.21.

Версаль, 2 мая [1868]
Я к Вам, мой друг, Полинька, давно не писала. Да и писать было нечего. Смерть моей сестры поразила меня в самое сердце. Я была с ней врозь умственно, но сердечно никогда. Мы любили друг друга нежно...

Правда то, что Вы говорите, что только прочное образование помогает нам жить как следует, — но прежде образования нами должна руководить религия... Любить других как самого себя очень для нас трудно, даже часто невозможно, но *стараться надо*. Это идеал, к которому надо всю жизнь стремиться, — и тогда мы будем спасены в обширном смысле слова. Больше, чем когда-либо, верю в Бога, в Его Премудрость и благость и *особенно* Евангелие. А что Вы хотите от Марка Вовчка. Какую мораль может преподать женщина, которая сама себе не уяснила, что такое нравственность, какие наши обязанности и к чему мы должны стремиться.

На конверте: Russie Moscou
Через Москву во Владимирскую губернию, в село Иваново. Ее благородию Аполлинарии Прокофьевне Сусловой.

Штемпеля:
Версаль 2 mai 68
Москва 27 апр 1868
Вознесенский посад 28 апр 1868

Е.В. Салиас — А.П. Сусловой//РГАЛИ. Ф.447. Оп.1. Ед.хр.5.

С. Иваново. 27 июля 1868 г.
Дорогая Графиня!
Опять прошло ужасно много времени, что я не писала Вам, теперь не знаю положительно, где и как вообразить Вас. Надеюсь, что предполагаемое свидание Ваше с дочерью сбылось. Вы увидали своих внуков и несколько утешились после великого огорчения от потери сестры. Я думаю, что Вы теперь вместе с дочерью и ее детьми.

Меня несказанно радует, что здоровье Ваше лучше, но я боюсь, что Вы расстроите его снова поездками, при которых будете соображать только удобства Вашей дочери непременно в ущерб себе. Я утешаюсь тем, что это свидание и отдых на водах хорошо на Вас подействуют во всех отношениях.

Лето теперь такое жаркое, даже у нас. Я знаю, что Вы трудно переносите жару. Дай Вам Бог спокойствия и здоровья. Со временем, даже очень скоро, Вас вспомнят и оценят заслуги, которыми Вам обязано общество. Вы еще доживете до этого. Все, что было против Вас и что после Вас явилось, погибает самым ужасным образом; здравый смысл возвращается даже к самым безнадежным людям, по крайней мере это видно в литературе. Впрочем, я не много читаю журналов, слежу только за общим их направлением, но и этого довольно. В настоящее время читаю Histoire de la littérature anglaise par Taine, которую случайно здесь достала. Вы подивитесь, я думаю, что в Иванове попадаются такие книги. Да, попадаются. Только мало читают их и читают не с начала до конца, а только частицу, что-нибудь о Шекспире, о Мильтоне, а Taine как нарочно мало написал о Шекспире, потому, должно быть, что много уже очень написано о нем.

На кого-то Вы оставили Ваш зверинец в Версале? Я уверена, что некоторые звери Вас сопровождают, по крайней мере собачка.

В начале осени буду в Москве проездом в Петербург и надеюсь узнать многие подробности о Вас от Варвары Владимировны. В Петербург я поеду к сестре, которая к тому времени возвратится с своим мужем. Муж ее, должно быть, "эрундист" вроде наших молодых людей, только честнее и добрее. Сестра говорит, что я с ним не сойдусь. Меня что-то не располагает жить у сестры в Петербурге. Я ее люблю очень, но многое в ней мне не нравится до крайности. Теперь, однако, мне необходимо у ней поселиться, хотя на время. Так как дом здесь у нас очень неудобен, поместиться почти негде, а дядя мой берет из разных школ своих детей, для которых начнется жизнь, неудобная для меня: будут гости нелепые ходить, вечера будут задавать.

Я думаю, что характер у меня теперь лучше, и жалко, зачем не теперь я с Вами.

Целую много раз Ваши руки.

Все Ваша Полинька.

А.П. Суслова — Е.В. Салиас//РГАЛИ. Ф.447. Оп.1. Ед.хр.21.

Сахарово, 9 ноября [1868]

Милая Полинька, я получила Ваше письмо и, как всегда, прочла его с удовольствием. К сожалению, не могу Вас звать ни сюда, ни в Моршанск, столько родных съехалось по поводу моего приезда, не считая родных со стороны мужней, что во всякой комнате набито по двое и по трое и хозяева живут в комнатах горничной, уступив гостям весь дом...

Я пробуду здесь до 30 ноября, а потом в Моршанск до февраля. Когда я поеду назад, я предупрежу Вас, и, если Вам можно будет, приезжайте в Москву на два дня повидаться и проститься со мной.

Так как Вы женщина добрая и благоразумная, верующая и боголюбивая (надеюсь), то сделаете пользу и из диких детей можете воспитать христианок с чувством милосердия, любви и справедливости. А эти чувства дороже всего на свете, и без них жить — значит блуждать впотьмах и бессознательно впадать в преступление, если не делом, то словом: слово великое дело — оно поднимает и грубую силу. Словом можно много сделать зла. Прощайте, целую Вас. Желаю Вам успеха и знаю, что Вы как учительница будете говорить только доброе и хорошее, — потому желаю Вам много учениц. Не бойтесь труда, лучше уставать от него, чем жить бесполезно и бесцельно.

На конверте: Владимирской губернии С. Иваново

Ее благородию Аполлинарии Прокофьевне Сусловой

Штемпеля: Тверь 10 ноя 1868
Вознесенский посад 12 ноя 1868

Е.В. Салиас — А.П. Сусловой//РГАЛИ. Ф.447. Оп.1. Ед.хр.5.

Корреспондент сообщает, что 12 декабря г-жа Суслова, родная сестра доктора медицины Сусловой, открыла в селе Иванове пансион для приходящих девиц. Имея в виду блестящее образование г-жи Сусловой и судя по программе ученья, которую корреспонденту удалось видеть, нельзя, прибавляет он, не порадоваться той пользе, которую, вероятно, принесет местным девочкам это первое образовательное заведение в с. Иванове. К Новому году, и даже может быть ранее, в Иванове ожидается открытие клуба и собрания, которых до сих пор не было.

Русские ведомости. 1868. 19 дек. С. 2.

Ивановский корреспондент в "Русские ведомости" сообщает, что 12 декабря г-жа А.П. Суслова, родная сестра доктора медицины Сусловой, открыла в селе Иванове школу для приходящих девиц. Имея в виду блестящее образование г-жи Сусловой и судя по программе ученья, которую корреспонденту удалось видеть, нельзя, прибавляет он, не порадоваться той пользе, которую, вероятно, принесет местным девочкам это первое образовательное заведение в с. Иванове.

Голос. 1868. 21 дек. С. 3.

22 января. С. Иваново [1869]

Дорогая Графиня!

Опять обстоятельства у меня сложились так, что я никак не могла писать Вам. Я думала, что у меня дела бу-

дет убавляться, а его прибавляется. Утешаюсь тем, по крайней мере, что тружусь недаром; в настоящее время у меня 14 учениц и есть надежда на большее количество.

Как-то Вы переносите зиму в Моршанске, я давно ничего о Вас не слыхала. Бывши на Святках в Москве, проездом в Петербург, я заехала к Новосильцевым узнать о Вас, но с тех пор уже много прошло времени.

Я почти потеряла надежду видеть Вас в России, потому что мне очень трудно оставить мою школу, тем более, что у меня будут живущие пансионерки из окрестностей Иванова. У меня есть хорошая помощница, но все же неудобно уезжать. Если на масленице Вы будете в Москве, то я приеду к Вам непременно, но я не надеюсь, что это время Вы будете в Москве. На днях я еду в Козлов на свадьбу брата, он женится на какой-то помещице и непременно просит меня приехать, даже денег дал на дорогу. Значит, я буду очень близко от Вас, а заехать посмотреть на Вас все-таки, должно быть, не буду иметь времени. Впрочем, в Москве узнаю хорошенько, как далеко Моршанск от Козлова, и, может быть, хоть на несколько часов заеду.

В Петербурге я видела Утина, и мы вспоминали о Вас, он так Вас любит!

Если Вас не будет на масленицу в Москве, то я просижу это время в Иванове. Такая иногда мне тут бывает скука, что хоть беги, но я уж покорилась и не бунтую; это все-таки лучше, чем жить у сестры в Петербурге. Она очень обиделась и огорчилась, что я отказалась у ней жить. Я теперь живу в одном доме с моей помощницей, и у нас свое хозяйство; в доме, где живут мои отец и мать, было тесно и неудобно поместиться с чужой особой, тем более, что отец мой живет с семейством своего брата.

Чувствую, что пишу нескладно; прерываюсь каждую минуту.

До следующего письма, а может быть, и до свидания. Целую Ваши ручки. _Вся Ваша Полинька._

Если Варвара Владимировна с Вами, то поклонитесь ей от меня.

Я слышала, что Евгений Андреевич женится на пензенской помещице, но не уверена, что это правда, и потому не распространяюсь.

А.П. Суслова — Е.В. Салиас//РГАЛИ. Ф.447. Оп.1. Ед.хр.21.

В конце 1868 г. она сдала при Московском университете какой-то экзамен — очевидно, на звание учительницы, и 12 декабря открыла в с. Иванове школу-пансион для приходящих девиц. Председатель следственной комиссии Ланской 2 об этом доводит до сведения мин. нар. просв. Д. Толстого (от 19 января 1869 г.), предоставляя "дальнейшее решение на личное его усмотрение". В то же время просит также и гр. Шувалова, шефа жандармов, не оставить ее своим вниманием; обвинения против нее такие: она нигилистка, была одно время распорядительницей воскресной школы при Михайловской артиллерийской академии и опять — сношения с эмигрантами.

А дальше было так: министр нар. просв. Д. Толстой затребовал объяснения от попечителя Моск. учеб. округа, тот от директора училищ Владимирской губернии, и в результате о Сусловой было сообщено следующее: Суслова действительно человек неблагонадежный; во-первых, она носит синие очки, во-вторых, волосы у нее подстрижены. Кроме того, имеются слухи о ней, что "в своих суждениях она слишком свободна и никогда не ходит в церковь".

Месяца два просуществовала школа и была закрыта. Она удостоилась очень теплого некролога одного из местных жителей, описавшего яркими красками потерю, понесенную иваново-вознесенцами, и горе детей, оставшихся без школы. В некрологе было и негодование, конечно, сдержанное, и слезы, и жалоба на судьбу, и похвалы Сусловой, и горячее к ней сочувствие.

А.С. Долинин. Достоевский и Суслова. С. 252.

Филипп Диомидович Нефедов. 1860-е годы

Село Иваново, 18 марта.
Давно жителями Иванова чувствовалась потребность в устройстве женского учебного заведения. Нельзя сказать, чтобы Иваново совсем было обижено училищами, нет: в нем есть одно женское училище, недавно открытое земством, но оно удовлетворяет далеко не всех (я не говорю уже об училищах мужских, которые здесь растут, как грибы, — о них речь впереди). Независимо от женского училища земства существуют еще и другие рассадники женского образования: это мастерицы и священники, которые учат девочек у себя на дому и в школах вместе с мальчиками. Но все это не удовлетворяло... Требовалось устройство такого училища, которое, кроме сообщений серьезных и разносторонних знаний, могло бы систематически развить ум учащихся и дать им строго нравственное направление. Наконец явилась особа, которая взяла на себя обязанность удовлетворить этой высокой цели.

С декабря прошлого года в

Иванове открылось частное училище для девиц, основанное А.П. Сусловой, которая долгое время готовилась к этой деятельности и незадолго до этого только сдала экзамен при Московском университете. С самого начала открытия училище это было встречено со стороны местных жителей общим сочувствием. В короткое время училище г-жи Сусловой успело зарекомендовать себя с самой лучшей стороны: хорошие и преданные делу наставники (все имеющие дипломы и в числе их священники), человечное обращение с учащимися и страстная любовь к занятиям самой учредительницы заставили отдавать в новое училище своих детей тех родителей, которые прежде в образовании кроме "развращения нравов" ничего не видели. Училище г-жи Сусловой могло принять широкие размеры, как вдруг неожиданный случай — и все разбилось. Случай этот поразил не только людей, заинтересованных в деле, но и все мыслящее и сколько-нибудь честное население Иванова.

В среду, т.е. 12 дня н.м., приехал из Шуи г. смотритель училища и отобрал у г-жи Сусловой дозволение, данное ей на открытие училища г. начальником учебного округа, а девочек велел всех распустить и учебные занятия совсем прекратить.

Это событие произвело здесь такое сильное и глубокое впечатление, что о нем одном только везде и говорят. Родители собираются и говорят о закрытии училища, как о великом семейном горе; никто не знает, за что гонят их детей из единственного училища, где они могли получить человеческое образование.

Носятся, впрочем, слухи, что нашлись такие личности, — у нас где их нет? — в которых училище г-жи Сусловой возбудило зависть, и они сделали все, что было нужно...

Филипп Нефедов

С.-Петербургские ведомости. 1869. N87. 29 марта (10 апр).

Директор училищ Владимирской губернии приказал закрыть школу для девушек. Аполлинария Суслова была вынуждена уехать в Петербург, где стала заниматься литературным трудом.

Т. Лешуков. Сестры Сусловы//Рабочий край (Иваново). 1965. N256. 29 окт.

14 сентября, Москва [1869]
Дорогая Графиня!

Много времени прошло с тех пор, как я с Вами рассталась, и много я пережила с того времени различных тревожнений. Об Вас я давно ничего не слыхала и летом не писала Вам, потому что не знала, где Вас найти; Новосильцевы были далеко, значит, не от кого было узнать о Вас. Я много думала о Вас и особенно Вас вспоминала в свои критические минуты. Вы служили мне образцом и примером, я старалась не делать таких поступков, которые Вы не одобрили бы, хотя положение мое было очень дурно и я впадала в отчаяние. Не думайте, что это фразы и преувеличение, я была очень и очень несчастна, как никогда во всю жизнь, я отчасти потому не писала Вам вначале, т.е. вскоре после

Вашего отъезда, что боялась преувеличить и сказать неправду. После Вашего отъезда я не нашла в Петербурге ни одного слова, и это меня удивило более всего. Кое-как, почти случайно, я узнала, что дело мое проиграно безвозвратно, и поспешила убраться. Я все потеряла и не знала, куда и зачем ехать, у меня не было силы на новые планы. В Москве я несколько отдохнула и рассеялась, особенно повидавшись с Варварой Владимировной, которая очень сердечно отнеслась к моему делу.

5 октября, Москва
Дорогая Графиня!

Что-то помешало мне продолжить письмо, которого начало Вам посылаю. С того времени я несколько раз принималась писать Вам, пробовала объяснить мое положение, чтобы просить Вашего Совета, но письма выходили нескладны, непонятны, даже странны. Нужно было или ничего не говорить или писать все. В последнем случае вышло бы не письмо, а повесть, даже целый роман. Теперь вся эта <u>история</u> относится к прошедшему, хотя развязка еще не настала, но я знаю, как поступить в том или другом случае. Мне было много, очень много искушений. В продолжение лета я раз двадцать собиралась уехать к родным, где меня ждала самая бессодержательная жизнь без будущности и надежды, или решалась на отчаянные меры, просто готова была броситься в какой-нибудь омут. Я даже удивляюсь теперь, как вышла невредимой из всех искушений при моей наклонности все преувеличивать и всем увлекаться и при действительном одиночестве и безнадежности. Я так много страдала, что, если б даже сделала ошибку, Вы, верно, простили бы меня, хотя я на это нисколько не рассчитывала. Как человек живой, при всей Вашей строгости, Вы понимаете все. Я была близка к падению, замаскированному очень ловко, но кого мне нужно было обманывать, если мое сердце чувствовало ложь и не удовлетворялось. Дело в том, что я <u>понравилась</u> и полюбила человека, который вызывался не только поправить мои дела, но и открыть мне новую дорогу, какую только я могла желать...

Последнее время я много слышала порицаний моей идеальности и уверений в том, что в жизни человеческой все очень обыкновенно, особенных прелестей нет и при заявлении больших требований придется остаться ни при чем. Мысль очень старая, может быть, и верная, но такая безотрадная, что лучше довольствоваться ничем.

Вчера я виделась с Варварой Владимировной, и она мне передавала, что Вы обо мне спрашиваете. Мне было так стыдно, когда узнала, что Вы предполагаете, будто я сержусь на Вас. Я Вас заставила первую заботиться обо мне, Вас, больную особу, могу ли я на Вас сердиться. Разве Вы не знаете, что для меня значите? Вы мой авторитет и мой идеал. К тому же Вы одна только и были ко мне добры. Кто знает, сколько мысль о Вас помогла мне удержаться на последнем пути, хотя я никогда не старалась подражать Вам. Но в моей натуре есть нечто родственное Вашей. Я не могла бы сознательно сделать дурного дела, если б даже хотела. В этом я убедилась и потому не ставлю себе в заслугу последнюю победу над собой, так как она была невольная. Ваше здоровье меня беспокоит, потому что Вы сами мало бережете его, но с переменой квартиры Вы, верно, поправитесь. Жаль, что гнездо Ваше разорено. Вы только что устроились по вкусу. Ваши версальские друзья, верно, помогут Вам найти другую квартиру.

На днях я встретила в Кремле Лугинина, он шел показывать своей жене-француженке Грановитую палату. Меня удивило, что он женат и на француженке.

А теперь готовлюсь к экзамену русского языка и словесности с целью преподавания в одном училище (право учить мне выхлопочут), зубрю славянскую грамматику и читаю историю литературы. Да еще занимаюсь немецким языком, потому что предлагают переводы с немецкого.

Летом я переводила, или переделывала, одну французскую книгу, которую нужно было значительно сократить. Работа эта вышла довольно удачно, мне за нее хорошо заплатили и обещали еще давать работу в этом роде. По причине этих занятий я живу в Москве, где мне, конечно, приятнее; но если б не было работы, я не могла бы здесь оставаться, потому что родные мне дают очень незначительную сумму денег, оттого что средства их ограничились.

Отец с матерью живут теперь в Нижнем, там же и брат с женой. Если мне не будет здесь работы или выйдет какая-нибудь неприятность, тогда и я поеду в Нижний. Сестра и зять прожили лето в Нижнем, проездом были у меня и очень просили переселиться к ним, уверяя, что мне будет хорошо. Но я отказалась, обещая обратиться к ним в случае какой невзгоды. Разумеется, это говорилось мной ради приличия. Надеюсь никогда к ним не обратиться. У нас с ней нет даже переписки, так что простые приличия не соблюдаются.

До следующего письма, Графиня.

Целую Ваши руки

Вся Ваша Полинька

Мой адрес: На Пречистенке, в Обуховском переулке, дом Маневской-Маневич.

P.S. Если Вы нездоровы, не беспокойтесь мне писать. Я не разуверюсь в Вашем добром расположении ко мне, а о Вас всегда могу узнать от Вар. Влад. Но мне Ваше расположение очень дорого, особенно теперь, после стольких потерь и разочарований. Это одно из редких благ, которые мне остались. У меня никого теперь нет близкого по сердцу, кроме отца и матери, с братом мы хороши, но у него свое семейство, жена его месяца через три родить будет.

Варвара Владимировна, кажется, в очень хорошем расположении духа.

Барыни и барышни московские заняты будущим женским университетом и приготовительными к нему курсами; разговоров по этому поводу очень много, но я не участвую в этих разговорах, предпочитаю скромно прочитывать дома хорошие книги.

А.П. Суслова — Е.В. Салиас//РГАЛИ. Ф.447. Оп.1. Ед.хр.21.

Аполлинария Прокофьевна на долгие годы, если не на всю жизнь, остается в положении все еще как бы начинающей и сомневающейся в своем даровании писательницы, нередко, как увидим дальше, мерами не совсем обычными расширяющей пределы своего жизненного опыта, и порою кажется — не с целью ли воплощения его в своих художественных произведениях?

Нашу героиню занимают в известной степени вопросы общественно-политического характера. Сюда, пожалуй, нужно отнести и тот факт, что в 1870 г. в ее переводе вышла книга "Жизнь Франклина" М. Минье.

А.С. Долинин. Достоевский и Суслова. С. 171.

Смерть Франклина была горестным событием для двух частей света. В Филадельфии весь народ собрался на его похороны, происходившие при печальном звоне колоколов, драпированных в черное, и при всевозможных знаках всеобщего почета. Выразив признательность и сожаление тринадцати колоний об этом гениальном благодетеле, этом мужественном освободителе, конгресс подписал всеобщий двухмесячный траур для всей Америки. Когда известие о смерти Франклина достигло Франции, ее законодательное собрание было занято своими работами. Красноречивый истолкователь всеобщей скорби, Мирабо, взошел 11 июля на трибуну и воскликнул: "Франклин умер. Возвратился в лоно Божества гений, освободивший

Америку и изливший на Европу поток просвещения. Мудрец, одинаково принадлежавший двум странам света, человек, которого оспаривали друг у друга история наук и история государств, без сомнения, принадлежал к разряду самых высоких существ человеческого рода.

Политические кабинеты обыкновенно отмечают смерть людей великих только в их надгробных похвалах; придворный этикет часто предписывает лицемерный траур. Нации должны носить его только по своим благодетелям; представители наций обязаны рекомендовать уважению народа только героев человечества.

Конгресс назначил четырнадцати штатам конфедерации двухмесячный траур по Франклине, и Америка платит в эту минуту дань уважения одному из отцов своей конституции. Не будет ли достойно нас, господа, присоединиться к этому акту, принять участие в изъявлении уважения, перед лицом света и ввиду признания прав человека, философу, который наиболее способствовал распространению торжества этих прав на всей земле? В древности воздвигли бы алтари этому могущественному и обширному гению, который, на пользу смертных, охватывая мысленно небо и землю, сумел усмирить и молнию, и притеснителей.

Просвещенная и свободная Франция должна по крайней мере дать доказательства воспоминания и сожаления об одном из величайших людей, какой когда-либо служил философии и свободе. Я предлагаю предписать национальному собранию трехдневный траур по Вениамине Франклине".

Это предложение, поддержанное Лафайетом и герцогом Рошфуко, было принято собранием, и Франция разделила с Америкой траур по Франклине, как разделяла ее удивление к этому великому человеку. Таковы были почести, воздаваемые необыкновенному человеку, который так прекрасно выполнил жизнь и так хорошо понимал смерть. На вторую он смотрел как на средство улучшения первой, и с двадцатитрехлетнего возраста составил для себя остроумную эпитафию, в которой выражена его надежда на Бога и уверенность в лучшее будущее.

Здесь лежит
Пища червей, тело типографщика
ВЕНИАМИНА ФРАНКЛИНА.
Подобно старой книге,
листы которой изорваны,
переплет изношен,
но произведение не утрачено,
оно явится, как нужно думать,
в новом издании, пересмотренном и исправленном
АВТОРОМ.

Бедный работник, сочинивший эту эпитафию, вошел беглецом в Филадельфию, бродил по городу без ра-

ЖИЗНЬ

ФРАНКЛИНА.

СОЧИНЕНИЕ
М. МИНЬЕ.

Переводъ съ послѣдняго французскаго изданія.

А. П. Сусловой.

МОСКВА.
Типографія А. И. Мамонтова и К°. Большая Дмитровка № 7.
1870.

Титульный лист книги М.Минье "Жизнь Франклина". Перевод А.П.Сусловой

боты и впоследствии сделался в этой колонии законодателем и главой государства. Нуждающийся, он трудом достиг богатства; невежда — учением возвысился до науки; неизвестный — своими открытиями и заслугами, величием своих идей и обширностью благодеяний добился удивления Европы и признательности Америки.

Франклин в одно и то же время владел гением и добродетелью, счастием и славою. Жизнь его есть самое прекрасное оправдание законов Провидения. Он был не только великим, но и добрым человеком; не только справедливым, но и любящим. Всегда полезный другим, неизменно спокойный, шутливый, милый, он привлекал очаровательностью своего характера и пленял живостью своего ума. Никто лучше его не умел рассказывать. Не выходя из пределов естественности, Франклин всегда давал своим мыслям остроумную форму и фразе поразительный оборот. Он говорил как античная мудрость, к которой прибавлял современную деликатность. Не бывая никогда угрюмым,

нетерпеливым или вспыльчивым, Франклин называл дурное расположение духа *неопрятностью души* и говорил, что *настоящая вежливость с людьми состоит в любезности.* Его любимая поговорка была: *благородство заключается в добродетели.* Это благородство он помогал приобретать другим своими сочинениями и показал его в своем поведении. Он честно нажил состояние и, пользуясь им, делал благодеяния. Он прямодушно вел переговоры и усердно работал для свободы своей страны и прогресса человеческого рода. Мудрец, он весь был снисхождение; великий человек, он был полон простоты. Воспоминание о нем останется одним из самых уважаемых и дорогих воспоминаний до тех пор, пока люди будут заниматься наукой, восхищаться гением, наслаждаться умом, уважать честность и желать свободы. Он еще может быть полезен своим примером, как был полезен своими действиями. Благодетель человечества, пусть он будет его образцом.

Конец.

"Жизнь Франклина". Сочинение М. Минье. Перевод с последнего французского издания А.П. Сусловой. М., 1870. С. 164-167. Заключительные страницы книги.

И снова обрываются наши сведения о Сусловой до 1872 года, когда она на время появляется среди первых слушательниц только что открывшихся в Москве курсов Герье. Нам рассказывала о ней тоже одна из первых слушательниц на этих курсах — Е.Н. Щепкина, магистр истории и профессор 6. Бестужевских курсов. Щепкина помнит ее сидящей обыкновенно за тем столом, который облюбовали себе наиболее серьезные студентки, пришедшие на курсы не из-за моды, а с целью действительно работать и учиться. То было новое поко-

ление, с иными уже общественными настроениями, вздымалась выше революционная волна, носилась в воздухе идея о хождении в народ. Суслова была среди них чужой, человеком 60-х годов; она ни с кем близко не сходилась; замкнутая в себе, она, однако, импонировала им своей "серьезной сосредоточенностью", особой печатью строгости; она казалась им несколько таинственной.

По словам Е.Н. Щепкиной, Суслова недолго пробыла на курсах, она снова уехала к брату, может быть, в ту же Тамбовскую губернию.

А.С. Долинин. Достоевский и Суслова. С. 252-253.

ГЛАВА ДЕВЯТАЯ: *Художественные итоги шестидесятых годов*

А.П. СУСЛОВА В ТВОРЧЕСКИХ ИНТЕРПРЕТАЦИЯХ Ф.М. ДОСТОЕВСКОГО И В СВОЕЙ СОБСТВЕННОЙ

*Е*сть обидная закономерность в несовпадении жизненных циклов героев художественного произведения и их прототипов. В то время как герой страдает, мучается и погибает, прототип может вести вполне сносное существование, пользуясь многочисленными благами жизни. Бывает и наоборот. В случае с Аполлинарией Сусловой дело обстояло самым невыгодным для нее образом.

В то самое время, когда она после Парижа и Монпелье прозябала в деревенской глуши, лишенная привычного окружения и внимания, Достоевский начал и за месяц (октябрь 1866) закончил роман "Игрок", в котором русская гувернантка Полина сводила с ума домашнего учителя Алексея Ивановича и англичанина мистера Астлея; в романе бушевали страсти, в игорных домах Гомбурга и Рулетенбурга выигрывались и проигрывались целые состояния, и жизнь, как любила говорить Аполлинария, была "грандиозна".

В те самые лето и осень 1867 года, когда она, провалив в Москве экзамен, снова вернулась в Иваново, где ее ждали одни книги ("в Иванове мне ужасная скука, я буквально никого не вижу"), Достоевский начал сочинять роман "Идиот", наполнив его бешеной и страстной любовью-ненавистью, которую вызывала к себе инфернальница Настасья Филипповна...

Той самой зимой 1869-1870 гг., когда Аполлинария, в один день утратив все, чего сумела достичь трудом нескольких лет, бросалась из города в город и нигде не находила себе места, Достоевский начал работу над "Бесами"; в черновиках к роману он дважды процитировал роковое письмо Аполлинарии со словами: "Ты едешь немножко поздно...", "отдав" эти слова гордой барышне и красавице Лизе Тушиной.

Подтвердить документально, что Суслова догадывалась, будто именно ей обязаны своим существованием мучительницы и инфернальницы Достоевского, к сожалению, нечем. Более того, есть основания предполагать, что она об этом и не подозревала: она просто видела себя по-другому.

В 1928 году А.С. Долинин издал вместе с "Дневником" А.П. Сусловой повесть "Чужие и свои", которая вместе с другими ее рукописями поступила в архивы в 1918 году.

Рукопись не датирована, но, по-видимому, А.П. Суслова начала работу над ней сразу после итальянского путешествия, записывая текст в тоненькую тетрадку с черным коленкоровым переплетом, точно такую же, как и ее первая тетрадка с началом "Дневника".

В повести "Чужие и свои" А.П. Суслова дает собственную художественную версию ее романа с Ф.М. Достоевским.

Ни А.С. Долинин, ни другие исследователи, интересовавшиеся темой "Достоевский и Суслова", не обращали внимания на эпиграфы к повести. Между тем их три.

Первый — поговорка "Что с возу упало, то пропало" — первоначально использовался автором повести как заголовок. Третий — цитата из неназванного частного письма: "Чувство овладевает всем человеком, оно ревниво делится частью даже жизни" — дважды повторялся на страницах черновика.

Самым многозначительным, однако, был второй эпиграф. Дважды — первый раз карандашом, второй раз чернилами — Аполлинария записывает на внутренней стороне обложки три строки по-итальянски (она начинала учить итальянский язык перед поездкой в Италию и здесь цитировала текст скорее всего по памяти):

Io non so ben ridir com'io v'entrai,
tant'era pieno di sonno a quel punto
che la verace via abbandonai.

Не помню сам, как я вошел туда,
Настолько сон меня опутал ложью,
Когда я сбился с верного следа.

(Перевод М.Лозинского)

Это был Данте, "Божественная комедия", песнь первая, терцина четвертая из "Ада". Надо думать, эти строки были выбраны для эпиграфа не случайно. О своих ошибках и заблуждениях Аполлинария не раз упоминала и в "Дневнике", и в письмах. Но здесь, в повести, на полях тетрадки, она дважды по ходу повествования воспроизводит строки, которые, как ей казалось, давали правильное освещение поступкам героев и прототипов.

Вовсе не роковой женщиной, соблазнительницей и мучительницей, изобразила себя Аполлинария в автобиографической повести. Не мучительницей, а страдалицей, на чьем лице запечатлелась "глубокая печать того рокового фанатизма, которым отличаются лица мадонн и христианских мучениц", казалась она себе.

В повести с эпиграфом из Данте героиня, "списанная" Аполлинарией с себя, — не погубительница; она — жертва.

Нужно думать, что Аполлинария Суслова была предметом самой сильной страсти Достоевского. Женщина крайностей, вечно склонная к предельным ощущениям, ко всем психологическим и жизненным полярностям, она проявляла к жизни ту "требовательность", которая свидетельствует о страстной, увлекающейся, жадной к эмоциям натуре. Ее склонность делить людей лишь на святых и подлецов так же характерна, как и ее постоянные чувственные увлечения, прямолинейность, властность, решительность и, по-видимому, подлинная "инфернальность". Сердце, склонное к благородным проявлениям жалости и доброты (слезы Сусловой о больном брате Достоевского), было не менее склонно к слепым порывам страсти, к бурным преследованиям и даже мстительности.

Л. Гроссман. Путь Достоевского. С. 148-149.

В небольшой литературе об эпизоде "Достоевский—Суслова" не раз был затронут вопрос об отражении ее личности и отношений к Достоевскому в творчестве знаменитого писателя.

Так, Л.Ф. Достоевская утверждает, что в "Игроке" (1867) изображено итальянское путешествие Достоевского с Сусловой в 1863 году, хотя и с оговоркой, что весь рассказ тут помещен совершенно в другую рамку и что от Сусловой удержано лишь имя героини — Полина. Более понятно, быть может, другое ее утверждение, что "роман" Достоевского с Сусловой объясняет черты характера некоторых "капризных и экзальтированных" героинь в других его романах, напр. в "Идиоте" (Аглая) или в "Братьях Карамазовых" (Грушенька); точно так же она находит, что в первом из этих романов можно найти, на психологической основе отношений Достоевского и Сусловой, объяснение странной "любви-ненависти" Рогожина к Настасье Филипповне. Этот взгляд отчасти разделяет и А.С. Долинин, предполагая даже, что, б.м., Л.Ф. говорит тут со слов отца; в другом месте Долинин, также опираясь на свидетельство дочери писателя, склонен допустить "психологическую связь" между эпизодом "Достоевский-Суслова" и художественным мотивом, напр., в "Вечном муже", где измученный жизнью пожилой человек ищет в другой привязанности "целомудренной чистоты и свежести существа молодого, еще не тронутого жизнью", каким будто бы представлялась Достоевскому Суслова после М.Д. Исаевой...

Наконец, Л.П. Гроссман, уже смотря на вопрос издали и исторически, признает вообще, что Суслова "оставила глубокий след в позднем творчестве Достоевского"...

Надо признать, что это звучит очень категорично и с историко-биографической точки зрения весьма значительно: Ап. Пр. Сусловой отводится тут большая роль не только в жизни, но и в творчестве Достоевского, притом в весьма широком масштабе и в наиболее зрелую пору, во второй половине 60-х и в 70-е годы. Однако доказать это было бы трудно. Да и вообще вопрос о роли личных индивидуальных переживаний писателя, а тем более встреченных им в жизни отдельных лиц, в общем процессе его художественной работы не принадлежит к числу легкоразрешимых...

В частности, по отношению к Достоевскому и Сусловой в этом вопросе недостает необходимых фактических данных со стороны самого Достоевского.

Е.В. Петухов. Из сердечной жизни Достоевского (Ап. Прок. Суслова-Розанова). С. 45-46.

Впоследствии отец описал это удивительное путешествие в романе "Игрок". Он изменил место действия, но героиню зовут Полина.

Думая об этом периоде жизни Достоевского, с удивлением спрашиваешь себя, как мог человек, живший в двадцать лет воздержанно, как святой, в сорок лет совершать подобные безумства. Это нельзя объяснить ни чем иным, как аномалией его физического развития. В двадцать лет мой отец был робким школьником; в сорок он пережил тот юношеский угар, который переживают почти все мужчины. "Кто не безумствовал в двадцать лет, тот совершает безумства в сорок" — гласит мудрая пословица и доказывает, таким образом, что подобные своеобразные возрастные сдвиги не так редки, как думают. В этом событии в жизни Достоевского сказалось возмущение благородного человека, желание супруга, оставшегося верным жене, тогда как она издевалась над ним со своим любовником. Мой отец хотел доказать себе, что и он может обманывать свою жену, вести легкую жизнь других мужчин, играть в любовь и развлекаться с красивыми девушками. Есть некоторые данные, которые позволяют это предположить. Очень странно, например, что Достоевский в романе "Игрок" изображает себя в образе домашнего учителя. Как я упоминала ранее, Мария Дмитриевна обманывала отца с домашним учителем. Отвергнутый молодой девушкой, которую он любит, этот учитель идет прямо к распутной женщине, которую презирает, и едет с ней в Париж, чтобы отомстить той девушке, которую продолжает любить. Но, помимо мести обманутого мужа, есть в этом романе Достоевского и истинная страсть. Герой в "Игроке" говорит о Полине следующее: "Бывают минуты, когда я отдал бы полжизни, чтобы задушить ее. Клянусь, если бы возможно было медленно погрузить в ее грудь острый нож, то я, мне кажется, схватился бы за него с наслаждением. А между тем, клянусь всем, что есть святого, если бы, на Шлангенберге, на модном пуанте, она действительно сказала мне: "бросьтесь вниз", то я бы тотчас же бросился и даже с наслаждением"...

Этот эпизод в его жизни делает понятным характер своенравных и авантюристичных героинь его романов. Аглая в "Идиоте", Лиза в "Бесах", Грушенька в "Карамазовых" и многие другие являются более или менее портретами Полины Н. Этот эпизод в жизни моего отца, как мне кажется, объясняет странную, преисполненную ненависти любовь Рогожина к Настасье Филипповне.

Л.Ф. Достоевская. Достоевский в изображении своей дочери. С. 89-90.

Как в "Игроке" у французика Де-Грие за этой великолепной законченной европейской формой скрывалась пустота сердца, мелкий, ничтожный характер, так и Сальвадор очень скоро оказался человеком маленьким, трусливым, в трусости своей способным на ложь и обман. "Ему нужна была любовница; подвернулась женщина хорошенькая, удовлетворяющая всем вкусам; он и воспользовался", — так определяет позднее Достоевский отношение Сальвадора к Сусловой, и она вполне соглашается с этим. И как власть Де-Грие над Полиной Александровной, власть и этого европейца с законченной формой над Сусловой была беспредельна: гордая, независимая, ценившая свободу своего "я" превыше всего — перед ним одним она позволяла себе стоять в согбенной позе умоляющей, когда он стал охладевать к ней, а она не хотела этому верить и убеждала себя, что он еще любит ее. Слишком короткой оказалась эта новая яркая полоса ее жизни, оставившая такой глубокий след в ее душе на долгие годы: в течение этих нескольких месяцев — весны и лета — эта полоса была пройдена до конца; буквально за миг счастья Суслова заплатила муками: разочарования, горькой, неотомщенной обиды, стыда и раскаяния.

А.С. Долинин. Достоевский и Суслова. С. 181-182.

Нельзя не видеть, при внимательном отношении к "Игроку" Достоевского, что необычайная личная взволнованность пронизывает повествование всюду, где на сцену появляется Полина. По словам А.Григорьевны Достоевской, Федор Михайлович говорил ей во время работы над "Игроком", что "много из его чувств и впечатлений испытал сам на себе". Относилось ли это признание только к его страсти к игре или сюда входила и страсть к женщине? Образ Полины исключительно ли продукт творческого воображения или отображение и личного опыта? Этот вопрос приобретает тем большее значение, что черты Полины и позже повторяются в женских образах Достоевского (Аглая, Грушенька).

В изображении этих образов легко подметить столь напряженное, почти выстраданное чувство, что невольно зарождается убеждение: у Достоевского в жизни должны были быть встречи и сближения, о которых мы или ничего не знали, или то, что знали, — только внешние факты, не освещенные всей глубиной пережитого. И если образ Полины ("следок ноги у ней узенький и длинный-мучительный") первый в ряду "мучительных" женщин Достоевского, то не следует ли внимательнее заглянуть в тот период жизни его, когда слагался замысел "Игрока", и поискать в нем объяснения тому изумительному проникновению Достоевского в женскую душу, которым отличается он в своем творчестве.

Годы 1863-1866, период замысла и написания "Игрока", были наиболее мрачными, после каторги, годами жизни Достоевского. Это годы запрещения "Времени" (май 1863), смертельной болезни и смерти жены (15 апр. 1864), неудачи с новым журналом "Эпоха", внезапной смерти горячо любимого брата, Михаила М-ча (10 июля 1864), за нею смерти Апол. Григорьева (сент. 1864) и, наконец, крушения "Эпохи", поставившего Достоевского в безвыходное материальное положение.

Этот сложный период жизни Достоевского, "вся жизнь переломилась надвое" — так он характеризовал сам его, однако, чрезвычайно сла-

Рулетка в Гомбурге. Гравюра. 1860-е годы

бо освещен в его биографии. Особенно темным местом оставалось до последнего времени в этом периоде второе заграничное путешествие Достоевского (авг.-окт. 1863). Внимательное изучение переписки Достоевского этого времени не оставляло сомнения, что с этим путешествием связаны какие-то "особенные обстоятельства", которые тщательно скрывались от окружающих. С этим же временем совпадает увлечение Достоевского игрой в рулетку. Хотя он познакомился с рулеткой еще в первую поездку, но остался тогда к ней холоден. Только во время второго путешествия им овладевает настоящая игорная страсть, так ярко отразившаяся в "Игроке". Не следует ли искать и причины этой страсти в обстоятельствах жизни Достоевского того времени?

Вспомним, что Суслова только недавно пережила свою трагедию, во многом напоминающую отношение Полины к французу Де-Грие. Переход от страстной любви к страстной ненависти никогда не значит вытеснение одной страсти другой. Разрыв Сусловой с доктором не убил в ней любви к нему. В состоянии, близком к отчаянию, она обращается к Достоевскому, ожидая от него нравственной поддержки. Подобно Полине, она сама приходит к нему и соглашается ехать с ним в Италию. Достоевский, однако, не выдерживает положения "друга и брата", в какое он себя добровольно поставил. Создаются мучительные отношения, при которых у Сусловой рождается к Достоевскому временами чувство, близкое к ненависти. К этой внутренней трагедии примешиваются чисто внешние обстоятельства, еще более усложняющие взаимоотношения. Вместо поэтического путешествия, когда так соблазнительна мечта внешними удобствами и разнообразием впечатлений залечить раны любимого человека, вместо этого... безобразное безденежье, при котором остается ощущение "гадости"...

А позади — все, с чем связана была жизнь, все это брошено и оборвано. Умирающая жена, любимая литературная работа, журнал, оставленный на брата в самую сложную минуту.

...И как объяснить власть над собою этой страсти, которая вдруг закружила, захватила в свой круговорот. Отсюда острота проблемы "рабства" в "Игроке". Любить до сумасшествия, вместить почти невозможное — любить с каждым днем все больше, любить до жажды изуродовать, задушить и вместо ответной любви чувствовать у любимой зарождение ненависти. Все это ложилось тяжелым осадком на душу. Главная же загадка — предпочтение любимой женщиной, рабом которой он себя сознавал, ничтожного, пошлого и бездушного доктора-иностранца. И при этом ежечасно сознавать, что чувство это не убито, а готово всякую минуту вспыхнуть с новой силой. Проблема двойного рабства необычайно остро переживалась Достоевским, еще недавно бывшим в положении раба рабыни. "Все женщины таковы!" — восклицает Алексей Иванович, — "и самые гордые из них — самыми пошлыми рабами и выходят! Полина способна только страстно любить и больше ничего. Вот мое мнение о ней. Поглядите на нее, особенно когда она сидит одна, задумавшись: это что-то предназначенное, приговоренное, проклятое. Она способна на все ужасы жизни и страсти..."

Понятно, почему с такой напряженностью в "Игроке" герой ее бьется над разрешением загадки любви Полины к Де-Грие. Это не отвлеченная художественная проблема, поставленная Достоевским, а попытка осмыслить лично выстраданную трагедию.

"Полина и Де-Грие. Господи, какое сопоставление!", и это сопоставление Достоевский мучительно пытается разрешить...

Только личными переживаниями можно объяснить себе ту страстность, с которой Достоевский в "Игроке" подводит итоги этому мучительному сопоставлению. "Мисс Полине же, — простите, сказанного не воротишь", — говорит Алексей Иванович Астлею — "нужно очень-очень долгое время решаться, чтобы предпочесть вас мерзавцу Де-Грие. Она вас и оценит, станет вашим другом, откроет вам все свое сердце; но в этом сердце все-таки будет царить ненавистный мерзавец, скверный и мелкий процентщик Де-Грие. Это даже останется, так сказать, из одного упрямства и самолюбия, потому что этот же самый Де-Грие явился ей когда-то в ореоле изящного маркиза, разочарованного либерала и разорившегося (будто бы?), помогая ее семейству и легкомысленному генералу. Все эти проделки открылись после. Но это ничего, что открылись: все-таки подавайте ей теперь прежнего Де-Грие, вот чего ей надо! И чем больше ненавидит она теперешнего Де-Грие, тем больше тоскует о прежнем, хотя прежний и существовал только в ее воображении".

Запутавшись в неразрешимых противоречиях внутренних отношений, Достоевский, подобно Алексею Ивановичу, подпадает соблазну разрешить их изменением внешнего своего положения. Морально угнетало больше всего безденежье, то унизительное состояние, при котором на каждом шагу человек ощущает оскорбление своего достоинства. Достоевский тогда прибегает "к русскому способу разбогатеть", к игре, тем более, что ему в прошлое путешествие счастье улыбнулось. Так соблазнительна была мысль: одним оборотом колеса разрешить все трудности. Я знаю только, что мне надо выиграть, что это... единственный мой исход", — говорит Алексей Иванович. "А мне надо деньги, для меня, для тебя, для жены, для написания романа", — пишет Достоевский брату в объяснение своего увлечения рулеткой. "С деньгами я стану и для вас другим человеком"; может быть, в этих словах

Алексея Ивановича отразилось и настроение Достоевского в то время, когда безвыходное безденежье так осложняло внутреннюю трагедию.

Случился "мятеж страстей". Достоевский проигрывается окончательно. Он мечется в поисках денег. И без того трудное положение еще более запутывается.

"Как можно играть дотла, путешествуя с тем, кого любишь?" — спрашивает брат Достоевского в письме к нему того времени. И в ответ на это Достоевский описывает в очень близких тонах к "Игроку" свое увлечение рулеткой, в сущности, не давая ответа на поставленный вопрос...

Характерна и та непроясненность сознания, еще сплошь эмоционально окрашенная передача событий, без всякой попытки поставить их во взаимную связь. При таком душевном состоянии ответ на вопрос: "Как можно играть дотла, путешествуя с тем, кого любишь?" — еще не мог быть дан.

Ответ этот был дан позже в "Игроке".

Подобно Алексею Ивановичу, Достоевский, уже после катастрофы, подводит итоги самого бурного периода своей жизни. Мы знаем, что в 1863 г. "Игрок" был только записан "на клочках" (письмо к Н.Н. Страхову 30 (18) сентября 1863 г.) Нам неизвестна форма, в которую были облечены эти первоначальные записи. Вторично Достоевский вернулся к "Игроку" в феврале-апреле 1864 г., и только в третий раз, в октябре 1866 г., ему удалось довести работу до конца. Интересно, что по форме своей "Игрок" отражает эту сторону творческой истории романа.

Вначале (гл. I-XII) он ведется в виде "заметок", записанных на отдельных "листках" под влиянием непосредственных впечатлений, "хотя беспорядочных, но сильных". Затем (начиная с гл. XIII) дневник переходит в "записки", за которые автор берется спустя месяц после катастрофы.

Последняя же глава только внешне еще носит форму воспоминаний, записанных год и восемь месяцев спустя. Таким образом, и здесь мы видим троекратный приступ к закреплению событий личной жизни в форме дневника — воспоминаний.

Осмыслить этот период своей жизни Достоевский не мог сразу, под свежим впечатлением событий. Нужно было подойти к тому "переломному" периоду, когда остро·сознание крушения прошлого и — смутны еще предощущения неизвестного будущего. Подвести итоги этому прошлому значило проложить пути будущему.

Достоевский не любил раскаиваться в своем прошлом.

...Раскаяние для Достоевского не путь преодоления прошлого. Это преодоление дается ему путем творческого преображения.

В короткое время было пережито слишком много. Пронесся вихрь, закружил в своем круговороте и выбросил беспомощным и разбитым. "Мне все кажется порой, — говорит герой "Игрока", — что я все еще кружусь в том же вихре... и что вот-вот опять промчится эта буря, захватив меня мимоходом своим крылом, и я выскочу опять из порядка и чувства меры, и закружусь, закружусь, закружусь..." Но он знает, как можно предолеть хаос. "Впрочем, я, может быть, и установлюсь как-нибудь и

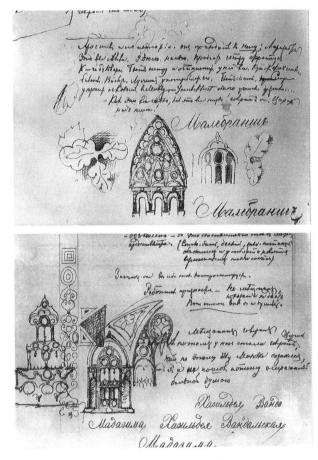

Рисунки Ф.М.Достоевского на страницах рукописи
"Преступления и наказания"

перестану кружиться, если *дам себе по возможности точный отчет во всем приключившемся"*. Дать себе отчет во всем приключившемся — вот путь преодоления хаоса. Но этот путь уже закрыт для игрока. Тщетно он пытается осмыслить происшедшее. Стихия захлестнула его, и он навсегда осужден быть рабом игорной страсти. У Достоевского был, однако, один великий целительный дар — его творческий гений. В уже упоминавшемся письме к Сусловой он сам говорит о творчестве как преодолении жизненной катастрофы. "Со смертью брата, который был для меня все, мне стало очень тошно жить. Я думал еще найти сердце, которое бы отозвалось мне, но — не нашел. Тогда я бросился в работу и начал писать роман". Это было — "Преступление и наказание".

Параллельно мог идти и творческий процесс осмысливания своего недавнего крушения.

Мечта о новой жизни все больше связывалась с мыслью о женитьбе и семье. "Раз Ф.М. сказал мне", — вспоминала Анна Григорьевна, "что он стоит на рубеже, что ему предстоят три решения: или он поедет на Восток, в Константинополь и Иерусалим, и, может быть, там останется, или он женится, или поедет на рулетку и сделается игроком. Разрешение этих вопросов его очень заботит, и он спрашивает, что для него будет лучше. Я ответила, что если ему придется сделать выбор между этими тремя решениями, то лучше выбрать женитьбу. "А вы думаете, я могу жениться? Пожалуй, вы думаете, что за меня никто не пойдет. Но кого же мне выбрать: умную или добрую?" — "Конечно, умную", — отвечала я. "Нет, уж если выбирать, то возьму добрую, чтоб любила и жалела меня", — сказал Ф.М."

Вопрос личный был решен. Выбрана была *добрая*. Впрочем, *ум-*ную выбирать не приходилось — она сама не захотела "этого *необходимого* дешевого счастья". Да и дать его она не могла, ибо соединение двух столь хаотичных в основе своей натур, как Суслова и Достоевский, неизбежно вело к катастрофе. Но, чтобы начать новую жизнь, надо было отделаться от прошлого, творчески осмыслить и тем преодолеть его. Таким творческим преодолением и был "Игрок".

"Как можно играть дотла, путешествуя с тем, кого любишь?" Ответ на этот вопрос теперь был дан. Страсть любви вызвала к жизни страсть игры. Хаос рождает хаос. Безумная идея одним оборотом колеса, без внутреннего преображения, овладеть счастьем, — ведет к катастрофе. Игрок погружается навсегда в эту стихию хаоса, ибо не может осмыслить происшедшего. Достоевский находит выход, преодолевая прошлое в своем творчестве. Но наследие этого прошлого осталось. Он не раз еще пытал счастье — и снова и снова играл дотла. Жуткие подробности этого погружения в стихию страсти мы находим в дневнике А.Г. Достоевской за 1867 г. Чем объяснить эту страсть Достоевского? Не тем ли, что слишком дороги были воспоминания прошлого? "Точно уж так дорог мне этот безобразный сон и все оставшиеся по нем впечатления, что я даже боюсь дотронуться до него чем-нибудь новым, чтоб он не разлетелся в дым? Дорого мне это все так, что ли?", — спрашивает себя игрок после крушения, и сам же себе отвечает: "Да, конечно, дорого; может, и через сорок лет вспоминать буду".

Дорог был и Достоевскому "безобразный сон", и приобщением к испытанному хаосу игры он воскрешал в себе мучительные, но в мучительности дорогие воспоминания о недавнем прошлом.

А. Бем. "Игрок" Достоевского (В свете новых биографических данных). С. 379-392.

Полиной Н. завершился период эротической страсти в жизни Достоевского, длившийся в общей сложности только около десяти лет, с 33 до 43-летнего возраста. Африканская любовь Марии Дмитриевны и в некотором роде восточная страсть Полины Н. не оставили у моего отца приятных воспоминаний.

Л.Ф. Достоевская. Достоевский в изображении своей дочери. С. 92.

Что с возу упало, то пропало.

Io non so ben ridir com'io v'entrai,
    tant'era pieno di sonno a quel punto
    che la verace via abbandonai.

Чувство овладевает всем человеком, оно ревниво делится частью даже жизни.
                        (Из частного письма)

Три эпиграфа к повести "Чужие и свои", помещенные на внутренней стороне обложки и титульном листе черновой тетради//РГАЛИ. Ф.1627. Оп.1. Ед.хр.2.

ЧУЖИЕ И СВОИ

Быстро летел поезд железной дороги между Москвой и Петербургом, то и дело менялись станции, менялись пассажиры, а Лосницкому все казалось, что едут очень медленно. Устал он от дороги, да и мудрено ли после пяти недель беспрерывного путешествия, то в почтовом дилижансе, то на пароходе и, наконец, по железной дороге. Лосницкий нигде не хотел остановиться на пути. Он скакал, как будто спасаясь от погони, от злой тоски, которая преследовала и гнала его по этой дороге. Думал он на неделю остановиться в Москве, но страшно стеснилось его сердце при виде родного города, тех улиц и домов, между которыми он когда-то ходил свободным и страстным юношей, полным смелых замыслов и ожиданий. Он проехал прямо в гостиницу и не выходил из нее до тех пор, пока не настал час, в который должен был отправиться первый поезд в Петербург. Угрюмо и как-то робко выглядывал он из окна кареты при переезде с одного конца города на другой, между тем как сердце тоскливо ныло и чувства сомнения и ропота теснили душу.

Теперь до Петербурга оставалось несколько станций. Лосницкий отвернулся от своих спутников, рассуждающих об удобствах железной дороги, и смотрел в окно. Мысли быстро менялись в его голове и постоянно возвращались к одной: "Как-то она меня встретит? Любит ли еще? Ну, как разлюбила? Семь месяцев не виделись. Много, может быть, перемен в ней в семь месяцев, с ее воображением, при новых встречах, новых впечатлениях. Можно ли рассчитывать на постоянство любви 22-летней женщины, страстной и энергической, как она. Что если она полюбила другого? Что тогда? Ведь она с ним уйдет куда-нибудь; уйдет, она свободная. Но кто же он? Чем он возьмет ее сердце? Она не легко его отдает. Он должен быть очень умен, смел, молод... А как она умеет любить! И уж не колеблется, когда полюбит..."

Но вот последняя станция, конец скоро, вот и Пет[ербург]. Сердце его стучит медленно и крепко. "Еще несколько часов, и я ее обниму. Теперь, в эту минуту, нельзя к ней, рано, да и отдохнуть нужно..." Вот он уже в гостинице, посреди комнаты чемодан и дорожный мешок, пальто и фуражка брошены на диван. Лосницкий скорыми шагами ходит по комнате. "Нужно отдохнуть, непременно нужно, голова болит, нервы расстроены". Лосницкий ложится на диван, но ему не спится, мысли его в беспорядке. "Что за шум в коридоре? Откуда этот писклявый женский голос, хлопанье дверей? Как они рано встают! И зачем? Кто такие соседи? У них слышится разговор, детский крик, стук чайной посуды. Не выпить ли и мне чаю? Нет, лучше подождать, теперь не хочется... Она, верно, изменилась. Из писем видно, что стала еще серьезнее. Последнее было странно. Она под каким-то особенным впечатлением была. Пишет, что думала о прошлом и тосковала... О чем тосковала? О том ли, что нет его или что оно было?.. Опять беготня по коридору и хлопанье дверей. Верно, кто-нибудь уезжает. Как, однако, нехорошо, непокойно в гостиницах. И какой шум здесь на улицах. Когда я жил в Москве на Никитской, было почти то же, но в то время было как-то незаметно. Засядешь, бывало, за книги, и всё исчезает перед глазами, все, мысль одна работает. И какие были мысли! Какая смелость! Какой порыв! Теперь уж не то. ...А давно ли?" Лосницкий старается сосредоточить внимание на соседях, у которых стук чайной посуды удвоился, но напрасно — настроение его духа становится беспокойней и тоскливей. Он дает волю течению мыслей. Знакомая тоска овладела им с большей силой. Лосницкий ее не гонит; напротив, он как-то раздраженно, с каким-то болезненным наслаждением ею упивается. Сожаления прошлого, боязнь потерять то, что еще оставалось, сознание какого-то бессилия охватили его душу.

Время шло, ударило 12. Лосницкий все еще лежал на диване, уставив глаза в потолок. Прошел еще час, Лосницкий наконец встал и начал одеваться. Мысль его остановилась исключительно на одном предмете, сознание скорого осуществления того, о чем до сих пор так много мечтал, вызвало в нем прежнее нетерпение и беспокойство. Часа в 2 Лосницкий стоял у подъезда небольшого дома, в одной из отдаленных частей города, и с нетерпением дергал звонок. Старая служанка отворила дверь и окинула его недоверчивым и недовольным взглядом.

— Дома Анна Павловна? — спросил ее Лос[ницкий].

— Дома, — отвечала она лаконически и ввела его через небольшую переднюю в пустынную залу. Лосницкий сел на кресло подле круглого стола и тревожно смотрел на затворенную дверь, ведущую во внутренние комнаты. Эта тревога возрастала с каждым мгновением. Но [это] не было волнение юноши, в котором ярко отпечатывается переход от надежд к сомнению, которого страдания так живы и внушают симпатию; было что-то странное в волнении человека, испытанного трудом и страданием; у него и радость выражалась как-то болезненно, сомнение и горе не вызывало в нем бурной печали, но сказывалось глухим и мрачным страданием.

Минут 10 прошло, пока Лосницкий сидел так в совершенной тишине. Страшно длинны показались ему эти 10 минут, капли холодного пота выступили у него на лбу, лицо приняло угрюмое, напряженное выражение, которое как-то неприятно видеть.

Но вот в соседней комнате послышался шорох женского платья и шум шагов, дверь быстро отворилась, и молодая красивая женщина вошла в комнату. Лицо ее было очень бледно, беспокойство и тоска сказывались на нем, смуще-

ние и робость были в каждом движении, но в мягких и кротких чертах проглядывала несокрушимая сила и страсть; не всем видимая, но глубокая печать того
рокового фанатизма, которым отличаются лица мадонн и христианских мучениц,
лежала на этом лице. Все сомнения и предположения, все исчезло на минуту в
душе Лосницкого перед чувством радости при виде ее.

Он подошел к ней и протянул ей руки. Увлеченная чувством признательности и радости, она подала было свои, но вдруг выдернула и закрыла ими лицо.

— Анна, что ты? — воскликнул он, пораженный таким движением.

— Зачем ты приехал, — проговорила она с тоской.

— Как зачем! Что ты говоришь?

Он смотрел на нее во все глаза и старался уразуметь смысл ее слов,
между тем как сознание этого смысла ее слов уже сказывалось в его сердце
нестерпимой болью. Она взяла его за руку и подвела к дивану, на который оба
они сели рядом. Несколько времени они молчали.

— Разве ты не получил моего письма, того, где я писала, чтоб ты не
приезжал? — начала она, не смотря на него, но крепко держа его руку.

— Не приезжал?.. Отчего?

— Оттого, что поздно, — проговорила она отрывисто.

— Поздно! — повторил Лосницкий машинально, и у него потемнело в
глазах, несколько времени он не говорил ни слова.

— Анна, — начал он после долгого и тяжелого молчания, — мне нужно
все знать, говори все, если не хочешь меня убить.

— Да, да, ты прав, — сказала она, пораженная его печалью и каким-то
внутренним недоумением, — нужно обо всем с тобой говорить и как можно
скорей, только не здесь, тут моя тетка может войти. Поедем к тебе, где ты
остановился.

И, не ожидая его ответа, она вышла и через несколько минут возвратилась в шляпке и мантилье. Они вышли из дома. Карета, в которой приехал
Лосницкий, стояла у подъезда, они сели в нее и отправились. Дорога была
довольно длинная и шла по большим улицам. Лосницкий и Анна все время
молчали. Молодая женщина неподвижно смотрела в окно и не выпускала его
руки, лицо ее было бледно, но спокойно и серьезно. Прислонясь к углу кареты,
Лосницкий сидел как убитый, но временами он вздрагивал и судорожно жал
руку Анны. Так прошло с полчаса, наконец приехали. Лосницкий вышел из
кареты, взял под руку свою спутницу и повел ее через подъезд гостиницы.
Встретившийся им в коридоре слуга осклабился было при виде хорошенькой
женщины, но, взглянув на их лица, поспешно свернул с дороги и юркнул в свою
конуру. Лосницкий и Анна вошли в номер. Анна хотела что-то говорить, но
Лосницкий прервал ее.

— Я тебя потерял! — воскликнул он и, упав к ее ногам, громко зарыдал.

Молодая женщина кротко и грустно его успокаивала, но долго его болез-
ненные рыдания сокрушали ее тихие речи, надрывая сердце обоих.

— Ну, рассказывай теперь, — говорил он после первых припадков печали, сидя с ней рядом на диване и с выражением бесконечной, почти отеческой
нежности смотря на ее печальное и строгое лицо.

— Что рассказывать, — проговорила она тихо, — люблю другого, вот и
все. — Он судорожно рассмеялся.

— А я-то какой глупец, представь себе, мой ангел, спешил-то как, думал здесь с тобой святки провести, веселиться, право. Вот ведь судьба-то. — Он снова засмеялся, но через минуту сознание горя возвратилось во всей силе. Лосницкий вздохнул и опустил руку Анны.

— Давно? — спросил он после короткого молчания.

— Недавно... неожиданно, мы знакомы с самого моего приезда, но я не думала... Я все тебя ждала, — проговорила она живо, к нему обернувшись, и на лице ее мелькнуло выражение грустной иронии. — Только с тех пор, как он сказал, что меня любит, я потеряла голову.

— Кто он? Ты об нем все писала мне?

— Мой учитель пения.

— Этот итальянец?

— Да.

— Что ж он — молод, умен, красив?

— Зачем об этом спрашивать? — сказала молодая женщина, и щеки ее вспыхнули.

— Отчего ж, — сказал он, улыбаясь. Несколько мгновений прошло в молчании. Лосницкий рассматривал Анну с каким-то наивным, почти ребяческим любопытством, отыскивая в ней следы прошлого. Она все та же, даже прическа и платье прежние, нового он заметил только кольцо на руке и невольно обратил внимание. "Это он подарил", — подумал Лосницкий и не спрашивал, а только взглянул на нее. Она поняла его мысль и покраснела.

— Ты очень любишь его, Анна? — спросил он.

— Да, — проговорила она задумчиво.

— Я это знал, иначе и быть не могло, я только так спросил... Ты отдалась ему, Анна? Он бывает у тебя каждый день?

Молодая женщина быстро подняла голову, и щеки ее покрылись красными пятнами, глаза блеснули из-под нахмуренных бровей, вся ее фигура мгновенно и резко изменилась под влиянием гнева.

— Молчи, — прошептала она отрывисто.

— Анна, — заговорил [он] с жаром, схватив ее руку, — ты не можешь меня подозревать в дурной мысли, потому что я любил тебя свято и бесконечно; ты знаешь, что помимо страсти моей к тебе ты мне дорога как друг единственный, как дочь, и счастье твое для меня — прежде всего.

Он говорил искренно, она это знала и с чувством пожала его руку.

— Ты ведь счастлива, Анна?

Она не ответила, точно не слыхала вопроса, только мускулы ее лица слегка вздрогнули.

— Неужели нет? О, Анна, да возможно ли это! Говори мне, ради Бога, мне нужно это знать.

— Не знаю, — проговорила она, с трудом пересилив волнение, — мне кажется, что он мало меня любит.

— Не любит! — с негодованием воскликнул Лосницкий. — Не любит, а добивался любви! — Он с отчаянием схватил себя за голову и забегал по комнате.

— Слушай, Анна, — заговорил он почти вне себя от волнения, — ведь ты все такая же свободная, как была всегда, и с ним, ты не любишь его, как раба? Нет, это невозможно, зачем спрашивать. И как же ты так безвозвратно увлеклась? Он, верно, говорить хорошо умеет? Он горд и дерзок?

Анна как-то странно улыбнулась.

— Он очень молод, — проговорила она. — Он никогда не говорит фраз. Когда я его увидела в первый раз, я сказала себе, что этот человек не может лгать, и это так.

— Что он здесь делает?

— Он еще учится, а потом поедет за границу.

— И ты с ним поедешь? О, конечно, поедешь везде, на край света.

— Я поеду в деревню к дяде, — сказала Анна, заливаясь слезами.

— О, Анна, зачем ты так несчастлива!

Они еще несколько времени сидели вдвоем и разговаривали о посторонних предметах. Анна рассказывала ему о петербургской жизни, о людях, с которыми встречалась, расспрашивала его о прежних знакомых, слушала с большим интересом, хотя он не вдавался в подробности; ее собственные мнения были несколько резки, она не отличалась умеренностью ни в похвале, ни в осуждении.

— Ты все такая же, — говорил Лосницкий, слушая ее. — Трудно тебе будет жить с людьми, ты слишком увлекаешься, слишком доверчива. Много будешь ты страдать, Анна!

— Пускай, — сказала она, — пусть буду ошибаться, а верить все-таки не перестану. Есть же где-нибудь хорошие и добрые люди.

— Все добрые, Анна! Разве ты видела злых людей? Да что в этой доброте?

Анна подняла голову и смотрела на него удивленными, почти испуганными глазами, потом задумалась и все остальное время молчала.

Когда она ушла, Лосницкий, оставшись один, бросился на диван и пролежал весь вечер, как убитый. Мысль его, долго блуждая по бесконечному пустому пространству, которое ему представляло будущее, наконец в нем потерялась. Черная ночь расстилалась перед его глазами и захватила собой все. Лосницкий не старался освободиться от забытья; напротив, ему хотелось, чтоб оно продолжалось как можно дольше, чтоб рассвет не пробрался и не поразил его видом этой пустыни.

На другой день Лосницкий не выходил из дома, ожидая Анну, которая обещала прийти утром и не пришла. На следующее утро он получил от нее записку, где она приглашала его к себе и писала, что немного нездорова. Лосницкий тотчас к ней отправился. Анна приняла его в своей комнате. Молодая женщина была немного бледна и взволнована, но казалась совершенно здоровой. На вопрос Лосницкого о здоровье она отвечала небрежно и спешила заговорить о другом. Но Лосницкий говорил о постороннем неохотно и даже как-то раздражительно.

— Ты мне говори о себе, — сказал он, — недолго нам придется видеться.

— Как, ты уже едешь?

— Что ж мне здесь делать? Я ведь для тебя только ехал.

Молодая женщина невольно вздохнула.

— Ты будешь писать мне, Анна, по-прежнему, не так ли? Мы ведь друзья?

— О да, — сказала она, протягивая ему руку. — Что ж ты так мрачен? — спросила она. — Ты сердишься на меня? Я ни в чем не виновата.

— Знаю, все знаю, да не в этом дело. Больно мне, Анна, не могу я легко покончить с чувством. Я не молодой человек, в мои годы привязанностями не шутят. Ты много для меня значила. Твоя любовь сошла на меня, как Божий дар, нежданно, негаданно, после усталости и отчаяния. Эта молодая жизнь подле меня обещала так много и так много уже дала, она воскресила во мне веру и остаток прежних сил.

"Хорошо ты этим воспользовался", — подумала Анна, но не сказала ни слова.

Он продолжал:

— У меня ничего не оставалось от моей прежней бурной жизни, и в тебе я все нашел. Я видел твою глубокую преданность и не думал ее пережить, я в нее свято, непреложно верил, я не думал, что каких-нибудь полгода разлуки — и все пройдет... Впрочем, я сам виноват, — продолжал он после короткого раздумья, — я слишком увлекся, забылся, теперь для меня все ясно: ты никогда меня не любила. Не смотри на меня так строго, Анна, я правду говорю. Я видел твои страдания, твои порывы, но ты не меня любила, а кого-то другого во мне. Я ведь тогда еще говорил, что тебя не стою. Тебе пришла пора полюбить, около никого не было, я случайно подвернулся, и ты поверила, что это то, что тебе нужно. Я не мог понять этого вовремя, я был слишком ослеплен, слишком счастлив... Что ж, — продолжал он после некоторой задумчивости и как бы говоря сам с собой, — я все-таки в выигрыше: у меня год счастья был и какого счастья!

— У меня есть к тебе одна просьба, Анна, — начал он после долгого раздумья. — Вот видишь, друг мой, моя жизнь кончена, плохо она была поставлена, не умел я с собой сладить, но теперь рассуждать поздно, не к чему, больше ждать нечего. Ты знаешь, Анна, что кроме тебя у меня нет никого на свете. Я хочу тебе отдать остаток моей жизни. Послушай, может быть, когда-нибудь я могу тебе служить хоть чем-нибудь, мало ли что может быть? Ты еще только начинаешь жить; не в счастье, но когда сомнения и горе нападут, когда не встретишь ты подле себя ни одного близкого человека, придешь ли ты тогда ко мне, как к другу, как к брату?..

— Да, да, — сказала молодая женщина с увлечением, в котором сказывалось, что она действительно считала его другом и, может быть, единственным. Это тронуло Лосницкого. Долго смотрел он на эту прекрасную женщину, пораженную печалью, но в то же время полную какой-то веры в будущее, во все, что ей казалось прекрасным, справедливым, и глубокая грусть овладела его сердцем.

— У тебя есть что-нибудь, — сказал он после долгого молчания, — какое-нибудь горе или недоумение.

— Ничего, — сказала она тихо и не смотря на него.

Он посмотрел на нее пристально.

— Ты видела его вчера?

— Нет.

— Отчего?

Она молчала и боролась с своим волнением.

— Его нет... Он уехал, — сказала она наконец с отчаянием, и слезы вдруг хлынули ручьем из ее глаз.

— Как! Уехал! Не простясь?

Анна быстро подняла голову при этих восклицаниях, слезы остановились на ее глазах. Она спокойно и холодно смотрела на Лосницкого.

— О чем же плакать? — сказал Лосницкий сухо, задетый ее гордым движением. — Он, верно, возвратится.

— О, конечно, — сказала она с жаром. — Я только не могу понять, что у него за дела такие? Он так спешил, едва несколько слов написал, из которых ничего не разберешь.

— Мало ли какие дела могут быть у мужчины.

Лосницкий встал и заходил по комнате, он, видимо, был встревожен.

— Странно мне это, Анна, — заговорил он, наконец, остановясь перед ней, — очень странно. В такое короткое время, как ты говоришь... И вдруг уехал внезапно и неизвестно куда, на несколько времени.

— Он очень молод, — сказала она, — притом он не знает, как я его люблю.

Лосницкий вздохнул и снова заходил по комнате.

— Прощай, Анна! — сказал он вдруг, остановясь перед ней.

— Как, ты уже уходишь?

— Да, пора... Дело есть: нужно письма кое-какие писать.

— Ну прощай. Завтра придешь?

— Да.

Они расстались. Лосницкий возвратился к себе. Нестерпимо скучна и гадка показалась ему его комната. Не будучи в состоянии приняться ни за какое дело, ни остановиться на какой бы то ни было мысли, он ходил по ней взад и вперед, потом взял шляпу, вышел из дому и долго бродил по улицам города без всякой цели, нигде не останавливаясь, ни во что не всматриваясь. К вечеру, усталый и расстроенный, возвратился он домой, лег на диван и пролежал весь вечер, уставив глаза в потолок и по временам тяжело вздыхая.

На следующий день Лосницкий не хотел ехать к Анне, но не удержался и после обеда заехал. Он застал ее дома и одну. Она была грустней обыкновенного, но старалась казаться спокойной. Лосницкий следил за ней, и ему стало жаль ее. Впервые он испытывал к ней это чувство, и ему было досадно. Чтобы как-нибудь рассеять Анну, Лосницкий предложил ей ехать в оперу. Она тотчас согласилась. Музыка произвела на Анну большое впечатление, молодая женщина оживилась и напомнила себя Лосницкому такою, какой он знал ее до того, и он снова чувствовал себя побежденным и преклонялся перед нею.

Прошло несколько дней.

Однажды утром Лосницкий только что проснулся и лежал еще в постели, как кто-то постучался к нему.

— Кто там? — крикнул он, не вставая.

— Я, — ответил тихий голос.

Сердце Лосницкого замерло.

— Анна! — вскрикнул он, не веря собственным ушам.

— Да... отворяйте скорей.

Лосницкий быстро вскочил с постели, наскоро оделся и открыл дверь. Анна вошла в комнату. Она откинула вуаль, и Лосницкий вздрогнул при взгляде на ее лицо. Оно было смертельно бледно и строго, губы крепко сжаты, глаза смотрели прямо, но с выражением ужаса и помешательства.

— Что с тобой, Анна? — воскликнул Лос[ницкий].

— Ничего, — отвечала она медленно и слегка прерывающимся голосом. — Мне нужно говорить с тобой, нужно, чтобы ты ко мне пришел для этого, мне нельзя оставаться. Прощай. Приходи же.

— Приду, приду.

Она повернулась и вышла из комнаты. Это неожиданное явление поразило Лосницкого. Несколько времени он стоял как вкопанный, силясь объяснить его, наконец бросился одеваться. Руки и ноги его дрожали, и сердце сильно билось, когда он выходил из дрожек перед домом, где жила Анна; он предчувствовал что-то недоброе, но в доме было покойно и тихо по-прежнему. Он не долго ждал Анны. Она вошла совсем одетая, хотя было еще очень рано, и казалась спокойною, даже веселою.

— Я не ожидала, что ты придешь так скоро, — начала она.

— Я поторопился, потому что, признаюсь тебе, ты меня испугала. Я рад, что нашел тебя спокойною... Впрочем, кто тебя разберет, — прибавил он, — ты всегда такая.

— Я только что завтракала, — сказала она, чувствуя, что спокойствие ее начинает ее покидать, и желая удержать его. — Не хочешь ли, я принесу тебе чаю?

— Нет, пожалуйста, не беспокойся.

— Как знаешь.

Она встала и заходила по комнате. Мускулы ее лица начали как-то подергиваться, яркий румянец играл на ее щеках.

— Я хочу с тобой говорить, — сказала она и остановилась перед ним, потупясь; ее брови двинулись, и лицо сильнее и чаще начало подергиваться, она повернулась и снова начала ходить по комнате. Мало-помалу она начала успокаиваться, снова подошла к нему и села против него.

— Со мной произошла страшная история, — начала она медленно, почти торжественно... — Я хочу, чтоб ты мне объяснил, что это такое. Я расскажу тебе все. Ты знаешь меня, я хочу, чтобы ты меня судил. Ты помнишь, когда мы встретились в первый раз в этой глуши, куда ты был заброшен не по своей воле и где я пропадала с нелюбимым мужем среди антипатичных мне людей. Наше положение, мысли нас сблизили, мы пробудили сознание друг в друге и, очнувшись, испугались своего положения и бросились в объятия друг другу, боясь потеряться. Но не одно отчаяние воодушевляло меня, когда я тебе отдавалась, ты недаром мне говорил о своем обновлении. Я думала найти в ней [в любви?] спасение, цель, прибежище и ничего не нашла, кроме стыда и горя...

Тут она остановилась, не в силах далее продолжать от наплыва грустных воспоминаний, и закрыла руками лицо. Жестокая горечь ее слов глубоко уязвила Лосницкого. Он молчал и только смотрел на нее пристально. Она продолжала:

— Условия, при которых сложились наши отношения волею обстоятельств, были мне невыносимы по своей двусмысленности, но отказаться от тебя я не могла. Я все *чего-то* надеялась; когда же сердце мое было возмущено и ум встревожен, когда самое здоровье разрушалось, я решилась уехать. Я думала, что новая жизнь, новые лица рассеют мою тоску, но и здесь я нашла все не так, как думала. Я была одинока, когда встретилась с *ним.* Это живое лицо было так ново для меня и так полно интереса после общих приемов и фраз людей, которых я встречала до того времени. Он не поразил меня ни умом, ни знаниями, но все, что он делал и говорил, было его; в нем было все, чего я не видала до тех пор в других: страсть, смелость, простота. Он часто у меня бывал и, когда увидел, что общество его мне нравится, стал бывать еще чаще; мы вместе читали, прогуливались, ездили в театр. Мне было хорошо с ним, легко и свободно. Когда он заговорил о любви, я очень удивилась и обрадовалась, потом удивилась и испугалась тому, что обрадовалась. Потом я увидела, что я или должна ответить на его любовь, или тотчас расстаться с ним. На последнее у меня недостало бы сил... Я не требовала у него уверений и доказательств в любви, мне каждое слово, каждый жест его говорили о счастье без примеси тревог и сомнений. Я ничего больше не ждала. Мне нужно было только, чтоб его любовь была искренна...

Тут она остановилась. Воспоминание о прошлом овладело ею; она забыла об окружающем, о· том, что говорила. Лосницкий следил за ней.

— Ну и что же? — сказал он наконец.

Она встрепенулась, щеки ее разгорелись.

— Он женится, — [сказала] она твердо и смотря прямо в глаза Лосницкому.

— Кто тебе сказал?

— Я знаю наверное.

Но Лосницкого не удивила эта весть. Напротив, он принял ее совершенно спокойно, как будто даже ждал, и был доволен ей как развязкой.

— Кто же мне заплатит за мое страдание и [?] за все бессонные ночи!

Лосницкий доказывал ей, сколько тщетности и тщеславия в этом притязании; его доводы подействовали на Анну, и гордость ее проснулась.

На другой день Лосницкий нашел ее совершенно спокойною. Она встретила его с книгой в руках. Она читала. Л[осницкий] был в этот раз как-то разговорчив. Его рассуждения были глубоки и решительны, но вместе с тем неопределенны. Ни он, ни Анна не касались предметов, им близких, хотя оба были грустны, но мучительного страдания вчерашнего дня как не бывало. Этого не было, однако, на самом деле. К несчастью, А[нна] не принадлежала к числу тех счастливых существ, в сердце которых сильно отражается радость и горе, но проходят не оставляя следа. Нет, что раз в него попадало, то клало неизгладимую печать. Так и теперь: черная дума легла на него и жгла его медленно, но верно.

Прошло шесть месяцев. В бедной деревушке Франции в соседстве какого-то [?] в светлой чистой комнате маленького домика, потонувшего в зелени и цветах, на диване лежала молодая женщина. По лицу этой женщины, освещенному неверным блеском догорающего солнца, по ее позе трудно было различить: спала ли она, умерла или просто задумалась. Ее ресницы были опущены, руки плотно лежали на груди, черные волосы длинными и спутанными прядями лежали на подушке. И странно было выражение ее лица; это выражение того спокойствия, которое добывается долгим страданием; в нем было что-то бесконечное: покорность ли судьбе, уверенность ли в близкое желанное будущее или последний покой. Мол[одая] жен[щина] сделала движение и открыла глаза; тихим взглядом окинула она комнату и снова закрыла их с выражением тоски и боли. За дверями послышался легкий шум, высокий бледный худой мужчина вошел в комнату и остановился у дверей. Она слегка приподнялась и, облокотясь на изголовье, смотрела на него кротким задумчивым взглядом.

— Отдохнула? — спросил он.

— Да, — отвечала она машинально, с тем же задумчивым выражением, смотря через открытую дверь балкона в сад, где легкий ветер, качая красивыми гирляндами виноградника, соединяющего оливковые деревья, разносил кругом благоухание южной весны и, разливая сладость и негу, убаюкивал душу, заставляя ее на время забыть зло и горе жизни. Л[осницкий] подошел к Анне и сел на стул подле ее дивана. И между тем как в голове ее складывался и развивался вопрос, какое проклятие лежит на людях, что они не могут пользоваться всеми дарами земли, он смотрел на ее прекрасное лицо и думал о другом. Лосницкий не сводил глаз с этого лица, и мало-помалу другое чувство, чувство тайной надежды и радости, сладкой до боли, чувство, в котором он не смел признаться самому себе, волновало его душу. Между мыслями и желаниями ее развлечь и успокоить, мыслями, которые до сих пор одни руководили им все время, пока он убеждал ее уехать и провожал в путешествии, являлась одна и против его воли господствовала над всеми другими, — эта мысль была: она здесь, со мной, теперь от меня зависит ее к себе воротить.

— О чем ты думаешь? — спросил он ее, чтобы только отвязаться от этой докучливой мысли.

— О чем? — повторила она машинально, все еще смотря в двери балкона, и после короткой задумчивости отвечала: — Я вспоминаю, как в первый раз въезжала в Петер[бург], какие надежды были у меня тогда и что с ними стало. Я сравниваю чувства, с которыми въезжала в Петер[бург], с теми, при которых его оставляла... Ах, как тяжело мне было оставить Пет[ербург], как тяжело! я как будто в нем покидала дорогие могилы.

— Зачем так думать, — с жаром заговорил Лосницкий, — у тебя молодость впереди, воплощение любимой идеи; разве это шутка?

Она сделала движение головой, не ответила и снова пристально стала смотреть в двери балкона.

Воплощение любимой идеи! Эта мысль неопределенно пронеслась в голове Анны, задевая все струны ее чуткого организма, и произвела в нем странное движение; но это движение мало-помалу успокоилось и пришло к одному более ясному сознанию: итак, я опять свободна! Нет более рабской тревоги ожиданий и страха, не за что бояться, нечего терять. Мечта о счастье — бред праздной фантазии, жалкое убежище трусов и малодушных — рассеялась, и действительность, голая действительность стоит одна, сухая, голодная. Будущность открыта. Выбирай дорогу.

Долго оставалась Анна под влиянием этих дум, не обращая внимания на Лосницкого, точно не замечая его присутствия.

В нем вспыхнула досада. Он, не владея собой, быстро встал и пошел из комнаты.

— Куда ты? — спросила Анна, приподняв голову с подушки.

— Я?.. — проговорил он, стараясь скрыть волновавшие его чувства, — я думал, что, может быть, тебе мешаю. Тебе, может, хочется быть одной.

— Нет, мне лучше с тобой, — сказала она просто и не замечая, что в нем происходило.

Он быстро повернулся при этих словах, но вдруг остановился и медленно подошел к стулу, стоявшему довольно далеко от нее. Она его попросила сесть ближе. Анна начала говорить, какой эгоисткой вела она себя до сих пор, во все время их 4-месячного путешествия занималась одной собой и даже как будто не замечала внимания его к себе. Она спешила его уверить, что знает и ценит все, что он для нее сделал, и что он сделал для нее гораздо более, чем ему самому кажется; она говорила, что этот отъезд и присутствие близкого человека, поддерживающего ее сильным словом, которое всегда имело над нею власть, спасли ее от ужасного отчаяния. Она прибавила, что давно ей хотелось все это ему высказать, но как-то не выговаривалось.

— Я не смела тебе говорить этого, — сказала она, — потому что прежде была часто несправедлива к тебе. Я как-то тебе сказала перед нашим отъездом из П[етербурга], что любовь твоя ничего мне не принесла, кроме страдания. Это было несправедливо сказано. Я была счастлива! — сказала она с грустным волнением.

Эта теплая речь — самый ее взволнованный голос, который не переставал быть тихим, иногда по временам поднимался и звучал торжественно и пророчески, в то время когда она лежала, сложив на груди руки и опустив ресницы, то опускался, выражая глубокую и решительную покорность тому, чего нельзя изменить, — наполнила его сердце восторгом и обожанием. Она давно перестала говорить и лежала в той же позе с закрытыми глазами, а он все еще смотрел на ее взволнованное добрым чувством лицо, под влиянием чувств, внушенных ее словами, не имея сил ни выразить их, ни от них освободиться.

— Умеешь ты хорошие слова говорить, Анна, — сказал он наконец. Анна ничего не сказала и впала в прежнее раздумье, тогда как он думал только о ней. Самое молчание ее, самую задумчивость он объяснил в свою пользу, как выражение того, чего она недоговорила словами. Она сделала какое-то движение головой, повернула ее к свету, он вскочил со стула и бросился вперед, но вдруг остановился, смущенный и нерешительный.

— Что ты? — спросила она спокойно и смотря в потолок.

— Я хотел подвинуть стол, он не у места, — пробормотал он.

— Так переставь.

— Нет, не нужно, — сказал он после, возвращаясь на прежнее место. Она промолчала.

— Ты не знаешь, что со мной сейчас было, — начал он через минуту и взволнованным голосом.

— Что? — спросила она тревожно, приподняв голову и устремив на него испуганные глаза.

— Ты не рассердишься?

— Что такое?

— Я только что хотел подойти и целовать твою ногу, но задел за этот ковер и опомнился.

Краска стыдливости подступила к благородному, целомудренному челу Анны и придала ее лицу чисто девическое выражение.

— Зачем это? — проговорила она с мольбой в голосе и инстинктивно задернула полой длинной пестрой блузы конец своей узкой туфли.

— Ты должна меня извинить, Анна, — сказал смущенный Л[осницкий].

— О да! Только не говори более об этом.

Но такое великодушие не очень польстило Лосниц[кому].

Он завел вскоре разговор, самый обыденный, но что-то не вязалось; взгляды Лосницкого останавливались на Анне с большим упорством и страстью, он забывал, о чем говорил. Анна это заметила, и оно ее встревожило. Анна встала с постели, подошла к своему письменному столу, быстро позвонила и сказала слуге, чтоб подал огня, и села у открытого окна.

— Ты скоро уйдешь к себе? — спросила она его.

— А что?

— Так... Я спать хочу.

— Так рано?

— Да, я как-то устала.

Лосницкий молча подошел к ней, поцеловал обе ее руки и решительно вышел. Анна заперла за ним дверь и, не раздеваясь, бросилась в постель. Долго она лежала, думая невольно о своем положении и волнуясь какими-то неприятными чувствами, так и уснула с ними, не раздеваясь, не погасив даже лампы.

На следующий день Анна встала очень поздно. Лосницкий долго ждал ее в соседней комнате, которая, разделяя две их комнаты, служила им залой и столовой. Завтрак давно стоял на столе, но Лосницкий не думал за него браться. Он ходил взад и вперед по комнате, по временам останавливаясь и прислушиваясь к движению в комнате Анны или просто смотря в окно. Наконец А[нна] показалась. Она была спокойна, как всегда, и грустно-величава. Они сели завтракать, но ему показалось в ее позе что-то особенно гордое и насмешливое. Он встретил ее как-то смущенно. В обращении Лос[ницкого] с Анной все это утро все проглядывала какая-то неровность, он не мог как-то попасть в колею, но простота и искренность Анны, ее добрые доверчивые слова навели его на настоящий путь, и Лос[ницкий], хоть пополам с грустью, но с благородной решимостью протянул ей руку.

— Анна, — заговорил он, — вчера я был глуп и низок, я виноват перед тобой, простишь ли ты меня? — И Анна радостно приняла это раскаяние, обещала забыть вчерашнее, сознаваясь, как это было тяжело. Он уверял, что увозил ее без всякого расчета, хотя и была у него какая-то неопределенная надежда; когда же вдруг он увидел себя с ней одних посреди чужих мест, незнакомых людей... — его рассудок помутился. Он обещал ей на будущее быть ее другом, защитником, чем только она сама захочет, несмотря на то, что страсть ее к другому и, вследствие ее, сложившиеся между ними новые отношения сделали ее вдвое привлекательнее.

Анна верила его обещанию точно так, как он сам ему верил, и смело доверилась будущему. Весь этот день они провели вместе в прогулках и разговорах. Лосницкий пустился в рассуждения и разные отвлеченности. Это настроение увлекало его тем более, что оно, видимо, занимало Анну; в таких рассуждениях он забывал самого себя. Но это счастливое расположение продолжалось недолго, не более одного только дня, затем скука, досада и грусть попеременно овладевали им.

По мере того как Анна становилась спокойнее, когда едкое разрушающее страдание ее сердца переходило в тихую меланхолию и она понемногу возвращалась к прежним занятиям и привычкам, когда любимые книги появились у ней на столе, любимые мелодии, сопровождаемые ее голосом, раздались в их молчаливом жилище, выражая на разные вариации одну и ту же неизлечимую скорбь,

— он сделался мрачен, раздражителен или не выходил из своей комнаты по целым дням. Часто, когда он сидел неподвижно в углу или по целым часам молча ходил по комнате, молодая женщина украдкой взглядывала на него из-за своей книги, и сердце ее робко сжималось. Она сознавала, что вся его любовь, все старания и заботы остаются без возмездия, и это начинало тяготить ее. Однажды, когда он сидел в своей комнате, облокотясь руками на стол и склонив голову с усталым и грустным выражением лица, Анна несколько раз проходила мимо и заглядывала в отворенную дверь; он не замечал ее или делал вид, что не замечает. Вдруг она вошла, подошла к нему и встала на колени, чтоб прямо смотреть ему в лицо.

— Прости меня, — проговорила она, взяв его за руки и устремив на него грустный, проникающий в душу взгляд. Он взглянул на нее с притворной рассеянностью и улыбнулся.

— Прости меня, — повторила она и продолжала на него глядеть тем же глубоким, кротко-любящим, грустно-умоляющим взглядом, которым точно хотела излить всю душу.

— Вот этот взгляд мне знаком, — сказал Лосницкий тронуто и тихо гладя ее волосы, — давно я его не встречал.

— Отчего ты такой мрачный? Зачем не хочешь быть весел? — говорила она задумчиво и ища выражения.

— Полно, что ты! Отчего не весел? Так.

— Ты не хочешь говорить со мной! Ты сердишься.

— Что за вздор! — проговорил Лосницкий и невольно вздохнул. — Скучно мне, — начал он серьезно и печально, — все чужое кругом, все постылое. Я поехал с тем, чтобы тебя занять, успокоить, развлечь, дать работу голове, и вот уже четыре месяца, как мы в разъездах, и ты только грустишь и, кажется, ничего больше знать не хочешь.

— Разве ты не знаешь меня? Я всегда такая была.

— Была, это так, но теперь, когда ты свободна идти куда хочешь, делать что хочешь. Скажи, чего недостает тебе?

— Чего? Я все потеряла. У меня ничего нет. Моя молодость прошла без радости, я истощила себя в ежедневной борьбе с людьми и обстоятельствами, мои силы не вынесли, и люди заклеймили меня насмешкой и презрением, родные отвернулись от меня. Куда я пойду? Кому я нужна? Что начну делать?

— Разве нельзя создать себе дело, заставить любить и уважать себя? Нет, это не то. Тут есть другая, более основательная причина, то, что меня возмущает и чего я не могу объяснить себе. Скажи лучше, что ты любишь... — И он пристально смотрел на нее.

Бледные щеки Анны мгновенно вспыхнули, но через минуту стали еще бледнее.

— Ты молчишь... Ты не хочешь меня опровергнуть!..

Анна в самом деле молчала.

Она сидела, погруженная в какую-то думу, не то занятая мечтой о будущем, не то воспоминанием о прошлом, только мысли ее были далеко, очень далеко.

— Ты любишь, значит, ты надеешься.

— Мне нечего надеяться, — сказала она.

— Ты рассуждаешь так рассудком, но у сердца своя логика. — Он ждал возражения, но его не последовало, напротив: Анна встала и пошла вон, она ушла в свою комнату и затворила за собой дверь.

Прошло несколько дней. Был тихий ясный вечер. Лосницкий и Анна шли по дороге в поле, недалеко от своего дома. Они прогуливались. Анна была в спокойном, созерцательном настроении духа, она все время молчала. Лосницкий тоже казался задумчивым, но он по временам взглядывал на лицо Анны, это чудное лицо, которое было изображением ее души и отражало на себе каждое ее движение. В эту минуту Анна всецело поддалась влиянию окружающей ее природы. Перед ней стоял город, резко выдавался он своим темно-серым грязноватым колоритом на ярком фоне неба; остроконечные главы его церквей далеко бежали вверх и незаметно терялись в блестящем пространстве. Между ними поднималось какое-то огромное полуразрушенное здание. Оно возвышалось над всем окружающим, как хищное тело обезглавленного исполина, выставляя на удивление веков свои грандиозные атлетические формы. Какое-то кудрявое растение украшало его сверху, оно покрывало его обезображенные члены и, далеко протягиваясь гибкими ползучими ветвями, старалось заключить его в нежные объятия. С другой стороны выдавались, нарядные в своем снеге, окрашенные нежными цветами солнечных лучей, не высоко Совены [?]. Чистый прозрачный воздух юга, с доверчивой любовью обнимая все окружающее, выставлял его особенно рельефно; самых отдаленных предметов он не прятал в таинственном тумане от влюбленного взора человека.

Утомленная наслаждением этого зрелища, Анна остановилась. Она села на землю на краю возвышения, круто прорезанного дорогой, и вся душа ее перешла во взоры... Сердце ее наполнилось чудным спокойствием.

— О чем ты задумалась? — спросил ее вдруг стоящий подле нее Лосницкий.

— Так.

— А я все смотрел на тебя в это время. У тебя бывает иногда странное лицо, когда ты задумываешься, так и теперь оно так быстро и резко менялось... Как жаль, что ты не можешь видеть в эти минуты своего лица! Ты ведь понятия не имеешь о нем. Оно так хорошо! Я вспоминаю теперь суждения людей о твоей красоте. Но что эта красота, о которой они толкуют, перед той, которую знаю я один.

— Пожалуйста, не говори о моем лице, — перебила его Анна.

— Я знал, что ты рассердишься, а все-таки сказал.

— Ну, довольно, пойдем, — сказала А[нна], вставая.

— Тебе, кажется, и то неприятно, что я любуюсь тобой; я тебя понимаю, — сказал с горечью Лос[ницкий].

— Вот выдумал еще, перестань!

— Хорошо. Пойдем. Но куда идти?

— Куда хочешь, — сказала А[нна], и Лос[ницкому] послышалась в ее голосе знакомая нота: не то грусти, не то апатии или того и другого вместе. Забывая себя, он с особенной нежностью взял руку Анны и повел молодую женщину домой. Она следовала за ним почти машинально, но от нее не скрылось его сердечное движение, и в свою очередь сердце Анны наполнилось грустной нежностью. Воспоминание первой любви, воспоминание молодости повеяли на нее и перешли в тихую нежную меланхолию. — Куда все это прошло? —

подумала она. И вместо всякого ответа явился ей другой вопрос: Неужели все кончено? И затем следовал целый ряд вопросов.

Между тем они дошли домой. Анне, может быть, в первый раз хорошо и отрадно показалось в ее комнате, где все приготовлено и приноровлено к ее вкусу и привычкам его заботливостью. Она села на свое широкое низкое кресло, он поместился подле. Ей стало привольно и уютно, она повеселела; острые шутки, смех и разговоры полились у ней рекой, но вскоре она замолкла. Лосницкий старался поддержать в ней веселое настроение. С этой ли целью или просто увлекшись неожиданным приливом общей веселости, он стал ей рассказывать разные анекдоты и случаи из собственной жизни. Эти рассказы, может быть, были бы любопытны для других, но Анна не находила в них ничего остроумного и еще менее изящного. Она слушала молча и серьезно, но когда дело дошло до похождений Лос[ницкого], в последнее отсутствие Анны, с одной веселой дамой города Б., когда явились на сцену разные выходки легкой женщины и не менее легкого в отношении ее человека, рассказанные небрежным циническим тоном, — Анна не выдержала и просила его больше не рассказывать. Ее поразило в нем это молодечество, которым тщеславятся особенного сорта мужчины, но в нем она его не ожидала.

Анна мало знала Лосницкого; в ее прежних сношениях с ним было столько серьезного и отчаянно горького, что оно исключало обыденную часть характера, которая так важна в интимном кругу.

— Мне странно твое неудовольствие, — сказал Лосницкий. — Впрочем, в тебе это совершенно женская черта. Подобные отношения мужчины к женщинам, о которых я тебе рассказывал сейчас, очень естественны и извинительны, они даже необходимы и не только не мешают настоящей высокой любви к другой женщине, но еще и увеличивают и поддерживают ее. К сожалению, ни одна женщина не в состоянии этого понять...

Анна все больше и больше удивлялась: "Я этого не ожидала, совершенно не ожидала", — говорила она. И выпрямив свой стройный, величавый стан, она заходила по комнате.

— Тебе это кажется грязным, — сказал Лос[ницкий], — но поверь мне, что сердце мое способно любить и понимать прекрасное.

Анна, разумеется, ничего на это не ответила.

Видя такое расположение, Лосн[ицкий] стал прощаться, и как ни рано еще было, но Анна его не удерживала.

Анне в короткое время пришлось открыть не одну черту из мнений и взглядов Лосницкого, которые ей крайне не нравились. Образ жизни их, уединенный и однообразный, лишенный крупных интересов, где человек мог бы высказаться вполне, еще более способствовал выражению мелких сторон характера и неприятных по этому поводу столкновений. Анна жестоко восставала против всего, что она считала недостатком или слабостью, никакой ум, никакое сердце не могли ее заставить забыть о них. Она относилась к ним тем более враждебно, что когда-то этот человек ей казался совершенством. В ее строгих суждениях Лосниц[кий] видел только нападки, придирки к человеку, который вдруг сделался не мил и к которому беспричинное охлаждение она искала оправдать чем-нибудь. Известно, что при таком настроении обоих жизнь их вместе шла крайне плохо. Исчезли даже те братские доверчивые чувства, на которые

они могли рассчитывать друг перед другом как друзья. Отношения их становились более чем холодны и натянуты. Они были невыносимо тяжелы для обоих.
Лосницкий видел, как трудно и опасно его положение, он видел, что, оставаясь
при ней, он рискует потерять свое последнее благо, ее уважение, и не мог ни на
что решиться... Между тем жизнь, которую они вели, отсутствие всякого дела,
всякого круга, при взаимном несогласии, становилась ему невыносимой. Он
предложил Анне ехать назад в Россию, забывая, впрочем, подумать, насколько
это для нее будет лучше. Анна согласилась без противоречия, без малейшего
раздумья, не спросив даже, когда и как. Казалось, ей было все равно, где жить,
и как, и с кем, репутацией своей она мало дорожила, так как не для кого и не
для чего было ей дорожить ею. Но Л[осницкий] не торопил ее отъездом. Он
ждал чего-то.

Между тем с некоторых пор с Анной произошла перемена. Какое-то
странное лихорадочное волнение охватывало по временам все ее существо. Она
удалялась всякого общества, уходила в дальние уединенные места своих обыкновенных прогулок и там, ходя взад и вперед по холмам, что-то соображала. Или
она хваталась за книги и просиживала над ними дни и ночи, делала толстые
тетради и торопливо в них писала или записывала, но скоро она бросала книги,
как бы не находя в них того, чего искала, и уже ничего больше не читала и
впадала в какое-то нравственное оцепенение. Недавно появившийся румянец
исчез с ее лица, темная желтизна покрыла ее прозрачную кожу, синеватые круги
показались под глазами, и из-за них эти большие глаза казались еще больше и
выразительнее.

Тихо и величаво бродила молодая женщина по окрестным холмам, задумчиво смотрела каждый вечер, как догорал яркий торжествующий день, без радости встречала новый и все думала, думала... Или она садилась на берегу
небольшой речки и смотрела на тихие однообразные волны. Лениво и сонно
катились они перед ее глазами, гонимые сверху какой-то невидимой силой, по
временам ударялись о берег, быстро отскакивали, сталкивались, кружились, дро-
бились на мелкие струйки, потом складывались снова в прежнюю форму и
бежали опять с прежней безмятежностью, не спеша и нигде не останавливаясь,
с одинаковым постоянством, уступая место другим волнам, следовавшим за ними.
Анне, казалось, не наскучивал один и тот же вид, напротив, она с участием
следила за постоянной сменой ночи днем и дня ночью, жизни и смерти, находя
в них что-то общее с жизнью. Книги утратили для нее прежний интерес, они
ничего не решали, а только затмевали и усложняли бесчисленные вопросы, которые складывались в ее голове.

Лосницкий с беспокойством следил за ней, он умолял ее советоваться с
докторами, лечиться, но она упорно отказывалась. Л[осницкий] не знал, что
делать: оставаться или куда-нибудь ехать, но случившееся вскоре обстоятельство разрешило его недоумение.

Однажды А[нна] по обыкновению ушла гулять рано утром и не возвращалась целый день. Сначала Л[осницкий] не беспокоился, так как она не первый раз уходила так надолго, но, когда настал вечер и на дворе стемнело, а ее
все не было, сердце его боязливо вздрогнуло, и он бросился из дома по направ-
лению тех мест, куда чаще всего хаживала А[нна]. Он стучался в хижины,
останавливал прохожих, спрашивал с возрастающим беспокойством тех и дру-

гих, не видали ли они такой-то дамы. Более или менее неудовлетворительные ответы, которые ему давали крестьяне, только усиливали его смущение и страх. Одни видели м[олодую] ж[енщину] утром подле речки, другие три дня тому назад: она просила напиться и спрашивала, где переход через речку и как глубока вода.

Выбившись из сил от усталости и тревоги, Л[осницкий] решился идти домой, думая, может быть, найти ее там. Все спало крепким сном, когда он пришел в город. Огни все погасли. Л[осницкий] едва достучался в своей квартире. На вопрос его, дома ли А[нна], старый слуга посмотрел на него с недоумением, видно было, что он не знал или забыл об отсутствии мол[одой] ж[енщины]. Чувство негодования вспыхнуло в сердце Л[осницкого], но скоро смирилось и перешло в беспомощную тоску и мрачное уныние. Молча обошел он пустые комнаты и сел у окна, не зная, что делать, на что решиться. Предчувствие беды овладело им в эту минуту. Он все сидел, склонив голову на руку и ожидая чего-то, пока тяжелый беспокойный сон не овладел им, заставляя забыть все, даже самое горе.

Когда он проснулся, солнце стояло высоко и озаряло город роскошным своим блеском, сообщая всему радостный вид. Всякий был занят обыкновенной своей деятельностью. Люди работали, покупали, продавали и толковали, особенно много толковали по поводу только что найденного в реке трупа мол[одой] женщины. Предполагалось, что она упала в воду при переходе через реку по узкому мостику, так как труп ее нашли подле этого моста и на самой середине, где вода быстрее. Должно быть, у ней закружилась голова, глядя на быстро текущую воду, но Бог, который видит намерения и дела людей, знает лучше. Мы же со своей стороны не хотим ни отрицать, ни подтверждать такого предположения.

РГАЛИ. Ф. 1627. Оп.1. Ед.хр.2. Впервые опубликовано — *А.С. Долинин*. Достоевский и Суслова. С. 133-158.

Как видим, Суслова попыталась здесь коренным образом изменить не только ситуацию, но и самый характер действующих лиц; она прежде всего вывела на видное место себя, как героиню, заставив ее действовать активно и активно же участвовать в диалоге; затем — героя, Достоевского, как уже было указано, она снизила до уровня, так сказать, обычно человеческого, упростила его, обеднила его душевную организацию путем отстранения его конкретно индивидуальных черт, и это дало ей возможность воспользоваться целым рядом общераспространенных приемов данной литературной формы, над которыми она не поднималась; основа действительно оказалась глубоко запрятанной, но, повторяем, отнюдь не извращенной. И даже так: на этом шаблонном фоне она выделяется еще более резко, как доподлинно пережитое, как непосредственная правда в первой ее передаче.

А.С. Долинин. Достоевский и Суслова. С. 196.

Особенно студентки были в восторге от Достоевского, всегда бывшего очень внимательным по отношению к ним. Никогда не давал он советов с восточной направленностью, которые столь расточительно раздают молодым девушкам наши писатели: "Зачем вам учиться? Скорее выходите замуж и рожайте как можно больше детей". Достоевский не проповедовал безбрачия, но говорил, что они должны выходить замуж только по любви и в ожидании ее учиться, читать, размышлять, чтобы стать потом образованными матерями и иметь возможность дать своим детям европейское образование. "Я многого жду от русской женщины", — часто повторял он в "Дневнике". Достоевский знал, что славянки обладают более сильным характером, чем мужчины-славяне, что они лучше трудятся и стоически переносят несчастье. Он надеялся, что русская женщина впоследствии, став когда-нибудь совершенно свободной (до сих пор она только приоткрыла двери своего гарема, но еще не вышла оттуда), будет играть большую роль в своей стране. Достоевского можно назвать первым русским феминистом...

Расположение, которым Достоевский теперь снова пользовался у

Аполлинария Прокофьевна Суслова. С фотографии 1870-х годов

студентов, имело последствием странное и все же логически из этого вытекающее событие. Однажды, когда моей матери не было дома, горничная доложила отцу, что пришла неизвестная дама, не желающая назвать свое имя. Достоевский привык принимать незнакомок, исповедующихся ему; он попросил горничную провести неизвестную в его кабинет. Вошла одетая в черное дама, лицо которой было скрыто густой вуалью, и молча села. Достоевский с удивлением смотрел на нее.

— Чему я обязан честью видеть Вас? — спросил он.

Вместо ответа незнакомка вдруг отбросила вуаль и обратила на него трагический взгляд. Отец наморщил лоб — он не любил трагедий.

— Вы не хотите себя назвать, милостивая госпожа? — сказал он сухо.

— Как, Вы не узнаете меня? — пробормотала посетительница с видом уязвленной королевы.

— Нет, конечно, я не узнаю Вас. Почему Вы все-таки не хотите назвать свое имя?

— Он не узнает меня! — театрально вздохнула дама в черном. Отец потерял терпение.

— К чему эта таинственность? — сердито воскликнул он. — Объясните, пожалуйста, причину Вашего визита. Я очень занят и не могу попусту терять время.

Неизвестная поднялась, опустила вуаль и покинула комнату. Достоевский, совершенно сбитый с толку, последовал за ней. Она открыла

входную дверь и сбежала по лестнице. Отец, погруженный в раздумья, остался стоять в передней. Постепенно что-то начало всплывать в его памяти. Где же он уже видел этот трагический взгляд? Где слышал этот мелодраматический голос? “Боже мой! — внезапно воскликнул он. — Ведь это была она, это была Полина!”

Мать как раз вернулась домой. Совершенно растерянный, Достоевский рассказал ей о визите своей прежней возлюбленной.

— Что я наделал? — повторял мой отец. — Я смертельно ее обидел. Она ведь так горда! Она никогда не простит мне, что я не узнал ее; она будет мне мстить. Полина знает, как я люблю своих детей, — эта безумная в состоянии их убить. Бога ради, не выпускай их больше из дома!

— Но как же ты мог ее не узнать? — спросила моя мать. — Она так изменилась?

— Конечно, нет... теперь, когда я вспоминаю, я понимаю, что она очень мало изменилась... Но что ты хочешь! Я начисто забыл о Полине, будто и не было ее никогда.

Мозг эпилептиков не похож на нормальный. Память их удерживает только те факты, которые произвели на них особое впечатление. Вероятно, Полина Н. принадлежала к числу тех хорошеньких девушек, которых мужчины очень любят, когда находятся в их обществе, но забывают их, лишь только они исчезают из их поля зрения.

Л.Ф. Достоевская. Достоевский в изображении своей дочери. С. 142-144.

В дальнейшем отношения Сусловой и Достоевского окончательно потухают и их жизненные пути совершенно расходятся. Чем-то ироническим и жутким, если принять во внимание все прошлое, звучит последняя встреча Достоевского с Сусловой в конце 1870-х годов, если верить рассказу Л.Ф. Достоевской. Достоевский даже не узнал свою бывшую “вечную” подругу, посетившую его в его доме, и она выбежала от него оскорбленная, в глубоком волнении. С тех пор Достоевский и Суслова уже не видались.

Е.В. Петухов. Из сердечной жизни Достоевского (Ап. Прок. Суслова-Розанова). С. 39.

Наши сведения, касающиеся отношения Сусловой к Достоевскому, исчерпаны, если не считаться с рассказом дочери Достоевского об их последнем свидании, происшедшем много лет спустя, очевидно, в средине или, может быть, даже ближе к концу 70-х годов. Дочь передает эту сцену в обычных для нее тонах и последний раз рисуя облик Сусловой как человека неискреннего, любящего принимать красивые позы. Она приводит целый диалог между ними, который, конечно, сама сочинила, подробно воспроизводит ее жесты, согласно той фигуре, которую ставит перед нами в самом начале своего рассказа о Сусловой и о роли ее в жизни Достоевского. Как и в предыдущих случаях, когда мы пытались использовать данные ее биографии, скажем и здесь, что достоверным можно считать только остов: самый факт позднего свидания, когда Достоевскому было за 50 лет, а ей за 30, и, может быть, в самом деле, как сообщает дочь, он ее не узнал, а она, обиженная, не захотела себя назвать.

Это было бы последнее глубокое оскорбление, которое нанес Достоевский своему "вечному другу".

"Тебе трудно быть счастливой, — читали мы в последнем письме Дост. к Сусловой, — потому что сердце твое *не может* не требовать жизни", а мириться с "дешевым *необходимым* счастьем" оно несогласно. В течение этих десяти лет она все еще продолжала искать и метаться, нити, тянувшиеся в далекое прошлое, в ее душе еще не оборвались.

А.С. Долинин. Достоевский и Суслова. С. 251.

ПЕРЕЕЗД В НИЖНИЙ НОВГОРОД.
РОМАН СО СТУДЕНТОМ.
ЗАМУЖЕСТВО.
РАЗРЫВ С В.В. РОЗАНОВЫМ

От двух десятилетий жизни А.П. Сусловой после того, как она, так и не устроившись в Москве, приехала к родным в Нижний Новгород, не сохранилось (или еще не найдено) почти ничего, написанного ею самой. Лишь три письма (1873, 1886 и 1888 гг.) вносят в ее жизнеописание небольшие вкрапления "от первого лица".

Однако многочисленные и разнообразные свидетельства В.В. Розанова, письма Е.В. Салиас и почтовые штемпеля на конвертах адресованных А.П. Сусловой корреспонденций позволяют достаточно точно и документально реконструировать фактическую сторону ее биографии 1870-1880-х годов.

Она жила с родителями в доме, принадлежавшем отцу, и, по-видимому, оставила все свои литературные занятия. Зимы проводила в Нижнем Новгороде; соскучившись, ездила в гости в Москву и, когда отец давал денег, за границу. Часто навещала графиню Салиас, которая к тому времени жила уже в Калуге, а не в Версале.

Около 1876 года А.П. Суслова познакомилась со студентом Московского университета В.В. Розановым; их роман длился три года и завершился браком. Биографы В.В.Розанова обращают обычно особое внимание на дату венчания: ноябрь 1880 года, то есть еще при жизни Ф.М. Достоевского. Е.В. Салиас, с которой А.П. Суслова советовалась по поводу замужества, была (как это видно из писем графини) категорически против ее брака со студентом. Тем не менее А.П. Суслова стала женой В.В. Розанова и уехала с ним в Брянск, где он получил место учителя гимназии.

В августе 1886 года А.П. Суслова оставила мужа.

В мае 1887 года Е.В. Салиас пыталась выхлопотать для А.П. Сусловой место учительницы, и летом, пока Аполлинария отдыхала и лечилась в Крыму у сестры, такое место было найдено: с помощью протекций графини и ее зятя, генерал-фельдмаршала, героя Русско-турецкой войны, И.В. Гурко, А.П. Суслова была определена на должность начальницы Малютинского детского приюта в Калуге.

В сентябре она вернулась из Крыма и поступила на место, но уже к концу года у нее возникли конфликты и появилась опасность потерять службу. В марте 1888 года она все еще была в Калуге, но вскоре сама оставила должность и летом вновь поселилась у отца в Нижнем Новгороде. Вопрос о разводе с мужем к тому времени был для нее еще не решен.

В 1890 году умер Прокофий Григорьевич Суслов, ее отец, и Аполлинария Прокофьевна получила в наследство дом на Солдатской улице в Нижнем Новгороде, а также немного денег, которыми, по мнению Е.В. Салиас, стала распоряжаться весьма неумело. Она ездила из города в город, то в Москву, то в Петербург, нигде не задерживаясь подолгу. Уже четыре года она жила отдельно от мужа, который все это время отказывал ей в виде на жительство.

Подробности неудавшейся семейной жизни А.П. Сусловой и В.В. Розанова, а также версия разрыва с А.П. Сусловой, изложенная ее мужем в официальных документах и различных корреспонденциях, не совпадают с оценками событий, которые содержатся в письмах Е.В. Салиас к Аполлинарии, регулярно сообщавшей графине о своих несчастьях.

15 мая, Нижний Новгород [1873]
Дорогая Софья Моисеевна!

Мне было досадно, что я не могла еще раз зайти к Вам, чтоб с Вами проститься; у меня очень много было хлопот с укладкой и с разными пустяками. Я думаю, что Ваше здоровье теперь окончательно восстановлено и что Вы себя чувствуете бодрее и сильнее прежнего; так, кажется, бывает в большей части подобных случаев.

Когда найдет Вас мое письмо? Вот что меня занимает, но я уверена, что оно Вас достигнет, если даже Вы переменили квартиру и уехали на дачу.

Так как Владимир Осипович говорил о поездке своей и Вашей в Самару, то я Вас жду и, надеюсь, Вы пробудете несколько в Нижнем. Здесь так хорошо теперь! Местоположение города восхитительное. Какие виды на реку и на другую.

Я приехала в Нижний с Люд. Павловной (назад две недели), и она еще здесь. У меня здесь только одна знакомая, которую я люблю как немногих, и, я уверена, мне не будет скучно. Я легко могла бы познакомиться с знакомыми брата, так как я их видала, но мне они почти все не нравятся; очень скучный народ. Живу я с отцом и с матерью в квартире брата, с нами живет его дочь, каждый день к нам приходит помощник брата, очень эксцентричный студент, недавно кончивший, к нему и к отцу ходит разный народ: купцы, чиновники, мужики, татары, так что в доме очень много движения. У нас всякий делает свое дело и один другому не мешает. Всех очень развлекает и забавляет дочь моего брата, прелестная трехлетняя девочка. По мнению всех, кто ее видит, даже меня, которая не может быть

пристрастна, так как не люблю детей, она умна не по ле-
там, жива, ласкова и красива, как херувим. Она немного
надоедает мне, потому что слишком много болтает.

Брату моему стало лучше, хотя он был болен сильно
на водах, я не думаю, чтоб он выздоровел.

Отец на меня не сердится, но я чувствую, что он
меньше меня любит и недоволен мной.

Здесь удобно заниматься, потому что никто и ничто
не развлекает.

Я много гуляю по здешним горам и оврагам и чувст-
вую себя очень здоровой и бодрой. Я ни о чем не думаю, и
у меня очень легко на душе. Может быть, причиной этого
новая жизнь и новые места. Путешествия всегда меня очень
развлекали и излечивали. Зиму я думаю жить в Нижнем,
если не будет очень скучно; лучше поеду на будущий год за
границу. Поедемте вместе. Мне хочется в Италию и в Гол-
ландию. Не забывайте меня, милая Софья Моисеевна, пи-
шите хоть изредка. Скажите, увижу ли я Вас, т.е. поедете
ли вы в Самару?
Прощайте или до свидания.
Целую Вас много раз.
Любящая Вас А. Суслова.
Владимиру Осиповичу очень кланяюсь. Понравилась
ли ему гувернантка, которую я прислала?

А.П. Суслова — С.М. Гаркави//Коллекция библиофила Н.В. Паншева.

---

11 января 1875
Милая Полинька, получила Ваше письмо и дивлюсь. Ко мне приходил Нефедов от Вас, и я с ним говорила откровенно именно потому, что он от Вас, иначе б я его и не приняла. Вы другой раз давайте, кого присылаете мне, записочку. Напишите мне, что такое этот Нефедов. Его мысли? Его мне-ния? Его знакомства? Я хочу знать…

На конверте: В Нижний Новгород Похвалинский съезд, дом Шапошникова

Ее благородию Аполлинарии Прокофьевне Сусловой
Штемпеля:
Москва 13 янв 1875
Нижний Новгород 14 янв 1875

Е.В. Салиас — А.П. Сусловой//РГАЛИ. Ф.447. Оп.1. Ед.хр.5.

---

20 января 1875
Милая Полинька, Вы себя не мучьте, чем же Вы виноваты, что пришел господин от Вашего имени. Это всякий мошенник может сделать и пустить в ход какое угодно имя. Я сама виновата. Я должна была просить за-писку от Вас и сказать, что без письма от Вас я не принимаю. А я поверила. И если бы Вы знали, чем притворился Нефедов. И о спиритизме, и о предчувствии говорил со мною, и я говорила, что этого не знаю, а [?] другое дело, им я верю, ибо это душа видит. Ну каково?

...Ваше предположение, что я могла рассердиться, — с Вашей стороны помешательство. За что сердиться? На кого? На Вас? Но Вы ни в чем не виноваты... Советую Вам забыть эту ловкую выходку волка, нарядившегося в овечку. Это только забавно и ничего больше.

На конверте: Нижний Новгород Похвалинский съезд, в доме Шапошникова
Ее благородию Аполлинарии Прокофьевне Сусловой
Штемпеля: Москва 20 янв 1875
Нижний Новгород 21 янв 1875

Е.В. Салиас — А.П. Сусловой//РГАЛИ. Ф.447. Оп.1. Ед.хр.5.

Христос Воскресе, милая Полинька! Поздравляю Вас с праздником и желаю Вам всего лучшего и всякого благополучия...

Книги Вам посылаю. Приказала их упаковать.
15 января 1876 г.

Е.В. Салиас — А.П. Сусловой//РГАЛИ. Ф.447. Оп.1. Ед.хр.5.

Алатырь, 17 августа 76 г.
...Что с тобой, Вася, в самом деле? В средине письма ты иронически намекаешь о настроении своего

духа в прошлом году, а теперь — опять за то же... Разве quasi-вдовушка уехала из Нижнего?..

К. Кудрявцев — В.В. Розанову//В.В. Розанов. О себе и жизни своей. М., 1990. С. 406-407.

2 декабря 1877, Петербург
Милая Полинька, я получила письмо Ваше сейчас и благодарю Вас за память обо мне, за любовь и за все милое, что Вы мне говорите. Вы совер-

шенно справедливо думаете, что теперь мне нельзя оставить, но я не думаю, чтоб война продлилась долго. С помощью Божией скоро должна бы окончиться. Ведь у турок армии почти нет...

Е.В. Салиас — А.П. Сусловой//РГАЛИ. Ф.447. Оп.1. Ед.хр.5.

27 декабря 1877, Петербург
...Так как вы интересуетесь о том, что делает Государь на войне. расскажу вам еще случай, который рассказывают в Петербурге со слов очевидца...
На конверте: В Нижний Новгород

На Большой Покровке, в доме Вейденбаума.
Ее благородию Аполлинарии Прокофьевне Сусловой.
Заказное.
Штемпеля:
С.-Петербург 23 дек 1877
Нижний Новгород 27 дек 1877

Е.В. Салиас — А.П. Сусловой//РГАЛИ. Ф.447. Оп.1. Ед.хр.5.

Знакомство с Аполлинарией Прокофьевной Сусловой. Любовь к ней. Чтение. Мысли различные приходят в голову. Суслова меня любит, и я ее очень люблю. Это самая замечательная из встречающихся мне жен-

щин. Кончил курс.
Реакция против любви к естествознанию и любовь к историческим наукам, влияние Сусловой, сознание своих способностей к этому, возможность много сделать, но не воздыханием.

В.В. Розанов. Дневник //Новый журнал. Нью-Йорк, 1975. Кн.121. С. 174.

Аполлинария Прокофьевна Суслова. С фотографии 1876 года (Коллекция Н.В.Паншева)

С Суслихой я 1-й раз встретился в доме моей ученицы Ал. Мих. Щегловой (мне 17, Щегловой 20-23, Сусл. 37): вся в черном, без воротничков и рукавчиков (траур по брате), со "следами былой" (замечательной) красоты — она была "русская легитимистка", ждавшая торжества Бурбонов во Франции (там она оставила лучших своих друзей — в России у нее не было никого), а в России любила только аристократическое, "традиции" и трон. Я же был социалистишко... И... потянулся, весь потянулся к "осколку разбитой фарфоровой вазы" среди мещанства учителишек (брат учитель) и вообще "нашего быта". Острым взглядом "опытной кокетки" она поняла, что "ушибла" меня, — говорила холодно, спокойно.

И, словом, вся — "Екатерина Медичи". На Катьку Медичи она в самом деле б[ыла] похожа. Равнодушно бы она совершила преступление, убивала бы — слишком равнодушно, "стреляла бы гугенотов из окна" в Варфоломеевскую ночь — прямо с азартом. Говоря проще, Суслиха действительно была великолепна, и я знаю, что люди (одна — друг-жидовка, Гаркави урожденная, Анна Осиповна, лет на 15-20 старше ее) были "совершенно покорены", пленены. Еще такой русской — я не видал. Она была по стилю души совершенно не русская, а если русская — то раскольница, "поморского согласия" или еще лучше — "хлыстовская богородица".

Умна она была средне; не выдающееся; но все заливал стиль. Младшая сестра (известный врач-ученый Суслова) умоляла ее помириться; но она (зависть) при всяком ее въезде в дом родителей — вылезала с подушкой и одеялом из окна в сад, прокрадывалась на улицу и уходила ночевать к знакомым. И сестра (врач), видя, что она выгоняет старшую сестру из дому, мало-помалу перестала ездить к родителям.

Родители — чудные: старик-отец — весь "добро", мать — "мудрая". Я их любил, очень. С сестрой познакомился у умирающей тещи.

С Достоевским она "жила".

— Почему же вы разошлись, А[поллинария] Прок[офьевна]? (я).

— Потому что он не хотел развестись с своей женой чахоточной, "так как она умирает" (в Ташкенте).

— Так ведь она умирала? (я).

— Да. Умирала. Через 1/2 года умерла. Но я уже его разлюбила.

— Почему "разлюбили"? (я).

— П[отому] ч[то] он не хотел развестись.

Молчу.

— Я же ему отдалась любя, не спрашивая, не рассчитывая. И он должен был так же поступить. Он не поступил, и я его кинула.

Это ее стиль. Разговор этот у меня с нею был и почти буквален. Тезисы, во всяком случае, эти самые.

Мы с нею "сошлись" тоже до брака. Обнимались, целовались, — она меня впускала в окно (1-й этаж) летом и раз прошептала:

— Обними меня без тряпок.

Т[о] е[сть] тело, под платьем...

Обниматься, собственно дотрагиваться до себя — она безумно любила. Совокупляться — почти не любила, семя — презирала ("грязь твоя"), детей что не имела — была очень рада. ("Куда бы я пошла с детьми, когда муж такой мерзавец и ничтожество".)

В.В. Розанов — А.С. Глинке-Волжскому//Жизнь Василия Васильевича Розанова "как она есть" — Москва. 1992. N1. С. 113-114.

Я остановился в номерах Бубнова. Скверная улица, названия сейчас не помню, в Нижнем. Какая-то безостановочная езда ломовиков с полосами железа, самая для меня несносная. Только задумаешься о причинах германской реформации или об источниках шекспировского творчества, а эти проклятые полосы: лязг-лязг-лязг, безостановочно, час, два часа: не знаешь, куда голову деть! И все было скверно на улице: съестные лавки, бабы, мальчишки и эта растворенная дождем мельчайшая, тончайшая грязь, которая, как черные сливки, расступалась под калошами. Но всего сквернее было мое настроение души.

Я был виновен, и нехорошо виновен. В Нижний я приехал, взяв недельный отпуск из университета, и только и хорошего было в моей поездке, что экстренно и инкогнито. Нужно заметить, что как в гимназии, так и в университете, вплоть до самостоятельной семейной жизни, я прожил, что называется, как у Христа за пазухой. Не то чтобы там богатство, нет! Скорей даже бедность или "так себе", крайнее "так себе" в денежном отношении. Но я был абсолютно отделен от забот о себе, кроме одних учебных или заботы нанять квартиру и перетащить свои учебники, добрыми заботами старшего брата, который с раннего детства был мне вместо отца. Отсутствие забот, опасности, вообще всего тревожного и очень трудного, и сделало то, что и в университете я,

собственно, был тем же гимназистом, т.е. робким, застенчивым, нелюдимым и крайним фантазером. Всю свою жизнь я был так же неподвижен снаружи, как подвижен внутри. Брат и его семья жили в Нижнем, и вот занимательного в моей поездке и было то, что я приехал в Нижний инкогнито, и главным моим страхом было, чтобы как-нибудь не попасться кому-нибудь на глаза и чтобы это не дошло до брата. Ибо я приехал по делам любви.

"По делам любви!" ...Точно это биржа, и еще у гимназиста. В университете я почти уже не знал любви, но зато в гимназии пережил несколько полных и окончательных романов, и этот, по делам которого я приехал, был третий и действительно окончательный. Само собою разумеется, ни об одном из них ничего не знал брат, и я провалился бы сквозь землю, если бы сверх того, что я готовлю к уроку Пунические войны, брат узнал, что я еще и влюблен. Царица Небесная избавила от такого срама. Между тем каждый роман протекал чрезвычайно интенсивно, сосредоточенно, и если бы, паче чаяния, до брата и дошло что, я готов был скорей разорвать с ним и выброситься на улицу, чем порвать с чем-нибудь таким... Я не смел никогда любить иначе, как упорно и с болью.

Так было и на этот раз. Иллюзия любви заключается в непременной уверенности, что она навечно; а если навечно, то и вопроса не может быть, что она не должна закончиться браком. Признаюсь, тех романов, что показываются на сцене театров или описываются в повестях, я не только не испытал, но и не видал и даже не верю в их существование. Как это так "любил — и ничего больше?!" "Любил" точно "гулял"; прошел час, ноги устали, вернулся домой — и все кончено. Мне пятый десяток лет идет, и я просто не верю, что это бывает так. Ведь если не сущность любви, то ее главное сопровождающее последствие заключается в абсолютном доверии и уважении, и раз это есть, конечно, первая мысль и поспешная — навсегда окончить всякое "гулянье", сесть, установиться, утвердиться. Тут — новый мир, но уже недвижный. Поэтому любовь — это непременно окончательное, т.е. это непременно брак, и, собственно, приехав "по делам любви", я и приехал "по делам брака".

Он расстраивался и почти погиб по моей вине. Нужно заметить, даже чрезвычайно еще маленьким я был чрезвычайно умен в смысле спокойствия и рассудительности, и вот это-то и поставило на край бездны мой роман. Среди всякого вихря обстоятельств и при всякой щемящей сердечной боли я был спокоен умом, как капитан парохода среди рифов и мелей, т.е. не терял из виду ни одной подробности обстоятельств. У меня всегда был фанатизм воли, но никогда не было собственно фанатизма ума, пламени и дыма и вообще затмения мысли. По некоторым обстоятельствам, затевавшийся роман был не только рискован, но он был рискован чрезвычайно, безрассудно, был похож на спуск воинов Аннибала "по ту сторону Альп", когда половина или треть их попадала в пропасти. Нужно заметить, особенностью моего влюбления было всегда чувство особенной привязанности, прилипчивости, неспособности отстать, и это был fatum, роковое. Странно: гордый и самоуверен-

ный человек, человек "очень умный", как смею рекомендоваться читателю, я привязывался, как собака, и пока другая сторона не освобождалась от своей ко мне любви, этого было совершенно достаточно, чтобы я никогда не освободился от своей. Но при этой слабости сердца ум сохранял полную живость. Что мы идем куда-то в бездну, было видно и мне и ей, но мы оба ничего об этом не говорили — не говорили, конечно, друг с другом, а про себя каждый непрерывно об этом думал. И вот она мне написала в Москву грустное письмо, что она уезжает, уезжает далеко и надолго, так как, кроме печали, из нашей связанности ничего не выйдет и разойтись вовремя лучше. Письмо было исполнено любви. "Разойтись"... Тут и выступил мой fatum в связи с рассудительностью. Защемило сердце. Любовь — это феникс. Тонет, тонет в небе, дальше, выше, ничего не видно, а сердцу больно, больно! "Как разойтись! Никогда!" И в длинном письме рассудительный мой гений начертил всю карту неблагополучного будущего плавания, камни, рифы, мели, ураганы, туманы, но — "ничего, силы есть, и я выплыву, мы выплывем". Тут и разыгралась история: "Как, так ты все видишь! Как лавочник, ты измерил аршином любовь, произвел вычитания и сложения и подвел итог, и подал мне мелочной счет на засаленной бумажонке". Зачем я вижу! Боже, но ведь куда мне деть глаза! Быстро обменялись мы еще письмами, желчными, неумолимыми, а слабое сердце во мне все ныло, и, бросив все, перехватив откуда-то 15 руб., я сел в вагон и мчался incognito. Там все решится, там увидим...

И вот номера Бубнова, и самый грязный в них номер — мой. Я торопливо переодеваюсь, умываюсь, спешу коридором. Известно, что такое коридор, известно, что такое гостиница — уныние. И отчего во всех коридорах такой скверный запах?

Двери и на них металлические номера: "NN 57, 58". Уныние. Теперь я, когда бываю в гостиницах, всегда читаю о царице Савской и ее приезде к Соломону. Утешение. Но тогда я был глуп и шел по коридору с полной чашей горечи, тоски, ожидания неизвестности через час и ужасной затхлости воздуха в текущую минуту. Только одна дверь была отворена, и среди какого-то тумана или чада ходила фигура. На столе — тарелки и вообще посуда.

— Это что же? — спросил я коридорного.

— Пятый день пьют.

Мне не было дела, и я прошел далее.

В конце концов любовь эта кончилась бесконечным несчастием, многолетним унынием, помрачением ума, совести, всего. Но вот этот час в ней был светозарен. О, любовь — это прежде всего необъятная психология, истинная метафизика, и я верю, что кто не испытал любви и даже не пережил несколько типов любви, — не познал какой-то метафизической тайны мира и просто похож на лавочника, который не испытал ощущения сидеть на троне.

Между прочим, замечательна развивающая сила любви. Никакая другая сила, никакие иные обстоятельства не пробуждают таких разнообразных источников творчества и не дают испытать такого разнообразия духовных состояний, как любовь. От самых отрицательных, какова мысль о самоубийстве, до самых положительных, какова мысль о вечном продлении жизни. "Остановись, время!" — вся гамма проносится в вас, шевеля мысли, сердце, то лаская и успокаивая, то тревожа и, наконец, возбуждая. Мне кажется, обилие любви есть критериум эпохи, а может быть, это есть и возбудитель, родник эпохи. Но я отвлекся. В дом я был чуть-чуть вхож; все знали, что "вот...", все ожидали, что "вот — несчастие"... И понятно, до чего мне было трудно

Василий Васильевич Розанов.
С фотографии 1870-х годов

входить. Ах, эти юные годы, и юный шаг, и юные пути!

Был 12-й час дня, и мне молча указали дверь направо, которую я тихо и церемонно отворил, церемонно пройдя по приемной комнате: "Чужие глаза!.."

Все было кончено, кончен роман приблизительно трех лет. И зачем я шел? Поправить? Что поправить? Счет аршинника, засаленную бумажку лавочника? Как оправдать свою душу, когда она оказалась черна, и уже это прочитано, запечатано? Обнаружилась тайна, тайна холодного ума, механического рассуждения, а любовь — роза, любовь — благоухание. Совершенная безвыходность положения и создала особенный мгновенный взгляд (нельзя было говорить, было бы слышно за стеной), где в какие-то три-четыре секунды, пока я переходил комнату, обменялась бездна диалогов, произошло измерение душ, переоценка всего прошедшего, взгляд в будущее, — и мы упали друг другу в объятия. И все-таки нельзя было говорить. Говорить можно было только незначащее: "Как вы доехали", "что за неожиданный визит", "здоровы ли родные и нет ли чего особенного". — "Нет. Слава Богу". Среди громких слов "слава Богу" мы шепотом назначили через час свидание, и, просидев церемонно 1/4 часа, я вышел.

Как и всегда в подобных случаях, город светился для меня светом. О, тысяча раз справедливо, что есть два солнца, над нами и в нас, и что ничего, ничего не сделает солнце над нами, когда его лучи не встретятся с солнечными лучами из нас. Я несу в себе солнце, и это солнце есть удовлетворенная любовь. О, я себе и представить не могу любовь иначе, как правду, правоту, так что особенное счастливое настроение духа влюбленных я определяю как особенное их просветление чувством своей правоты. "Теперь мы поживем! Теперь можно жить!" И никаких размышлений!

В.В. Розанов. Иван Ляпунов//В.В. Розанов. О себе и жизни своей. С. 648-651.

В возрасте старше пятидесяти Полина Н. вышла замуж за двадцатилетнего студента, большого почитателя моего отца. Этот юный энтузиаст, ставший впоследствии превосходным писателем и журналистом, был безутешен оттого, что он не знал Достоевского; и он захотел хотя бы жениться на той, которую любил его любимый писатель. Легко можно предположить, чем должен был закончиться столь необычный брак.

Л.Ф. Достоевская. Достоевский в изображении своей дочери. С. 144.

По обыкновению, Достоевская и здесь согрешила, трижды, против фактической правды, не говоря уже о тоне ее рассказа, таком же плоском и пошлом, как во всей ее работе. Розанов женился на Сусловой еще при жизни Достоевского в 1880 г., когда ей было 41 год, а ему 24 (родился в 1856 г.).

А.С. Долинин. Достоевский и Суслова. С. 253.

Характер Сусловой во всей полноте своих бурных и резких черт выступает из свидетельств ее мужа, В.В. Розанова.

...Эти черты с полной несомненностью обнаруживаются из свидетельств В.В. Розанова, обвенчавшегося в самый год смерти Достоевского с его прежней возлюбленной.

...Необходимо только иметь в виду, что речь идет здесь уже о женщине немолодой (в начале 80-х годов А.П. Сусловой уже было под сорок) и что свидетельства Розанова могут быть пристрастны в дурную сторону. Тем не менее они представляют высокий интерес с фактической стороны, а во многом совпадают с другими свидетельствами.

Л. Гроссман. Путь Достоевского. С. 149.

N2494.

Выдать

8 ноября

Его Превосходительству Господину Ректору Императорского Московского Университета от студента III курса историко-филологического факультета Василия Розанова

ПРОШЕНИЕ

Желая вступить в брак с девицей Аполлинарией Прокофьевной Сусловой, я покорнейше прошу Вас, Ваше Превосходительство, сделать необходимое распоряжение для выдачи мне метрического свидетельства. Для удостоверения в согласии на этот брак ее родителей прилагаю при этом прошении разрешение от ее отца и матери; со своей же стороны не могу сделать этого, так как и отец и мать мои давно умерли. Прошу также выдать мне удостоверение о нечинении препятствий к браку со стороны Университета.

Студент историко-филологического факультета III курса *Василий Розанов*.

Метрическое свидетельство за N1826 получил и обязуюсь возвратить в скором времени.

Студент В. Розанов

1880 г. 10 ноября.

Жизнь Василия Васильевича Розанова "как она есть"//Москва. 1991. N11. С. 150.

Мы, нижеподписавшиеся, мещанин г. Горбатова Прокофий Григорьев Суслов и жена его Анна Ивановна, не имеем ничего против брака нашей дочери, домашней учительницы, девицы Аполлинарии Прокофьевны Сусловой со студентом Московского Университета историко-филологического факультета, 3-го курса Васильем Васильевичем Розановым.

3 ноября 1880 года

Прокофий Григорьев Суслов

Анна Ивановна Суслова

Я, нижеподписавшийся, удостоверяю, что на сем согласии подписи сделаны собственноручно в присутствии моем, Александра Матвеевича Корбатовского, исполняющего должность нижегородского нотариуса, Василия Ивановича Куваева, в конторе его, находящейся 2 Кремлевской части, по Осенней улице, в доме Бубнова, Горбатовским мещанином Прокофием Григорьевичем Сусловым и женою его Анной Ивановною Сусловою, в доме из них первого, лично мне известными.

1880 года Ноября 3 дня

И.д. нотариуса А. Корбатовский.

Жизнь Василия Васильевича Розанова "как она есть"//Москва. 1991. N11. С. 150.

М.Н.П.
Ректор
Императорский
Московский Университет

Москва
Ноября 11 дня
1880 г.
N 2640

СВИДЕТЕЛЬСТВО

От Ректора Императорского Московского Университета студенту 3-го курса историко-филологического факультета Василию Розанову в том, что к вступлению его в законный брак со стороны Университета препятствий нет.

Свидетельство получил — 11 ноября 1880 г.

В. Розанов.

Жизнь Василия Васильевича Розанова "как она есть"//Москва. 1991. N11. С. 150.

Университетский товарищ отца рассказывал нашей маме, что "когда папа венчался на первой своей жене — Сусловой, то она (Суслова) шаферами пригласила его и Любавского. Был среди них Белкин, красивый, Аполлон Бельведерский; он и говорит: "Давайте увезем Ваську" (от венца), но они не решились, так как были приглашены и должны были свою должность исполнять.

Жизнь Василия Васильевича Розанова "как она есть"//Москва. 1991. N11. С. 150.

Она (Суслова) сказала Любавскому (шаферу):
— Я В[асилия] В[асильевича] не люблю, но выхожу за него, п.ч. он хочет... Если б это она мне сказала, а не шаферам: тогда какой же разговор.

Жизнь Василия Васильевича Розанова "как она есть"//Москва. 1991. N11. С. 150.

БИЛЕТ
Императорского Московского Университета стипендиату студенту филологического факультета 4-го курса Василию Розанову для свободного прожития в Москве, от нижеписанного числа, впредь до 4 июня 1882 года.

Посему на основании ст. 323 XIV Уст. о паспортах, обязан он предъявлять этот билет местному полицейскому начальству.
Дан декабря 4 дня 1881 года.

И.д. инспектора *А.Аргунов.*

печать

И.д. секретаря *Д.Иванов.*

При нем жена Аполлинария Прокофьевна.

Жизнь Василия Васильевича Розанова "как она есть"//Москва. 1991. N11. С. 151.

После окончания университета в 1882 году Розанов, по его словам, "самою жизнью был толкнут, как поезд по рельсам, на обычную дорогу учительства". И опять провинция: Брянск, Елец, г. Белый (Смоленской губернии); уроки истории и географии, насмешки учеников и учителей, рутина, казенщина, серость и скука. К этому присоединилась мучительная семейная история: еще студентом третьего курса Розанов женился на знаменитой "инфернальной женщине" Ф.М. Достоевского — А. Сусловой...

Т.В. Розанова. Воспоминания//Русская литература. 1989. N3. С. 210.

По рассказам отца, в первые годы совместной жизни с Сусловой он находился под ее сильным влиянием. Она перевела его интерес с естественных наук на литературу. В это время, кажется, Василий Васильевич сделал впервые перевод Аристотелевой "Метафизики" с латинского на русский, а с греческого перевел на латинский эту же вещь преподаватель Первов. Об этом, уже гораздо позднее, в наше время, упоминалось в прессе как о первом и труднейшем переводе Аристотелевой "Метафизики". Он сделан был Первовым и отцом раньше, чем была написана его книга "О понимании".

Т.В. Розанова. Воспоминания //Русская литература. 1989. N4. С. 170.

Но хотя жизнь моя была мучительна, для соседей и знакомых — позорна, но таков мистицизм брака, — что я был болезненно привязан к жене, вечно боясь, что в своих взбалмошных выходках она что-нибудь над собой сделает, напр., покусится на жизнь, чем (теперь понимаю) она и пугала меня, не явно, но косвенно (напр.: "Кто меня не знает, подумает, что мне остается теперь броситься под поезд: но я этого не сделаю", — раз сказала она не столько мне, сколько в моем присутствии, а я подумал: "Вот что у нее на уме"). Отъезд ее на 5 месяцев погрузил меня в страшное горе; письма все остались без ответа, поездка в Орел моя — безуспешна (не приняла), пока в силу малейшей нужды в деньгах (она имела от родителей умеренные) она не попросила у меня, я выслал, приехал — и примирение произошло. Это было на 2-й или 3-й год брака; но затем пламенное примирение сменялось равнодушием, равнодушие переходило в ссоры, миры становились короче, ссоры — длиннее, и уже быстро ничего не осталось от горячо, с величайшими надеждами заключенного брака, кроме буквально позора, вечной испуганности моей (все за ее жизнь) и какой-то лютой, без малого кровавой, ее ожесточенности. Все ее письма ко мне, ко-

Аполлинария Прокофьевна Суслова. 1870-е годы

торые я прятал за корешки переплетов, в далекие места, она, бывало, ищет ночью: а наутро я вижу всю комнату усеянною клочками их. Все она старалась сделать, чтобы показать мне месть, презрение. Любви не оставалось уже ни капли, а только страх.

В.В. Розанов — Антонию, митрополиту С.-Петербургскому и Ладожскому// В.В. Розанов. О себе и жизни своей. С. 694-695.

Детей у нас никогда не было; и меня, как семьянина, всегда огорчало, что она выражала удовольствие по поводу этой бездетности, происходившей от ее женской болезни. Ее характер, нервный и бурный, несколько психологический, имел некоторую [причину] — долго объяснять — в этой болезни... (хроническая опухоль яичников), хотя сама по себе она не представляла опасности для здоровья и жизни.

В.В. Розанов. [Прошение на Высочайшее Имя] [1901]//Москва. 1991. N11. С. 114.

Декабря 24 1884 года
Завещание
Я, нижеподписавшийся, в случае моей смерти, естественной или случайной, поручаю издать мои сочинения, при сем письме находящиеся и озаглавленные "О науке", в том виде, в каком оно переписано моею рукою,

с присоединением к оному одной тетради, находящейся для переписи у г-на Бриллиантова, живущего на Петровской Горе, и заключающей в себе страницы 179-222-ю, моему товарищу по службе учителю древних языков в Брянской прогимназии Сергею Ивановичу Саркисову, на каковую цель предназначаю 400 (четыреста) рублей, лежащих в Московском Купеческом Банке, и 100 рублей, заимообразно взятых им, Саркисовым, у меня, с тем чтобы по издании передать все напечатанное для распродажи в книжный магазин Вольфа, в Москве.

Состоящий в VIII классе учитель истории и географии в Брянской прогимназии *Василий Розанов*

Для переговоров и совокупных действий по этому предмету поручаю ему обратиться за помощью к живущему в Москве студенту Императорского Московского Университета Онисиму Борисовичу Гольдовскому, адрес: Боль-

шая Молчановка, дом Кишинской, который, вероятно, по доброте своей и дружбе ко мне, не откажет взять на себя часть этих хлопот по изданию.

Имущество мое все продать и на вырученные деньги переслать все мои *книги* и *тетради*, лежащие в письменном столе, для хранения в Нижегородскую общественную библиотеку, а буде та откажется от чего-либо, то в Румянцевский Музеум в Москве.

Жене моей, со мной не живущей, глубокий поклон и желание долгого, счастливее, чем до сих пор, житья.

В. Розанов (подпись)

А господину доктору Доминику Доминиковичу Кучинскому, у которого дочери хранится это письмо и рукопись, поручаю нравственно убедить г-на Саркисова выполнить мою просьбу, здесь заключенную, и ждать от него с этою целью печатного экземпляра моего сочинения.

В. Розанов (подпись)

В.В. Розанов. Завещание 1884 г.//ОР РГБ. Ф.249. Карт. 5. Ед.хр.9.

В то время он уже был женат на Сусловой и писал свою книгу "О понимании". Это было в 1886 году. Эта книга была очень большая — в 700 страниц, совершенно оригинальная, с большими диаграммами и схемами научного порядка. Книге этой дали два плохих отзыва о ее несамостоятельности, написанной якобы под влиянием Аристотеля. Ее не стали покупать, а отец, нуждаясь в деньгах,

продал ее на вес с пуда. А между тем, для того только, чтобы издать эту книгу, он ежемесячно откладывал по двадцать пять рублей из своего учительского заработка. Суслова насмехалась над ним, говоря, что он пишет какую-то глупую книгу, очень оскорбляла, а в конце концов бросила его. Это был большой скандал в маленьком провинциальном городе.

Т.В. Розанова. Воспоминания//Русская литература. 1989. N4. С. 170.

Наделенная большим умом, сильным воображением, добрая в порывах, но и беспощадная со всяким, кто стал бы поперек ее желаний, иногда самых фантастических, она руководилась в жизни не реальными обстоятельствами и не действительными потребностями, но произволом воображения и часто прихотей. Во мне сохранилась прежняя привязанность к

ней и присоединился только постоянный страх к какому-нибудь несчастью, катаклизму в нашей жизни; особенно я боялся ее нередких намеков, что она несчастна и что у нее есть желание покончить с собою. Все время брака я был как бы парализован этим опасением и был безволен в своем отношении к ней. Думаю теперь, что при большей зрелости ума и жизненном опыте, что если бы я был сам более тверд, равнодушен к ней, даже более деспотичен, — наша жизнь пошла бы устойчивее. Но тогда у меня было только одно желание: не возбудить в чем-нибудь ее ропота и сохранить мир в семье. Но мира этого не было: узнав ранее заграничную жизнь и почти постоянно до брака живя в столицах, она скучала в провинции, где я должен был жить по месту своей службы учителя прогимназии, тяготилась и не интересовалась учительскою обстановкою и всеми людьми, скромными, но порядочными, составлявшими уездное общество.

В.В.Розанов. [Прошение на Высочайшее Имя] [1901]. С. 114.

Первый мой брак был заключен зимою 1881 года, длился до августа 1886 года, все время был несчастный (хотя заключен с моей стороны — по крайнему уважению, а с ее — по влюбленности), сопровождался один раз разъездом (месяцев на 5), неоднократным переходом моим в гостиницу (от домашней свары), был бесплоден и, не скрою от Вас, не чист (*между женою и мужем* не было совершенного или надлежащего целомудрия, о коем молился Товит). Уходил от свары (постоянно занимаясь наукою) в гостиницу я (жена приходила и, извиняясь, упрашивала вернуться), на 5 месяцев уехала она (из Брянска — в Орел).

В.В.Розанов — Антонию, митрополиту С.-Петербургскому и Ладожскому. С. 694..

Лучшее удовольствие — врать на меня всякую околесицу... знакомым, заходившим к нам после обеда ("я сплю"). Я слыхал и удивлялся: "Что это Поленька врет! Неужели она это в самом деле думает?"

В.В. Розанов — А.С. Глинке-Волжскому. С. 114.

"Бедная моя Поленька! Бедная моя Поленька!! С тобой что-то случится", "ты умрешь", "у тебя рак будет", "ты бросишься под рельсы". И сколько я ее с фонарем, тоскуя, отыскивал в Брянске, когда она "беспричинно уйдет от меня".

В.В. Розанов — А.С. Глинке-Волжскому. С. 114.

В 1886 г. меня кинула 1-я жена, на которой я женился еще студентом, по моральнейшему поводу: "очень гордая", "страстная", "легитимистка" и проч., и проч., страшно стильная женщина, начитанная — ей было 38 лет, когда я с нею встретился в 8-м классе гимназии. Я полюбил ее *последний день,* и хотя она соглашалась любить и жить со мной "так" (и была уже), я (ведь знаете мальчишеский героизм) потребовал венчания. У нее был закал и стиль — для гостиных, лекций, вообще *суете;* и никакого быта, никакой способности к *ежедневной* жизни. Промаялся я 4 года, и она (по-видимому, влюбившись в юношу-еврея) кинула меня, жестоко и беспощадно, как она все делала. А вообще она страшно была паталогически жестокий человек: а влюбился я прямо в стиль ее души. Что-то из католических кафедралов, хотя русская, народная — муть, маята.

В.В. Розанов — Н.Н. Глубоковскому//Русская литература. 1989. N3. С. 230.

...Помните и знайте, что какое бы горе у меня ни случилось, когда бы мне ни пришлось, хоть в будущем далеком, вынести унижение и позор, первая мысль моя будет не о нем, а о Вас, не о позорящем меня человеке, а о Вас, меня позорившей и на меня [?].

Помните, что между мною и всяким обидчиком моим будете стоять Вы, первая ненависть моя к Вам; всякую обиду я буду переносить на Вас, буду принимать ее как бы от Вас — Вы первая начали, а другие только продолжают, и они чужие, для них я ничего не сделал, а Вы были любимой женщиной, для которой я дважды не пожалел жизни. *Ваша рука первая поднялась на меня.* С Вас начались все радости моей жизни. Вы рядились в шелковые платья и разбрасывали подарки на право и лево, чтобы создать себе репутацию богатой женщины, не понимая, что этой репутацией Вы гнули меня к земле, сделали то, что в 7 лет нашей счастливой жизни я не мог и глаз поднять светлых и спокойных на людей, тревожно искал в их словах скрытой мысли — не думают ли они, что я продал себя Вам за богатство. Все видели разницу наших возрастов и всем Вы жаловались, что я подлый распутник; что же могли они думать иное, кроме того, что я женился на деньгах, и мысль эту я нес все 7 лет молча; знайте, что даже о Смирновых, даже о сестре Вашей, и Анне Асафьевне, и о Свиридовых я всегда думал, что все они меня считают подлым и алчным человеком, женившимся на Ваших деньгах. Легко мне было. Бог один видит мое сердце. Когда Ваша мать приехала в Москву и впервые я с нею увиделся, я обошелся сухо и ушел с Барановским играть в карты, чтобы не дать ей повода думать, что ищу ее расположения, жду от нее денег. А Вы рядились в шелк; занимались испанской историей и не видели, какую ежеминутную муку несет в сердце Ваш муж. Я нарочно ходил в отрепьях, звал Вашу

мать и отца как чужих людей по имени и отчеству, хоть любил их и мне дорого бы было звать их отцом и матерью; но я вспыхнул, когда раз Свиридов сказал мне о покойнице *Ваша мамаша.* Сынок со стороны, ждущий наследства. Поченина раз заговорила о моей трудной жизни в университете, и я нашел из ее слов, что Вы хвастали, что содержали меня. Я и жениться решился на Вас, только получив стипендию, мысль, что на меня будут смотреть как на женившегося на деньгах, жгла меня еще до брака. Я нарочно не переводился из Брянска, не хотел искать ученой степени, что предлагал мне Герье, упорно трудился над своей книгой, чтобы не жгла меня эта мысль более, чтобы увидели во мне серьезного и скромного человека, который очевидно не на деньгах женился, потому что ведет тихую и скромную жизнь, не ищет внешней обстановки и занят своею мыслью, ее развитием и осуществлением. Поняли Вы меня и оценили. О сжатых в башмачке ножках девчонки Салиас плакали, а в сердце мужа не заглянули. Перед всеми хвастали, как Вам присылали мать и отец деньги, на что я всегда смотрел с ненавистью. С семьями живут на мое жалованье, а Вы вдвоем со мной не хотели [?] это сделать, чтобы не было этих денег из Вашего дома в мою семью...

Мукой мужа Вы удовлетворяли Ваше тщеславие, знайте это, помните, Вы вечно тащили меня в гости и силились собирать у себя гостей, заводили необыкновенные лампы и огненного цвета пальто. Стыдитесь, изорвите этот позор мой, так мучивший меня столько лет. Вместо скромной и тихой жизни, вместо того, чтобы сидеть около мужа, окружить его вниманием и покоем в многолетнем труде, заставить других уважать и беречь этот труд, — что Вы сделали? Жена верная примет на себя все оскорбления и не допустит их до мужа, сбережет сердце его и каждый волос на его голове — а Вы за ширмами натравляли на меня прислугу, а воочию — всех знакомых и сослуживцев, во главе их лезли на меня и позорили ругательствами и унижением, со всяким встречным и поперечным толковали, что он занят идиотским трудом. Спросили Вы меня хоть раз, о чем я пишу, в чем мысль моя? О бездарном ученом и лакее-пролазе Любавском Вы любили говорить: знакомство с ним могло льстить Вашему тщеславию, так как он оставлен при Университете, хоть все еще не попал в него и через 7 лет и все еще тужится над компилятивной диссертацией своей, подбирая цитаты из книг, жалкая карикатура, без какой-либо оригинальной мысли. А муж, над одной мыслью продумавший 5 лет и в 5 же лет написавший труд, о котором люди, которые и в переднюю не пустят Вашего Любавского, говорят, что он выше их собственных трудов — только потому, что он был не искателем и не кричал и не рассказывал уже о совершенном труде встречному и поперечному (а Ваш Любавский все кричит о замышляемых трудах) — Вы отстранились от этого мужа, подло предали его на ругательства и первые их начинали, ожидая за это похвал себе. Низкая Вы женщина, пустая и малодушная. Н. Страхов говорил мне лично, читая одно место в моей книге и невольно остановившись: "Просто завидуешь, как Вы пишете, какая точность мысли при совершенной легкости языка", Радлов, профессор философии Александровского лицея, начавший по поручению нашего министерства писать разбор моей книги, оставил его, даже скомпрометировав себя, и открыто сознался: "Я не имею и десятой доли того таланта, который есть у Розанова, мне и во сне не приснится написать такие страницы, как у него, — что же я буду указывать ему в чем-нибудь". Ап. Майков искал моего знакомства и, сравнивая меня с Гротом, проф. философии

в Моск. унив., сказал: "Я скажу Делянову, что у него учителя уездного училища читают философию в университетах, а профессора философии читают географию в уездных училищах". И все эти люди и другие из их кружка, несколько более образованные, чем Вы, и Ваш Любавский, и Виктор Михайлович, перед коими Вы благоговеете, ласкали меня и говорили, как мне передавали: *какая светлая личность встает между нами*, и до того связалась моя душа с Вами, что все, что я ни слышал, все это мне отрадно было только потому, что поднимало из того позора и унижения, в который Вы меня ввергли, и мне сладко теперь сказать это Вам, что Вы ошиблись во мне и я оценен, но только не Вами, которая променяла меня на Саркисовых и Любавских. Мне сладко, что муку свою, видя Ваше отвращающееся от меня лицо, я перенес молча, гордо не искал ни в ком поддержки, даже в жене, и мое терпение награждено: к моей мысли прислушиваются и моего слова ждут. Вы меня унизили, а другие подняли. Пустая, пустая Вы женщина, не поняли ничего, что во мне было серьезного и скромного: видя одно, что теперь все и науку и философию любят ради тех должностей, которые они доставляют, боля душой за этот униженный кусок и за то, что наш русский народ не может возвыситься до него (только Вам это говорю), я молча живу в глуши и несу проклятую, мне ненавистную должность, принимаю унижения, от которых бы Вы разорвались, только чтобы не смел никто в будущем сказать, что русские неспособны бескорыстно что-нибудь любить, чем-нибудь без нужды и выгоды интересоваться. Одного слова моего достаточно, чтобы не сидеть здесь больше в глуши среди нравственных уродов, картежников и идиотов, и даже попечитель только посторонится и даст мне дорогу, по которой я захотел бы идти, и я не иду по ней, до конца жизни буду здесь сидеть, чтобы не погибла моя мечта, чтобы умереть мне с мыслью, что не унизил я имени своего народа среди всей грязи, которою она запачкана, я останусь светлою и чистою точкою. Но я не драпировался в свою мысль, как Вы драпировались в Вашу любовь к Достоевскому и в свои вечные занятия средневековою историею, что все звучит так красиво и имеет такой красивый вид: тщеславная женщина: зачем Вы всякой знакомой показывали единственное письмо Достоевского, зачем Вы не сохранили его у себя. Он Вас ценил и уважал, зачем же Вам приписывать это к своей особе, как красивую ленту, и щеголять ею на площади: в Москве при мимолетном знакомстве с Шубиной у Анны Ив. Покровской Вы уже показывали его.

Василий Васильевич Розанов. 1880-е годы

Таковы же всегда были Ваши занятия средними веками: что другое Вы сделали, как, имея лишние деньги и зная французский язык, — понакупили книг, тщеславно разложили их на столе и по примеру своего непременного Идеала Михайловского, но еще с меньшим успехом, чем он, подумали, что стоит несколько поначитаться этих книжек и составить по ним новую, чем приобретать сразу и ученое имя, и литературную славу. Жалкая Вы женщина, бедная, зачем Вы уродуете себя, вместо того чтобы без стыда носить простое и скромное платье, которое у Вас есть, Вы хотите рядиться в чужие блестящие поступки. Неужели Вы думаете, что можно что-нибудь сделать, не имея определенной мысли в науке, только имея книги, перо и чернила. Чернила-то у Вас есть, которыми бы Вы все написали, а вот мысли-то для чернил нет. Я никогда без боли не мог слышать, как, тщеславясь перед какими-нибудь Смирновыми или перед Саркисовым, которые едва помнят о том, что такое средние века, Вы начинали толковать о своих занятиях Бланкой Кастильской, о которой они никогда не слыхали, или Колумбом, о котором еще имели понятие, и даже не совсем смутное. К чему этот позор Вы на себя надевали, разве Вы не могли заниматься скромно, и, ничего еще не сделав, уже шутили о том, что сделаете. Только я все это видел и болел за Вас, потому что любил Вас; и ни разу не сказал Вам об этом ни слова, думая, пусть хоть в воображении своем поживет. А Вы тут же сидели и говорили с высокомерием и снисхождением о ниже Вас стоящем муже: *чем бы дитя ни тешилось, только бы не плакало.* Больное Вы дитя, и только как больное и мало радости видевшее, я щадил Вас, и Вы этого не понимали. Ничего не поняли в наших отношениях, и прахом пошла наша жизнь. И теперь, все еще питаясь какими-то мечтами, Вы думаете все время, что от чего-то спасаете меня, от кого-то оберегаете. Не сберегли себя, да и меня утопили, а в спасительницы других маскируетесь. Оставьте это, оглянитесь на свою прошлую жизнь, посмотрите на свой характер и поймите хоть что-нибудь в этом. Но никогда Вы ничего не поймете, так и умрете, не узнав, что Вы такое были и что за жизнь провели. Плакать Вам над собой нужно, а Вы все еще имеете торжествующий вид. Жалкая Вы, и ненавижу я Вас за муку свою. Бог Вас накажет [?] за меня. Только когда умирать будете, когда в предсмертной муке будете томиться — пусть образ мой, который один из людей Вас понял и оценил и Вы над ним же одним насмеялись [?] и замучили — пусть мой образ в эту предсмертную муку Вам померещится.

В.В. Розанов — А.П. Сусловой-Розановой [1890]//РГАЛИ. Ф.419. Оп.1. Ед.хр.311.

[А.П. Суслова] кончила же тем, что уже лет 43-х влюбилась в студента Гольдовского (прелестный юноша), жида, гостившего у нас летом. Влюбилась безумно "последней любовью". А он любил другую (Ал. П. Попову; прелестную поповну). Его одно неосторожное письмо ко мне с бранью на Александра III она переслала жандармскому полковнику в Москве, и его "посадили", да и меня стали жандармы "тягать на допросы". Мачеху его, своего друга Анну Осиповну Гольдовскую (урожд. Гаркави), обвинила перед мужем в связи с этим студентом Гольдовским (ее "предмет") и потребовала, чтобы я ему, своему другу — ученику — писал ругательские письма. Я отказался. "Что ты, безумная". Она бросила меня.

В.В. Розанов — А.С. Глинке-Волжскому. С. 114.

После одного примирения и гощения у нас летом одного юноши (студента), — она уехала и более никогда не возвращалась. Только несколько лет спустя я стал подозревать, что она полюбила этого юношу; но признаков никаких не было, кроме того, что, зная о любви его к одной девушке, она страшно оклеветала эту девушку перед его родителями, а затем возненавидела его и довела (пересылкой писем в жандармское отделение) до тюрьмы, из которой, сын прекрасных родителей, он без труда освободился.

В.В. Розанов — Антонию, митрополиту С.-Петербургскому и Ладожскому. С. 695.

Последняя наша "история" не объяснима без любви к Гольдовскому, хотя она задушила бы того, кто высказал бы ей эту ее тайну, которой, вероятно, она сама не осмеливалась поверить. Он гостил у нас лето, кажется [18]83 или [18]84 года; и влюбился, равно как и взаимно б[ыл] любим, в дочь священника, Александру Павловну Попову, прекрасную и благородную девушку. Я охотно оставался писать книгу, когда шумными parties de plaisir отправлялись он, она и ее двоюродные сестры, все светские учительницы, с учителями-семинаристами местной приходской школы, — куда-нибудь за город; и Суслова всегда участвовала в этих parties de plaisir. Роман молодых людей, без чего-либо грязного (он б[ыл] еврей и по вероисповеданию), б[ыл] всем известен и ни от кого не был скрываем, даже, кажется, от родителей. Наступило время отъезда; она, имевшая прекрасный музыкальный талант, поехала в Петербургскую консерваторию, где уже обучалась год или два, он — в университет. Вдруг, следом за ним, Суслова отправляет к его матери письмо, где, небрежно рассказывая о романе, третировала Ал[ександру] П[авловну] как девушку, "которая может любить только на постели"; письмо, показанное сыну, оскорбило его, и в письме ко мне он выразил удивление перед вмешательством в чужие дела и такими грязными отзывами о девушке, ничего дурного ей не сделавшей. Письмо, конечно, не было мною показано ей, но я не знал, что все письма на мое имя всегда ею перлюстрируются, прежде чем попадают в мои руки. Искра пала; одно письмо, где он неодобрительно отозвался об университетском начальстве, ею было переслано жандармскому управлению в Москве, и Стаха б[ыл] арестован и просидел несколько месяцев в тюрьме; невозможно представить всей грязи, которую она подняла, обвинив меня в связи с одной из двоюродных сестер и, наконец, самого Стаху в любовной связи с мачехой — чудною женщиной, 20-летним другом самой Сусловой, — от коей и родился у старика Гольдовского сын Женя, а не от него вовсе. Анонимные письма, неприличные стихи — все стекалось, стекалось в руки знакомых или родных; п.ч. моя предполагаемая любовница, придя в гимназию, — в истерике требовала возвращения своих писем, отдельные слова из которых приводила Суслова... Со всех сторон вступившиеся знакомые и родные требовали, чтобы я справился с женой, убрал ее, то есть в сумасшедший дом; что это — преступление; но было так же невозможно справиться с нею, как с метелью в степи; для свободы действий она переехала в Орел.

В.В. Розанов — А.С. Глинке-Волжскому. С. 114.

...В моей личной жизни (одна из аномалий брачных норм) произошел *случай, коллизия* (и у тысяч она совершается, но это не "философы" и не додумываются до корня), которая заставила меня лет 5-6 непрерывно почти продумать над темой в одну точку: "христианский брак". Я так Вас ценю, что даже скажу (под величайшим секретом) эту коллизию: в 80-м году я женился (Вы знаете мой робкий и застенчивый характер, т.е. довольно покладистый в семье), в 86-м году, в самую точку издания книги "О понимании", жена у меня уехала, "отъехала" как князья на Москве, совершенно благополучно провожатая мною на вокзал. Сколько я могу постигнуть дело, произошел безмолвный и от меня тайный роман ее с одним гостем — евреем (жил у нас лето, по ее зову, сын ее приятельницы), который ко мне привязался, влюбился в поповну, а ее не уважил. Долго рассказывать, но она довела его до тюрьмы, и вообще тут — специальное бешенство неудачной любви (только этим и могу себе объяснить), и требовала от меня писать ему отвратительнейших писем (храню целый архив). Ничего не постигая, не имея причин вражды, я раззнакомился с ним (в угоду ей), но отказался писать письма. Ну, скандалы, скандалы, бешенство, коего картина меня и сейчас приводит в ужас. Он в Москве сдавал на комиссию книгу "О понимании", и одна комиссионная квитанция, магазина Глазунова, пропала: вот, проезжая через Москву к родным, я вызвал его в гостиницу для спроса о ней, он — "не знаю", и разговор кончен. Но то, что *я его видел и с ним говорил*, — все и покончило. Мирно провожатая мною на вокзал, она с 86-го года по сей день мною не видена. Перевелся я из Брянска, думаю — другой город, другие люди, успокоится. Зову, имею нескромность сослаться на свое грустное — не положение, — а просто состояние духа (привычка, да и вообще ненавижу холостое положение). Ответ

— 3 строки, а заключение: "Тысячи людей в вашем положении — и не воюют. Люди не собаки" (хранится в моем архиве).

В.В. Розанов — М.П. Соловьеву [8 янв. 1900 г.]//ОР РГБ. Ф.249. М. 4208.

Видимой причиной нашей (с нею) ссоры составляли ее требования, чтобы я писал ему ругательные письма, а он был прекраснейший человек, и этого я [сделать] не мог; только согласился не видеться с ним: но пропажа комиссионной на книги квитанции (он следил за изданием моей книги

"О понимании" и сдавал ее в магазин под комиссионные квитанции) заставила меня, проездом через Москву, позвать его к себе в номер для объяснений; тут был третий, ее знакомый, через которого она узнала о нашем свидании, — и брак наш кончился.

В.В. Розанов — Антонию, митрополиту С.-Петербургскому и Ладожскому.
С. 695.

Условием возвращения из Орла было, чтобы я не виделся, не знался, не здоровался с Гольдовским, — и я решился твердо все исполнить. Одна маленькая вещь замешалась: на 15 экз. книги "О понимании", отданной Глазунову, не было квитанции ни у меня, ни в типографии, ни, по-видимому, у Гольдовского; скверный ее расход [?] (после презрительного отзыва Вестн. Евр.) заставил меня мучительно желать справиться, не продано ли сколько-нибудь из этих
15 экз., и, будучи в Москве, я вызвал на час Гольд[овского] справиться о

книге; я вел себя с ним полусухо, [намеренно?] отказался быть у него; но к несчастью, когда он выходил от меня, на лестнице стоял Борисов, старый знакомый ее и недавний мой. Сердце мое тогда дрогнуло; и действительно, проезжая через Москву в Нижний, Суслова моментально узнала, что я видел Гольдовского, и в ряде бешеных писем потребовала пересылки себе вещей своих; тщетно я плакал, все приняли во мне участие и просили ее успокоиться... напрасны были личные обещания. С этих пор я более ее не видел.

В.В. Розанов — А.С. Глинке-Волжскому. С. 114.

Мирно она села (в Брянске) в поезд, я ее усадил; и из Москвы получил письмо, что больше ее не увижу... С товарищем — учителем Николаевым, у коего я крестил дочь Татиану (служит теперь в Касимове,

Василий Николаевич), как с простым, добрым и не осуждающим человеком — я советовался, что делать. Он знает всю историю. Вместе писали мы письма; ничего не вышло.

В.В. Розанов — Антонию, митрополиту С.-Петербургскому и Ладожскому.
С. 695.

"Я женился на ней на 3-м курсе университета, — сообщает о Сусловой Розанов; — она уехала от меня, влюбившись в молодого еврея, через 6 лет нашей жизни, и жива еще

— живет в Нижнем, в своем доме". Затем в деловой справке для канцелярии Синода по личному семейному вопросу Розанов сообщает о своей первой жене (говоря о себе в третьем лице): "Аполлинария — урожденная Суслова, в замужестве Розанова, уехала от В.В. Розанова в 1886 году, имея поводом к сему то, что ее муж, вопреки обещанию ей, виделся с неким молодым евреем Гольдовским, заведывавшим раздачею его книг по магазинам; она же, по всем данным, влюбясь в этого Гольдовского и не найдя в нем сочувствия себе, неслыханно его преследовала и путем невыразимых ссор заставила и мужа разорвать с ним всякое знакомство. Гольдовский этот, из прекрасной еврейской семьи и прекрасный молодой человек, был самою Сусловой приглашен к Розановым гостить на лето. Вообще, это была одна из чудовищных по нелепости выходок Сусловой".

Разрыв этот был пережит Розановым крайне болезненно: "Я помню, — сообщает он в одном из следующих писем, — что, когда Суслова от меня уехала, я плакал и месяца два не знал, что делать, куда деваться, куда каждый час времени деть".

Л. Гроссман. Путь Достоевского. С. 149-150.

Когда она уехала, во 2-й раз (и окончательно) бросивши меня, — помню, встал (после обеда спал) и начал умываться, — а слезы градом-градом посыпались у меня. "Бедная моя Поленька! Бедная моя Поленька! Кто же спасет тебя, кто же будет оберегать тебя".

В.В. Розанов — А.С. Глинке-Волжскому. С. 114.

И действительно у меня была какая-то мистическая к ней привязанность: она б[ыла] истинно благородна по участливости к бедным, ко всему бесприютному; один я знал истинную цену в ней скрываемых даров души, погубленных даров, и всю глубину ее несчастья — и вопреки всем видимостям, всем преступлениям — не мог отлипнуть от нее. Она очень точно это знала и знала, что вернется ко мне, когда захочет, и встретит меня таким, каким захочет. Самое тщеславие ее, такого "цвета бордо", вытекало из несчастья ее, одиночества ее, сознания — что она никому, в сущности, на земле не нужна. И вот что приковывало меня к ногам ее; как раба, как преступника к колодке. Все я вынес, от всего отрекся и остался с нею.

В.В. Розанов — А.С. Глинке-Волжскому. С. 114.

В надежде лучшей жизни в новой обстановке и среди новых людей я перевелся по службе из Брянска в Елец и просил жену вернуться ко мне, ссылаясь на странное положение в 32 года остаться человеком женатым, но без жены. "Тысячи людей в вашем положении и не воют: люди не собаки": так ответила она мне краткою запискою. Между тем, несмотря на все лучшее в прежней жизни, у меня развилась потребность своего дома, своего угла; да, думаю, силен всегда во мне был и инстинкт детей. В наставшие одинокие вечера, я помню, с 10-11 часов ночи я забивался под теплое меховое одеяло и не спал, но и не мог читать: до того безмолвные одинокие стены тяготили меня. У всякого своя психология: и потребность близкого человека, который бы знал мою душу и сам открывал бы мне свою, — была неодолима. Настали 1886-1889 годы пустой жизни, бессмысленной, тягостной.

В.В. Розанов. [Прошение на Высочайшее Имя]. [1901]. С. 114.

Проклиная, решился я перевестись из Брянска в другой город (Елец), думая, что на новое место она переедет. Она же была оч[ень] тщеславна, любила новые знакомства, везде бывать, говорить, блистать умом (была чрезвычайно начитанна и остра в суждениях) и на что я рассчитывал: ибо настоящей, так сказать, материальной причины не было никакой для ссоры. Переезжаю. Отказ. Чтобы разжалобить, пишу ей, — в каком же я глупом положении, несносном и безвыходном — в 33 года муж и без жены. На это она мне отвечала: "Тысячи людей в вашем положении — и не воют. Люди не собаки. А. Розанова". Не знаю, что последнее значило слово. Я всегда был впечатлителен. Новый город, труд новый, люди — произвело во мне ощущение, как бы я вырвался из раскаленной печи на воздух — и вздохнул. Скучно, неловко было без жены; но отрезвил меня в положении, через год, длинный разговор с И.Ф. Петропавловским, человеком духовного образования и широкого развития, чрезвычайного ума и уравновешенности. Он был учитель же, очень меня любил, был истинно мудр, и, все подробно ему рассказав, я спросил его совета, мириться ли мне с нею (т.е. пытаться ли еще звать). Он только спросил: "А не лезли ли и Вы на стену: ведь Вы — огонь". — "Ну представьте: вот я — желчен, вспыльчив; но в отношении к ней только одной я "дура" никогда не сказал и во всем был покорен, клянусь!" — "Не миритесь, ничего не выйдет". Он был необыкновенно мудрый, а главное — благоразумный, зоркий человек. Слово его, такое ясное и твердое, — так и кончило. Город, я говорю, меня уже успокаивал. Теперь я закрыл крышку в сердце. Просто я был измучен, в уме своем запуган, — и мне надо было на кого-нибудь опереться, чтобы решиться. Как мне сказал, — так я и стал замуровывать сердце: "Кончено, кончено! И никаких бережений, новых ран — ничего!" Научные занятия, люди, уроки — пошло колесо; холодное, но хоть без позора.

В.В. Розанов — Антонию, митрополиту С.-Петербургскому и Ладожскому. С. 696.

Когда все мне сказали, что она, очевидно, душевнобольная (у нее не б[ыло] другой болезни, кроме хронической опухоли яичников) и если я еще буду искать с нею сблизиться и, б[ыть] может, найду ее, — может кончиться жизнь очень худо, хуже, чем разлука, — я стал просить перевода в другой город, и меня перевели в Елец. Здесь я как бы проснулся: удивительно важны перемены места и людей: проснувшись, я забыл даже, что женат, что пережил 5 лет мучительной драмы; я проснулся и вздохнул от прошлого, как от перенесенного тифа или скарлатины.

В.В. Розанов — А.С. Глинке-Волжскому. С. 114.

Ранее того, перейдя служить из Брянска в Елец, Розанов звал к себе жену жить, надеясь, что на новом месте, среди новых людей и обстановки, жизнь пойдет ровнее, но в грубых и жестоких словах она отказала ему в этом: "Тысяча мужей находятся в вашем положении (т.е. оставлены женами) и не воют — люди не собаки", — ответила она. Ее отец, к которому также Розанов обращался с просьбою повлиять на дочь и побудить ее вернуться к мужу, отвечал: "Враг рода человеческого поселился у меня теперь в доме, и мне самому в нем жить нельзя". Старика-отца, за 70 лет, она постоянно подозревала, что он женится, и в этом смысле оговаривала его перед знакомыми своими и его.

В.В. Розанов. Справка для канцелярии Синода по личному семейному вопросу// Л.Гроссман. Путь Достоевского. С. 150.

Много времени спустя писал я и ее отцу, почтенному старику (теперь умер); он отвечал мне кратко: "Сатана и враг рода человеческого поселился ко мне в дом: на шестом десятке лет не имею покоя и обвиняюсь в позорнейших намерениях, которые мне приписываются; но да будет воля Божия. Любящий Вас Суслов". И он, как я, скорее, боялся ее. Была же она женщина не очень проницательного ума, но гордого, безудержного, фанатического и на который слово убеждения действовало, как вода на керосин; единственный способ был — никогда и ни в чем ей не возражать; так и отец поступал, во всем с ею теряясь, и я думаю, эта уступчивость развила в ней презрение как ко мне, так и к отцу (ее). Но в характере этом была какая-то гениальность (именно темперамента), что и заставляло меня, напр., несмотря на все мучение, слепо и робко ее любить. Но я был до того несчастен, что часто желал умереть, "только бы она жила и не хворала". А она была постоянно здорова, сильна и неутомима.

В.В. Розанов — Антонию, митрополиту С.-Петербургскому и Ладожскому. С. 695-696.

15 августа, вечером. Суббота [1886]

Сегодня я получила письмо от тебя, дорогой друг мой. Отчего ты так волнуешься? Хвастался своей молодостью и силами, дающими возможность переносить страдания, какие только можно встретить в браке со старой постылой женой, и не можешь спокойно перенести пустяков. Будь мужчиной, а не бабой; снявши голову, о волосах не плачут.

Когда ты мне не писал все лето, ты тогда не думал, должно быть, в состоянии ли я, старая грешница, перенести такую быструю и решительную перемену. Я тогда уж решилась с тобой кончить, хотя ты и маскировал потом свою холодность громкими словами.

Сегодня ты меня любишь, но что будет завтра? Но мы поговорим, когда ты успокоишься немного.

А.П. Суслова-Розанова — В.В. Розанову//РГАЛИ. Ф.419. Оп.1. Ед.хр.654.

24 сент. 1886 г.

Мил. Василий Васильевич!

Меня очень беспокоит неведение о приезде Поли в Брянск и о получении ею 2 мест багажа. Она уехала из Нижнего 18 сентября и до сих пор не писала мне, не знаю почему, ни одной строчки. Кланяюсь Вам и желаю обоим всего хорошего. Чувствую себя немного лучше, но не совсем еще освободился от болезни.

П.С.

Адрес на "открытом письме":

Брянск,

Орловской губ.

Женская прогимназия

учителю Василию Васильевичу Розанову

Штемпель: Брянск 29 сент 1886

П.Г. Суслов — В.В. Розанову// РГАЛИ. Ф.419. Оп.1. Ед.хр.655.

...Милая Полинька, очень рада, что платок Вам понравился, и спешу отвечать Вам, не покупайте мне теперь ничего...

Мне бы надо у Вас спросить (по очень *большому* секрету и между нами), не хотите ли Вы получить место начальницы школы или прогимна-зии. Я могу поговорить об этом. Но это *большой* секрет между Вами и мной.

На конверте: В Брянск. Ее высокоблагородию Аполлинарии Прокофьевне Розановой

Штемпеля: Москва 15 мая 1887 Брянск 16 мая 1887

Е.В. Салиас — А.П. Сусловой-Розановой//РГАЛИ. Ф.447. Оп.1. Ед.хр.5.

Милая Полинька,

...Мой зять просит меня сказать Вам, что Вы можете купаться, сколько Вам надо для здоровья, и приехать по окончании Вашего лечения. Следственно, не стесняйтесь, Вас здесь будут ждать. Вы можете жить в Крыму, пока совсем не оправитесь. Я угадала, что Вы расстались, — вероятно, Вас, душа Вы моя милая, измучил он. Но вот Вы на дороге. Неожиданно Господь устроил Вас на место, где Вы можете и должны принести несчастным детям, беднякам, громадную пользу, нравственно и физически. Ваше дело держать приют в порядке, прислугу в порядке, *преподавателей* в порядке и *знать*, чему они учат детей, держать эконома в порядке, чтобы он детей не кормил тухлым, — все это дело доброе и христианское. Не скрою от Вас, что приют находится в самом жалком положении. Вам будет помогать Вице-Губернатор, который при случае разнесет непорядочных. Он человек вежливый (Ваш прямой начальник) и добрый, но будет помогать Вам держать всех в руках. Я буду помогать советами. Жить мы будем в одном городе, что немалое дело, когда люди давно один другого любит. Итак, до свидания. Я остаюсь здесь до зимы, ибо дом мой переделывается, и я должна постоянно приказывать то или это. Не спешите приездом — вылечитесь. Вам нервы нужны будут и *твердость* воли, пока все не поставите в порядок. До свидания. Я полагаю, что Вы легко можете прожить в Крыму до 1 и даже до 15 сентября...

Груша шлет сердечный привет. Она при мне и все ближе. Теперь как мой приемыш.

Е.В. Салиас — А.П. Сусловой-Розановой [1887]//РГАЛИ. Ф.447. Оп.1. Ед.хр.5.

...Вы спрашиваете у меня, знаю ли я, что такое развод. Не знаю процедуры подробно, но мне 73 года минет завтра, и я на своем веку видела десятки разводов, женщин легкого поведения и женщин вполне добропорядочных и которых *все* уважали. Когда муж берет вину на себя, он все и устраивает. Жене дают подписывать бумаги. Еще недавно одна милая, добрая, красавица-женщина 24 лет, у которой муж требовал развода, дала ему его и все бумаги подписала. Она любила своего мужа, но *насильно* с ним жить не хотела. И связывать его тоже не хотела. Бывают случаи, когда жена не дает развода — это когда есть *дети*. В таком случае, не желая сводной семьи, т.е. других детей от другого брака, отказывали или не отказывали потому, чтобы дети не были поставлены в положение встречать вторую жену отца при живой матери. Вы не хотите дать развода — это Ваше дело, — но не говорите вздора. До Вас и по сей час развод дают самые добродетельные, достойные уважения женщины, когда их муж (недостойный во многих случаях) его требует. По моей [?] я всегда давала Вам советы хорошие. Вспомните, как я не желала Вашего замужества со студентом. Навыходили. Смотрите теперь, чтобы этот муж, которого Вы насильно желаете быть женою, не наделал бы Вам бед. В его руках много для этого способов. Он может Вас по этапу к себе вытребовать — и не прибегая к такому резкому способу действий — просто не дать Вам паспорта: и заставить сидеть подле своей любовницы. Да и мало ли что? Мне же Вас жаль. Вы выбились из колеи.

Вы сами не знаете, что делаете. Вероятно, Вы его очень любите. Но... насильно мил не будешь, а я думаю, что он человек нехороший и без правил. Господь с Вами. Не оставит он Вас. А что Ваш отец? Нужны Вы ему? Ходите ли за ним?

На конверте: Таврической губернии

В Алушту, имение Кастель
Надежде Прокофьевне Сусловой-Голубевой
Для передачи Аполлинарии Прокофьевне Розановой
Штемпель: Симферополь
22 июл 1887

Е.В. Салиас — А.П. Сусловой-Розановой//РГАЛИ. Ф.447. Оп.1. Ед.хр.5.

Милая Полинька, я пишу несколько строк. Старайтесь удержаться на месте. Мои протекции всегда с Вами. Места не надо терять. Ф.[?] вероятно, Вас сживает. Потерпите. Я напишу о Вас Малову. Он многое для меня сделает... Что бы ни случилось, у

меня есть в Петербурге сила и протекции. Держитесь в Калуге за место, а в случае потери, чего я не предвижу, мой дом всегда для Вас. Я Вас люблю, Вы знаете, терять не желаю и отпускать Вас к недостойному Вас мужу *не хочу.*

18 декабря [1887]

Е.В.Салиас — А.П.Сусловой-Розановой//РГАЛИ. Ф. 447. Оп. 1. Ед.хр.5.

Н.—Н-д, 25 дек. 1887 г.
Милейший Василий Васильевич!
Если Вы не совсем еще забыли меня и сохранили хоть каплю добрых воспоминаний, то не откажите, ради

Бога, принять от меня поздравление с наступившим высокоторжественным Новым годом. От всей души желаю Вам доброго здравия...

П.Г. Суслов — В.В. Розанову//РГАЛИ. Ф.419. Оп.1. Ед.хр.655.

17 марта, г. Калуга, 1888
Василий Васильевич!
Я нуждаюсь в деньгах и решилась к Вам обратиться. Очень Вас прошу прислать мне руб. 25 в уплату долга моему отцу. Помните те 300 р., которые он Вам дал с тем, чтобы Вы возвратили мне?
Мой адрес: г. Калуга, в Малютинском детском приюте, начальнице и пр.
А. Розанова

А.П. Суслова-Розанова — В.В. Розанову//РГАЛИ. Ф.419. Оп.1. Ед.хр.654.

Милая Полинька, Груша мне вчера сказала, что Вам жить тесно (нравственно) и грустно. Потерпите, мой друг, как быть! Жизни путь не розами посыпан! Надо Вам походить за отцом [?].

До меня дошло, что муж Ваш требует развода. Умоляю Вас не противиться этому и согласиться, только не берите вины на себя. Пусть берет он вину на себя. Вы ничем не виноваты. Не противьтесь, дайте развод, насильно мил не будешь. Если же Вы не дадите развода, то он может многое худое Вам сделать. Я считаю, что если муж требует развода и детей нет, то его непременно надо дать. Зачем Вам быть связанной с человеком, который Вас не любит и любит другую. Послушайте меня, Вы должны поступать с чувством собственного достоинства, а не как влюбленная девчонка — ведь Вам не 25 и даже не 30 лет. Это мой совет.

...Милая Полинька, устройте Вашу жизнь иначе. Теперь ходите за

Аполлинария Прокофьевна Суслова. 1880-е годы

отцом, успокойте его, а когда Вы будете одни, проведите около меня остаток *моей жизни.* Купите домик, возьмите себе бедного дитятко, воспитывайте и устройте. Это будет и доброе дело, и Ваше счастье. Вот мой совет. Не лезьте в беду. Не отказывайте мужу, если он Вас знать не хочет, а хочет жизнь врозь. Поверьте, *насильное* сожительство кроме беды, горя,

недостойных действий ничего не принесет.

Сего 1888 г. Калуга, 5 июля.
На конверте: В Нижний Новгород.
Солдатская улица в доме Суслова
Ее благородию Аполлинарии
Прокофьевне Розановой
Заказное
Штемпеля: Калуга 4 июл 1888
Нижний Новгород 6 июл 1888

Е.В. Салиас — А.П. Сусловой-Розановой//РГАЛИ. Ф.447. Оп.1. Ед.хр.5.

...Вы мне пишите, что у фото[графа] царские двери вместо ширм! Я не узнаю Вас, ведь это святотатство и отвратительно! Но оставя в стороне вопрос о религии, это что зовут [?]! Я знаю эти устройства. Вместо того, чтобы деньги наудачу тратить, Вы бы лучше велели почистить комнаты матери, *прилично* без затей смешных и замашек великосветских сохранили бы ее мебель, которая годится, и поставили бы себе удобное что-либо, а Вы... Господь с Вами. Я совсем Вас не узнаю. Кидает Вас из стороны в сторону. То школа какая-то, то устройство комнат через фотографа, одни затеи, чтобы деньги тратить. И я прихожу к такому мнению: не лучше ли Вам помириться с мужем и жить тихо и спокойно, как все живут, не слоняясь и не ища то того, то другого, будто Вы выброшены из колеи. Я знаю, что, читая письмо мое, Вы будете досадовать. Как знаете, но я всегда Вас любила и люблю и всегда, везде буду говорить Вам правду. Обернитесь на 4 года назад и посмотрите, где Вы не были, чего не пробовали и с кем не жили и все не более 9, 10 месяцев. Я думала, Вы остановитесь в Калуге — ничего не бывало, — Вы желали ходить за отцом, что, конечно, Ваш долг, но об отце я уже не слышу, а слышу какие-то затеи то одни, то другие, чтобы тратить небольшие деньги и остаться на старость лет без куска хлеба.
Не сердитесь. С Вами говорит

старая [?] женщина, которая всегда подавала Вам материнские советы. Остановитесь, пора. Вам, наверное, 40 лет, если не больше, поселитесь, где хотите, живите, как все, читайте, рукодельничайте, ибо Господь был так милостив, что дал Вам возможность жить, не зарабатывая хлеба. Разумеется, если желаете жить с мужем, покоритесь его ветрености и неверностям, — не можете, поселитесь с отцом и живите в его (насколько возможно) утешение. Останетесь без него, изберите род жизни, оседлой, степенной, без болтания туда и сюда, и физически, и нравственно. Когда перестанете сердиться, то найдете у меня и прежний привет, и прежнюю любовь, и прежнюю о Вас заботливость. Я не хочу хвалиться, но вспомните, что всегда, когда Вы меня послушали, выходило хорошее, когда не слушали, сваливалась беда. Если бы Вы остались в Цюрихе, что было бы? Даже страшно подумать. Если бы не пошли за Розанова, кто знает, быть может, была мать семейства, счастливая. Через год после Вашего замужества у меня был Ваш...
На конверте: В Нижний Новгород На Большой Солдатской улице в собственном доме Суслова
Ее благородию Аполлинарии Прокофьевне Розановой
Штемпеля:
Калуга 17 авг 1888 Калуга 18 авг 1888
Нижний Новгород 20 авг 1888

Е.В. Салиас — А.П. Сусловой-Розановой//РГАЛИ. Ф.447. Оп.1. Ед.хр.5.

6 сентября [1888]

Милая Полинька, благодарю за поздравление — я знаю, Вы меня любите. Я все тревожилась, чтобы, прочитав мое последнее письмо, Вы не переживали и не попрекнули меня бессердечностью, но что мне делать, я могу говорить только то, что считаю правдой. Письмо мое не было оторвано (Груша мне сказала). Я написала и отдала [?] в пакет — а если Вы получили его не оконченное, то это читали и оторвали на почте. Вы пишете, что хотите поехать в Петербург к сестре, я этому очень рада — немного рассеетесь и позабудете хоть на время свои печали, и скуку, и тоску, отстранившись от себя хоть на время. Я очень сожалею, что Вы не со мной...

Милая Полинька, я опять к Вам с просьбой прошлогодней; Вы обещали мне денег взаймы, и теперь они мне необходимы. Вы дали мне прошлого года 800 р.с., а теперь я прошу Вас прислать 1200. Из этих 1200 Вы удержите за прошлогодние 800 и за эти 1200 проценты вперед за год, то есть, считая по восьми процентов со ста, 160 р.с., а остатки 1040 пришлите мне поскорее. Надо платить заработки. Эти Ваши деньги, Вы знаете, за мной не пропадут, напротив, будут целее, ибо они неприкосновенно останутся за Вами и Вы их не растратите. Узнайте у Вашей сестры, когда надо будет ей послать в Крым деньги за вино и сколько.

Целую Вас, желаю повеселиться немного в Петербурге. Вот я и была права, что зачем Вам много тратить денег на устройство квартиры, ведь Вы в Нижнем не зажились. Я думаю, тоска страшная. Боюсь, что в Петербурге тоже досаждать станут дешевым либерализмом — ведь там, начиная с чиновников, швейцаров, дворников и собак дворника, все набрались дешевенького, хотя ярого либерализма, и вот брешут. Уж такой городок. О России понятия не имеют и доктринерствуют очертя голову...

Е.В. Салиас — А.П. Сусловой-Розановой//РГАЛИ. Ф.447. Оп.1. Ед.хр.5.

15 сентября [1888]

Сейчас получила деньги от Вас и очень, очень благодарю. Из беды выручили. Целую Вас. Я с ужасом прочла Ваше письмо. Как? После всех своих мерзостей и позорного поведения, как мужа, он требует, чтобы Вы взяли *на себя* вину. Этого ни одна порядочная женщина не сделает. И еще требует при этом денег.

Полинька, если Вы меня любите и уважаете, я, как старая женщина, как мать, *запрещаю* Вам этому человеку давать хоть копейку. Он один, детей нет, жалованье у него есть, при котором живут с женой и детьми, так какая же бедность. Он, как перст, *один*. Если Вы дадите хоть копейку, Вы пропали и будете обобраны дотла, до нитки. Я вижу, какой это господин. Теперь я довольна, что я Вам должна деньги, ибо они будут целее, а проценты Вы будете получать исправно число в число и притом процентов по 8, как и платят частные люди, а банки дают меньше. Послушайте меня, откажите в деньгах, откажите (всенепременно, я всегда это Вам советовала) взять вину на себя. Это немыслимо взять на себя позор. Я знаю одну, которая мужа обманула, была уличена в преступной связи, муж хотел развода и, чтобы жену свою не позорить публично, взял вину на себя! А Вы, чистая, жизни добродетельной, зачем Вы возьмете позорное на себя пятно. И как он осмелился предложить это! Словом, бросайте его, не давайте денег, и если хотите непременно развода, пусть берет вину на себя, и ни гроша Ваших денег. Если он просит денег для ведения дела о разводе, это удочка, чтобы обобрать Вас. Ныне дай 200, а там 300, а там 500, и конца не будет. Что же касается до отдачи, то он Вам единого гроша не отдаст и останетесь Вы без мужа и без денег и к Вашим зрелым годам без куска хлеба. Берегите свои деньги, умоляю вас, для Вас самих, для Вашей независимости и для Вашего спокойствия. Я вижу, если Вы дадите мужу своему хоть что-либо, он вытянет от Вас *все* Ваше состояние. Что же? В зрелых летах и в старости нуждаться, жить на чужой счет или зарабатывать хлеб тяжелым трудом. Нет, Вы не давайте. Не давайте ничего, не посоветовавшись со мной. Я летами своими гожусь Вам в матери, а по чувству моей любви к Вам (от того и браню иногда) в *родные тетки!..*

На конверте: Заказное
В Нижний Новгород Большая Солдатская улица, в доме Суслова.
Ее благородию Аполлинарии Прокофьевне Розановой
Штемпеля:
Калуга 15 сен 1888
Калуга 16 сен 1888
Нижний Новгород 18 сен 1888

Е.В. Салиас — А.П. Сусловой-Розановой//РГАЛИ. Ф.447. Оп.1. Ед.хр.5.

...Вижу, что Вы идете быстро по дороге разорения. Оставьте глупости подарков. Никто никому их не делает. Это обирательство и пользуются Вашей безрассудной добротой. Уезжайте лучше из Нижнего. Берегите копейку на старость. У Вас немного, а растратите, никто не поможет. Куда пойдете, а меня на свете уже не будет. Я скоро умру, я это знаю. Что Вы будете делать. Ко всякой должности Вы в летах зрелых уже не способны, раздав все, жить в бедности. Это ужасно. Послушайте меня...

Родственникам своим о своих делах, проблемах и протекциях говорите поменьше. Кроме вреда, эти родственники ничего не сделают.

Е.В. Салиас — А.П. Сусловой-Розановой [1889]//РГАЛИ. Ф.447. Оп.1. Ед.хр.5.

---

21 февраля 1890, Калуга
Милая Полинька, вчера получила здесь известие, что Вы, к сожалению, не застали в живых Вашего отца. Вам остается теперь и самой и через церковь молиться о душе его, Ваши дочерние молитвы и молитвы при совершении Литургии избавят душу его от смущения, я этому верю. Милость Божия велика над всеми нами, ведающими Его. Очень надо сожалеть, что Вы, живя с отцом почти два года, отлучились тогда, когда дни его были сочтены и жизнь прекратилась. Я думаю, Вы теперь как в чаду и ничего не понимаете. Прошу Вас, как лицо к Вам наиболее близкое (я не знаю, кто теперь ближе меня к Вам), и по старости моих лет указываю Вам ничего не делать с маху и вообще ничего не делать, не посоветовавшись со мною. Теперь, когда муж Ваш узнает, что Вы свободны и, *главное*, имеете небольшое состояние, он способен Вас преследовать сожительством. Если Вы не хотите возвратиться к нему, покажите твердость воли и характера. Бояться Вам нечего. Пока я жива, Вас никто не обидит, и мы всегда можем обуздать этого беспутного и сумасшедшего человека. Только умоляю Вас не предпринимать ничего, не сказавши мне. Милая Полинька, не забудьте, что Вы не молоды и что Вам надо себе устроить спокойную и безбедную старость. Наследство после отца, вероятно, невелико, и его надо беречь и распределить так, чтобы его не прожить. Я знаю, у Вас деньги *не дер-*

жатся, а надо, чтобы держались, что Вы будете делать в 60 и 65 лет, если проживете?..

У Вас, при бережливости и порядке, хватит на старость спокойную и приятную, но надо разумно устроиться. Я бы Вам советовала, остановившись где Вам больше нравится, взять маленького ребенка, бедного, несчастного, воспитать его и сделать *доброе* дело, а себе устроить таким образом семью. В Ваши лета скоро надоест бездомность и разъезды. Разъезды хороши как экстра, но надо иметь свое гнездо и свое семейство. Бог лишил Вас детей, может быть, к лучшему, так как дети, от такого мужа, были бы Вам не на радость:

сделайте же благородное дело, устройтесь сами, осмотритесь, не решайте ничего с маху и помните, что бездомная и одинокая старость хуже всего на свете. Целую Вас. Надеюсь, что Вы знаете меру моей к Вам привязанности. Ведь мы не вчера познакомились. Господь с Вами. Пишите мне *подробно* о себе и обо всем.

На конверте: Нижний Новгород Большая Солдатская улица, дом Суслова
Ее благородию Аполлинарии Прокофьевне Розановой
Заказное
Штемпеля:
Калуга 21 фев 1890
Нижний Новгород 23 фев 1890

Е.В. Салиас — А.П. Сусловой-Розановой//РГАЛИ. Ф.447. Оп.1. Ед.хр.5.

Москва 6 марта [1890]
...Вы не так поняли мое письмо. Я не советовала теперь, немедленно, взять бедное дитя, а осмотревшись, устроившись, чтобы не существовать одной, всеми часто эксплуатируемой, никогда я тоже не посоветую взять чужое дитя помимо бедных родных. Первый долг сделать добро, насколько возможно, бедным родным.

Из письма Вашего вижу, что наследство плохое и малое, и это малое надо усиленно беречь, ибо на старости лет жить в нужде дело тяжкое. А я вижу, что Вы начали... По-моему, мертвым *ничего* не нужно. Я бы сделала скромнейшие похороны, но подала бы бедным (действительно бедным) с просьбой молиться за душу его. Умоляю

Вас не отдаваться каким-либо адвокатам-разбойникам. Вас легко и не обходя обчистить, как липочку. Перед Вами целая жизнь, а денег больно мало. Не [?] ни Вам, жизнь при милости сестры, с которой Вы не дружны. Я боюсь за Вас. Я знаю Вашу расточительность, тому подарок, здесь помощь, тут покупка, а все это деньги. Как тронут капитал, так оно быстро и пошло. А у Вас и капитала нет, его еще надо выручать за векселя и за обрывки лугов и земли. Это плохое наследство. Не сделайте его ничтожным, начиная с трат.

Целую Вас.
Сожалею, что Вы не со мной. Мне скоро 75 лет, и я бы Вам могла всегда дать хороший совет.
Господь да хранит Вас.

Е.В. Салиас — А.П. Сусловой-Розановой//РГАЛИ. Ф.447. Оп.1. Ед.хр.5.

Милая Полинька,
...С моим письмом к Баранову поезжайте сами и расскажите все, что Вы получаете весьма малое состояние от отца, всего-навсего на маленький домик и в деньгах тысяч 6 или 7 капитала, а муж думает, что Вы богаты,

и теперь Вас к себе хочет выписать, чтобы жить на Ваш счет. Я также напишу, так как это правда.

Что я говорила, то и сделалось. Шибко начали и сидите без гроша. Не надо тратить на похороны и подарки (зачем?) около 2000, если не больше, нужно было похоронить прилично за 300 и 400 руб. Подарков *никаких*. И теперь зачем подарки? Довольно этого, что по случаю ярмарки все у Вас остановятся. Они, Вы говорите, считают *Вас богатою* (а по мне, вы бедная) и не довольны Вашими подарками, которые я считаю расточительными. Они того и недовольны, что Вы широко начали, как не считать Вас богатой, когда Вы одариваете, как будто у Вас 10 тыс. доходу, даже больше. Подумайте о старости. Вам только под 50, еще придется жить лет 25, 30, и разве умирать с голоду. Вы не имеете способов заработать хлеб, разве в няньки идти. Печальная перспектива. Тогда Вас никто одаривать и содержать не будет...

Пока есть возможность, берегитесь такого ужаса. Ваша сестра, отдав Вам все после отца, больше ничего не даст, а я умру, мне жить недолго. Я стала видеть такие сны, что много, года два, а то и меньше, проживу. Эти две последние болезни

меня состарили на десять лет. *Умоляю* Вас считать всякий грош и никому ничего не дарить. Мужу своему напишите вежливое письмо, скажите, что не хотите возвратиться, что Вы не так богаты, как он думает, и будете просить влиятельных лиц и, если нужно, дойдете до государя через комиссию прошений, что у Вас есть люди, знающие Ваше безупречное поведение и которые за Вас заступятся, ибо они силу имеют невинного избавить от беды. Всякое слово, писавши, обдумайте, имен не называйте, имейте в виду, что он (муж Ваш) в случае нужды Ваше письмо к просьбе приложит. Последуйте моим советам.

На конверте: В Нижний Новгород На Большую Солдатскую улицу, в доме бывшем Суслова, ныне Розановой.
Ее благородию Аполлинарии Прокофьевне Розановой
Штемпеля:
Калуга 16 июл 1890
Нижний Новгород 18 июл 1890

Е.В. Салиас — А.П. Сусловой-Розановой//РГАЛИ. Ф.447. Оп.1. Ед.хр.5.

Объяснения, представленные в полицейское управление г. Ельца относительно предоставления отдельного паспорта жене, Розановой Аполлинарии Прокофьевне

1890 окт. 16

Сего 1890 года октября 16 дня я, нижеподписавшийся, преподаватель Елецкой мужской гимназии Василий Розанов, выслушав от господина Полицмейстера города Ельца, Александра Ивановича Ползикова, предложение, в силу предписания Высшего начальства последовавшее, относительно изъявления моего согласия на предоставление жене моей, Аполлинарии Прокофьевне Розановой, права проживать повсеместно в Империи по отдельному от меня паспорту, имею честь покорнейше просить господина Полицмейстера представить Высшему

начальству нижеследующее мое объяснение:

Я женился в 1880 году, имея 24 лет от роду, на девице Аполлинарии Прокофьевне, урожденной Сусловой, и в течение первых семи лет прожил с нею вместе, а теперь вот уже три года живу с нею в разлуке. Жизнь свою до ее отъезда от меня я считаю счастливою, и хотя это счастье нарушалось периодически вспыхивавшими ссорами, но, любя ее, я никогда не высказывал ропота на свою жизнь ни ей лично, ни кому-либо из знавших нас, — что, без сомнения, подтвердится и ею самой. Причиною ссор служила ее постоянная подозрительность и ревность, никогда не высказывавшаяся ясно и с первого же начала, но разражавшаяся гневными вспышками, следовавшими одна за другой, приблизительно через промежутки времени месяца в 2-3, в течение которых она бывала со мною хороша и ласкова. По причине ее постоянной затаенности я никогда не в силах был предвидеть ни времени, ни точного предмета наступающей ссоры, и первый год нашей брачной жизни даже не понимал, что причиною служит именно ревность. Как муж и любя ее, я видел болезненное сложение ее характера, постоянно как бы встревоженного, чего-то ищущего и никогда не способного удовлетвориться обыкновенною будничною жизнью. Значительная разница наших лет (она лет на 15 старше меня) все-таки была недостаточна, чтобы объяснить эту подозрительность и ничем не успокаиваемую ревнивость; позднее (в 1886 году) городовой врач города Брянска, г. Денисенко, имевший случай свидетельствовать ее по причине одного заболевания, объяснил мне, что она нервопатична, и это находится в связи с некоторыми болезненными уклонениями у нее в системе женских органов; тоже относительно нервопатического ее сложения всегда утверждал и другой брянский врач, Д.Д. Кучинский, семейство которого было хорошо знакомо с нами. Видя ее скорее несчастною, чем виновною в происходящих ссорах, во время их я всегда был уступчив, соглашался со всеми ее требованиями, и, вероятно, она сама не откажется подтвердить, что в течение семи лет не слышала от меня ни одного бранного слова или грубого в чем-нибудь отказа. Однако, несмотря на все меры, ее вспышки принимали все более и более резкую форму и наконец окончились отъездом летом 1887 года; в то же лето, сам близкий к душевному заболеванию, я перепросился перевести меня куда-нибудь по службе из Брянска. Переехав в Елец, я написал ей отсюда просьбу вернуться ко мне, надеясь, что перемена места освежит ее и улучшит нашу жизнь; но она ответила мне требованием вида на отдельное жительство. Все знакомые нам семейства в Брянске, из которых назову И.И. Пенкина, В.И. Попова, Д.И. Плюшинского и судебного следователя С.М. Смирнова, жившего в одном с нами доме, — не откажутся подтвердить, сколько я мучился ее отъездом, как обещал ей в письмах сделать решительно все, чего она пожелает, лишь бы она вернулась ко мне. Множество ее писем ко мне, из которых одно, посланное от меня и возвращенное ею с написанною поперек моих строк гневною бранью, — подтвердят то же самое. Любя и жалея ее, я не хотел, чтобы она скиталась по разным городам, и по истечению первого года нашей разлуки, который она провела в городе Калуге, отказался возобновить ей вид на жительство, пока она не вернулась к отцу. Ее отец, не прекращавший со мною переписки и по ее отъезду, в декабре 1889 года в письме, у меня хранящемся, выражая сожаление о моем одиноком положении, говорит, объясняя его, что и ему самому трудно жить с дочерью, и он думает, на седьмом десятке лет, перейти из своего дома в богадельню. Ныне, когда он помер, мне было бы тяжело видеть свою жену опять бесприютно скитающеюся из места в место, и я хотел бы, чтобы она вернулась ко мне. Дать согласие на право отдельного от меня жительства я ей не могу, потому что, зная ее характер, ничем кроме гибели для нее от этого не предвижу. Сверх того, это равнялось бы расторжению нашего брака, а я еще питаю надежду, что она успокоится раньше или позже и мы вновь будем жить мирно и счастливо.

Преподаватель Елецкой гимназии

В. Розанов

ОР РГБ. Ф.249. Карт.5. Ед.хр.5.

...Я так удивилась, когда узнала, что Вы уехали. Я боюсь, что Вы растратите Ваше состояние, так нельзя, имея весьма малый капитал. Не давайте денег взаймы *никому*, прошу Вас. Ваши деньги у меня целы, но я безвинно перед Вами виновата. Я не заплатила Вам процентов, а теперь у меня нет ни гроша. Я больна, лечусь, и это дорого стоит... Поверьте, что это меня мучит, и я при первой возможности заплачу.

...Не знаю, не выберете ли Вы время, не приедете ли ко мне в Калугу, хотя на 2-3 недели...

Сего 20 декабря
Варшава 1890 года

Е.В. Салиас — А.П. Сусловой-Розановой//РГАЛИ. Ф.447. Оп.1. Ед.хр.5.

12 февраля 1891. Варшава
Милая Полинька, пишу два слова. Сейчас получила немного денег и посылаю Вам 50 р.с. Как получу еще, пришлю Вам еще. Извините, ради Бога, что я ввела Вас в затруднение. Вы знаете, я не желала, и не от эгоизма, что о Вас не думала. Целую Вас, милая. Мне писать некогда...

Надеюсь, что весной мы увидимся. До свидания. Не забывайте, что если муж не даст Вам вида, то Вы обратитесь ко мне. Я могу просить Баранова и в Петербурге.

Е.В. Салиас — А.П. Сусловой-Розановой//РГАЛИ. Ф.447. Оп.1. Ед.хр.5.

...Милая Полинька. Спешу отвечать Вам, что я буду чрезвычайно рада Вас видеть и Вы можете остановиться у меня, но спешите приехать, ибо я в Вербное Воскресенье уезжаю в Варшаву к дочери на целое лето.

...Сердечно буду рада Вас видеть.
Сего 21 марта Москва [1891]

Е.В. Салиас — А.П. Сусловой-Розановой//РГАЛИ. Ф.447. Оп.1. Ед.хр.5.

Милая Полинька!
... Я решила на осень и часть зимы ехать за границу, сперва в Швейцарию к моей приятельнице, а потом в Ниццу. Я желаю ехать в начале октября. Я не могу, по нездоровью и отчасти тоске, ехать одна. Мне надо добрую особу и хорошую спутницу — друга. Лучше Вас мне никого не надо. Я могу уплатить половину дороги и половину жизни в гостинице и пансионах. Не можете ли Вы ехать со мной? Отвечайте мне. Я буду ждать Вашего ответа, ибо весьма бы желала ехать *только* с Вами, так как Варенька Нов[осильцева] ехать не может...

10 сентября Москва [1891]

Е.В. Салиас — А.П. Сусловой-Розановой//РГАЛИ. Ф.447. Оп.1. Ед.хр.5.

21 сентября. Москва [1891]
Я Вам не отвечала, милая Полинька, не имея минуты свободной... Так обстоятельства повернулись, что Ваше присутствие и путешествие со мной расстроилось бы во всяком случае. Теперь (в конце октября) я еду в Рим в дом моей приятельницы или лучше друга Княжны Четвертинской и проживу с ней и у ней всю зиму. Вы видите, что Вы не могли быть и ехать со мною. Быть может, оно и лучше, что Вам теперь нельзя. Придет время, мне необходимо надо будет ехать с кем-нибудь, и тогда я обращусь к Вам. Теперь же ехать Вам со мною против желания [?] было бы совсем не хорошо и мне

крайне неприятно. Не горюйте, душа моя... Я уверена, что позднее мы поедем вместе и очень приятно, и Вы с покойной совестью, что сделали то, что считали своим долгом и что было сделать нелегко. Я знаю, что Вы всегда рады все сделать для меня, но... я не есть *Ваш долг*, я только Ваша любовь. Ну, а Вы знаете жизнь. Живи не как хочется, а как Бог велит.

Е.В. Салиас — А.П. Сусловой-Розановой//РГАЛИ. Ф.447. Оп.1. Ед.хр.5.

...Милая моя, мы с графиней очень часто о Вас говорили, от всей души жалеем Вас, что Ваши дела плохи и Вы не в состоянии их поправить. Теперь Вы думаете, не пришлось бы дом продавать, что ж тогда у Вас останется на старость лет, даже угла своего не будет. Постарайтесь его удержать всеми силами.

Знавши, как Вам нужны деньги, графиня еще больше сокрушается, что не может Вам послать. У ней ни гроша. Такой год тяжелый для всех...

Прощайте, моя дорогая, не сердитесь, что долго не отвечала, все поджидала денег, но увы...

Ваша Груша

Мне гораздо лучше, милая Полинька, но едва перехожу через комнату и едва пишу — Вы видите по почерку. Варенька Новосильцева очень больна, по-моему, близко к концу. В Москве все мои сверстницы умерли. Такого конца и себе жду, при моей слабости и малая болезнь сломит меня. При *первом* получении денег я Вам уделю, что могу. А теперь целую Вас от всего сердца, ...мучусь, что и Вас в свое безденежье увлекла. Господь с Вами. Любящая сердечно *Е.Салиас.*

Е.В. Салиас — А.П. Сусловой-Розановой [1891]//РГАЛИ. Ф.447. Оп.1. Ед.хр.5.

Вообще это была "мистическая трагедия". Помните ли Вы хорошо "Униженных и оскорбленных"? Там есть *отец* жениха Наташи, старый князь Валковский. И сказано: "он любил (или был в связи) с молодой, прекрасной собой женщиною, чрезвычайно религиозной и стильной, и которая была необыкновенно развратна", чуть ли не прибавлено "противоестественною формою разврата". Мне всегда казалось, что это он написал о Суслихе.

Но к ней подходит и Дуня, сестра Раскольникова, "Аглая". Только "Грушенька" — ни-ни-ни: Грушенька вся русская, похабная. В Суслихе — ничего грубого, похабного.

Ах, это удивительная женщина... Любя и ласкаясь, я говаривал: "Ах ты моя Брюнегильда и Фринегильда".

Ее любимый тип в литературе и мифах — Медея, когда она из-за измены Язона убивает детей.

Суслиха вполне героический тип. "Исторических размеров". В другое время она — "наделала бы дел". Тут она безвременно увядала. Меня она никогда не любила и всемерно презирала, до отвращения; и только принимала от меня "ласки".

Без "ласк" она не могла жить.

К деньгам была равнодушна. К славе — тайно завистлива. Ума — среднего, скорее даже небольшого. "Но стиль, стиль..."

Поразительно, что в 37 лет покоряла 40-50-летних. С нею никто не спорил никогда, не смел. Да всякие возражения ее и оскорбляли безумно. Она "рекла", и слушали и тайно восхищались (я думаю) стилем.

— Аполлинария Прокофьевна...

— Поленька...

В.В. Розанов — А.С. Глинке-Волжскому. С. 113-114.

По поводу Сусловой Розанов вспоминает один образ из "Униженных и оскорбленных" — ту графиню, о которой рассказывает Ивану Петровичу князь Валковский. В романе о ней говорится: "...Красавица первостепенная; что за бюст, что за осанка, что за походка. Она глядела пронзительно, как орлица, но всегда сурово и строго; держала себя величаво и недоступно. Она слыла холодной, как крещенская зима, и запугивала всех своей недосягаемой, своей грозной добродетелью... Она смотрела на всех бесстрастно, как абесса средневекового монастыря... И что ж? Не было развратницы развратнее этой женщины... Барыня моя была сладострастна до того, что сам маркиз де-Сад мог бы у нее поучиться... Да, это был сам дьявол во плоти, но он был непобедимо очарователен" и проч. Этот отрывок, по мнению Розанова, мог бы послужить наилучшей характеристикой Сусловой, хотя фактически он и не имеет к ней отношения: "Униженные и оскорбленные" написаны до встречи Достоевского с "Полиной". Но указание Розанова, тем не менее, чрезвычайно важно для понимания личности Сусловой.

Он сравнивает ее и с другими героинями Достоевского, связь с которыми уже может быть вполне реальной. "К ней подходит и Дуня, сестра Раскольникова, и Аглая. Только Грушенька — ни-ни-ни. Грушенька вся русская, похабная. В Суслихе — ничего грубого, похабного..."

Л. Гроссман. Путь Достоевского. С. 153.

Аполлинария Прокофьевна Суслова была одним из сильных увлечений Достоевского, и он изобразил ее в героине своей повести "Игрок", а также в "Братьях Карамазовых" в образе героини Екатерины Ивановны — инфернальной женщины, мучившей Дмитрия Карамазова. Аполлинария Прокофьевна Суслова была старше отца почти на двадцать лет. Когда-то она была, как папа пишет, очень красивой, но характер, как он говорил, у нее был невозможный, и она, уехав от него, не давала ему развода, несмотря на то, что он для получения развода брал вину на себя.

Т.В. Розанова. Воспоминания//Русская литература. 1989. N4. С. 170.

Розанов утверждает, что Суслова не была умна, но отличалась совершенно исключительным очарованием, каким-то властно-пленительным "стилем" женственности. Холодно-чувственная, она, видимо, оставалась "мучительницей" и в страсти, являя и здесь какие-то отклонения от нормы, неправильные изгибы своей сложно-изломанной натуры. Через тридцать лет Розанов не может без глубокого волнения и какого-то острого восхищения вспоминать прельстительность этой странной женщины — не то "Екатерины Медичи", не то "хлыстовской богородицы".

Л. Гроссман. Путь Достоевского. С. 154.

Нет, это не доподлинная Суслова — та, которую рисуют дочь Достоевского, Розанов и вслед за ними, в плену у них, Леонид Гроссман. Что бы с ней ни случилось в годы 70-е, ближе к моменту ее брака с Розановым, каковы бы ни были те события, которые могли на нее так сильно повлиять, чтобы она стала хоть отдаленно похожа на портрет розановский, — для Достоевского и с Достоевским она была другая...

А.С. Долинин. Достоевский и Суслова. С. 258.

НИЖНИЙ НОВГОРОД. ОДИНОКОЕ ДЕСЯТИЛЕТИЕ

В 1892 году, на семьдесят седьмом году жизни, умерла Е.В. Салиас. С этого момента биография А.П. Сусловой резко беднеет документальными свидетельствами. Ее архив не содержит ничего из переписки девяностых годов.

Незадолго до смерти графиня Салиас, наставляя "Полиньку", советовала ей остепениться, жить на одном месте, осторожно и бережливо расходовать небольшое наследство, чтобы его хватило на старость, и взять на воспитание бедную сиротку — во исполнение христианского добротолюбия и для устройства хоть небольшой, но собственной семьи.

Так и случилось. А.П. Суслова-Розанова, которой пошел шестой десяток, жила в Нижнем Новгороде в собственном доме, считалась женой коллежского советника В.В. Розанова, с мужем жила врозь и к тому времени никаких отношений с ним не поддерживала. Давать ему развод при условии, что она возьмет вину на себя, отказывалась, как ей и советовала покойная Е.В. Салиас. В середине девяностых годов она взяла на воспитание девочку, сироту Сашу, которая (как об этом станет известно из документов позднейшего времени) вскоре погибла, утонув в Оке.

В 1897 году А.П. Суслова-Розанова обратилась с ходатайством к нижегородскому полицмейстеру о выдаче ей отдельного от мужа вида на жительство; после многолетних отказов со стороны В.В. Розанова дать согласие на выдачу ей паспорта оно было наконец получено, и 3 июля 1897 года ей был выдан бессрочный паспорт.

В 1899 году она все еще жила в Нижнем Новгороде; "Нижегородские епархиальные ведомости" (1899, 1 мая) зафиксировали ее вступление в члены Нижегородского отдела Императорского Православного Палестинского Общества.

Около 1900 года, видимо, вскоре после гибели воспитанницы, А.П. Суслова-Розанова продала дом в Нижнем Новгороде и уехала в Крым.

В переписке В.В. Розанова и А.Г. Достоевской девяностых годов А.П. Суслова предстает все той же циничной, взбалмошной и жестокой погубительницей, какой считала жена Ф.М. Достоевского свою соперницу в молодые годы. "Ей теперь лет 58-59, а в эти годы почти всегда умирают женщины, проводившие бурную жизнь", — писала А.Г. Достоевская.

В 1898 году, которым датируется процитированное письмо А.Г. Достоевской к В.В. Розанову, А.П. Сусловой-Розановой было действительно 59 лет. Но и ей, и пятидесятидвухлетней вдове Достоевского предстояло прожить еще двадцать лет.

Вся последующая жизнь писателя была освещена зловещей звездой "железной Аполлинарии", обрекшей своим несогласием на официальный развод детей Розанова и его "друга, Вареньку, мамочку" до смерти так и оставаться "незаконными".

Т.В. Розанова. Воспоминания//Русская литература. 1989. N3. С. 210.

В 1897 году Розанов согласился на выдачу Сусловой отдельного вида.

Л.Гроссман Путь Достоевского. С. 151.

На Шпалерной улице, вечерами, мы сидели на подоконниках в столовой и смотрели в окна на Петропавловскую крепость, на Неву, на пароходики с зелеными и красными огоньками. Мы загадывали, какой из-за угла дома покажется пароходик — с зеленым или красным огоньком? И это нас очень увлекало. Об этом пишет в своих воспоминаниях и моя младшая сестренка Надя. Днем к нам редко приходили гости. Делалось исключение для Нестерова, Мережковских. Помню Зинаиду Гиппиус, жену Мережковского, всегда и зимой в белом платье и с рыжими распущенными волосами. Мама ее терпеть не могла, а мы, дети, посмеивались и считали ее сумасшедшей. Раза два бывала у нас жена Достоевского, Анна Григорьевна, в черном шелковом платье, с наколкой на голове и лиловым цветком. Представительная, красивая, просила написать рецензию на роман дочери "Больная девушка". Но папа нашел роман бледным сколком с Достоевского и бездарным и не написал рецензии. Жена Достоевского волновалась за дочь, жаловалась, что она ее замучила, и она хочет уйти в богадельню. Я тогда очень удивлялась этому.

Т.В. Розанова. Воспоминания//Русская литература. 1989. N3. С. 217.

В переписке Розанова с А.Г. Достоевской... Сусловой уделяется особенное внимание. Письма его писались через десять лет после его разрыва с Сусловой, в момент очень тяжелый для новой его семьи, незаконной, страдавшей от своей "незаконности" именно благодаря ей. Было у Розанова достаточно причин, чтобы относиться к Сусловой весьма враждебно, и если с точки зрения фактической правды в том, что он пишет о ней Анне Григорьевне, мы пока не имеем основания сомневаться, то освещение он дает ее характеру и роли ее в его жизни, безусловно, слишком субъективное. Тем более, что здесь нужно еще считаться с тем, кому он обо всем этом пишет. Может быть, то чувство ревности, которое А.Г. когда-то к Сусловой питала, не совсем умолкло и после смерти Достоевского, и Розанов пишет ей так, как пишут человеку, в сочувствии которого заранее убеждены, поскольку у них один, как бы общий, интерес, соприкасающийся в единой плоскости переживаний.

А.С. Долинин. Достоевский и Суслова. С. 253.

[Конец января, до 4 февраля 1898]
Глубокоуважаемая Анна Григорьевна!

Не знаю, как Вас и поблагодарить за участливость, с которою Вы выслушали вчера Варю, правда, об очень тяжелом нашем положении.

Иногда я представляюсь себе несчастным по *всем* жизненным линиям: нужда — но разве она одна; Варя Вам рассказала, оказывается, о Сусловой: каково же ее положение, т.е. Вари, и положение детей. Сколько хотел я раз написать Победоносцеву, но именно то, что характер моих сочинений несколько религиозный, мне было мучительно стыдно пред ним сознаться в том, что все так жестоко и несправедливо называют "блудом". Варя есть само самопожертвование, и она так же целомудренна, как Суслова, по справедливой Вашей догадке, цинична (я женился на ней на 3-м курсе университета; она уехала от меня, влюбившись в молодого еврея, через 6 лет нашей жизни, и жива еще — живет в Нижнем в своем доме). Раз Вы знаете о Сусловой, не можете ли Вы, дорогая и добрая, заикнуться Победоносцеву и о положении моих детей. За что малолетние страдают — непостижимо, и, конечно, они страдают не по Христу, а по суемудрию человеческому; почему жена, бросающая мужа, имеет все гражданские права; почему женщина, которая, как самарянка, склоняется над израненным и кинутым человеком, — не имеет никаких прав? Все это не по Христу. Когда я думаю об этой несправедливости, у меня голова идет кругом и я чувствую величайшее в себе раздражение; просто чувствую, что от этого весь мой характер и вся литературная деятельность исказились. И при этом нужда, доходящая до самых унизительных форм, и при непрерывной почти слабости жены (малокровие, нервы, женские болезни). Что же я оставлю своим трем дочерям-малолеткам: пенсии — нельзя, они не "мои", а какие-то "Николаевы" и "Александровы" по чудовищному закону, отнимающему детей от родителей; какая же их судьба ждет? Проституция? — вот заря будущего для меня и награда за поистине тяжкий, безысходный труд, в каком я живу, не ложась спать раньше

4 часов ночи и совершенно изнеможенный нервами. И когда я оглянусь на эту темь несправедливости, я очень, очень начинаю понимать самые радикальные тенденции и порывы. Помилуйте, все злое наверху и вас душит; а все доброе под низом.

Ну, простите меня, что я так Вам взволнованно написал; жена эти дни стряпала, т.е. попыталась стряпать, и вот, вернувшись от Вас, уже чувствовала себя нехорошо, а сейчас у ней 39 1/2 градусов и бред. А в шкатулке у нас 6 р., — и следовательно, вопрос, можно ли звать доктора. Да что же, сильные мира сего — ничего не знают? Им напрасно писали "Бедных людей"? Все это только для удовольствия чтения, без всякого практического применения? Но будет...

Вот что, добрая и благородная Анна Григорьевна: попросить можно Победоносцева или Кони: последний очень добр и ласков — вот что обнадеживает меня. Я думаю непременно на днях пойти к Победоносцеву и попросить у него вроде рекомендательного письма к Министру народного просвещения, Аничкову, который для него все сделает — ибо, кажется, нуждается в поддержке или рекомендации от Витте, или, наконец, к Бычкову (в Публичную библиотеку).

Условия моего спасения: 3000 р. в год и хоть месяц вакации, для отдыха. Без этого я с ума сойду, т.е. если как сейчас, при 2000 жалованья у меня будет ежемесячно не хватать 80 руб. или 90 в месяц. Неужели нельзя поддержать человека таким сильным и влиятельным людям? Теперь — какое место? Самое удобное — переход чиновником особых поручений 6-го класса к Аничкову (теперь я чиновник особых поручений при государственном контроле 7-го класса). Это не такая большая жертва от России, сделав которую, она бы надсадилась и обанкрутилась; простите, добрая, что я написал Вам расстроенно, и не взыщите "за слог". Но

болезнь жены меня окончательно сму-
тила. Крепко жму Вашу руку и еще
раз благодарю Вас горячо, горячо.

Глубоко Вам преданный
В. Розанов

В.В. Розанов

Татьяна — род. 1895 года, 22 февр[ал]я.
Крестн[ый] отец Ник. Ник. Страхов.
Вера — родилась 1896 года, 26 июня.
Крестный отец Александр Штоль.
Варвара — родилась 1898 года, 1 января.
Крестный отец Алек[санд]р Штоль.
Нельзя ли детей этих вписать в формуляре действительного их отца
В.В. Розанова?

Аполлинария — урожденная Суслова, в замужестве Розанова, уехала от В.В. Розанова в 1886 году, имея поводом к сему то, что ее муж, вопреки обещанию ей, виделся с неким молодым евреем Гольдовским, заведывавшим раздачею его книг по магазинам; она же, по всем данным, влюбясь в этого Гольдовского и не найдя в нем сочувствия себе, неслыханно его преследовала и путем невыразимых ссор заставила и мужа разорвать с ним всякое знакомство. Гольдовский этот, из прекрасной еврейской семьи и прекрасный молодой человек, был самою Сусловой приглашен к Розановым гостить на лето. Вообще, это была одна из чудовищных по нелепости выходок Сусловой.

В 1890 г. урожденная Суслова подала прошение на Высочайшее имя о выдаче ей отдельного вида на жительство; спрошенный об этом, В.В. Розанов отказался выдать таковой вид, надеясь, что она еще одумается и возвратится к нему, и предложил через своих бывших товарищей по службе в Брянской прогимназии собрать сведения о их жизни и причине ее отъезда. В выдаче отдельного вида ей было после этого и после расследования Высочайше отказано.

В то же время В.В. Розанов обратился к местному жандармскому начальству с вопросом, может ли он понудить отъехавшую от него жену вернуться к нему. Получил ответ, что

фактически на это средств нет. Следует оговориться, что ранее того, перейдя служить из Брянска в Елец, Розанов звал к себе жену жить, надеясь, что на новом месте, среди новых людей и обстановки, жизнь пойдет ровнее: но в грубых и жестоких словах она отказала ему в этом — "тысячи людей находятся в вашем положении (т.е. оставлены женами) и не воют — люди не собаки", ответила она. Ее отец, к которому также Розанов обратился с просьбою повлиять на дочь и побудить ее вернуться к мужу, — ответил: "Враг рода человеческого поселился у меня теперь в доме и мне самому в нем жить нельзя!" Старика-отца, за 70 лет, она постоянно подозревала, что он женится, и в этом смысле оговаривала его перед знакомыми своими и его.

Затем Розанов, не имея никаких средств восстановить правильную брачную жизнь и не понимая и отвергая как языческую жизнь безбрачную, тайно и без записи в церковных книгах обвенчался с прекрасною и благородною женщиною, также около этого времени полуобманутою (неверность в любви, но совершенно чистой) женщиною. С тех пор они живут вполне счастливо, но рождающиеся дочери, теперь уже три, носят фамилии своих крестных отцов и не имеют никакой обеспеченности в будущем. А по жестокому нашему времени отец не без оснований видит, что ни в чем не винные малютки уже теперь своею печальною судьбою уготавливаются стать жертвами животной человеческой необузданности.

Их узаконение, т.е. внесение в формуляр отца, отвратило бы от них эту судьбу.

В 1897 году урожденная Сус-

лова обратилась к Нижегородскому губернатору с просьбою выдать ей постоянный вид на отдельное жительство. Имея детей от другой женщины и считая свою прежнюю брачную жизнь окончательно разрушенною — Розанов выдал согласие на дачу ей такого вида.

В. Розанов

В.В. Розанов — А.Г. Достоевской//Минувшее. 1992. Вып.9. С. 268-271.

4 февр[аля 18]98

Глубокоуважаемый Василий Васильевич!

Прочла Ваше письмо и вижу, что Вы находитесь в тяжелом настроении. Мне от всего сердца хотелось бы помочь Вам, но только укажите, как это сделать. Но прежде чем будем говорить о делах, позвольте мне сказать Вам несколько слов:

Простите меня, но мне представляется, что Вы слишком трагически смотрите на Ваше положение и на будущность Ваших малюток. Я вполне понимаю, что Вы страдаете от того несчастного положения, в которое поставлены, страдаете не только за себя, но еще больше за детей и за милую Варвару Дмитриевну. Я вполне понимаю всю несправедливость Вашей судьбы и согласна, что Вы страдаете "не по Христу, а по суемудрию человеческому". Но что тут поделаешь, раз установившиеся законы таковы и трудно ждать их изменения. С этим обстоятельством надо примириться, и Варвара Дмитриевна показывает в этом случае добрый пример. Она говорила мне, что вполне счастлива; что ее ложное положение не было бы для нее тяжело, если б оно не отражалось так на Вашем здоровье и настроении, если б Вы не придавали этому обстоятельству такого трагического значения. Ведь Ваше ложное положение есть несчастное стечение обстоятельств, и каждый человек с душою может только жалеть и сочувствовать Вам. Вас мучает будущность Ваших девочек. Но ведь это еще можно поправить, их

можно узаконить или приписать (не знаю, как называется это в законах). За последние годы вышло несколько законоположений, благодаря которым родители могут узаконить своих незаконнорожденных детей, и для этого не требуется ни больших влияний, ни больших средств. Если для узаконения их потребуется влияние Победоносцева, я с удовольствием берусь хлопотать у него об этом. Я знаю две семьи, где были узаконены дети и получили фамилию отца. Я непременно разузнаю все подробности, как совершаются узаконения детей, и Вам сообщу в непродолжительном времени. Очень возможно, что Вы устроите узаконение Ваших малюток, и тогда они будут Вашими наследниками и в пенсии, если бы Вы (чего Боже избави) скончались, не успев их воспитать и поставить их на ноги. Но допустим, что узаконение малюток Вам не удалось (а оно наверно удастся), то и тогда не следует вперед так мучиться судьбою их. Будьте убеждены, что в случае несчастья Бог поможет деткам, чужие люди придут им на помощь и устроют их дальнейшую судьбу. Говорю это по собственному опыту. Вы знаете, у меня было много тяжелого в жизни. Я сама прожила 14 лет с покойным мужем, не имея никакого обеспечения, обремененная чужими долгами, рассчитывая лишь на труд мужа и собственный, что всегда было так шатко. Я жила изо дня в день, закладывая вещи, работая не покладая рук, с ужасающей мыслью — чем все это кончится и что я буду делать с тремя детьми, если умрет муж или не будет в состоянии работать.

Бедный Федор Михайлович в день своей смерти говорил: "Тяжело умирать, оставляя детей нищими и без образования". И вот с Божией помощью все это устроилось, и хоть с большими трудами, но я добилась для детей независимости в материальном отношении. Простите, что я все это говорю, но мне кажется, что мысль о ложном положении Ваших девочек и о их будущности действует на Вас угнетающим образом, мешает Вам думать, работать; эти тяжелые мысли должны действовать дурно и на Ваше здоровье, а оно так необходимо Вам. Как бы мне хотелось убедить Вас не смотреть так печально на будущее: все еще может измениться и устроиться, и жизнь принесет Вам еще много радости и счастья!

Теперь перейду к делам: Вы пишете, что хотите идти к Победоносцеву просить у него рекомендательного письма к Аничкову или Витте. Простите меня, но мне кажется, Вам следует просить у Победоносцева места в его ведомстве, т.е. в ведомстве Св. Синода, а если он Вам откажет, то тогда просить, чтоб он доставил Вам место в Ученом Комитете Министерства Нар[одного] Просвещения или чиновником особ[ых] поруч[ений] при Министре. Если Победоносцев даст рекомендат[ельное] письмо к Аничкову, то это будет немного. Следует просить Победоносцева, чтоб он сам похлопотал и сам попросил у Министра, и тогда это будет действительнее.

Я бы предложила Вам мои услуги, т.е. пойти к Победоносцеву, но думаю, что Вам ему труднее отказать, чем мне. Не смотрите на то, что он (может быть) примет Вас сухо: это только внешний вид, а в сущности он добрый человек. Вы хотели обратиться к Кони. Знакомы ли Вы с ним лично? Может быть, Вы пожелали бы, чтоб я его приготовила к Вашему посещению (на случай, если Вы с ним не встречались), не рассказывая, конечно, ниче-

го о Вашей будущей просьбе и о Ваших обстоятельствах.

Располагайте мною.

Вы пишете, что у Вас бывают минуты нужды. Отчего Вы не обратитесь к Вашим друзьям, ко мне например? Я, конечно, многим ссудить не могу (потому что, отделивши детей и затратив почти свою долю на старорусскую школу, только свожу концы с концами), но 50-60 р. у меня всегда к Вашим услугам. Мы потом когда-нибудь сочлись бы в какой-либо литературной работе. Это пустая услуга, которую всегда можно оказать; мне в мою жизнь приходилось прибегать к услугам моих друзей, и я никогда не считала заем унижением или потерею собственного достоинства.

Ах, глубокоуважаемый Василий Васильевич, как много горя на свете и как тяжело живется! Только что переживешь одно горе, глядишь — другое на тебя надвигается, и не знаешь, где взять силы его перенести! Вот пишу Вам это письмо, а у меня самой тяжелое, непоправимое, может быть, несчастье! Вы знаете, мой сын женат уже пять лет на девушке, которую любил с 14 лет (а ему 26). Приехал с нею сюда на Рождество погостить ко мне: жили дружно и весело, но когда пришлось уезжать назад в Симферополь (где у сына конный завод), то жена его ехать с ним отказалась и объявила, что жить с ним совсем не хочет, а останется жить у своей матери, просит от него вида и содержания. Дескать, скучно жить в провинции, а здесь веселей. Семья у ней шведская, глупая, и рассчитывают жить на те деньги, которые будет давать мой сын. А невестка моя тоже не умна и вполне под влиянием семьи. Бедный мой сын убеждал, уговаривал, просил, молил, грозил, употребил все меры кротости и строгости и ничего не добился — так и уехал в Симферополь (ведь дела нельзя оставить, его вызывали домой), а она осталась у матери и хочет вытребовать вид и содержание. Сын мой любит свою жену чрезвычайно и виноват перед нею лишь в том, что слишком ее любил и баловал. У меня сердце разрывалось, когда я видела, как он мучится. Теперь он уехал, уже 2 недели ничего не пишет, и я не знаю, что с ним? Страшно боюсь, чтоб не сделал чего над собою, не запил бы с горя. В Симферополе у меня знакомых нет, чтоб узнать, что с ним происходит. Дочь моя поедет на второй неделе к нему до весны, чтоб хоть несколько смягчить ему первое время печали. Может, и я поеду, хоть я ему не помощница: я умею с ним плакать и только растравляю его горе.

Простите за длинное, невозможно длинное письмо. Передайте милой Варваре Дмитриевне мой сердечный привет. Прекрасная она женщина и Вам добрый ангел. Я еще более ее полюбила.

Искренно преданная
А. Достоевская
Об истории с моим сыном не говорите никому.

А.Г. Достоевская — В.В. Розанову//Минувшее. 1992. Вып.9. С. 271-274.

9 февраля 1898

Глубокоуважаемая Анна Григорьевна!

Воистину — Вы ответили мне как сестра, горячо, быстро и открыто; и что ценнее, ценнее всего — не утаив и своего материнского горя. Да, это ужасно; и этот грех бросанья женами мужей не истребится, пока не преобразуются понятия о браке. Ведь женщина — хоть бы Ваша невестка (хоть у меня есть мысль, что она образумится) или Суслова, будь она помоложе и переживи меня — не только загубит жизнь человека, но по его смерти придет получить его пенсию. И все законы на ее стороне: да потому и на ее стороне, что "таинство брака" сведено не к жизни брачной в ее существе, а к "церковно-книжной записи", занумеровыванию. От этого и семейная жизнь всюду расстраивается; какая бесстыдным нужда нести тягости брака, когда через церковную запись они уже вперед все права и до могилы получили. Ваша невестка расторгла брак в его существе; пригрозите ее лишить и того, что она фиктивно удерживает — имя и средства мужа, — и она вернется к нему. Вот где корень дела. Прежде всегда понимали, что брак в самом прохождении его есть таинство, а не только в моменте венчания, и от этого семьи не раскалывались; под "древом" семейным был "корень".

Спасибо Вам, уважаемая и дорогая, за предложение денег; сейчас уже я занял, в будущем, правда, я обращусь к Вам в нужде; и правда, мы кое-что сделаем с Вами над бумагами Фед. Мих., напр[имер], письмами к нему в пору издания "Дн[евника] писателя". Да и вообще Фед. Мих. — это неисчерпанная руда, в коей и потомки наши станут черпать. Спасибо Вам горячее и за доброе чувство к Варе: она не избалована им и слишком, слишком нуждается в ласке. Разве все такие, как Вы? разве она не чувствует, что право оскорбить ее — остается у всякого? и хоть грубые люди — но разве не пользовались, даже иногда не нарочно, и она, бедная, вся дрожит, когда мельком, в разговоре, кто-нибудь упомянет слово "наложница". Это слово (она ужасно неопытна) стало ее кошмаром, гонящимся за нею звуком: и сколько, сколько раз я ее убеждал не думать, что тут она имелась в виду или что они "что-то знают" о ней. Верно, она Вам говорила (я говорил Ник[олаю] Ник[олаевичу] Стр[ахо]ву), что мы все-таки повенчаны, без чего ее старушка-мать не хотела ее отдавать: "мне легче живой лечь в могилу, чем видеть свою дочь потерявшею себя"; и обвенчал ее деверь, брат покойного ее мужа, а теперь старушка ее мать только и дышит нами, обоих нас без памяти любя. И вот, подите же, судьба какая: именно эта встреча и сделала меня религиозным писателем, т.е. пробудила отвращение ко всему светскому и суетному, и обратила мысль к вечным основам жизни и к вечным человеческим чувствам. Дочери Вашей, я думаю, нужно будет поехать к брату: есть опасность, что он запьет; я помню, что когда Суслова от меня уехала — я плакал и месяца два не знал, что делать, куда деваться, куда *каждый час* времени девать. С женою жизнь так ежесекундно слита, и так глубоко слита, что образуется при разлуке ужасное *зияние пустоты,* и искание забвения *вот на этот час* — неминуемо. Отсюда великие нравст-

венные крушения оставляемой стороны: вино, карты, и чаще именно вино, которое не мешало бы думать об оставившем человеке (невестка); но потом являются карты и женщины, и вот идет прахом и имущество. Это ужасно, но за нравственным разорением, за разрушением "уютного крова" идет и хозяйственное разрушение. Непременно около такого человека должна быть помощь, и счастье, когда тут может быть мать, сестра. Прощайте, дорогая (простите, ради Бога, что так Вас называю) — крепко Вас обнимаю и всего, всего лучшего Вам желаю.

Ваш преданный

В. Розанов

В.В. Розанов — А.Г. Достоевской//Минувшее. 1992. Вып.9. С. 274-276.

13 марта 1898 г.

Глубокоуважаемая Анна Григорьевна!

Боюсь, не захворали ли Вы? Боюсь, нет ли горьких известий с юга?

Пишу это письмо Вам, чтобы напомнить о предложении Вашем по истечении 3-й недели Великого поста

съездить к Победоносцеву и поговорить о моих детях. Зная Вашу точность и деловитость и что слово Ваше "мимо" не идет, я и не хотел Вам писать, но Варя тревожится, а я ей объясняю, что у Вас *самой* что-нибудь не ладно. Да хранит Вас Бог. Варя Вам кланяется. Преданный Вам

В. Розанов

В.В. Розанов — А.Г. Достоевской//Минувшее. 1992. Вып.9. С. 276.

16 марта [18]98

Глубокоуважаемый Василий Васильевич!

Я не писала Вам потому, что, к большому моему горю, не могу сообщить Вам что-либо утешительного по поводу беспокоящего Вас обстоятельства.

Но расскажу все по порядку. Мне необходимо было повидаться с К[онстантином] П[етровичем] П[обедоносцевым] по делу моего сына, и, чтобы застать его *наверно*, я пошла к нему в приемный день. Разговор наш затянулся, и я не успела перейти к Вашему поручению, как дежурный чиновник доложил о приезде какого-то

высокопоставленного лица, которого надо было принять немедля. Тогда я сказала К[онстантину] П[етровичу], что подожду его, потому что имею другое дело, относящееся до незнакомого ему лица. "Какое дело?" — "По поводу усыновления детей". — "В таком случае, пока я занят, поговорите с моим помощником-юристом, с которым я всегда советуюсь, и передайте мне, что он Вам скажет". (Надо Вам сказать, что в приемные дни у К.П. всегда присутствуют специалисты по различным вопросам, с которыми он советуется или к которым он направляет своих посетителей для объяснения больших подробностей.) Я обратилась к указанному мне юристу и рассказала ему Ваше дело (конечно, не называя Вашего имени) и получила ответ, что приписать детей в формуляр отца при существующих условиях — дело невозможное, беспримерное и что не только К[онстантин] П[етрович], но и сам Государь не вправе этого сделать, так как это противозаконно. Юрист предложил мне такой исход: обратиться к чувствам великодушия и доброты Вашей жены (Аполлинарии Прокофьевны), описать ей печальное положение дел и просить, чтобы она, одновременно с Вами, обратилась в Суд — и выразила желание удочерить Ваших девочек, сделать их своими приемными дочерьми. Окружной Суд, получив просьбу Апол[линарии] Пр[окофьевны] и Вашу, постановит благоприятное решение, девочки Ваши получат Вашу фамилию и, следовательно, могут быть записаны в Ваш формуляр. Очень возможно, что Ап[оллинария] Пр[окофьевна] и не отказалась бы подать такого рода просьбу, так как, почем знать, может быть, в ее душе и существуют великодушные чувства; может быть, она и сознает свою вину пред Вами и желала бы что-либо сделать доброе для Ваших детей.

Но тут возникает другой вопрос. Представьте себе, что Суд признает Апол[линарию] Пр[окофьевну] приемною матерью Ваших девочек, и вот Ап[оллинария] Пр[окофьевна], как женщина взбалмошная, захочет воспользоваться своими правами приемной матери, захочет взять одну из девочек к себе на воспитание. Вам придется отстаивать своих девочек от ее попечений. По-моему, этот исход не годится; если он и доставит законность Вашим детям, зато он подвергнет их, и Вас, и милую Варвару Дмитриевну таким неожиданностям и неприятностям, что лучше отказаться от этого намерения.

Второй исход, предлагаемый юристом, — это развод, на кот[о-р]ый, может быть, Апол[линария] Пр[окофьевна] и согласилась бы, разумеется, с тем, что Вы возьмете вину на себя. Почем знать, может быть, Ап[оллинария] Пр[окофьевна] желала бы быть свободной, чтобы вновь выйти замуж (она так фантастична), и согласилась бы на развод. Тогда, сделавшись вновь свободным, Вы могли бы просить Окружной Суд о признании Ваших девочек Вашими приемными дочерьми, и они получили бы законность и Ваше имя. Но развод стоит больших хлопот, а потому трудно осуществить.

Когда я спросила юриста, нет ли третьего исхода, он ответил: "Вы говорите, что жена значительно (на 20 лет) старше своего мужа, значит, есть вероятие, что она умрет ранее его, и таким образом дело уладится само собою". Затем я спросила юриста, как поступить в случае смерти Ап[оллинарии] Пр[окофьевны]? (что так возможно, ей теперь лет 58-59, а в эти годы почти всегда умирают женщины, проводившие бурную жизнь). Он ответил, что следует обвенчаться вновь вторично, а тогда узаконить детей не представит особого затруднения. Когда же я ему сказала, что ведь брак был уже совершен, то он посоветовал (в случае смерти первой жены) заявить Окр[ужному] Суду о том, что в таком-то году, в таком-то городе был совершен брак таким-то священником, но по недосмотру его не записан в церковную книгу. Тогда произведут дознание, и если найдутся свидетели брака (дьякон, дьячок, шафера, сторож или кто-либо), то брак будет признан законным, а следов[ательно], и дети законными.

Я знаю, что желать смерти ближнему — не христианское дело, но когда я подумаю, сколько зла принесла разным людям Ап[оллинария] Пр[окофьевна], то, право, не могла бы огорчиться, узнав о ее смерти. Но не нам судить. Будем надеяться, что Господь устроит так или иначе Ваше семейное счастье.

К тому же, стоит ли огорчаться, что Ваши девочки не носят Вашу фамилию: вырастут, выйдут замуж, и это обстоятельство не повлияет на их счастье и будущность. Вся задача лишь в том, чтоб поднять деток, вырастить и воспитать их, а для этого Вам надо беречь себя, беречь свое здоровье и не беспокоить себя печальными мыслями. Вы христианин — положитесь на Господа. Он устроит Вашу судьбу и судьбу Вашей семьи!

Вы меня спросите, после разговора с юристом пошла ли я говорить с К.П. Победоносцевым? Нет, не пошла, так как он во всяком случае обратился бы за советом к юристу и мне бы в моей просьбе отказал. Юристу я Вашей фамилии не сказала, равно как не назвала Вас и Константину Петровичу, так как говорила о Вашем деле при держурном чиновнике и раздумала, поговорив с юристом, говорить с Победоносцевым.

У меня есть один адвокат, с которым я говорила о Вашем деле (опять-таки не называя Вас). Он обещал мне подумать и поискать другого исхода, т.е. разузнать, не можете ли Вы один (без Ап[оллинарии] Пр[окофьевны]) подать просьбу об удочерении Ваших девочек, или не можете ли Вы подать просьбу от себя и от Ап. Пр., не сказывая ей об этом. Очень возможно, что суд, получив Вашу просьбу, и не станет наводить справки о том, есть ли у Ап[оллинарии] Пр[окофьевны] желание взять приемных дочерей или нет. Обо всем этом мой знакомый обещал мне сообщить, а я сообщу Вам.

Мне искренно жаль, что я не могу сообщить Вам ничего утешительного, но это пока, а там что-нибудь выищется.

Дочь моя благополучно добралась до Симфер[ополя] и нашла моего сына в довольно бодром состоянии. Теперь я за него больше покойна. На Пасху к ним не поеду, потому что на одну неделю ехать не стоит (дорога возьмет 8 дней туда и обратно), а больше пробыть не могу, т.к. приходится сдавать свою квартиру, что без себя невозможно. Прошу Вас передать милой Варваре Дмитриевне мой сердечный привет. Чем больше я ее знаю, тем больше начинаю ее любить и уважать. Она не только отличная жена, но и настоящий друг Вам. Дай Бог ей сил и мужества перенести теперешние невзгоды, а там Господь пошлет и спокойную жизнь, без опасения за Вас и за деток.

Позвольте пожелать Вам встретить великий праздник в здоровье и радости.

Искренно Вас уважающая и преданная

А. Достоевская

А.Г. Достоевская — В.В. Розанову//Минувшее. 1992. Вып.9. С. 276-279.

[Вторая половина марта — апрель 1898]

Глубокоуважаемая Анна Григорьевна!

Вот надвигается и св. Пасха — и мысленно желаю Вам встретить ее с радостью. Я потому не сейчас Вас поблагодарил за умный и всесторонний опрос юрисконсульта при Победоносцеве (этот опрос очень и очень мне пригодится, как руководная нить при последующих возможных хлопотах), что написал было длинное письмо, обращаемое к Вам, но с просьбою, в заключение, переслать его Победоносцеву: но, долго размышляя, решил, что практического результата оно не получит, а значит, и произносить пустые, недейственные звуки, нечего. Так, заменив то длинное письмо этим кратким, — я теперь пишу Вам, что стремление "Синодальное" разлучить отцов с детьми, родившимися не в "иудейскую субботу", кроме опасности для самого Синода, ничего не содержит. Помните ли в "Бесах" (в конце), как к Шатову после 3-летней разлуки приезжает жена и начинает родить — а он радуется, говоря: "Нет выше и священнее тайны". Вот взгляд, вот религия, вот церковь: а раз какая бы то ни было религия "отметает рождение" какое бы то ни было — она потрясается в основе, не потрясая его. Это все я обширно было развил в письме, но подумал: "глас вопиющего в пустыне!" Крепко, крепко жму Вашу руку. Если бы Фед. Мих. был в живых — было бы о чем мне поговорить с ним.

Преданный Вам

В. Розанов

Варюша Вам кланяется и также желает весело встретить Пасху.

*В.В. Розанов — А.Г. Достоевской//
Минувшее. 1992. Вып.9. С. 279-280.*

Анна Григорьевна Достоевская

[б/д]

Глубокоуважаемая Анна Григорьевна!

Сердечно Вас благодарю за умный, осмотрительный и внимательный опрос юрисконсульта Победоносцева; да, мудреная это вещь, но расторжение связи отца с ребенком есть столь явно демоническая тенденция, что она крайне опасна для существа религии и церкви, если только содержится в ее принципах. Победоносцев с сердцем и далеким, проницательным умом; он полон жажды мира; и знает, что до времени скрывающиеся под водою камни обнаруживаются в полую воду. Религия и церковь вся держится на твердынях родительских чувств; и противополагать их, — повторяю, не столько для них, сколько для существа церкви, существенно опасно. Конечно, моих детей я никогда не брошу, не пойду "в путь века сего"; но что косвенно, через переименование их в "Николаевых" и "Александровых", когда они по плоти "Розановы", мне как бы подсказывается: "брось их", "брось любящую тебя жену", самоотверженную, трудящуюся, — потому что "записанная за тобою" гуляет на стороне: повторяю, это, не потрясая любви моей и сознания долга, косвенно и отдаленно тревожит фундамент церкви. Приписать детей в мой формуляр — это формальность, которая кровного ущерба никому не приносит; от Сусловой у меня не было детей; она сама ко мне никогда не вернется; пользоваться проституцией, мне предлагаемой "обычаями", дозволенною "законами" и терпимою церковью, — я не хочу; а следовательно, и церковь имеет долг "помочь в субботу вылезти из ямы впавшему в нее"; т.е. она имеет долг сказать: живи брачно, не грязнись в проституции и не отрицайся детей своих. Это круг понятий, довольно ясный и существенно небесный, Божеский. Мне было бы все-таки отрадно, если бы Вы хотя переслали мои два письма, — которые я Вам дал, и это — К[онстантину] Петровичу. Он с сердцем человек, в нашу пору уже единственный (или из немногих) по проницанию. Вы же написали о детях один исход, указанный юрисконсультом: "Можете Вы лично обратиться в суд с просьбою об усыновлении детей — и возможен случай, что суд просто забудет опросить и жену Вашу, согласна ли она на запись в формуляр Ваших детей". Вот эту забывчивость Конст. Петрович мог бы внушить суду; и судьба детей моих могла быть устроена. Несколько строк частного письма — и "впавший в яму в субботний день" был бы вытащен.

Глубоко преданный Вам
В. Розанов

В.В. Розанов — А.Г. Достоевской//Минувшее. 1992. Вып.9. С. 280-281.

Во имя Отца и Сына и Святого Духа.

Памятуя о часе смертном, могущем внезапно постигнуть меня, и находясь в здравом уме и твердой памяти, я, Коллежский советник Василий Васильевич Розанов, сего тысяча восемьсот девяносто восьмого года июня шестого дня, признал за благо изложить волю свою относительно имеющего остаться по смерти моей имущества, а посему настоящим завещанием моим определяю:

1. От каких-либо прав наследования имущества моего или права распоряжения имеющим остаться от меня напечатанным или рукописными моими сочинениями я безусловно удаляю именующуюся женою моею, т.е. со мной в 1880 году обвенчанную, но с 1886 года со мною не живущую, Аполлинарию Прокофьевну, урожденную Суслову.

2. Основаниями, как юридическими, так и особливо для меня важными нравственными, такового моего распоряжения, служат следующие обстоятельства: а) то, что означенная Аполлинария Прокофьевна не имеет детей; б) то, что она уже имеет обеспечение в недвижимой собственности, доставшейся ей от отца ее, Прокофия Григорьевича Суслова, и заключающейся в двухэтажном деревянном доме, в Нижнем Новгороде, по Большой Солдатской улице; в) то, что вся принадлежащая мне собственность, составляющая предмет настоящего моего завещания, есть плод единоличного труда моего и не заключает в себе имущества родового, наследственного, полученного в виде приданого или созданного совместным трудом; г) безвинность моя в фактическом расторжении брака с означенною Аполлинарией Прокофьевной, чего свидетелями могут служить мои сослуживцы в Брянской, ныне закрытой, прогимназии и, далее, ее же, Аполлинарии Прокофьевны, письма, полученные мною от нее в ответ на просьбы мои вернуться ко мне на сожительство, ее прошение на Высочайшее имя, а позднее повторенное уже в 1897 году ходатайство перед Нижегородским Полицмейстером о выдаче отдельного от мужа и бессрочного паспорта на жительство, из каковых последнее ходатайство, вследствие выраженного мною письменного согласия на выдачу такового паспорта, было удовлетворено; и она живет так по бессрочной паспортной книжке, выданной ей Нижегородским Полицмейстером от 9 июля 1897 года за N393. В силу совокупности этих данных я считаю и объявляю означенную Аполлинарию Прокофьевну совершенно мне чуждою и не имеющей никаких прав вмешательства в мое имущество и в мои дела после моей смерти...

В.В. Розанов. Завещание 1898 г.//ОР РГБ. Ф.249. Карт.5. Ед.хр.9.

...С разрушением, и по доказуемой свидетелями не моей вине, реального супружества я считал и считаю умершим мой первый брак вполне, вместе и с венчанием, и супругу мою первую умершую же в супружеских и в отношении ко мне чертах, и еще существующею лишь в чертах гражданских и до моего супружества не относящихся...

В.В. Розанов. Духовное завещание 1899 г.//В.В. Розанов. О себе и жизни своей. С. 706.

Глубокоуважаемая Надежда Прокофьевна!

Так много лет прошло со времени наших кратких встреч, лично приятных, а позднее и неприятных; но так тяжело было для меня то время, что жесткость, пусть — грубость одного моего письма к Вам имеет если не извинение, то объяснение в чрезвычайности обстоятельств, в каких я находился. Все же раньше других слов хочу попросить у Вас, и не для проформы одной, но чистосердечно, прощения. Да будет забыто все прошлое, тяжелое, тяжелый сон 1-й половины моей жизни.

Прошло 18 лет с тех пор, и хоть встревожилась моя душа при этом письме к Вам, но ведь прошла целая эпоха времени, и я уже не тот, что прежде, горячий и неопытный учитель гимназии, бестактный и неуклюжий во всяком своем шаге. Все во мне состарилось и, думаю, все смягчилось. Еще раз — за прежнее простите.

Если Вас не затруднит, не откажите мне сообщить адрес сестры Вашей, а моей жены Аполлинарии Прокофьевны. Мне сообщили из Нижнего, что там она продала свой дом и затем уехала в Крым к Вам, но затем будто бы, прожив несколько лет, и от Вас уехала. Вечно мятущаяся ее душа. Нигде и ни в чем ей не было успокоения. Просьба эта очень важна; мне нужно ее попросить об одном важном деле, деле только милосердия и доброты, и притом не связанном для нее ни с каким ущербом или даже неудобством. В случае, если она за границею и Вы с нею в переписке, то это все равно, нужно только знать *последний Вам известный ее адрес*.

Ну, пошли Вам Бог здоровья и мирной жизни, так заслуженной. С глубоким уважением остаюсь В. Розанов.

Адрес мой: С.-Петербург. Шпалерная ул., д.39, кв. 4. Василию Васильевичу Розанову.

В.В. Розанов — Н.П. Сусловой-Голубевой//Известия Крымского педагогического института. Симферополь, 1928. Т.2. С. 45.

Общее годичное собрание членов Нижегородского Отдела Императорского Православного Палестинского Общества.

11 апреля текущего года, в Вербное Воскресенье, по окончании Божественной литургии в Кафедральном соборе, в 1 ч. и 30 м. пополудни, в покоях Его Преосвященства, Преосвященнейшего Архипастыря Нижегородского Владимира состоялось общее годичное собрание членов Нижегородского Отдела Императорского Православного Палестинского Общества. Собрание происходило под председательством самого Владыки, Почетного члена Общества, в присутствии Его Превосходительства, Начальника губернии, генерал-лейтенанта П.Ф. Унтербергера, Городского Головы А.М. Меморского, почти всех местных членов Императорского Православного Палестинского Общества и многих других лиц, сочувствовавших целям оного. Оно открылось благодарственно-хвалебною молитвою и приветствием Его Преосвященства собравшимся лицам. Предварительно чтения отчета за истекший 1898-1899 год Делопроизводителем Отдела М.С. Пальмовым была предложена вниманию собрания краткая речь о це-

НИЖЕГОРОДСКІЯ ЕПАРХІАЛЬНЫЯ ВѢДОМОСТИ.

1-го Мая.   № 9-й.   1899 года.

ЧАСТЬ НЕОФФИЦІАЛЬНАЯ.

Общее годичное собраніе членовъ Нижегородскаго Отдѣла Императорскаго Православнаго Палестинскаго Общества.

Первая страница газеты

лях, задачах и о деятельности Императорского Православного Палестинского Общества на пользу Православия в Святой Земле. Затем им же прочитан был отчет, составленный на основании письменных документов, хранящихся в Канцелярии Отдела, по выработанной Советом Общества программе.

К 1 Марта отчетного года всех членов в Отделе было 37, в том числе 1 почетный, 2 пожизненных действительных, 4 действительных с ежегодными взносами, 1 пожизненный член-сотрудник и 29 членов-сотрудников с ежегодным взносом. В течение отчетного года вновь поступило в состав Отдела 8 членов: Нижегородский купец А.П. Крюков (пожизненный действительный), священник Печерской слободы М.Е. Беляев (пожизненный ч.-сотрудник), жена коллежского советника А.П. Розанова, коллежский секретарь И.В. Покровский, крестьянин села Корина, Арз. у., П.И. Тартин, священник Воскресенской в Н.-Новгороде церкви Н.А. Воскресенский, Нижегородский купец Н.И. Окулов и Нижегородский купец Н.О. Ходалев (все 6 члены-сотрудники с ежегодным взносом).

Нижегородские епархиальные ведомости. 1899. N9. 1 мая. Часть неофициальная.

В СЕВАСТОПОЛЕ, В СОБСТВЕННОМ ДОМЕ. ПОСЛЕДНИЕ ГОДЫ

*Е*сли бы не затянувшееся дело о разводе В.В. Розанова с его первой женой, А.П. Сусловой, вряд ли можно было бы сколько-нибудь подробно знать о ее жизни последних десяти-пятнадцати лет.

После отъезда из Нижнего Новгорода она очень недолго пробыла в Алуште, в имении сестры, а затем купила себе дом в Севастополе, где жила уже безвыездно до самой смерти в 1918 году.

Ведя одинокую и обособленную жизнь, она, по-видимому, нуждалась в общении, в "своем кружке" (как она говорила в молодости). В уже очень преклонных летах А.П. Суслова-Розанова проявила интерес к общественным организациям патриотического толка. "Адрес-календарь Севастопольского градоначальства на 1913 год" в числе добровольных обществ и союзов упоминает и "Союз русского народа", в котором А.П. Розанова (официально она оставалась на фамилии мужа) занимала пост председательницы Покровского отдела "Союза русского народа" г. Севастополя. Еще раньше, в 1911 году, она занимала должность товарища председателя этого же местного отдела "Союза", насчитывавшего вместе со всеми членами девять человек. (Много позже, уже в тридцатые годы, советская печать упрекнет покойного Ф.М. Достоевского этим фактом биографии престарелой А.П. Сусловой, его "вечного друга".)

Календарь севастопольского градоначальства указывал и адрес, по которому проживала в Севастополе в 1913 году А.П. Розанова, — ул. Батумская, 27. В 1915 году она, по-видимому, продала дом и купила небольшую квартиру — на ее письмах, начиная с 1915 года, значится другой обратный адрес — ул. Георгиевская, 18.

Писала она в эти годы только родственникам — двоюродной сестре Анне Асафовне и племяннику Е.П. Иванову. Многие из этих писем могут быть еще обнаружены.

В 1918 году в Крыму, почти по соседству, жили и умерли две пожилые дамы: в Севастополе семидесятидевятилетняя А.П. Суслова-Розанова и в Ялте семидесятидвухлетняя А.Г. Достоевская. Разумеется, они не подозревали о своем соседстве и, естественно, никогда не встречались.

Впрочем, 1918 год и не располагал к выяснению обстоятельств даже самой застарелой вражды. Так что когда в январе 1919 года в Сергиевом Посаде умирал В.В. Розанов, он вряд ли успел получить сведения о смерти женщины, которая по закону все еще считалась его женой.

Семейная жизнь Розанова была чрезвычайно отягощена отказом Сусловой дать ему развод. Один из друзей Розанова передавал нам, что в 1902 году покойный писатель командировал его в Севастополь, где в то время жила Аполлинария Прокофьевна, с тем, чтоб вырвать у нее необходимое согласие. Сусловой было уже около шестидесяти лет, жила она одиноко в собственном доме (на котором было обозначено "Дом А.П. Розановой"), обстановка ее поражала чистотой и опрятностью, производила она впечатление деятельной и решительной женщины. В объяснениях с представителем ее мужа она оказалась непреклонной. Никакие доводы не могли сломить ее. О Розанове она говорила с крайней злобой и, несмотря на всю настойчивость его посланца, отказалась пойти на какие бы то ни было уступки. По рассказу этого собеседника Сусловой видно, что он до сих пор не без мучительности вспоминает об этих переговорах с железной "Аполлинарией Прокофьевной".

Л. Гроссман. Путь Достоевского. С. 151.

Суслова к нему не вернулась. И вот только в 1897 году, когда у него было уже двое детей, Розанов согласился выдать ей отдельный вид на жительство. Что за странная таинственная сила была в этой натуре, если и второй, почти гениальный, человек так долго любил ее, эту раскольницу поморского согласия, так мучился своей любовью к ней? Повторяем, мы имеем все основания с самого начала относиться несколько настороженно к характеристике, данной ей Розановым: факты, им же сообщенные, говорят против него. "Она исказила навсегда весь его характер и всю его деятельность": тогда ли, в те шесть лет, когда была его женой, или тем, что бросила его? И когда она стала для него "циничной"?

А Суслова, действительно, почему-то мстила ему долго, чуть ли не всю жизнь; считала себя вправе лишить его, поскольку это от нее зависело, семейного благополучия. В 1902 году к ней отправился в Севастополь друг Розанова просить ее, чтобы она согласилась дать развод. Тогда ей было уже 62 года; она говорит о Розанове с крайней злобой и наотрез отказывается пойти на какие бы то ни было уступки.

А.С. Долинин. Достоевский и Суслова. С. 254.

ТЯЖЕЛАЯ СТАРУХА

Летом 1902 г. мы ездили за Волгу, в г. Семенов. Оттуда, с двумя нижегородскими священниками, — на раскольничьи собеседования за Керженец, к Светлому озеру ("Китеж-град").

На возвратном пути мы зашли, в Нижнем, с прощальным визитом к одному из наших спутников, о. Николаю, громкому, шумному, буйному батюшке, до хрипоты спорившему на Озере со староверами.

Провинциальные "духовные" дамы скромны и стесняются "столичных гостей". Редко где попадья не убегала от нас и не пряталась, высылая чай в "гостиную". Молодежь поразвязнее, и у отца Николая, после бегства матушки с роем еще каких-то женщин, в гостиной осталась занимать нас молоденькая поповна.

О. Николай, еще хрипя, разглагольствовал о чудотворных иконах, а поповна показывала мне альбомы.

Показывала и объясняла: вот это тетенька... Вот это о. Никодим, дядя. Вот это знакомый наш, из Костромы...

Вижу большую фотографию:

сидит на стуле, по-старинному прямо, в очень пышном платье, оборками кругом раскинутом, седая, совсем белая, толстая старуха. В плоеном чепчике, губы сжаты, злыми глазами смотрит на нас.

— А это кто? — спрашиваю.

— А это наша знакомая. Жена одного писателя петербургского. Ее фамилия Розанова.

— Как Розанова? Какая жена Розанова? Василия Васильевича?

— Ну да, жена Василия Васильевича. Ее сейчас в городе нет. Она в Крыму давно. А домик ее наискосок от нашего. С балкона видать.

— Покажите мне.

Выходим с поповной на угловой балкончик. Внизу булочная, и громадный золотой крендель тихо поскрипывает над железными перилами балкона, слегка заслоняя теплую, пыльную Варварскую улицу, вымощенную круглыми, как арбузы, булыжниками.

— Видите, прямо переулок идет, так вот слева второй домик, серенький, это и есть Розановой дом, где она жила.

— А фотография ее... давно снята? Она такая старая?

— Да, она уже совсем старая. Ну ведь и он, кажется, не молодой.

Хочу возразить, что Розанов "против нее — ребенок", как говорят за Волгой, но поповна продолжает:

— Она очень злая. Такая злая, прямо ужас. Ни с кем не может жить, и с мужем давно не живет. Взяла себе, наконец, воспитанницу. Ну, хорошо. Так можете себе представить, воспитанница утопилась. Страшный характер.

Мы вернулись в гостиную. И долго еще, охотно, рассказывает мне про "страшный характер" поповна, пока я вглядываюсь в портрет развалины с глазами сумасшедше-злыми.

Никогда Розанов мне не сказал об этой своей жене слова с горечью, осуждением или возмущением. В полноте трагическую историю его первого

брака мы знали от друзей, от Тернавцева и других. Впрочем, и сам Розанов не скрывал ничего и нередко, подолгу, рассказывал нам о жизни с первой женой. Но ни разу со злобой, ни в то время — ни потом, в "Уединенном". А уж, кажется, мог бы. Ведь она не только, живя с ним, истерзала его, она и на всю последующую жизнь наложила свою злую лапу.

Для второй жены его, Варвары Дмитриевны, глубоко православной, брак был таинством религиозным. И то, что она "просто живет с женатым человеком", вечно мучило ее, как грех. Но злая старуха ни за что не давала развода. Дошло до того, что к ней, во время болезни Варвары Дмитриевны, ездил Тернавцев, в Крым, надеясь уломать. Потом рассказывал, со вкусом ругаясь, как он ни с чем отъехал. Чувствуя свою силу, хитрая и лукавая старуха с наглостью отвечала ему, поджав губы: "Что Бог сочетал, того человек не разлучает".

— Дьявол, а не Бог сочетал восемнадцатилетнего мальчишку с сорокалетней бабой! — возмущался Тернавцев. — Да с какой бабой! Подумайте! Любовница Достоевского! И того она в свое время доняла. Это еще при первой жене его было. Жена умерла, она, было, думала тут на себе его женить, да уж нет, дудки, он и след свой замел. Так она и просидела. Василию Васильевичу на горе.

Розанов мне шептал:

— Знаете, у меня от того времени одно осталось. После обеда я отдыхал всегда, а потом встану — и непременно лицо водой сполоснуть, умываюсь. И так и осталось — умываюсь, и вода холодная со слезами теплыми на лице, вместе их чувствую. Всегда так и помнится.

— Да почему же вы не бросили ее, Василий Васильевич?

— Ну-ну, как же бросить? Я не бросал ее. Всегда чувство благодарности... Ведь я был мальчишка...

Рассказывал о неистовстве ее

ревности. Подстерегала его на улице. И когда, раз, он случайно вышел вместе с какой-то учительницей, тут же, как бешеная, дала ей пощечину.

Но это что, сумасшедшая ревность. Дело нередкое. Любовница Достоевского, законная жена Розанова, была посложнее.

Ревность шла, конечно, не от любви к невзрачному учителишке, которого она не понимала и который ее не удовлетворял. Заставлять всякий день водой со слезами умываться — приятно, слов нет. Но жизнь этим не наполнишь. Старея, она делалась все похотливее, и в Москве все чаще засматривалась на студентов, товарищей молодого, но надоевшего мужа.

Кое с кем дело удавалось, а с одним, наиболее Розанову близким, — сорвалось. Авансы были отвергнуты.

Совершенно неожиданно студента этого арестовали. Розанов очень любил его. Хлопотать? Поди-ка сунься в те времена, да и кто бы послушал Розанова? Однако добился свидания. Шел радовался — и что же? Друг не подал руки. Не стал и разговаривать.

Дома загадка объяснилась: жена, не стесняясь, рассказала, что это она, от имени самого Розанова, написала в полицейское управление донос на его друга.

Быть может, я передаю неточно какие-нибудь подробности, но не в них дело. Эту характерную историю сам Розанов мне не рассказывал. Он только, при упоминании о ней, сказал:

— Да, я так плакал...

— И все-таки не бросили ее? Как же вы, наконец, разошлись?

— Она сама уехала от меня. Ну, тут я отдохнул. И уже когда она опять захотела вернуться — я уже ни за что, нет. В другой город перевелся, только бы она не приезжала.

И все, повторяю, без малейшего негодования, без осуждения или жалобы. С человеческой точки зрения — есть противное что-то в этом все терпящем, только плачущем муже. Но не будем смотреть на Розанова по-человечески. И каким необычным и прелестным покажется нам тогда розановское отношение к "жене" как к чему-то раз навсегда святому и непотрясаемому. "Жена" — этим все сказано, а уж какая — второй вопрос.

И ни малейшей в этом "добродетели" — таков уж Розанов органически. У него и верность, и любовь тоже свои, особенные, розановские.

Зинаида Гиппиус. Задумчивый странник (о Розанове)//Зинаида Гиппиус. Живые лица: Воспоминания. Тбилиси, 1991. С. 98-100.

БУДУ ВЕРЕН В ЛЮБВИ

На ревнивых жен Розанову везло.

Ну, та, первая, подруга Достоевского, — вообще сумасшедшая старуха; ее и нельзя считать женой Розанова. Но настоящая, любящая и обожаемая "Варя", мать его детей, женщина скромная, благородная и простая, — тоже ревновала его ужасно.

Ревновать Розанова — безрассудство. Но чтобы понять это — надо было иметь на него особую точку зрения, не прилагать к нему обычных человеческих мерок.

Ко всем женщинам он, почти без различия, относился возбужденно-нежно, с любовным любопытством к их интимной жизни. У него — его жена, и она единственная, но эти другие — тоже чьи-то жены? И Розанов умилялся, восхищался тем, что и они жены. Имеющие детей, беременные особенно радовали. Интересовали и девушки — будущие жены, любовницы, матери. Его влекли женщины и семейственные, и кокетливые, все наиболее полно живущие своей женской жизнью. В розановской интимности именно с женщиной был еще оттенок особой близости: мы, мол, оба, я и ты, знаем с тобой одну какую-то тайну. Розанов ведь чувствовал в себе сам много женского. "Бабьего", как он говорил. (Раз выдумал, чтобы ему позволили подписываться в журнале "Елизавета Сладкая". И огорчился, что мы не позволили.)

Человеческое в женщине не занимало его. Ту, с которой не выходит этого особого, женского, интимничанья, он скоро переставал замечать. То есть начинал к ней относиться, как вообще к окружающим. Если с интересом порою — то уже без специфического оттенка в интимности.

Смешно, конечно, утверждать, что это нежно-любопытное отношение к "женщине" было у Розанова только "идейным". Он входил в него весь, с плотью и кровью, как и в другое, что его действительно интересовало. Я не знаю, и знать не хочу, случалось ли с ним то, что называют "грехом", фактической "изменой". Может быть, да, может быть, нет. Неинтересно, ибо это *ни малейшего значения не имеет*, раз дело идет о Розанове. И сам он слишком хорошо понимает — ощущает — свою органическую *верность*.

"Будь верен человеку, и Бог ничего не поставит тебе в неверность".

"Будь верен в дружбе и верен в любви: остальных заповедей можешь и не исполнять".

В самом деле, можно ли вообразить о Розанове, что он вдруг серьезно влюбляется в "другую" женщину, переживает домашнюю трагедию, решается развестись с "Варей", чтобы жениться на этой другой? О ком угодно — можно, о Розанове — непредставимо! И если все-таки вообразить — делается смешно, как если бы собака замурлыкала.

Собака не замурлычит. Розанов — не изменит. Он верен своей жене, как ни один муж на земле. Верен — "ноуменально".

Да, но жена-то этого не знает. Инстинктом любви своей, глубокой и обыкновенной, она не принимает розановского отношения к "женщине", к

*Зинаида Николаевна Гиппиус.
С фотографии начала 1900-х годов*

другим женщинам. У нее ложная точка зрения, но со своей точки зрения она права, ревнуя и страдая.

Розановская душа, вся пропитанная "жалением", не могла переносить чужого страдания. Единственно, что он считал и звал "грехом", — это причинять страдание.

"Хотел бы я быть только хорошим? Было бы скучно. Но чего я ни за что не хотел бы — это быть злым, вредительным. Тут я предпочел бы умереть".

Что же ему делать, чтобы не видать страданий любимой жены? Измениться он не может, да и не желает, так как чувствует себя правым и невинным. Страданий этих не понимает (как вообще ревности не понимает — никакой), но видит их и не хочет их. Что же делать?

И он, при ней, изо всех сил начинает ломать себя. Боится слово лишнее сказать, делается неестественным, приниженно глупым. Увы, не помогает. Во-первых, он, бедненький, не мог угадать, какое его слово или жест окажутся вдруг подозрительными. А во-вторых, ревновала его жена к духу самому, к неуловимому. В жесте ли, в слове ли дело? Не понимая, не угадывая, что может ее огорчить, он даже самые невинные вещи, невинные посещения, понемногу начал скрывать от жены. На всякий случай — а вдруг она огорчится? Чтобы она не страдала (этого он не может!), надо, чтобы она не знала. Вот и все.

В "секреты" розановские были, конечно, посвящены все. Он всем их поверял — вместе со своей нежностью к жене, трогательно умоляя не только не "выдавать" его, а еще, при случае, поддержать, прикрыть, "чтобы она была спокойна".

Он действительно заботился только о ее спокойствии. О себе — как бы, по неловкости, не "согрешить", т.е. недостаточно умело соврать. Ведь — "...я был всегда ужасно неуклюжий. Во мне есть ужасное уродство поведения, до неумения "встать" и "сесть". Просто не знаю, *как*. Никакого сознания горизонтов..."

Очень прямые люди нет-нет и возмутятся: "Василий Васильевич, да ведь это же обман, ложь!" Какое напрасное возмущение! Прописывайте вы человеческие законы ручью, ветру, закату. Не услышат и будут правы: у них свои.

"Даже и представить себе не могу такого "беззаконника", как я сам. Идея "закона", как "долга", никогда даже на ум мне не приходила. Только читал в словарях на букву Д. Но не знал, что это, и никогда не интересовался. "Долг выдумали жестокие люди, чтобы притеснить слабых. И только дурак ему повинуется". Так, приблизительно...

Только всегда была у меня *Жалость*. И была благодарность. Но это как "аппетит" *мой*, мой *вкус*.

Удивительно, как я уделывался *с ложью*. Она меня никогда не мучила...

Так меня устроил Бог".

"Устроил", и с Богом не поспоришь. Главное — бесполезно.

Бесполезно упрекать Розанова во "лжи", в "безнравственности", в "легкомыслии". Это все *наши* понятия. Легкомыслие? —

"Я невестюсь перед всем миром: вот откуда постоянное *волнение*".

Дайте же ему "невеститься". Тем более, что не можете запретить. Наконец, в каком-нибудь смысле, может, оно и хорошо?

Зинаида Гиппиус. Задумчивый странник (о Розанове)//Зинаида Гиппиус. Живые лица. С. 108-111.

...Как все внешне робкие, застенчивые люди, он иногда терял самообладание. И обидчив был он очень. (Интимного для него не существовало — и о противоестественных пороках какого-нибудь друга мог он en toutes lettres написать фельетон в газете). А вот когда я коснулся в беседе с ним его личной жизни, отношения к первой жене и т.п., — о, как разобиделся на меня В.В. Какие слова злобно изрыгнул! Человек он все же был, хоть и гений (?), — со своими слабостями и грехами, маленькими и большими.

Д. Лутохин. Воспоминания о Розанове//Вестник литературы. 1921. N4/5 (28/29). С. 6.

Дорогой Платон Панфилович!

Получила перевод на 1015 рублей еще в четверг (а сегодня понедельник), а с ним вексель и жалобу (прошение) для меня в окружной суд. Большое Вам за это спасибо. Сегодня вечером я пошлю это прошение, раньше не могла, потому что не знаю, как адресовать. По смыслу Вашего письма выходит, что жалоба раньше суда должна поступить к нотариусу Смирнову. Я ходила к знакомому аблакату караиму узнать, как посылать эту бумагу. Он пожелал узнать, в чем дело, и, когда я рассказала, пришел в такую ярость, как и Вы. Я сейчас поеду к Смирнову, сказала я.

— Зачем? — спросил он повелительным тоном, и глаза его загорелись, как у волка. — А я еще дивилась Вашей горячности. "Мы с Платоном Панфиловичем кипятимся, как в молодости", — думала я. Пора бы поостыть.

Еще раз спасибо.

У нас все время стояла теплая погода, а сегодня после вчерашнего дождя стало прохладно. Я еще вчера купалась.

Поклон Анне Асафовне. Дети Ваши, верно, отсутствуют.

Ваша А. Розанова.

1903 г. 29 сент.

О результате жалобы Вам сообщу.

На конверте: г. Нижний Новгород. Б. Покровка, д. Кудряшевых-Чесноковых

Его Высокородию Платону Панфиловичу Иванову

Штемпеля: Севастополь Тавр Г 1903 30 IX

Нижний Новгород 1903 3 X

А.П. Суслова-Розанова — П.П. Иванову//РГАЛИ. Ф.224. Оп.1. Ед.хр.30.

Летом 1918 г. Василий Васильевич Розанов привез ко мне в Москву из Посада маленький тючок, развернул и сказал: "Вот это прошу Вас отдать куда-нибудь на сохранение. Сберегите. А после моей смерти отдайте моим детям". В тючке были, в больших незапечатанных конвертах, листочки, зачерненные мелким-мелким бисером его, единственного по нежной тонкости и по неразборчивости, почерка: продолжение "Уединенного". Я с радостью, не отрываясь, смотрел на это богатство. Но Вас[илия] Вас[ильевича] занимало что-то другое. Он рассеянно смотрел на конверты с листочками, почти не слушал, что я ему говорил, перелистнул какую-то книгу, лежавшую на столе, — и вдруг, решительно вытянув из внутреннего кармана пиджака какой-то запечатанный конверт, подал мне его и сказал:

— А вот это сберегите; когда умру, соберите Варю, детей, распечатайте — и прочтите им.

Я принял конверт: он был мят и грязноват.

Сказав то, что сказал, и вручив

Сергей Николаевич Дурылин

мне конверт, он ничего не прибавил в пояснение.

Все, что он просил, было исполнено.

Когда он умер, пакеты с листочками были мною переданы его семье, а запечатанный конверт я предъявил Варваре Дмитриевне, собрав Таню, Надю и Александру Михайловну в той маленькой комнате в доме Беляева на Красюковке, которая служила столовой и была рядом, дверь в дверь, с комнатой, где он умер.

Я распечатал конверт и выложил на стол все, что там было: две, помнится, небольшие записные книжечки в клеенке, два-три листочка, — и старое, пожелтелое письмо... Книжечки мы перелистывали: там были какие-то незначащие или нам показавшиеся такими записи, пометки делового характера, немало пустых страниц... Ничего в них не было такого, что

объяснило бы их присутствие в запечатанном конверте, назначенном к посмертному вскрытию. Книжечки принесли недоумение. Зачем их было запечатывать? В это время Варвара Дмитриевна взяла пожелтелое письмо, — и только глянула — воскликнула:

— А! Вот это... — и протянула мне: — Читайте.

Я стал читать вслух. Почерк был Вас[илия] Вас[ильеви]ча, но несравненно четче, чем знакомый мне: было видно, что письмо, — или, точнее, то, что я читал, — было написано много лет назад...

Я читал — и дух останавливался.

Это был рассказ о первой женитьбе В.В. на Аполлинарии Прокофьевне Сусловой, любовнице Достоевского, о их супружеской жизни и о конце этой жизни — и, главное, о том, что вынес в этой жизни Вас[илий] Вас[ильевич]. Рассказ был написан, надо думать, в самом начале 90-х годов — и в определенное время: тогда, когда Вас[илий] Вас[ильевич] был уже женат на Варваре Дмитриевне. Рассказ весь строился по контрасту: что было тогда, при Сусловой, и что стало *теперь*, когда при нем В.Д. О "теперь" он, впрочем, ничего в письме, сколько помню, не говорил: "теперь" — это было глубокое, полное счастье. Это было счастье в онтологии, если можно так сказать, счастье от корня бытия, счастье от "лона Авраамова", полученное от "Бога Авраама, Исаака и Иакова". В счастье этом с В.Д. открывалась вся та нежность, успокоенность и глубина родовой мудрости, которые всегда видел в таком счастье В.В. как писатель. Когда писалось то, что я читал, этим счастьем в онтологии В.В. обладал и насыщен им был, как библейский старец — днями, — и вдруг, как отошедшая ужасная боль, припомнилось ему в "лоне Авраамовом" то, что до безумия противоположно было этому лону и в чем он жил шесть лет: счастье из глубин онтологии представило ему до ясности недавнее "счастье", искомое в психологии, — и какой еще! В "психологии" бывшей любовницы Достоевского — 40-летней женщины, про которую можно было бы повторить евангельские слова: "У тебя было пять мужей, и тот, которого ныне имеешь, не муж тебе". В.В. ранее рассказывал мне как-то, что женился на Сусловой потому, что она была любовницей Достоевского. Это был брак "от психологии", брак по Достоевскому, — но совсем не по Розанову, не по автору "Семейного вопроса" и "В мире неясного и нерешенного". Брак — из романа Достоевского, а не из лона Авраамова. Она была старше его на 16 лет: она уже сильно "пожила" — не только с Достоевским, но (знал ли это В.В., когда женился?) и с нигилистами, и с иностранцами, и с красивыми испанцами. Об этих "испанцах" в письме не было, это я знаю уже из книги, заглавие которой выписано выше, но в письме было яркое, мучительное до боли, просто стонущее, противопоставление того, что Розанов искал и что нашел в 40-летней даме с нигилизмом. Романтика: "та, кого любил Достоевский!" — оборвалась, психология по Достоевскому вдруг обернулась психологией тончайшего, непрерывного женского мучительства. Произошло недоразумение, идущее до глубины, расщепляющее самую жизнь: несмотря на "романтику", на "Достоевского", он-то искал брака не по психологии, а по онтологии, а сам оказался в плену у брака по психопатологии. Вместо греющего добрую плоть нежной семейственности "Бога Авраама, Исаака и Иакова" оказалось озлобленное безбожие шестидесятницы с постелью "принципиально" бездетной; вместо возлюбленной и нежной — озлобленная, умная, как бес, и злая, как бес, полунигилистка, полу-Настасья Филипповна (из "Идиота"), кому-то и чему-то непрерывно мстящая; вместо чаемой "колыбельной песни" в спальне раздавался психопатологический визг стареющей, ломаной и ломающейся женщины — "непрерывным раздражением" пленной мысли, озлобленной души, стареющей плоти. Начался ужас. Этот ужас сквозил в каждой строке, в каждом слове, в каждом вздохе этого письма, — и я не могу лучше и точнее выразить этого ужаса, как сравнением: тот, кто хотел возлежать, как герой "Песни песней", на нежном и плодящем лоне, входящем в неистощимое, присно рождающее и святое лоно Авраамово, тот оказался прикованным к колющей постели стареющей, бесплодной, чувственной и истеричной нигилистки, мстящей Достоевскому, как Грушенька своему покровителю...

Течение письма прерывалось восклицаниями: "Она измучила меня! Она ненавидела меня!" (Достоевский предупреждал ее: "Если ты выйдешь замуж, то на третий же день возненавидишь и бросишь мужа").

Теперь, когда с ним была Варвара Дмитриевна, все это видел В.В. и мог кричать это ей с особой силой, так как в Варваре Дмитриевне он нашел то нежное, пробуждающее мудрость и дающее покой — лоно, которого искал и у той, но нашел нигилистические иглы вместо лона.

Письмо было потрясающее. Любовь и ненависть, благословения и проклятия сплелись в нем. В нем был крик спасшегося от гибели, крик с берега — волне, которая только что била, хлестала его, чуть-чуть не разбила о камень, и вот он все-таки выбрался на берег, жмется к тихому и теплому лону земли, а волне шлет проклятья.

Когда чтение было окончено, Варвара Дмитриевна — земля с тихим и теплым лоном — приняла у меня письмо — заплакала — тихо и кротко.

Все молчали.

Мы поняли все смысл этого загробного чтения: В.В. хотел, чтобы и дочери его знали, кто был бьющей о камень волной и кто был прекрасно-творящей землей в его жизни.

Что сталось с этим изумительным письмом (гениальным с точки зрения словесности), я не знаю.

Много лет спустя, уже в середине 900-х гг., В.В. во второй раз рассказал о Сусловой уже в письме к чужому — к биографу Достоевского А.С. Волжскому.

Теперь вот книга вышла о Сусловой. Все это и вспомнилось. О Розанове в ней говорится, что он "один из лучших истолкователей (Достоевского), потому что был он во многом ему конгениален". В примечании сказано о Р., что он "талантливейший публицист, критик и мыслитель", отец целой школы истолкователей Достоевского, но что он же "представляет собою удивительную смесь различных черт как положительных, так и отрицательных героев Достоевского", и в "Н. вр." писал "ради высокого гонорара нередко то, во что сам не верил".

Показания В.В. о Сусловой все берутся автором под сомнение, все почти отвергаются, т.к. В.В., "по-видимому, всю жизнь испытывал к Сусловой глубочайшую ненависть в соединении с неискоренимым восхищением". Последнее вовсе несправедливо: ни в конце 90-х, ни в 900-х гг. не было никакого "восхищения". "Ненависть" же была понятна: она ему, безвинному, мстила тем, что в течение почти двух десятков лет ни под каким видом не соглашалась на развод, так что дети его от второй жены долго не могли носить его фамилию. Долинин не знает, что для Розанова несогласие этой дамы на развод грозило ссылкой в Сибирь: он не просто *жил* с Варварой Дмитриевной и имел от нее детей, которые не могли носить его фамилии. Это было бы полбеды. Дело в том, что В.В. был *тайно обвенчан в церкви* с Варварой Дмитриевной. Если б это открылось (Победоносцев знал это, но, по благородству своему, молчал),

Вас. Вас., как двоеженец, подлежал бы не только церковным, но и гражданским карам — разлучению с женой, с детьми и ссылке на поселение. Когда детей надо было отдавать в школу, а они были без фамилии отца, Бутягины, а не Розановы, Тернавцев поехал в Крым убеждать Суслову дать Вас. Вас. развод. Вернулся ни с чем и сказал: "Это не баба, это — черт в юбке!" Вас. Вас соглашался с женой Достоевского, что Суслова была "цинична". Этот цинизм и чувственность, сопровождаемые злобной, мечущейся серостью души и жизни, преисполняют ее "Дневник". Даже сам защитник ее должен признать, что после разрыва с Достоевским ее постигает "падение": "катастрофическое понижение всего диапазона ее душевных переживаний, *ставших вдруг* (! конечно, всегда и бывших. — *С.Д.*) какими-то маленькими и мелочными"; "явно ощутимая пошлость, которая проявляется теперь в ее отношениях с окружающими ее людьми". На этом тягостном фоне "мелькают, точно серые сумеречные тени, лишенные яркости и глубины, эти слабо очерченные фигуры, герои романа на час, игру в любовь с которыми она подробно описывает". "В той плоскости, в которой она ими интересуется (чувственной! — *С.Д.*), они (ее "безымянные герои". — *С.Д.*) ведь так похожи друг на друга, затушеванные под своей национальностью (валлах, грузин, англичанин, француз) или под профессией (лейб-медик), — она попеременно дарит свое внимание каждому из них".

Но злобствует она на них, на этих мимолетных валлахов и испанцев своих, не меньше, чем на Розанова: "Знаю, что пока существует этот дом, где я была оскорблена, эта улица, пока этот человек пользуется уважением, любовью, счастьем, — пишет она в дневнике, — я не могу быть покойна... Я была много раз оскорблена теми, кого любила, или теми, кто меня любил, и терпела... но чувство оскорбленного достоинства не умирало никогда, и вот теперь оно просится высказаться. Все, что я вижу, слышу каждый день, оскорбляет меня, и, мстя ему, я отомщу им всем. После долгих размышлений я выработала убеждение, что нужно делать все, что находишь нужным. Я не знаю, что я сделаю, верно только то, что сделаю что-то. Я не хочу его убить, потому что это слишком мало. Я отравлю его медленным ядом, я отниму у него радости, я его унижу".

Эти фуриозные строки объясняют ее всю. Все это она хотела сделать с изменившим ей испанцем Сальвадором, ради которого она изменила Достоевскому, — но с испанцем сделать этого ей не удалось, а удалось сделать с Розановым. Еще в 1886 г. Розанов просил у нее развода, она отказывала, что явствует из письма к ней графини Салиас: "Смотрите, чтобы этот муж, которого *вы насильно желаете быть женой*, не наделал вам бед".

Но бед наделал не он ей, а она ему.

История очень проста.

Когда В.В. нашел свою Рахиль, свою Варвару Дмитриевну, он понял, что с нею нашел он свое гениальное писательство, нашел себя, счастье свое и семью, — но, обретши Рахиль, понял также, что до Рахили у него была не кроткая, хотя и не любимая Лия, а неистовая Медея. Муки от Медеи, претерпленные Иаковом, всегда мечтавшим иметь нежную возлюбленную Рахиль, — вот — в свете книжки о Сусловой — все содержание того письма, которое я читал по воле В.В. самой этой Рахили и чадам ее, когда уже самого Иакова не было в живых.

Медея — на то она и фуриозная особа — не могла перенести, что оставивший ее Иаков счастлив со своей Рахилью, — и, как и подобает Медее, мстила не только Рахили, но и

детям их. На детях-то и проявляется нарочитая Медеина месть: пусть будут без законного отца (как ненавидел В.В. эти слова: "незаконные дети" и "законные дети"), с поношению подвергающейся матерью, пусть будут они без имени. Так Медея мстила почти двадцать лет; старуха под 70 лет, она настолько не теряла своей фуриозности, что всякие виды видавший, твердый мужчина победоносцевской школы, Тернавцев, воскликнул не менее фуриозно: "Не баба, а черт в юбке".

...К характеристике Медеи: в Монпелье она сблизилась с женой Огарева (Тучковой), перешедшей в жены к Герцену. "То она хочет, чтоб женщины жили отдельно от мужчин, чтоб не вмешивать в жизнь семейную все дрязги хозяйства и видеть только в свободное время (уж не сераль ли), то не хочет, чтоб женщина выходила замуж и, паче всего, чтоб не иметь страстей, то хочет выселиться из Европы и составить братство, но нет еще товарищей... Наконец, сегодня мы с ней как будто договорились. Я говорю, что *пользу* нужно *приносить* (ее курсивы. — *С.Д.*), хоть одного мужика читать выучить...

— Нет, не то. Нужно, чтоб *цивилизованные* в ... (неразобрано одно слово) составили для модели общество, в котором бы не венчались и не крестили детей, написали бы книжки для русского народа.

— Но как составить такое общество? Пожалуй, никто не пойдет.

— А Лугинин и Усов?

Я просила считать меня кандидатом".

Розанов — и кандидатка такого общества! Жить с нею долее значило бы для него не стать Розановым, автором "Сем[ейного] вопроса", "В мире неясного", всего, что писано им о поле и браке. Против нее *вопияла вся* его онтология, все зерно его писательства, дремавшее в нем и вырвавшееся наружу не пустоцветом ("О понимании"), а истинным цветением и плодом только с Варварой Дмитриевной: нашел он Рахиль свою — нашел и гений свой. Связано. Накрепко. Неразрывно. Вот кто была его музой всегда — Рахиль бесписьменная, тихая, без шумной "близости" с Достоевским, без знакомства с Герценом и его Тучковой-Огаревой, но зато без "испанцев", без "психопатологии", с одной мудрой онтологией "ложа нескверного", — с любовью великою, — вот кто была его музой — Варвара Дмитриевна. Этого тоже не могла никогда простить Медея. Она спала с Достоевским, рассуждала с Герценом, и вдруг от нее и при ней ничего, ничего не явилось розановского — ничего, кроме огромного — далекого от гения Розанова — трактатища "О понимании", а при этой — при семейственной, скромной Рахили, которая с Герценом не только не разговаривала, но и не читала, рождается не только ребенок за ребенком с лона, не оскверненного ни с каким испанцем, но и книга за книгой рождается у Розанова — и какие книги: "Легенда о великом инквизиторе" (СПб., 1893), "Сумерки просвещения", "Религия и культура", "Природа и история", "В мире неясного и нерешенного", "Литературные очерки", "Около церковных стен" и т.д. Как же это перенести книжной Медее, что русская литература ей ничем не обязана, а скромной Рахили — всем? Впрочем, и ей обязана русская литература: ее, Медеиной, местью *детям* Розанова, ее упорным удерживанием этих детей от Рахили на положении "незаконных" ("законными" были бы дети от бесплодной Медеи) вызвана та страстная защита прав "незаконных детей", которую Розанов повел так горячо и твердо в "Семейном вопросе в России", в газетных статьях, что из русского законодательства исчез самый термин "незаконнорожденные".

А она, действительно, имела в себе что-то фуриозное — даже до комизма. Медее свойственно возиться с ядами. Она и тут не отступила от греческого прообраза. "Потом она (Медея N2: "Тучкова-Огарева", перешедшая к Герцену. — *С.Д.*) просила меня достать ей яду через моего доктора. Я, как особа без предрассудков, гуманная и образованная (Медее ли стесняться в высокой оценке самое себя! — *С.Д.*), обещала ей, но я не знала, как было приступить к моему доктору с такой просьбой..."

С добытчицей ли яда было жить бедному Василию Васильевичу, человеку семейному и тихому, с рыжей бороденкой и папироской во рту?

... P.S. Долинин называет Розанова человеком, "во многом конгениальным" Достоевскому и "почти гениальным человеком". А вот что приходит в голову: в 60-70-х годах атмосфера русской культуры была еще такова, что человек с темой Достоевского, с пафосом Достоевского, с гением Достоевского еще мог выразить себя, благо он был художник (хуже б ему было, если бы он был чистый мыслитель); но в 90-900-х гг. атмосфера русской культуры была уже такова, что человек, Достоевскому "конгениальный" и "почти гениальный", уже *едва* мог не выразить, а выкрикнуть свою тему, свое "Я само" ("я-то бездарен, да тема моя гениальна")... Ныне же человек с темой и воплями Достоевского или "конгениального ему" человека с неугасимой папироской был бы немой: с землей во рту. И сама тема — с землей во рту.

С.Н. Дурылин. В.В. Розанов/ Публикация В.А. Десятникова//Начала. 1992. N3. С. 45-51.

И уж всего за несколько лет до смерти, в 1916 году, переменившая, — быть может, под влиянием своей сестры, Надежды Прокофьевны, и людей, ее окружавших, — убеждения своей молодости, настроенная во время империалистической войны крайне патриотически, — тогда в статьях Розанова Суслова могла бы найти достаточно яркий и талантливый отклик своим взглядам, — но пишет она своему племяннику, молодому писателю Е.П. Иванову: "Стану я читать такого фальшивого, чиновного и продажного человека!.."

А.С. Долинин. Достоевский и Суслова. С. 43.

Дорогой Женя!

Последнее твое письмо от 10 мая я получил 13-го утром. Я поражен, что мои три или четыре письма, кроме первого, тобою полученного, очевидно, не доставлены по назначению, и их надо искать или в почтамте или у дворников на прежней квартире Аполлинарии Прокофьевны. Как тебе не пришло в голову самому справиться на почте, в особенности ввиду перемены адреса А.П. ...

13 мая 1915 г.

На конверте: В Севастополь, Георгиевская, 18

Штемпель: Севастополь 16 5 15

П.П. Иванов — Е.П. Иванову//Из частного собрания

Лучшее средство перенести большое личное горе — не думать о себе.

Аполлинария Розанова.
1915 г. 18 мая. Севастополь.

А.П. Суслова-Розанова — Е.П. Иванову//РГАЛИ. Ф.224. Оп.1. Ед.хр.14.

Адресъ-календарь
СЕВАСТОПОЛЬСКАГО
ГРАДОНАЧАЛЬСТВА
на 1913 годъ.
Гор. Севастополь и Балаклава.

Съ приложеніемъ плановъ Севастопольскаго Градоначальства и города Севастополя.

Титульный лист издания

Милый Евгений!

С Новым годом. Дай Бог, чтоб этот 1916 г. был не так тяжел и грустен для семьи Ивановых.

Печалюсь о вашем горе и думаю много о каждом из Вас, особенно о матери и тебе. На тебя, мой друг, выпала тяжелая обязанность быть опорой семьи. Мать,

Страница Адреса-календаря Севастопольского градоначальства на 1913 год

Евгений Платонович Иванов. 1900-е годы

конечно, жива, но она женщина, а ты единственный в семье мужчина.

Я тревожусь о вас всех и жду известий. Сегодня (т.е. 9 янв.) получила твое письмо, посланное 24 дек. прошлого года. Письмо твоей жены, присланное к Новому году, получила раньше. Анны Асафовны письмо предпраздничное получила в свое время. В эту минуту я нездорова, сильно простудилась. Не выхожу.

В Севастополь никого не пускают. Раньше можно было проникнуть за взятку жандарму, теперь ни под каким видом. Кроме шпионства — боятся болезней. В городе благополучно; квартир свободных нет, цену набавлять на квартиру нельзя под страхом изгнания из города на все время войны.

С Нового года у нас значительный мороз. Матери твоей на днях (третьего дня, кажется) я писала. Буду писать. Впрочем, от нее не получу ли известий?

Всем семейным поклон.

Не знаю, когда получите это письмо.

Твоя А. Розанова

Георгиевская, 18

На конверте: Его Высокородию

Евгению Платоновичу Иванову

Москва, Тверская, д. Гиршман

Штемпеля: Севастополь Твр Г 8 1 16

Москва 11 1 16

Почт. марка 10 коп.

А.П. Суслова-Розанова — Е.П. Иванову//РГАЛИ. Ф.224. Оп.1. Ед.хр.14.

Мы подошли к решительному моменту в характеристике политических взглядов самой А.П. Сусловой-Розановой. О перемене взглядов А.П. Сусловой биограф говорит как о явлении конца ее жизни и говорит об этой перемене как о результате патриотической настроенности ее в связи с империалистической войной. Розанов в одном из своих писем так характеризует политические взгляды Сусловой в семидесятые годы: "Она была "русская легитимистка", ждавшая торжества Бурбонов во Франции (там она оставила *лучших своих* друзей, в России у нее никого не было), а в России любила только аристократическое, традиции".

И хотя этому "аристократическому", этим "традициям" биограф Сусловой подчеркнуто противопоставляет "ее крестьянское происхождение", ее принадлежность к радикальным кружкам начала шестидесятых годов, ее крамольность в глазах жандармов и царского министра народного просвещения в 1868 г., но можно утвердительно сказать, что А.П. Суслова изменила идеалам своей молодости задолго до мировой войны.

В альбоме под названием "Деятели Союза русского народа", среди всяких "Гамзеев-Гамзеевичей" и "Сашек Половневых", рядом с А.И. Дубровиным, киевским погромщиком Розмитальским и Е.А. Полубояриновой, помещен в таблице 55-й портрет старухи с "железным", "решительным" и злобным выражением лица. Под портретом подпись: "Аполлинария Прокофьевна Розанова, товарищ председателя Покровского Союза Русского Народа в Севастополе".

Это и есть страстная любовь, "друг вечный" Ф.М. Достоевского, враждебная царскому правительству в шестидесятых годах Аполлинария Прокофьевна Суслова. И помещена она в этом альбоме, изданном самой черносотенной газетой "Русское знамя", не в качестве рядового, сочувствующего члена "патриотической организации", а в качестве активного, видного деятеля погромной шайки.

"Альбом" не имеет ни титульного листа, ни другого какого-либо определенного указания на год его издания. На обложке "Альбома" в левом углу аляповатого рисунка с эмблемами погромной дубровинской органи-

зации тонкими штрихами выведена цифра "1911", но библиографические справочники относят первый выход "Альбома" в свет к 1906 г.

Таким образом, бывшая возлюбленная Достоевского задолго до империалистической войны "сменила вехи" и, вместо сочувствия к родным ей по крови крестьянам, стала проповедовать закрепощение трудового народа помещиками и ставленниками их, земскими начальниками, помогала устраивать погромы "инородцев" и интеллигенции, подобно Достоевскому, и в завершение своего жизненного пути сомкнулась с самыми черными силами реакции.

Еще одно доказательство того,

Аполлинария Прокофьевна Суслова-Розанова. Фотография из альбома "Деятели Союза русского народа". 1911 год

что А.П. Суслова задолго до империалистической войны вступила на путь тесного общения с лучшими слугами царизма, на этот раз с жандармами, сообщил мне Л.П. Гроссман, разрешивший воспользоваться этим фактом для настоящей заметки. Выше сообщалось об уходе А.П. Сусловой от В.В. Розанова в связи с ее влюбленностью в молодого еврея Гольдовско-

го. Последний отверг домогательства старой влюбленной женщины и уклонился от предлагавшегося ею фактического брака. Суслова некоторое время продолжала преследовать Гольдовского своей любовью, но молодой человек не соглашался жить с нею. Тогда Суслова подала жандармам донос на Гольдовского, заявив об его революционных связях и знакомствах.

С. Штрайх. "Вечная" любовь Достоевского//Огонек. 1933. N18. С. 13.

Здесь публикуется документ, резко отличающийся от всего, что написано об А.П. Сусловой теми, кто имел самые серьезные основания быть к ней особенно пристрастным.

Воспоминания Евгения Платоновича Иванова, двоюродного племянника А.П. Сусловой, написанные в 1928 году, были, по всей вероятности, заказаны автору каким-то популярным изданием и предназначались для печати. Рукопись, правленная неизвестным лицом (быть может, редактором журнала или газеты), обнаруживает следы вынужденного приспособления к ожиданиям заказчика: воспоминатель усиленно педалирует революционность своих теток, их принадлежность к радикальному крылу демократического движения 1860-х годов.

Е.П. Иванов, родившийся тогда, когда А.П. Сусловой было сорок пять лет, мог помнить ее уже пожилой женщиной, но для него она была не "тяжелая старуха" и не "развалина с сумасшедше-злыми глазами", а родной человек, чья личность вызывала безусловное уважение и преклонение. "Она давала направление моему робкому перу, — писал в автобиографии Е.П. Иванов, — бранила за неудачи, и я очень считался с ее мнением".

А.П. Суслова была дружна с племянником до конца своих дней; последние ее письма были адресованы в Москву, Е.П. Иванову. Вероятно, именно он стал ее наследником и первым ознакомился с рукописями из сундучка тетки. Он сразу понял, что попало к нему в руки, — факт тот, что уже в 1918 году три ее тетрадки с "Дневником" оказались в архиве Академии Наук и были замечены...

15 декабря 1867 года русский календарь отметил в своих записях выдающееся событие: "Первая защита диссертации женщиной Надеждой Прокофьевной Сусловой".

Событие это имело двоякое общественное значение: во-первых, оно укрепляло за женщиной ее права на науку, а во-вторых, пионером получения этих прав являлась ученая, в жилах которой текла крестьянская кровь.

В семидесятых годах того же столетия, в уездном городе Лебедяни у судебного следователя Василия Прокофьевича Суслова был произведен охранным отделением обыск, причем изъятой оказалась вся фамильная переписка, фотографии, записи и дневники, носившие характер личных мемуаров. Обыск был совершен ввиду приезда к Суслову на временное жительство родной сестры Аполлинарии, известной своими связями с Герценом, Достоевским и группой Чернышевского. В этот день, опечатанные и тщательно запакованные, исчезли на продолжительное время в громадах полицейских архивов многочисленные письма Ф.М. Достоевского, на протяжении ряда лет аккуратно направлявшиеся Аполлинарии Прокофьевне Сусловой, ее личный дневник и несколько редких, представляющих исключительный интерес для момента автографов Герцена.

Это краткое изложение событий достаточно ярко обрисовывает двух сестер — передовых русских женщин, которым посвящены настоящие воспоминания.

Отец Надежды и Аполлинарии — Прокофий Григорьевич Суслов, ветлужский, выкупившийся на волю крестьянин. С первых дней получения личных прав он посвятил себя исключительной для того времени деятельности: введению процессов и "хождений" по защите крестьянских земельных интересов. В то время впервые начинали раздаваться голоса, признававшие за крестьянством некоторые, весьма ограниченные, права и необходимость разработки особых, обеспечивающих крепостных, законов. К числу таких ревностных строителей новых форм подневольного быта принадлежал и Суслов, не расстававшийся с этим делом даже во время последующей тридцатилетней службы в должности управляющего имениями графа Шереметева, в том числе существующим "Останкино". С этой должности Суслов впоследствии был уволен за составление ряда прошений и жалоб от крестьян на своевольного, капризного и обидчивого графа. Увольнения эти сопровождались строгим полицейским надзором, лишением права проживать в столицах и необходимостью выехать для постоянного пребывания в глухую провинцию.

Я помню Григория Прокофьевича с детского возраста, когда он вынужденно поселился в Нижнем Новгороде (в то время городе довольно глухом, с отпечатком старого бытового уклада). Моя мать — А.А. Иванова, дочь родного его брата, воспитанная в старом Петербурге в кругу Надежды и Аполлинарии Сусловых, ныне, несмотря на свои семьдесят шесть лет, живо перебирающая в памяти впечатления прошлого, пользовалась особой любовью старика Суслова. Редкий день мы не обменивались посещениями. Высокий, плотный, с лицом, слегка рябоватым, небольшой седой бородой, он запечатлелся в моей памяти как человек исключительной доброты, прямой, честный, пользовавшийся большим расположением окружающих. Из детей при старике жили двое: дочь Аполлинария — в маленьком соседнем двухэтажном особнячке, и, на отдельной квартире, сын Василий, занимавшийся адвокатурой. Надежда Прокофьевна, получившая звание доктора медицины, практиковала в это время в Петербурге.

Впрочем, эксцентричная, горячая и нервная Аполлинария Прокофьевна редко уживалась на продолжительное время около отца. То она уезжала в Париж и Швейцарию, где неизменно проводила время в обществе писательницы Евгении Тур, то гостила у сестры Надежды, то путешествовала по Палестине. Это была особенно подвижная натура, всюду искавшая новых, оживляющих впечатлений, быстро разочаровывающаяся и интересовавшаяся всеми отраслями знания. Ее погибшая от неудачной продажи за много лет до революции библиотека, преимущественно французская, отвечала самым разнообразным вопросам. Приятной внешности, с мягкими, проницательными и ласкающими глазами, лишенная всякой деланной женственности, быстрая, остроумная, глубокая и прямая до резкости на ответы, она невольно заставляла замечать себя, уважать себя и прислушиваться к своему мнению. Обстановка ее маленькой квартиры, в деревянном особнячке Солдатской улицы Н.-Новгорода, была миниатюрной коллекцией этнографа, успевшего побывать всюду. Японское искусство, древний Китай, фотографии арабов, турок, сирийцев, ткани и костюмы различных народов, сухие аравийские розы, фонарь из Италии, ковер-гобелен из старого Парижа, как гости всех стран, говорили о большом вкусе и умении сконцентрировать в небольшом помещении много личных воспоминаний. Вот здесь-то, в этой комнатке, я с детских

лет прислушивался к рассказам Аполлинарии Прокофьевны моей матери,
которую я неизменно сопровождал.

Здесь, не отдавая еще себе никакого отчета, услышал я впервые
имена многих интересных людей, говорить о которых поощрительно считалось з то время едва ли не преступлением. Впоследствии, во время русско-
германской войны, я ездил на юг,
куда перебрались жить в преклонном
возрасте сестры Сусловы, и сумел записать ничтожные частицы их больших и исключительных по интересу
рассказов.

Законы и быт старой России
не допускали женщину в учебные заведения, прикрепляя ее к семье, дому
и хозяйству. Не уживавшиеся в узких
рамках такого порядка, искавшие образования, а с ним и приобщения к
иным интересам, вынужденно уезжали
за границу. Надежда Прокофьевна,
только что окончившая тогда 1-ю
Московскую Гимназию и отличавшая-
ся, с молодых лет, исключительной серьезностью, сильно гармонировавшей
с ее деловитой и несколько строгой
внешностью, первая стала просить
отца о посылке ее для учения в
Швейцарию. После долгих семейных
советов, споров и подробных всесто-
ронних обсуждений старик Суслов согласился расстаться на продолжительное время с дочерью. Пять лет прожила Надежда Прокофьевна в Швейцарии, удивляя профессоров редкими
способностями, энергией и усидчиво-
стью. Даже за границей на русскую
женщину, отдающуюся науке, смотрели как на явление для России ненор-
мальное, недопустимое и просто ку-
рьезное. Это не замедлило сказаться
на отношении к Сусловой. В день по-
ступления ее в университет толпа ре-
акционно настроенного студенчества
Швейцарии устроила своеобразную
демонстрацию возле занятой ею квартиры, сопровождавшуюся свистом,
бросанием камней и разбитием стекол.
Но если так недружелюбно

Евгений Платонович Иванов. 1910-е годы

были встречены первые настойчивые
шаги пионерки-женщины, то совсем
иначе провожали ее после завоевания
своих прав. На защиту диссертации
Сусловой образовался как бы особый
съезд профессуры: Германия, Франция и Италия прислали своих ученых
присутствовать на первом смелом пуб-
личном, оказавшимся блестящим, вы-
ступлении русской женщины. В этот
день Надежда Прокофьевна, помимо
официального диплома, получила от
съезда лавровый венок с лентами и
надписью: "Первой в России женщине
— доктору медицины". И надпись
эту она бережно хранила до последних
дней своей жизни.

Вскоре после этого Суслова
вышла замуж за профессора Эрисмана
и уехала для новой, большой и про-
должительной работы в Россию. Но
не повезло на первых порах молодой

жене. За неодобрительные печатные отзывы о России в заграничной прессе Эрисман был выслан из ее пределов, а первая женщина-врач подверглась новым подозрениям и притеснениям пресловутого III Отделения. Разбросанные в разные государства, супруги вскоре развелись, и Суслова-Эрисман вторично вышла замуж за профессора Голубева.

Блестящее имя и знания создали в Петербурге для Надежды Прокофьевны громадную практику, еще более увеличившуюся после совместной работы с профессором Боткиным. Больных на ее прием привозили даже из самых отдаленных провинциальных углов. Но ни блестящие достижения женщины, ни общественно-высокое мнение не ценились властью того времени. Голубева была на счету "политически неблагонадежных", ее личные знакомства проверялись официальными запросами, а письма к отцу доставлялись часто в распечатанном виде. Да и не без причин, очевидно, волновалась и заботилась власть об убеждениях первой женщины-врача. Моя мать, жившая в то время в петербургском доме Сусловых, в бытность десятилетней девочкой невольно присутствовала на их семейном собрании в день отправления в Сибирь "бунтаря" Чернышевского. Сдержанная и, как я уже сказал, несколько суровая на вид Надежда Прокофьевна вместе с окружавшими ее близкими людьми нервно и по-детски плакала. Это особенно понятно потому, что Чернышевский был в большой дружбе с семьей Сусловых, недопущенных к личному прощанию с осужденным. Глубоко скрытых симпатий и мыслей не могла затаить в себе даже такая твердая натура, какой рисовалась и была Надежда Прокофьевна.

Аполлинария Прокофьевна любила свою сестру особым, своеобычным чувством. Она со свойственным ей прямодушием бранила ее за каждый самый незначительный промах или шаг и осуждала быстро устроившееся от врачебной практики материальное благополучие. Поэтому отношения сестер были добрыми и искренними, но несколько холодными. Первые годы медицинской практики Надежды Сусловой совпали с временем особенно прочной дружеской связи Аполлинарии с писателем Ф.М. Достоевским и порывистого восприятия идей Герцена, к последнему она совершала несколько поездок за границу и безбоязненно окружила себя его последователями и ценителями. Если Надежда проводила все свободные часы в кругу профессуры, обмениваясь лишь частыми посещениями с сестрой, то Аполлинария горела смелым огнем "Колокола" и целиком отдавалась народовольческим идеям. Убеждения сближали сестер, но пути расходились. Любя, уважая друг друга, имея общие взгляды, они все же жили отдельными уголками личного существования. Большая часть переписки сестер Сусловых носит именно такой характер. Надежда мягко и со свойственной ей глубиной мысли спокойно дает советы Аполлинарии. Аполлинария нервно отвечает ей, пытается возражать, но чутко прислушивается к голосу сестры. Ее знакомство с Ф.М. Достоевским, дружба и отношения с ним ломают всю жизнь красивой и энергичной натуры. Сначала увлекаясь, а потом любя Ф.М., она создает в нем свой идеал высокого и прекрасного человека. Расставаясь с ним, она уходит с обиженным самолюбием женщины, искренне разочарованной в ярких жизненных красках. С уходом от Достоевского она теряет веру в людей, и с этим чувством она не расстается до последних дней своей жизни. Даже в преклонном возрасте я неизменно замечал в ней эту черту. Говоря хорошо об общих знакомых, отмечая какие-либо высокие их качества, она всегда делала оговорку о том, что человеческую натуру близко узнать, а тем более угадать почти невозможно. Переживая большую личную драму, Аполлинария Прокофьевна решается встать на новый путь возможного устройства личной жизни. В Нижнем Новгороде она знакомится с преподавателем русской словесности, впоследствии "нововременским" журналистом и философом В. В. Розановым, и принимает его предложение о замужестве. Но брак этот не сулит Сусловой душевного отдыха и счастья. Спокойно-созерцательная натура Василия Васильевича противоположна подвижной, духовно неудовлетворенной натуре жены, и брак этот расстраивается. Для Сусловой начинается новая полоса исканий, увлечений и порывов. После неудачной попытки открыть в Ивано-Вознесенске женскую гимназию, запрещенную впоследствии и ликвидированную полицией, Аполлинария Прокофьевна встречается и быстро дружится с гр. Салиас, известной под псевдонимом писательницы Евгении Тур, о которой я упоминал уже вначале. Целый ряд лет она путешествует вместе с ней за границей и наконец возвращается для короткой передышки в отцовский дом Нижнего Новгорода. Начинает сказываться особое одиночество натуры. И, по совету своего нового друга, она берет на воспитание заброшенную сироту, отчество и фамилию которой я, к сожалению, не помню и которую все мы знали под именем "Саши". С этим временем совпадает путешествие А. П. Розановой в Палестину, о котором ведется дневник, изданный впоследствии с большими авторскими сокращениями, в виде небольшой брошюры. Почти в этот период умирает овдовевший, разбитый параличом Прокофий Григорьевич Суслов. Но судьба Аполлинарии Прокофьевне сулит остаться в жизни еще более одиноким человеком. Через несколько лет приехавшая к нам для дачного отдыха в село Черное Нижегородской губ. воспитанница ее Саша, оказавшаяся необычайно добрым, мягким и преданным своей покровительнице челове-

ком, тонет во время купания в Оке. Живо воскрешаю перед глазами этот момент, когда о несчастье в ранние утренние часы, приехал я с моим покойным отцом П. П. Ивановым предупредить тетку о случившемся.

Помню тяжелые переживания сознавшей свое полное одиночество ослабевающей женщины. Кроме восьмидесятилетней когда-то крепостной "шереметевской" слуги Прасковьи Даниловны, не покидавшей семью Сусловых более сорока лет, помнившей всех друзей Аполлинарии Прокофьевны, хмурой и добродушно ворчливой, не оставалось лица, заботам о котором могла быть отдана скучная жизнь стареющего, ищущего отдыха и цели человека.

Через несколько лет Суслова, продав свой уютный домик с удивительным фруктовым садиком, служившим предметом ее особых забот и внимания, уезжает на постоянную жизнь в Крым к сестре Надежде, купившей вместе с мужем близ Алушты поэтическое имение "Профессорский уголок". С этого времени только переписка да редкие приезды в Москву связывают нашу семью с отживающей свой век своеобразно интересной женщиной.

Русско-германская война в разгаре... На Приморском бульваре Севастополя я сижу с ветхой, совершенно седой, опирающейся на длинный посох старушкой, которая задумчиво, слезящимися глазами смотрит на ласкающие дали моря и вспоминает искания своих молодых лет. Это осколок особой эпохи общественных течений, друг писателя Достоевского, горячий, полный внутреннего огня собеседник Герцена — Аполлинария Прокофьевна Суслова. Тихо, спокойно и методично, сохранив прекрасную память, воскрешает она тени далекого прошлого. Она говорит о сестре Надежде, потерявшей уже всякую способность к работе и доживающей свой век на лоне крымской природы, о деревне, в которой она когда-то училась при свете дымящей лучины, о давно умершем отце и о том, что нельзя исправить всех невольных ошибок ее сложной и длинной жизни. И в эти минуты она кажется мне бесконечно одинокой и бессильной, потухающей, как, умевший ярко пылать, факел...

Дочери крестьянина Прокофия Суслова. Воспоминания Е.П. Иванова// РГАЛИ. Ф.1890. Оп.1. Ед.хр.84.

Свой жизненный путь Аполлинария Прокофьевна Суслова окончила в беспокойном 1918 году. Разные источники неоднозначно указывают на место ее захоронения (Севастополь либо Симферополь). Почетной задачей местных краеведов является установление истинного места погребения замечательной русской женщины А.П. Сусловой-Розановой.

В. Дмитриев. Прототип героинь Достоевского//Слава Севастополя. 1992. 6 февр.

КОММЕНТАРИИ

*К*ак уже было сказано в предисловии, в этой книге использованы материалы и документы из разных источников, сведения о которых сообщаются в подписи под каждым фрагментом.

Все тексты даются в современной орфографии. Исключение составляют тексты писем Ф.М.Достоевского, приведенные по Полному собранию его сочинений в тридцати томах.

Некоторые из фрагментов мозаики приводятся с сокращениями, обозначенными многоточием.

Все случаи выделения слов или фраз, принадлежащих цитируемым авторам, обозначены курсивом. Все выделения в письмах и "Дневнике" А.П.Сусловой подчеркнуты.

Слова, написанные в оригинале неразборчиво, заменены знаком вопроса, заключенным в квадратные скобки: [?].

Дописанные части слов также обозначены квадратными скобками, напр.: С[услова].

Тексты, представленные в мозаике, комментируются выборочно и целенаправленно — в связи с биографией А.П. Сусловой. Комментарии, которыми снабжены тексты в соответствующих изданиях (указанных в подписи под фрагментом), здесь не воспроизводятся.

Датировка писем и дневниковых записей воспроизводится, как правило, в соответствии с оригиналом, в стиле и манере авторов. Реконструированные или уточненные даты заключены в квадратные скобки. В корреспонденциях, написанных в России и отсылаемых за границу, вначале указана дата по старому стилю, а в скобках — по новому. В корреспонденциях, написанных в Европе и отсылаемых в Россию, вначале идет дата по новому стилю, а в скобках — по старому.

В книге использованы сокращения: РГАЛИ — Российский Государственный Архив Литературы и Искусства; ОР РГБ — Отдел рукописей Российской Государственной библиотеки.

ГЛАВА ПЕРВАЯ

С. 17. ... *дочь крестьянина...* — Г.В. Коган, литературовед и с 1955 по 1979 г. директор Музея Ф.М. Достоевского в Москве, рассказывает, что слышала от Н.З. Метельской, своей предшественницы по должности, будто существует версия, согласно которой отец А.П. Сусловой, Прокофий Григорьевич, не крепостной графа Шереметева, а его незаконнорожденный сын от крепостной крестьянки. Этим, в частности, Н.З. Метельская объясняла тот факт, что граф Шереметев заботился о Прокофии Григорьевиче, испытывал к нему особое доверие и дал возможность получить образование его троим детям.

По этой версии, которая, однако, не имеет никаких документальных подтверждений, А.П. Суслова является потомком владельцев Останкино, аристократов графов Шереметевых, одной из богатейших и знаменитейших русских фамилий. Следует отметить, что ни в "Дневнике" А.П. Сусловой, ни в ее переписке эта тема никогда не обсуждалась. Напротив, Аполлинария

Прокофьевна гордилась своим мужицким происхождением: "Я родилась в крестьянской семье, воспитывалась между народом до 15 лет и буду жить с мужиками, мне нет места в цивилизованном обществе. Я еду к мужикам и знаю, что они меня ничем не оскорбят", — писала она в "Дневнике" (*А.П. Суслова*. Годы близости с Достоевским. С. 88).

    ... родилась она в 1840 г. — Точно установить день, месяц и год рождения А.П. Сусловой пока не удалось. Биографические и библиографические справочники, указатели имен и т.п. дают обычно две даты: 1839 и 1840. Расчисление отталкивается от зафиксированной ею самой цифры: в "Дневнике" она воспроизводит слова Ф.М. Достоевского: "Ты ждала до 23 лет". Если считать, что их близость началась не ранее 1862 года, то, значит, А.П. Суслова родилась не ранее 1839 года. Скорее всего, это мог быть рубеж 1839-1840 гг., так как единственный в святцах день преп. Аполлинарии приходится на 5 января по старому стилю. Если А.П. Суслову крестили по строгому православному обряду, она, вероятно, родилась за несколько дней до 5 января, дня преп. Аполлинарии.

    С. 18. *В августе 1854 года...* — За несколько лет до этого граф Шереметев перевел П.Г. Суслова на должность управляющего имением в село Макарьево-Притыки, где семья Сусловых прожила до 1854 года.

    ... своим управляющим имениями в Москве. — По приезде в Москву семейство Сусловых поселилось в подмосковном имении графа Шереметева — Останкино. Здесь косвенно подтверждается, что дата рождения А.П. Сусловой — 1839 г.: "Я ... воспитывалась между народом до 15 лет", — пишет она в "Дневнике", то есть до 1854 года, когда она стала жить уже не "между народом", а в графском имении.

    С. 19. *... в одном частном пансионе...* — В сентябре 1854 года сестры Сусловы по рекомендации графа Шереметева были определены в частный пансион благородных девиц для детей именитых дворянских фамилий.

    ... на Тверской, в доме княгини Белосельской. — Дом князей Белосельских-Белозерских, построенный архитектором М. Казаковым в 1790 году на углу Тверской улицы и Козицкого переулка, впоследствии был перестроен; в конце 1890-х годов на его месте появился роскошный магазин петербургского миллионера купца Елисеева.

    ... строгие меры к отстающим. — В автобиографической повести Н.П. Сусловой "Из недавнего прошлого" (Вестник Европы. 1900. N6) дана характеристика первого учебного заведения, где получали образование сестры Сусловы: "Нашу скороспелость довершила плохая, обыкновенная у нас школа, где мало развивался ум, совершенно не затрагивалось сердце, а только обременялась память, и мертвящая дисциплина, для всех детей одинаковый шаблон в преподавании, вселяющий отвращение к занятиям в одних, искореняющий интерес к ним в других детях, и полное отсутствие любви, клеймо найма и тягостной обязанности на всех отношениях" (С. 626-627).

    Только один чудак — учитель истории... — Биограф Н.П. Сусловой называет имя учителя истории, бывшего студента Троице-Сергиевской духовной академии Геннадия Сысоевича Плащаницына.

    С. 21. *... играть довольно заметную роль...* — Как указывает биограф Н.П. Сусловой, в широкий круг молодежи ввела сестер Сусловых их подруга по институту генеральская дочь Мария Обручева, познакомив с сестрами Корвин-Круковскими, Софьей и Анной (Анна Васильевна Корвин-Круковская станет, после разрыва Ф.М. Достоевского с А.П. Сусловой, на короткое время его невестой), с братьями Серно-Соловьевичами, с братьями Ковалевскими и др.

... участвовали в первой студенческой демонстрации. — "8 (20) февраля 1861 года на университетском акте произошла студенческая демонстрация, вызванная отменой министром просвещения речи профессора Н.И. Костомарова "О значении критических трудов Константина Аксакова по русской истории". В начале марта многие студенты участвовали в панихиде по жертвам царского расстрела в Варшаве... В сентябре-октябре 1861 года произошли крупные волнения студентов Петербургского университета. Многолюдные бурные сходки, создание нелегального студенческого комитета, шествие студентов 25 сентября по Невскому проспекту к Колокольной улице, к квартире попечителя Петербургского учебного округа Г.И. Филипсона, столкновение студентов с войсками 12 октября, закрытие университета, аресты участников волнений (свыше 300 человек), заточение их в казематы Петропавловской и Кронштгадтской крепостей (в одну из осенних ночей 1861 года на стене Петропавловской крепости появилась надпись: "Петербургский университет") — все это было необычным в России... Осеннее движение 1861 года сразу же вышло за рамки университетской жизни и привлекло внимание широких общественных кругов. Елена Штакеншнейдер, дочь известного архитектора, дом которого на Миллионной был местом, где постоянно собирались общественные деятели, писатели, художники столицы, 24 октября 1861 года в своем дневнике сделала такую запись: "Общество приходило в восторг от студентов, бранило правительство, говорило много о просыпающейся жизни, о шаге вперед..." "Все лучшее и передовое за нас" — говорилось в октябрьской прокламации студентов Петербургского университета (История Ленинградского университета: Очерки. 1819-1969. Л., 1969. С. 68, 70-71).

ГЛАВА ВТОРАЯ

С. 23. В 1860 году приехал в Петербург... — Достоевский вернулся в Петербург после десятилетнего отсутствия 20 декабря 1859 года.

Окруженный ореолом мученичества, уже довольно известный писатель... — Сразу по возвращении из ссылки Достоевский был включен в "Список лиц, предлагаемых Комитетом общества для пособия нуждающимся литераторам и ученым в члены общества". В феврале 1860 года в Москве вышло двухтомное собрание сочинений Достоевского, а в марте "С.-Петербургские ведомости" (N71) уже откликнулись на литературную новинку, назвав Достоевского "писателем, снова вступившим на литературное поприще после продолжительного молчания". В начале же 1860 года Достоевский становится постоянным посетителем кружка А.П. Милюкова при журнале "Светоч", в течение апреля ходит на репетиции, а затем участвует в любительском спектакле Литературного фонда. Известность Ф.М. Достоевского в литературных кругах упрочилась к середине 1860 года, когда он вместе с братом, М.М. Достоевским, стал издавать журнал "Время".

... участвуя в разных литературных вечерах... — Известны по крайней мере два вечера 1860 года, 25 октября и 11 ноября, в которых Достоевский принял участие как чтец и автор (оба раза чтения проводились в зале Пассажа в пользу воскресных школ).

С. 24. ... в семье родителей Сусловой... — По имеющимся данным, Ф.М. Достоевский не был знаком с родителями сестер Сусловых.

... После "Записок из Мертвого дома"... — "Записки из Мертвого дома" были опубликованы в журнале "Время" в 1861-1862 гг.

... отец опубликовал "Униженных и оскорбленных"... — Роман "Униженные и оскорбленные" публиковался в журнале "Время" (1861) и в 1861 году вышел отдельным изданием.

... В литературных салонах, которые снова стал посещать Достоевский... — В середине 1860 года Достоевский становится частым посетителем дома Штакеншнейдеров. Осенью 1860 года Ф.М. Достоевский вместе с братом Михаилом организовал литературный кружок ("редакционные вечера"), участники которого собирались на квартирах обоих братьев попеременно.

Однако она усердно ходила на лекции... жертву "ненавистного цариз-ма". — Цитируемый фрагмент воспоминаний Л.Ф. Достоевской является вымыслом.

С. 25. Молодая и красивая Полина... служит европейской цивилизации. — Цитируемый фрагмент воспоминаний Л.Ф. Достоевской также является вымыслом.

С. 27. ... он, как и Шевченко той поры... — 21 ноября 1861 года Ф.М. Достоевский и Т.Г. Шевченко вместе выступали в Пассаже на вечере в пользу воскресных школ. Е.А. Штакеншнейдер писала: "Вот, век изучай и все не поймешь то, что называют публикой. Шевченко она так приняла, точно он гений, сошедший в залу Пассажа прямо с небес" (Дневник и записки. С. 269).

... познакомился с сестрами Сусловыми и привлек их обеих к литера-турной работе... — Н.П. Суслова не привлекалась Ф.М. Достоевским к литературному сотрудничеству. Свой первый рассказ "Сашка" весной 1862 года она самостоятельно отнесла в журнал "Современник", не будучи предварительно знакома с его издателями, Н.А. Некрасовым и Н.Г. Чернышевским. Рассказ был опубликован в этом же, 1862, году и подписан инициалами: "Н.С.". В 1864 году в "Современнике" же были опубликованы два других рассказа Н.П. Сусловой — "Рассказ в письмах" (подписанный инициалами) и "Фантазерка" (подписанный полной подписью: "Н. Суслова").

ГЛАВА ТРЕТЬЯ

С. 34. Благородный герой, брат мужа, тоже страдалец... — Повествователь в рассказе А.П. Сусловой "Покуда" — студент-юрист, характер которого во многом сродни характеру Аполлинарии.

С. 36. Чтение развлекало и занимало меня... — По настроению и стилю этот фрагмент рассказа А.П. Сусловой имеет автобиографический характер.

С. 37. ... первым моим опытом... — Никаких сведений о ранних литературных опытах А.П. Сусловой не сохранилось; вполне вероятно, однако, что автор использует здесь автобиографический материал.

ГЛАВА ЧЕТВЕРТАЯ

С. 57. ...Литературный кружок, в который я вступил... — Речь идет о кружке А.П. Милюкова при журнале "Светоч", собиравшемся еженедельно по вторникам в конце 1859 — начале 1860-го года. Главными членами кружка были братья Достоевские; кроме них, частыми посетителями милюковских вторников были А.Н. Майков, Вс.Вл. Крестовский, Д.Д. Минаев и др.

... уже получили теперь Биографию Достоевского... — Речь идет об издании: "Биография, письма и заметки из записной книжки Ф.М. Достоевского" (СПб., 1883). В этом издании, помимо других материалов, содержались воспоминания Н.Н. Страхова о Ф.М. Достоевском.

С. 58. Его тянуло к пакостям, и он хвалился ими. — 27 апреля 1907 года А.Г. Достоевская писала В.В. Розанову: "Прошу Вас, прочтите прилагаемый листок и скажите мне, при случае: ходит ли подобная легенда про Федора Михайловича в литературных кружках или это фантазия романиста. Этот отрывок я выписала из одного романа, название которого сейчас не помню. Вы были в таких дружеских отношениях с Н.Н. Страховым и, знаю, много говорили с ним о моем муже, что наверно слышали бы эту легенду, если б она была распространена в обществе. Любопытно было бы знать, откуда такая легенда появилась. "Вот и был такой писатель, Федор Михайлович Достоевский, так он, когда у него припадок эпилепсии пройдет и он еще как в тумане ходит, он придет, бывало, к знакомым, особенно к поклонникам своим, и начнет на себя всякую мерзость наговаривать... И никто ему воспрепятствовать не мог" (Переписка А.Г. Достоевской с В.В. Розановым//Минувшее. 1992. Вып.9. С. 287-288.). В момент написания этого письма А.Г. Достоевская еще не знала о существовании скандально знаменитого письма Н.Н. Страхова к Л.Н. Толстому: Н.Н. Страхов и после смерти Ф.М. Достоевского продолжал бывать у его вдовы, считался другом дома.

В архиве Н.Н. Страхова сохранилась запись "Для себя", представляющая собой, быть может, предварительный вариант известного фрагмента его письма к Л.Н. Толстому: "Во все время, когда я писал воспоминания о Достоевском, я чувствовал приступы того отвращения, которое он часто возбуждал во мне и при жизни, и по смерти; я должен был прогонять от себя это отвращение, побеждать его более добрыми чувствами, памятью его достоинств и той цели, для которой пишу. *Для себя* мне хочется, однако, формулировать ясно и точно это отвращение и стать выше его ясным сознанием" (Литературное наследство. Т.86. С. 564). В записных тетрадях Ф.М. Достоевского 1876-1877 гг. содержится характеристика Н.Н. Страхова: "Никакого гражданского чувства и долга, никакого негодования к какой-нибудь гадости; несмотря на свой строго нравственный вид, втайне сладострастен и за какую-нибудь жирную грубо-сладострастную пакость готов продать всех и вся" (Литературное наследство. Т.83. С. 620). Есть версия, что Страхов, знакомясь с архивом Достоевского, переданным ему А.Г. Достоевской в момент подготовки посмертного собрания сочинений писателя, мог видеть эту запись Достоевского, чем и было вызвано его "отвращение" во время писания "Биографии" (см.: *Л.М. Розенблюм*. Творческие дневники Достоевского//Литературное наследство. Т.83. С. 23).

Опубликованное в 1913 году письмо Страхова к Толстому с "разоблачениями" Достоевского А.Г. Достоевская назвала "неслыханной клеветой".

Висковатов стал мне рассказывать... — Павел Александрович Висковатов (1842-1905) — историк литературы, публикатор рукописей М.Ю. Лермонтова, исследователь его творчества, автор первой биографии М.Ю. Лермонтова, написанной на основе обширного фактического материала, в том числе и бесед с людьми, лично знавшими поэта с 1873 года, доктор философии и профессор русской словесности в Дерптском университете. Достоевский познакомился с ним в Петербурге в 1860-х годах. Висковатов был женат на Е.И. Корсини, близкой знакомой А.П. Сусловой (см. письмо А.П. Сусловой Ф.М. Достоевскому из Версаля: "Ты меня утешаешь, что в Брюсселе Висковатовы, но они давным-давно в Петербурге").

В литературе о Достоевском сообщение Висковатова, упоминаемое Н.Н. Страховым, характеризуется как клеветническое, как "бродячий сюжет" сплетни о Достоевском. Генезис сплетни восходит к конфликту Достоевского с редакцией "Русского вестника" из-за главы "У Тихона" в "Бесах" (см.: *В.Н. Захаров*. Факты против легенды//Проблемы изучения Достоевского. Петрозаводск, 1978. С. 75-109).

Вот маленький комментарий к моей Биографии... — В предисловии к своим воспоминаниям Н.Н. Страхов писал: "Постараюсь также со всею искренностью и точностью указать его личные свойства и отношения, какие мне довелось узнать" (С. 169).

С. 59. *Вчера были вечером у Полонского.* — Яков Петрович Полонский (1820-1898), поэт, постоянный автор и сотрудник журналов братьев Достоевских "Время" и "Эпоха". Знакомство Я.П. Полонского с А.П. Сусловой могло произойти в 1861 году, когда был опубликован в журнале "Время" первый рассказ Аполлинарии.

Я познакомилась там с сестрами Сусловыми. — Автор дневника, Елена Андреевна Штакеншнейдер (1836-1897) — дочь придворного архитектора, в доме которого был известный всему Петербургу литературный салон. На "субботах" М.Ф. Штакеншнейдер, матери Е.А., "бывали выдающиеся литераторы и люди, чем-нибудь прославившиеся". "Горбунья с умным лицом" (как сказал о ней Гончаров), Е.А. с особым вниманием относилась к т.н. "передовым" женщинам, придирчиво замечая позу, лицемерие или неискренность.

... посещающая (прежде) университет... — По замечанию Е.А. Штакеншнейдер можно предположить, что весной 1862 года А.П. Суслова университет больше не посещала.

ГЛАВА ПЯТАЯ

С. 86. *...в специальной литературе.* — Речь идет об издании: Творчество Достоевского. Сборник статей и материалов/Под ред. Л.П.Гроссмана. Одесса, 1921. С. 124.

С. 89. *... Тургенева я не застала, он уехал в Баден-Баден...* — Как указывает публикатор письма А.П. Сусловой, Тургенев в это время был еще в Париже (Достоевский. Материалы и исследования. Т.6. С. 266).

... Устюжские меня приняли прекрасно... — Устюжские — родственники покойной жены Я.П. Полонского.

Я живу у т-те Щелковой... — М-me Щелкова — хозяйка частного пансиона в Париже, у которой квартировала А.П. Суслова.

С. 91. *... когда узнали о взятии Мексики...* — Речь идет о Мексиканской экспедиции (1861-1867), т.е. вооруженной интервенции против Мексики трех европейских стран — Англии, Франции и Испании — в наказание за отсрочку Мексикой выплаты займов. 10 июля 1863 года французские войска захватили столицу Мексики — Мехико.

Вы не будете смеяться... — Столичные российские газеты в насмешку над "заграничными русскими" помещали корреспонденции, где писалось, что соотечественники за рубежом хотят примирить любовь к отечеству с житьем-бытьем за границей, то есть любить родину издали.

С. 92. *... т-те Mirman.* — Хозяйка частного пансиона в Париже, где в июле 1863 года проживала А.П. Суслова. В архиве А.П. Сусловой сохранился фрагмент письма супругам Мирман от неизвестного лица на французском языке.

С. 93. *Спустя две недели...* — С момента отъезда А.П. Сусловой за границу и до получения Достоевским письма с признанием прошло более четырех месяцев. К тому же письмо с признанием Достоевский получил в Париже уже после того, как А.П. Суслова рассказала ему о своем новом увлечении.

С. 94. *Впервые в жизни попавший за границу...* — Первый раз за границей Достоевский был не в 1863-м, а в 1862 году.

... и она очень счастлива. — А.П. Суслова именно призналась Достоевскому, что несчастна, так как ее возлюбленный (испанец, а не француз) не любит ее.

... Достоевский поехал в Лондон... — Достоевский был у Герцена в Лондоне годом раньше, в июле 1862 года. "Вчера был Достоевский, — сообщал А.И. Герцен Н.П. Огареву 17 июля 1862 года, — он наивный, не совсем ясный, но очень милый человек. Верит с энтузиазмом в русский народ" (*А.И. Герцен.* Собр. соч.: В 30 т. Т.27. кн.1. С. 247).

... услышав, что его друг Николай Страхов... — Достоевский встретился со Страховым за границей и путешествовал по Италии не в 1863-м, а в 1862 году.

... есть удивительные строки... — Л.Ф. Достоевская цитирует письмо Ф.М. Достоевского к Н.Н. Страхову от 26 июня (8 июля) 1862 года.

С. 97. *Была у Сальвадора.* — Сальвадор — имя студента-испанца, которого полюбила А.П. Суслова. Фамилии его она ни разу нигде не упомянула, обозначая ее лишь буквой "К." или слогом "Кор.".

... припоминала стихи: "Выводи на дорогу". — Строка из стихотворения Н.А. Некрасова "Рыцарь на час" (1862):

Выводи на дорогу тернистую!
Разучился ходить я по ней.
Погрузился я в тину нечистую
Мелких помыслов, мелких страстей.

... отец мне позволит... — Позднее, в письме к Е.В. Салиас, А.П. Суслова сообщит, что отец позволяет ей оставаться за границей столько, сколько нужно.

Сейчас получила письмо... — Письмо Ф.М. Достоевского не сохранилось.

С. 98. *"Bien vrai?"* — "Правда лучше?" *(фр.)*

... он спросил заглавие моего романа... — Ни одно из своих опубликованных произведений А.П. Суслова не называла романом, а определяла их как рассказ или повесть. К августу 1863 года у нее были напечатаны одна повесть и один рассказ. Возможно, речь идет о каком-то замысле, которым А.П. Суслова поделилась с Сальвадором.

С. 99. *... поступить в секту бегунов.* — Бегуны, или странники, — возникшая во второй половине XVIII в. старообрядческая секта, выражавшая сопротивление тяготам крепостного состояния в форме бегства от всего "мира", в котором воцарился "антихрист". Первым антихристом, по мнению бегунов, был Петр I, а его предтечей — патриарх Никон. Петр I учинил "описание народное" (ревизию), ввел паспорта — "печать антихристову", подушную подать, размежевал землю, которую Бог создал "общей". От власти антихриста надо "бегати и таитися", не подчиняясь законам, не имея паспортов. Во второй половине XIX в., в связи с крестьянской реформой, бегунство ослабело и отступило от первоначальной строгости учения.

... "Чего хочу? О, как желаний много!.." — Строфа из стихотворения Н.П. Огарева ("Монологи", часть III) приведена неточно:

Чего хочу?.. Чего?.. О! так желаний много,
Так к выходу их силе нужен путь,
Что кажется порой — их внутренней тревогой
Сожжется мозг и разорвется грудь.

24 августа. Вторник — А.П. Суслова неправильно указала день недели: 24 августа — понедельник.

27, среда — А.П. Суслова неправильно указала дату, среда (день приезда Ф.М. Достоевского в Париж) приходилась на 26 августа.

... было заранее приготовлено... — Письмо А.П. Сусловой не сохранилось. Содержание письма передано в "Дневнике" в записи от 19 августа.

С. 100. *"Vite, vite"* — "Быстро, быстро" (*фр.*).

С. 102. *Милый Коля...* — Ф.М. Достоевский адресует письмо своему младшему брату, Николаю Михайловичу.

Здесь одна особа даже заплакала... — Речь идет об А.П. Сусловой, которой Ф.М. Достоевский рассказывал о болезни брата.

У Труссо я еще не был. — Труссо — парижский доктор, специалист по эпилепсии.

С. 103. *... думаю часто и о Марье Дмитриевне.* — То есть о жене, Марии Дмитриевне Достоевской (Исаевой) (1828-1864).

Был ли у тебя Паша... — Павел Александрович Исаев (1848-1900) — пасынок Ф.М. Достоевского, сын М.Д. Достоевской от первого брака.

С. 104. *Из Берлина я написал брату, Коле и мамаше.* — Речь идет о письмах брату Михаилу Михайловичу, брату Николаю Михайловичу и жене, Марии Дмитриевне. Письма не сохранились.

С. 106. *Потом я стала думать...* — Намек на решение отомстить неверному возлюбленному, Сальвадору, и покончить жизнь самоубийством.

... сожгла некоторые свои тетради и письма... — Здесь единственное упоминание о тетрадях, которые имелись у А.П. Сусловой до "Дневника". Вполне вероятно, что сожженные тетради также были дневникового характера и содержали записи о знакомстве А.П. Сусловой с Ф.М. Достоевским и начальном периоде их связи. Среди писем, сожженных А.П. Сусловой 1 сентября 1863 года, могли быть письма Ф.М. Достоевского и Сальвадора ("Те письма, которые могли компрометировать *меня*").

С. 108. *... в эти четыре дня присмотрелся к игрокам...* — Наблюдения Ф.М. Достоевского, изложенные в письме, отразились впоследствии в романе "Игрок".

С. 112. *Перед отъездом из Парижа...* — А.П. Суслова и Ф.М. Достоевский выехали из Парижа 23 августа (4 сентября) 1863 года.

... исполнить то, что было задумано... — То есть отомстить Сальвадору и покончить с собой.

С. 113. *"И ничего на этом свете благословить он не хотел".* — Неточная цитата из стихотворения А.С. Пушкина "Демон" (1823): "И ничего во всей природе// Благословить он не хотел".

С. 115. *Ф[едор] М[ихайлович] проигрался...* — В письме к В.Д. Констант от 8 сентября 1863 года Ф.М. Достоевский просит переслать ему обратно часть денег, выигранных им по пути в Париж и высланных в Петербург для передачи Марье Дмитриевне, находившейся тогда во Владимире.

С. 116. *table d'hôte* — общий стол (*фр.*).

С. 117. *... и вдруг какой-нибудь Наполеон...* — В романе Ф.М. Достоевского "Преступление и наказание" Родион Раскольников утверждает: "Все... законодатели и установители человечества, начиная с древнейших, продолжая Ликургами, Солонами, Магометами, Наполеонами и так далее, все до единого были преступниками, уже тем одним, что, давая новый закон, тем самым нарушали древний, свято чтимый обществом... и уж, конечно, не останавливались и перед кровью".

... но каждую минуту мы дрожали... — То есть Ф.М. Достоевский и А.П. Суслова.

... она кольцо заложила. — Она — А.П. Суслова.

С. 118. *... с положением той особы...* — А.П. Сусловой.

Ты пишешь: как можно играть... — Ответ на письмо М.М. Достоевского от 2 (14) сентября 1863 года ("Не понимаю, как можно играть, путешествуя с женщиной, которую любишь...").

С. 119. *Тургенев А[поллинарию] П[рокофьевну] не видал.* — Ф.М. Достоевский не стал знакомить Тургенева с А.П. Сусловой во избежание сплетен и разговоров.

С. 122. *Вчера в Турине читала о философии...* — Установить, какую именно книгу о философии Канта и Гегеля читала в Турине А.П. Суслова, не удалось. Скорее всего, книга была взята у Достоевского.

... читал "Petit Napoleon". — Речь идет о памфлете Виктора Гюго "Napoleon le Petit" (1852).

С. 123. *... это полуост[ров].* — Намек на родину Сальвадора — Испанию.

С. 130. *Сегодня осматривал Forum и все его развалины. Затем Колизей!* — См. запись А.П. Сусловой в "Дневнике" от 6 октября 1863 года: "Вчера была в Колизее", из которой складывается впечатление, что Ф.М. Достоевский и А.П. Суслова осматривали достопримечательности Рима врозь.

ГЛАВА ШЕСТАЯ

С. 136. *... своим романом "Раскольников"...* — Речь идет о "Преступлении и наказании".

С. 137. *... в 5 была у М.* — По-видимому, у m-me Mirman, где жила А.П. Суслова.

С мол[одым] Г[ерценом] я тоже говорила. — Молодой Герцен, Александр Александрович, ровесник А.П. Сусловой, в 1863 году уже стал известным ученым-физиологом.

С. 138. *Сестра пишет...* — Н.П. Суслова была в это время вольнослушательницей Медико-хирургической академии в Петербурге.

С. 139. *Вчера получила письмо...* — Письмо от Ф.М. Достоевского не сохранилось.

С. 140. *... встречаю — Алхазова...* — Петр Алхазов, студент Петербургского университета, участник студенческих волнений начала 1860-х годов, был арестован в октябре 1861 года. Е.А. Штакеншнейдер писала в дневнике: "... студентов брали за все и везде; их брали ночью с постели, с улицы днем, по нескольку человек вдруг, по одному... Словом, была водобоязнь, студентобоязнь" (*Е.А. Штакеншнейдер.* Дневник и Записки. С. 298.). А.П. Суслова была знакома с Алхазовым в Петербурге.

С. 141. *Путевые записки.* — Запись была сделана с обратной стороны записной тетради с "Дневником"; далее путевых записок А.П. Суслова не вела.

С. 144. *Kleinstadtisch* — провинциальность (*нем.*).

... вы понимаете, почему Суслова хочет приехать в Англию. — Намерение приехать в Англию по разным поводам неоднократно обсуждается А.П. Сусловой на страницах "Дневника".

С. 145. *Н.И. Утин* — Николай Исакович Утин, один из руководителей "Земли и воли", эмигрировавший вместе с братом, Евгением Исаковичем Утиным, в конце июля или в начале августа 1863 года. Вполне вероятно, что горе и страдание А.П. Сусловой, которые имели личный характер и о которых знал Н.И. Утин, он интерпретировал в несколько ином смысле.

... спросила о Д.Ст.Милле. — Джон Стюарт Милль (1806-1873), знаменитый английский мыслитель и экономист.

С. 146. *C'est probable* — Это возможно (*фр.*).

С. 147. *... познакомилась с молодым медиком...* — А.С. Долинин считает, что молодым медиком был брат деятеля революционного движения 1860-х годов, журналиста и переводчика Артура Ивановича Бенни — Карл Иванович Бенни.

Сегодня был Задлер. — По предположению А.С. Долинина, имеется в виду один из сыновей петербургского доктора Задлера.

С. 148. *Диксионер* — словарь.

return...turn take off — повернуть, перевернуть и снять (*англ.*).

... видеть Пальмерстона... — Генри Джон Темпл Пальмерстон (1784-1865), знаменитый английский государственный деятель либерального толка, особенно популярный в России во время Крымской войны.

to see — смотреть (*англ.*).

С. 149. *... принес с собой книгу Тьера...* — Луи Адольф Тьер (1797-1877), французский историк, известный своей работой "История Консульства и Империи" (1845-1869).

... читая о Священном союзе... — В книге Тьера восхвалялся "Священный союз", заключенный в Париже в 1815 году Россией, Австрией и Пруссией.

С. 150. *Гру[зин]* — Николай Яковлевич Николадзе (1843-1928), грузинский общественный деятель, публицист и критик; будучи студентом Петербургского университета, принимал участие в волнениях 1861 года, знакомый А.И. Герцена и Н.П. Огарева.

Cette pauvre fille — Эта бедная девочка (*фр.*).

... пришла сказать новость о Черныш[евском]... — По предположению А.С. Долинина, неустановленный корреспондент сообщил А.П. Сусловой о состоявшемся 2 декабря 1863 года определении Сената, по которому Чернышевский приговаривался к 14 годам каторжных работ на рудниках.

miserables — жалкими, убогими (*фр.*).

С. 153. *Philaret Charles* — Имеется в виду французский критик Philaret Charles (1799-1873).

С. 154. *M-me Mentenon* — Маркиза Франсуаза д'Обинье, вторая жена Людовика XIV (1635-1719).

С. 155. *"Письма из Франции"...* — Речь идет о произведении А.И. Герцена "Письма из Франции и Италии" (1847-1852).

С. 156. *pour rien* — ни за что, бесплатно (*фр.*).

Dites donc — Скажите же (*фр.*).

... с Евген[ией] Тур и Мар[ко] Вовчок. — Знакомство А.П. Сусловой с графиней Е.В. Салиас де Турнемир (1815-1892), писавшей под псевдонимом Евгения Тур, стало одной из важных вех жизненного пути А.П. Сусловой. С Марко Вовчок (псевдоним писательницы Марии Александровны Вилинской-Маркович, 1834-1907) у А.П. Сусловой отношения были неглубокие и недолговременные.

... она живет с сыном... — Сын графини Е.В. Салиас, Евгений Андреевич Салиас (1840-1908), писатель, фигурирует в "Дневнике" А.П. Сусловой под именем Вадима, которым он пользовался как псевдонимом.

... Лугинин, сидевший против меня... — Владимир Федорович Лугинин (1834-1911), известный революционер, член тайного общества "Великоросс", сподвижник А.И. Герцена.

С. 157. *Она разорвала знакомство с Тургеневым...* — Речь идет о верноподданническом письме И.С. Тургенева Александру II от 22 января (3 февраля) 1863 года.

С. 159. ...*жена художника Якоби...* — Валерий Иванович Якоби (1834-1902), жанровый и портретный живописец.

С. 160. ... *вышлю повесть Аполлинарии.* — Речь идет о повести (рассказе) А.П. Сусловой "Своей дорогой".

С. 161. *Висковатовы... убедили меня к ним приехать...* — То есть П.А. Висковатов и его жена, Е.И. Корсини, подруга А.П. Сусловой (см. примеч. к с. 58.).

... *Утина, бежавшего от ареста...* — Речь, вероятно, идет о Евгении Утине.

...*повесть Вашего сына "Тьма"...* — Повесть Е.А. Салиаса "Тьма" (1863) вызвала восторженные отзывы А.И. Герцена и других знакомых графини Е.В. Салиас.

С. 162. ...*мою повесть (1-ю)...* — То есть повесть "Покуда".

...*эта повесть лучше Салиас.* — Может быть, имеются в виду повести Е.В. Салиас "Старушка" (1856) и "На рубеже" (1857), которые не имели успеха у читателей.

... *ненапечатанную повесть.* — Наверное, речь идет о повести (рассказе) "Своей дорогой", которая уже была отослана в Петербург.

... *конец не понравился.* — Счастливый конец повести (в журнале "Эпоха" "Своей дорогой" именуется рассказом), видимо, не совпадал с взглядами Марко Вовчок по женскому вопросу.

Лугинин и Усов часто ходили ко мне... — По предположению А.С. Долинина, Усов из "Дневника" А.П. Сусловой — это Петр Степанович Усов (1832-1897), инженер путей сообщения, приятель Лугинина. С.В. Белов считает, что это Степан Александрович Усов, профессор артиллерийской академии (*С.В.Белов. Две любви Достоевского.* СПб, 1992. С. 354).

С. 164. ...*ехать к банкиру за деньгами...* — А.П. Суслова получала иногда деньги от отца в виде векселей.

Что ты за скандальную повесть пишешь? — А.П. Суслова могла узнать о "Записках из подполья" в письме от Ф.М. Достоевского; скорее всего, он сам в одном из своих писем к ней так охарактеризовал свой замысел.

С. 166. *les grains* — зерна (*фр.*).

... *Бенни начал узнавать...* — Имеется в виду Карл Иванович Бенни, "лейб-медик".

... *письмо сестры об изгнании женщин из Медицинской Академии...* — Речь идет об опубликовании правительственного распоряжения о запрещении женщинам посещать лекции в Медико-хирургической Академии (май 1864 г.).

С. 167. ... *о политических друзьях.* — Графиня Е.В. Салиас разошлась со многими своими знакомыми в оценках польского восстания 1863 года; ее высказывания в защиту восставших поляков были известны российской полиции. Кроме того, еще в ноябре 1861 года в III Отделение поступил анонимный донос, обвинявший Е.В. Салиас в возмущении студентов Московского университета. Результатом этого доноса было учреждение за гр. Салиас и ее сыном полицейского надзора, снятого с них лишь в 1882 г. (Политические процессы шестидесятых годов. М.-Пг., 1923. С. 93).

С. 170. ... *в Америке нет возможности теперь учиться — беспорядки.* — Речь идет о гражданской войне в США 1861-1865 гг.

С. 173. *Certainement* — Конечно (*фр.*).

С. 174. *Je conprend bien* — Я поняла (*фр.*).

Avec plaisir — С удовольствием (*фр.*).

Trés qentille — Очень мило (*фр.*).

O, je crois bien, c'est une personne bien élevée. — О, я думаю, это бла-говоспитанная персона (*фр.*).

С. 178. *Voila ma fille!* — Вот моя дочь! (*фр.*).

ГЛАВА СЕДЬМАЯ

С. 198. ... *подвести под сюркуп.* — Одной картой перекрыть другую. Сюркуп (surcoupe) — карточное арго (*фр.*).

... *Каракозов выстрелил...* — Дмитрий Владимирович Каракозов (1840-1866), студент Казанского и Московского университетов, вошел в ре-волюционный кружок своего двоюродного брата, Н.А. Ишутина, и в 1865 году стал членом тайного общества "Организация". 4 апреля 1866 года стре-лял в Александра II, надеясь, что цареубийство вызовет волнение в народе и приведет к социальной революции, после чего был арестован и 19 апреля пере-веден в Алексеевский равелин. Верховным уголовным судом приговорен к смертной казни через повешение. Приговор был приведен в исполнение 3 сен-тября 1866 года в Петербурге.

Нашим нигилисткам. — Можно предположить, что при написании восьмой главы "Былого и дум" (разделов "Махровые цветы" и "Цветы Ми-невры") А.И. Герцен мог учесть и свое знакомство с сестрами Сусловыми; А.П. Суслову, которую он знал с октября 1863 года, два года спустя он на-звал вице-нигилисткой, а Н.П. Суслову — "очень умной девушкой" (см. его письмо к дочерям от 17 (5) июня 1865 года).

au large — на простор (*фр.*).

С. 199. ... *о коммуне Слепцова.* — Василий Алексеевич Слепцов (1836-1878), русский писатель, организовал в 1863-1864 гг. т.н. Знаменскую коммуну, где пытался на практике осуществить социалистические идеи (всеоб-щий труд, равноправие женщин). Деятельность коммуны вызвала сплетни, до-носы, усиленный полицейский надзор. Когда летом 1864 года петербургские власти решили сослать участников Коммуны в дальние губернии, Слепцов лик-видировал ее и спас от преследований своих товарищей.

С. 200. ... *дочь умершего чиновника 10-го класса Александра Комаро-ва.* — Речь идет о той самой А. Комаровой, которая в 1866 году дала пока-зания III Отделению о причастности к партии нигилистов Василия Суслова и его сестры Аполлинарии.

С. 201. ... *из биографии Елизаветы Блекуель...* — Доктор Елизавета Блекуэл (Blackwell) (1821-1891) — первая женщина-врач в США, способст-вовавшая становлению медицинского образования для женщин и основавшая ряд медицинских учебных заведений в Америке, Великобритании, Франции.

Я вам пишу... — Письмо А.П. Сусловой, адресованное неизвестной даме, предположительно Жорж Санд, было написано по-русски, затем переве-дено на французский язык самой А.П. Сусловой, но, по-видимому, не отправ-лено.

С. 203. ... *решилась ехать в Америку...* — Разговоры о возможностях учебы в Америке время от времени возникали и в "Дневнике" А.П. Сусловой, и в ее письмах.

... *по поводу Свифта.* — Джонатан Свифт (1667-1745), знаменитый английский писатель-сатирик.

... *напала на Помялов[ского]...* — Николай Герасимович Помяловский (1835-1863), писатель-разночинец, популярный в 1860-х годах.

С. 204. *Какие обязанности у частного человека перед обществом?..* — Герой повести Н.Г. Помяловского "Молотов" рассуждает: "Миллионы живут с единственным призванием — честно наслаждаться жизнью... И прежде всего будем жить для себя...”.

... мы говорим о Пек., о Стоянове... — Как считает А.С. Долинин, речь идет об эмигрантах — поляке Пекарском и болгарине Стоянове.

... сидел над книгой Прудона... — Имеется в виду работа французского социалиста Пьера Жозефа Прудона (1809-1865) “Война и мир. Исследование о принципе и содержании международного права”, вышедшая в 1864 году.

С. 206. *... дорогой встретила его.* — Сальвадора.

С. 207. *... встреча с Плантатором.* — В записи от 17 ноября 1863 года А.П. Суслова назвала плантатором брата Сальвадора: “Какой прекрасный тип плантатора, этот молодой человек; красивый, приличный, хорошо одетый, серьезный”. В дальнейшем Плантатором она стала называть самого Сальвадора.

С. 209. *[Осень 1864]* — Судя по содержанию, письмо Е.В. Салиас может быть датировано самым началом октября, так как именно на него отвечает письмом от 4 октября А.П. Суслова.

... сочинение “В своем краю”... — Роман, во многом автобиографический, Константина Николаевича Леонтьева (1831-1891) был напечатан в 1864 году в “Отечественных записках”.

Теперь Утина отца требуют в крепость... — Отца братьев Утиных, Евгения и Николая, сослали в г. Двинск в связи с бегством за границу его сыновей.

С. 210. *... где же Русс. Вест. и Магницкий...* — Имеется в виду журнал “Русский вестник”, издаваемый в Москве М.Н. Катковым, и учебник Л.Ф. Магницкого “Арифметика, сиречь наука числительная”.

Я его знаю хорошо. Недоучившийся медик... — К.Н. Леонтьев не смог окончить медицинского факультета Московского университета, так как в связи с начавшейся Крымской войной (1853-1856) раньше срока состоялся выпуск студентов-медиков. 20 июня 1854 года К.Н. Леонтьев был определен батальонным лекарем в Белевский егерский полк.

Это настоящий [сам] потомок... — Один из предков К.Н. Леонтьева с материнской стороны (из старинного дворянского рода Карабановых), Иван Андреевич Булгак, мог быть, как считают биографы Леонтьева, татарского происхождения (см.: *Ю. Иваск.* К. Леонтьев. Жизнь и творчество. Вена, 1974).

...вести, которые меня поражают... — То есть все те беззакония, о которых написала в письме к А.П. Сусловой Е.В. Салиас.

С. 213. *... был у меня Утин, меньшой брат...* — Речь идет о Евгении Утине.

... в два буду у Левицкого... — Сергей Львович Львов-Левицкий (1819-1898), двоюродный брат А.И. Герцена, фотограф.

С. 216. *... я привела Лук[рецию] Флориани...* — Речь идет о романе Жорж Санд (1804-1876) “Лукреция Флориани” (1842).

С. 217. *Comme c'est inutile* — Как это не нужно (*фр.*).

mauvais sujet — плохой сюжет (*фр.*).

С. 219. *... вчера дрались в Мексике...* — Имеется в виду интервенция Мексики Францией в 1862-1867 гг.

Отчего же у Тэна... — В 1864 году вышла “История английской литературы” французского философа и историка литературы Ипполита Тэна (1828-1893).

С. 220. *... у ней был Бак[унин?].* — По мнению А.С. Долинина, революционер-анархист Михаил Александрович Бакунин (1814-1876), знакомый Е.В.Салиас, находившийся в ноябре 1864 года в Париже, мог быть гостем графини.

С. 222. *Я удивилась вашему письму.* — Письмо А.П. Сусловой, где она высказывает свое намерение ехать в Россию, чтобы "помочь общему бедствию", не сохранилось.

С. 223. *Так думают и мать его...* — Размышления из письма А.П. - Сусловой неизвестному лицу, где она ставит под сомнение свой литературный талант и выражает намерение жить обычной жизнью в тесном семейном кругу, отчасти повторяются в дневниковой записи, озаглавленной "Понедельник", накануне записи, датируемой "14 декабря".

С. 225. *... провожала т-те О[гареву].* — Наталия Алексеевна Тучкова-Огарева (1829-1913), жена Н.П. Огарева, с 1857 года стала гражданской женой А.И. Герцена.

... но я за себя не ручаюсь. — В декабре 1864 года умерли от скарлатины дети А.И. Герцена и Н.А. Тучковой-Огаревой, близнецы Елена и Алексей. Утратив душевное равновесие, Н.А. Тучкова-Огарева с дочерью Лизой жила отдельно от Герцена. "Я люблю Лизиного отца, — писала Тучкова сестре в Россию в декабре 1865 года, — но многое, тяжелое лежит между нами, мы не можем вместе жить" (*Н.А. Тучкова-Огарева.* Воспоминания. М., 1959. С. 14).

С. 226. *... в какую-то "тину нечистую"...* — А.П. Суслова вновь пользуется образом из стихотворения Н.А. Некрасова "Рыцарь на час".

Montagnard сказал... — По мнению С.В. Белова, речь идет о горце, грузине Н.Я. Николадзе (*С.В.Белов.* Две любви Достоевского. С. 356).

С. 233. *... прибрала к рукам его и "Эпоху".* — То есть переориентировала направление журнала братьев Достоевских на более радикальное.

... Но что я за Ифигения! — Сопоставление с Ифигенией, героиней греческих трагедий, которую намечалось принести в жертву для спасения греческого флота, означало, что возможное продолжение отношений с Ф.М. Достоевским А.П. Суслова рассматривала как жертву со своей стороны.

С. 234. *Ce moderne* — Это современное (*фр.*).

... башня Филиппа Красивого... — Филипп IV Красивый, французский король (1285-1314), подчинил своему влиянию папство (Авиньонское пленение пап) и при его попустительстве разгромил могущественный Орден тамплиеров.

... письмо от т-eur Gautt... — По мнению А.С. Долинина, речь идет о Го (Gaut), французском поэте и журналисте.

С. 235. *maison garnie* — меблированные комнаты (*фр.*).

С. 237. *В этой женщине...* — Н.А. Тучковой-Огаревой.

... историю Lavallée... — Речь идет о книге французского историка Теофиля Лавалле (1804-1866) "Histoire des Français depuis le temps des Gaulois jusqu'en 1830". В 1864 году эта книга вышла пятнадцатым изданием.

... историю литературы (французской) Demageot. — О какой книге идет речь, установить не удалось.

С. 238. *... из Вашего романа "Племянница"...* — Роман Евгении Тур (графини Е.В. Салиас) "Племянница" был напечатан в журнале "Современник" в 1850 году.

М-те О[гарева] престранная женщина. — В известных своих воспоминаниях периоду жизни в Монпелье зимой 1865 года Н.А. Тучкова-Огарева посвятила всего несколько строк, в которых никто из ее окружения, кроме лечащего врача Coste, упомянут не был.

С. 241. *Théâtre de pation, Chiens et singe savants...* — Театр, собаки и ученая обезьяна (*фр.*).

... так как Вы пишете... — письмо Н.П. Сусловой к Ф.М. Достоевскому неизвестно.

С. 242. ... *"Ты немножко опоздал приехать..."* — В "Дневнике" от 19 августа 1863 года А.П. Суслова записала: "Ты едешь немножко поздно..."

С. 246. *Я слышала, что "Эпоха"...* — Последний номер "Эпохи" вышел в феврале 1865 году; другие журналы переживали тяжелые времена: в 1865 году закрылась "Библиотека для чтения" — первый в России "толстый" журнал; резко упало число подписчиков "Отечественных записок"; борьбу с цензурой вел "Современник" (закрывшийся в июне 1866 года).

С. 247. *Любезная Аполлинария Аркадьевна...* — Н.А. Тучкова-Огарева перепутала отчество А.П. Сусловой.

... полезно для ваших планов. — Н.А. Тучкова-Огарева знала о намерении А.П. Сусловой организовать в российской провинции школу для девочек из крестьянских семей.

С. 248. *... что она для меня сделала...* — Графиня Е.В. Салиас помогала Н.А. Тучковой-Огаревой, когда болели ее дети.

... но Таты и Мейз. нет. — Речь идет о Наталье Александровне Герцен, старшей дочери А.И. Герцена, и М.-Л. Мейзенбуг, воспитательнице его дочери Ольги.

... российский нигилизм выживает меня из Цюриха. — Ср., напр.: "В Цюрихе положительно ненавидели *учащихся* женщин, особенно хорошеньких и богатых, подвергали их всяким неприятностям, делали им скандалы. Так, напр., к одной девице, не сдававшейся на прелести убежденной поддевки, целый табун ослов вломился ночью на обыск, потому что поддевка наклеветала на нее, — будто он сам видел в почтамте, как девица отправляла пакет, адресованный в III Отделение... Дамы... жаждавшие свободы, нередко становились рабынями кружковских неучей и самодуров, — подвергались самым отвратительным испытаниям и унижениям, — застреливались, резались, бросались в реку, гибли на пропаганде..." (*А. Незлобин.* Нигилизм и литературное развитие. Одесса, 1880. С. 34-35).

С. 249. *... с ними вице-нигилистка из Цюриха Суслова...* — А.П. Суслова была вместе с сестрой у А.И. Герцена в середине июня 1865 года.

... получила книгу "С того берега"... — Н.А. Тучкова-Огарева прислала А.П. Сусловой книгу А.И. Герцена "С того берега" (1850).

С. 250. *... У них в Петербурге...* — По-видимому, речь идет об аресте на квартире Н.С. Лескова Артура Ивановича Бенни (1 июня 1865 года), обвиненного в политическом преступлении, в связях с "лондонскими пропагандистами", а также "за недонесение о прибытии в Петербург... Вас. Кельсиева". А.П. Суслова могла знать об этом событии от брата А.И. Бенни, Карла Ивановича, называемого в "Дневнике" "лейб-медиком".

С. 252. *... встретила Вериго...* — Александр Андреевич Вериго (1835-1905), химик, один из цюрихских знакомых Н.П. Сусловой.

27 июня. Цюрих — Дата 27 июня идет в тексте "Дневника" после даты 29 июня.

С. 253. *Rien n'est sacré pour un tapeur.* — Ничего нет святого для тапера (*фр.*).

С. 255. *...train de plaisance...* — это выражение можно приблизительно перевсти как туристский поезд (*фр.*).

С. 257. *... не могу поверить, чтоб я тебя до отъезда твоего не увидел.* — Встреча Ф.М. Достоевского с А.П. Сусловой в Париже не состоялась.

С. 258. *... nec plus ultra* — дальше некуда (*лат.*).

С. 260. *... отвечай скорее...* — Ответ А.П. Сусловой на это письмо Ф.М. Достоевского неизвестен.

С. 261. ... *сообщила ему эту новость...* — то есть решение покинуть Париж.

С. 266. ... *с письмом к Новосильцевой...* — Варвара Владимировна Новосильцева — близкая приятельница Е.В. Салиас.

... *больше всех имеет влияние на молодежь Жуковский...* — Юлий Галактионович Жуковский (1833-1907), русский журналист и экономист, печатавшийся в "Современнике" и занявший место в редакции журнала после выхода из него М.Е. Салтыкова-Щедрина.

... *одну приятельницу (Брылкину)...* — Елизавета Николаевна Брылкина (в замужестве Глобина), беллетристка, приятельница сестер Сусловых.

С. 269. ... *в присутствии А. Осип. ...* — По-видимому, Анны Осиповны Гаркави, подруги А.П. Сусловой.

С. 273. *"J'ai evoqué ... pas trouvée"* — "Я заклинала все призраки, я боролась со всеми демонами, я молила всех святых и всех ангелов, я приносила жертвы всем страстям. О, истина! Истина! Ты не открылась мне, десять лет я тебя ищу и не нашла тебя" (*фр.*).

Неужели ты еще не прочла Lélia? — "Лелия" (1833), роман Жорж Санд, посвященный т.н. женскому вопросу.

"J'ai voulu ... de mon sein". — "Я хотела охладить мое сердце одиночеством, подвижничеством, созерцанием, но я лишь все больше и больше изнуряла себя, никак не задевая души своей" (*фр.*).

Брат мой скоро будет в Москве служить... — Эти планы не осуществились; В.П. Суслов получил место в г. Лебедянь Тамбовской губернии.

С. 274. ... *наподобие "Подводного камня"...* — Роман Михаила Васильевича Авдеева (1821-1876) "Подводный камень" ("Современник", 1860) воспринимался образованными читателями 1860-х годов как не слишком удачное подражание романам Жорж Санд о женской эмансипации.

... *книгу Бокля "История цивилизации в Англии".* — Генри Томас Бокль (1821-1862), английский социолог, книга которого пользовалась в России исключительным успехом.

Прежде читали "Еруслана Лазаревича"... — "Повесть о Еруслане Лазаревиче" (XVII в.) — образец лубочной литературы.

С. 276. Блажени чистие сердцем... — "Блаженны чистые сердцем, ибо они Бога узрят" (Матфей 5, 8).

ГЛАВА ВОСЬМАЯ

С. 281. ... *праздник сегодня такой большой...* — В 1866 году на конец марта приходился праздник Пасхи.

... *читает "Русское слово".* — В 1865 году петербургский ежемесячный журнал "Русское слово" был остро злободневным литературно-политическим изданием, проповедовавшим социалистические и революционно-демократические идеи, предоставлявшим трибуну таким радикальным публицистам, как Д.И. Писарев, В.А. Зайцев, Н.В. Шелгунов.

... *особенно о пользе...* — Имеется в виду модное в 1860-х годах учение об утилитаризме и "разумном эгоизме".

С. 282. ... *о дочерях Г.* — А.И. Герцена.

С. 283. ... *ваша книга ("Катакомбы")...* — В 1866 году Е.В. Салиас написала и издала книгу религиозно-назидательного характера для детей и юношества "Катакомбы", о ранних христианах, впоследствии пользовавшуюся популярностью и много раз переиздававшуюся.

С. 284. ... *о впечатлениях своих ... по случаю войны...* — В июне 1866 года началась и быстро закончилась итало-австро-прусская война, которой в русской печати уделялось не слишком много внимания.

... логике Прелата, предводителя альбигойских войн... — А.П. Суслова, по-видимому, имеет в виду папу Иннокентия, провозгласившего в 1208 году Третий крестовый поход против альбигойцев и альбигойской ереси, резко враждебной католической церкви.

С. 287. *... непременно читают Бокля, Дарвина, Локка и пр. ...* — То есть ученых и философов материалистического направления.

... новый журнал "Женский вестник"... — Ежемесячный журнал "Женский вестник" начал издаваться в Петербурге в 1866 году под редакцией Н.И. Мессарош. В нем сотрудничали Я.П. Полонский, Г.И. Успенский, П.Л. Лавров и др. Журнал ставил себе целью "всестороннее обсуждение женского вопроса, борьбу за улучшение положения женщин, содействие расширению круга деятельности женщины". В одном из номеров "Женского вестника" за 1867 год публиковалась статья о Н.П. Сусловой.

С. 289. *Там моя двоюродная сестра учится.* — Двоюродная сестра А.П. Сусловой, Анна Асафовна, была дочерью Асафа Григорьевича Суслова, родного брата Прокофия Григорьевича.

... историю Англии par Bonnechose... — Речь идет о французском литераторе Эмиле Боншозе (1801-1875) и его книге "Histoire d'Angletterre", вышедшей в 1858-1859 гг. в Париже и получившей премию Французской Академии.

С. 290. *В конце прошлой зимы...* — Ср., напр.: "Рыцари честного направления... имеют прекрасную защиту: неужели женщину не надо было привлекать к умственным интересам? Кто решится ответить: нет? Да, женщину надо было привлечь к интересам *умственным*, а ее привлекли к *половым*. В умственные интересы ее посвящали лишь настолько, насколько это могло содействовать быстрому и всестороннему развращению. Эти умственные интересы оправдывали *по-новому* расход чувственности, жажду животных наслаждений... На разврате женщин "на сторону" содержались иногда целые коммуны. В коммунах бывали и тяжелые времена — "жрать нечего", "ободрать некого": почему же для "общего блага" не пустить в оборот баб и мадамш? Ведь это один предрассудок" (*А. Незлобин*. Нигилизм и литературное развитие. С. 26-27).

С. 292. *... пополам с дядей...* — А.Г. Сусловым.

С. 294. *... теперь и его не будет...* — В одном из писем (4 января 1866 года) к А.П. Сусловой Е.В. Салиас сообщала, что "Голос" и "С.-Петербургские ведомости" отказали ей в публикации ее фельетонов: "Со слов других не считала себя дюжинным писателем; а дожить до того, что какой-нибудь глупый негодяй отказывается печатать ваши вещи, потому что они не подходят под направление (??!) его газеты".

С. 295. *Трактат Писарева...* — В июньском номере "Русского слова" за 1865 г. была опубликована статья Д.И. Писарева "Подвиги европейских авторитетов", посвященная истории возникновения естественнонаучных теорий за последние столетия и их распространению в Европе.

С. 296. *... читала историю Англии и Маколея, и Гизо, и Введенского...* — Томас Бабингтон Маколей (1800-1859), английский историк и политический деятель, автор исторического труда "История Англии от восшествия на престол Якова II" (1848-1856). Франсуа Пьер Гильом Гизо (1787-1874), французский политический деятель и крупный историк, чьи работы составили эпоху в европейской историографии. А.П. Суслова читала "Историю английской революции" (1828) Гизо во французском издании (Paris, 1854-1856) и в русском переводе (СПб., 1860). Иринарх Иванович Введенский (1813-1855), переводчик, критик и педагог, автор статей и лекций об английской литературе.

Теперь читаю Французскую революцию (par Daniel Stern)... — Речь идет об издании: D.Stern. Histoire de la révolution de 1848, vis I-III. Paris, 1851-1853.

С. 297. *Дела судебные... здесь идут...* — Подробности о судопроизводстве в российской провинции А.П. Суслова могла знать от своего брата, В.П. Суслова, судебного следователя.

... лучше читать Филаретов Катехизис... — Филарет, митрополит Московский (1782-1867), церковный администратор и ученый богослов, был широко известен как автор "Катехизиса православной веры", обязательно изучавшегося в школах.

С. 298. *Теперешний профессор истории, Герье...* — Владимир Иванович Герье (1837-1919), историк, с 1865 года — приват-доцент, а с 1868 года — профессор Московского университета.

...историю Абеляра... — Петр Абеляр (1079-1142), выдающийся французский философ, богослов и поэт. Вероятно, А.П. Суслова имеет в виду знаменитое сочинение Абеляра "История моих бедствий" в одном из французских изданий.

... или Иеронима Савонаролы... — Джироламо Савонарола (1452-1498), религиозно-политический реформатор Флоренции. Из его трудов наиболее известны "Проповеди" (1496).

... Michelet я не люблю за его слог... — Жюль Мишле (1798-1874), французский историк демократическо-народнического направления. А.П. Суслова упоминает один из томов 24-томной "Истории Франции" (Paris, 1833-1867).

... о причинах революции в Нидерландах, по Прескотту... — Уильям Хиклинг Прескотт (1796-1859), американский историк. О воспитательном значении исторических сочинений Прескотта писал Ф.М. Достоевский, рекомендуя включать их в круг чтения подростков.

... об отношении Новгорода к удельным князьям, по Беляеву... — По-видимому, речь идет о "Рассказах из русской истории" в 4-х томах Ивана Дмитриевича Беляева (1810-1873), историка русского права, профессора кафедры истории русского законодательства в Московском университете.

С. 300. *... в подпольной общественной работе...* — Это весьма сильное преувеличение.

С. 300-301. *Потом показал мне портрет Сусловой.* — Какой именно из портретов А.П. Сусловой начала 1860-х годов был у Ф.М. Достоевского, неизвестно.

С. 301. *Письмо твое, милый друг мой...* — Это письмо А.П. Сусловой не сохранилось.

...передали мне у Базунова... — Александр Федорович Базунов (1825-1899), петербургский книгоиздатель и книгопродавец.

С. 302. *... обязан был Стелловскому...* — Федор Тимофеевич Стелловский (ум. 1875), петербургский издатель и книгопродавец.

... я писал роман... — Речь идет о "Преступлении и наказании".

Я думал еще найти сердце, которое бы отозвалось мне, но — не нашел. — Намек на отказ А.П. Сусловой стать женой Ф.М. Достоевского.

С. 303. *Я буду с ней переписываться.* — Письма Ф.М. Достоевского к приятельнице А.П. Сусловой Брылкиной (Е.Н. Глобиной) неизвестны.

С. 304. *... письмо это не застанет тебя в Москве.* — Видимо, А.П.

Суслова сообщила в своем письме Ф.М. Достоевскому, что, не выдержав экзамена в Московский университет, возвращается в Иваново.

С. 305. ... *письмо, которое я нашла...* — Письмо от А.П. Сусловой.

С. 306. ... *письмо было послано из Дрездена...* — По-видимому, А.П. Суслова, которая в апреле-мае 1867 года была в Москве и за границу не выезжала, отправила письмо с оказией.

... *письмо, где меня называют Брылкиной...* — А.Г. Достоевская сочла фамилию Брылкина в письме А.П. Сусловой пародией на свою девичью фамилию Сниткина.

С. 307. ... *что пишет Сонечка...* — Софья Александровна Иванова-Хмырова (1846-1907), племянница Ф.М. Достоевского.

... *от Аполлона Николаевича.* — То есть от А.Н. Майкова.

... *письма Андрея Михайловича...* — Андрея Михайловича Достоевского, младшего брата Ф.М. Достоевского.

... *писал письмо к Эмилии Федоровне...* — Э.Ф. Достоевской, вдове М.М. Достоевского.

С. 308. ... *письмо от Сто[юниной].* — Мария Николаевна Стоюнина — гимназическая подруга А.Г. Достоевской.

С. 309. ... *тут Ваня опять пишет адрес С[условой]...* — А.Г. Достоевская просила своего брата, Ивана Григорьевича Сниткина, достать ей московский адрес А.П. Сусловой.

... *что эта записка одной особы...* — То есть А.П. Сусловой.

С. 310. ... *там ли известная госпожа...* — А.П. Суслова.

С. 315. ... *читаю Histoire...* — Речь идет о книге: "Histoire de la littérature anglaise" Ипполита Тэна.

... *возвратится с своим мужем.* — Н.П. Суслова в феврале 1867 года вышла замуж за Фридриха Эрисмана (1842-1915), врача-окулиста.

... *должно быть, "эрундист"...* — Видимо, здесь иронически трансформировано слово "эрудит".

С. 316. *Корреспондент сообщает...* — Этим корреспондентом, скорей всего, был Ф.Д. Нефедов (см. о нем примеч. к с. 319).

С. 317. ... *в одном доме с моей помощницей...* — Речь, по-видимому, идет о немке-компаньонке, преподавательнице музыки, о которой А.П. Суслова писала Е.В. Салиас в письме от 25 мая 1867 года.

С. 319. *Филипп Нефедов* — Корреспондент из Иванова, сообщивший об открытии школы для девочек, а также два месяца спустя написавший "некролог" о закрытии этой школы, — Филипп Диомидович Нефедов (1838-1902), сын ивановского крестьянина, выбившегося во владельцы ваточной фабрики, писатель и этнограф. Исключительно теплые тона, в которых он сообщает о школе "г-жи Сусловой", о ее блестящем образовании и страстной любви к занятиям с ученицами, дают основания предположить, что Ф.Д. Нефедов был тем самым человеком, о котором, не называя его имени, А.П. Суслова написала Е.В. Салиас в письме от 14 сентября 1869 года: "Дело в том, что я *понравилась* и полюбила человека, который вызвался не только поправить мои дела, но и открыть мне новую дорогу..." Ф.Д. Нефедов окончил 1-е Ивановское Приходское училище и историко-филологический факультет Московского университета, в 1861 году сам пытался организовать в Иванове воскресную школу для рабочих, но и его школа, как впоследствии школа А.П. Сусловой, просуществовав всего три месяца, была закрыта распоряжением властей. В 1868-1869 гг. Ф.Д. Нефедов жил в Москве, но регулярно бывал в селе Иваново и знал все местные новости. Именно он мог обещать А.П. Сусловой "открыть ей новую дорогу" — речь шла, очевидно, о широкой литературной деятельности: к этому времени у Ф.Д. Нефедова были достаточно обширные связи с журнальными и книжными издателями.

С. 320. ... *дело мое проиграно*... — А.П. Суслова хлопотала в Петербурге о возвращении ей права преподавать.

... *если сердце мое чувствовало ложь*... — Может быть, в момент написания письма (5 октября 1869 года) А.П. Суслова уже знала, что несколько дней назад (27 сентября) Ф.Д. Нефедов женился на учительнице русского языка Марии Константиновне Затрапезновой (брак с которой распался уже через два года).

С. 321. *Летом я переводила*... — Скорее всего, речь идет о переводе книги М. Минье "Жизнь Франклина", которая была издана в 1870 году. На титульном листе значилось: "Перевод с последнего французского издания А.П. Сусловой". Предыдущее французское издание книги М. Минье было переведено на русский язык (СПб., 1863) Ин. Перевощиковым.

Если мне не будет здесь работы... — По-видимому, никаких новых заказов на переводы А.П. Суслова больше не получала.

С. 322. ... *заняты будущим женским университетом*... — Речь идет о Высших женских курсах при Московском университете, которые открылись только в 1872 году.

С. 324. ... *только что открывшихся в Москве курсов Герье*. — А.П. Суслова знала профессора В.И. Герье еще с 1867 года (см. ее письмо к Е.В. Салиас от 4 января 1867 года) , когда она готовилась к экзамену при Московском университете на звание учительницы. Высшие женские курсы (или "курсы Герье") "были открыты 1 ноября 1872 г. при 58 слушательницах, в первое полугодие число их увеличилось до 66, кроме 34 вольнослушательниц; во второе полугодие число это сократилось до 59, а вольнослушательниц до 27" (Материалы для истории женского образования в России Е. Лихачевой. Т.4: 1856-1880. СПб., 1901. С. 530-535). Судя по тому, что в мае 1873 года А.П. Суслова была уже в Нижнем Новгороде, она проучилась на "курсах Герье" только один семестр.

... *снова уехала к брату*... — А.П. Суслова уехала в Нижний Новгород, где к тому времени жили ее отец, мать и брат с женой.

ГЛАВА ДЕВЯТАЯ

С. 325. *"Чужие и свои"* — Название повести А.П. Сусловой дается здесь по рукописи (РГАЛИ. Ф.1627. Оп.1. Ед.хр.2), а не по первой публикации, подготовленной А.С. Долининым ("Чужая и свой"). В рукописной тетради написание названия повести выглядит так: "Чужія и свои", что позволяет не согласиться с версией А.С. Долинина. К тому же заголовок "Чужие и свои" точнее определяет суть взаимоотношений героев повести.

С. 334. ... *а Лосницкому все казалось*... — В рукописи первое употребление фамилии Лосницкий было заменой с фамилии Дубровин.

С. 335. *Часа в два Лосницкий стоял*... — В этом месте на полях рукописной тетради повторяется эпиграф из Данте.

С. 340. *Однажды утром Лосницкий*... — В этом месте на полях рукописной тетради эпиграф из Данте повторяется еще раз.

С. 342. ... *гордость ее проснулась.* — В рукописи дальше следует зачеркнутая фраза: "В тот же вечер она писала встретившемуся нечаянно накануне молодому человеку, отсылая ему кольцо со своей руки".

В бедной деревушке Франции... — В рукописи первоначально было: "небольшом городе на юге Германии".

С. 345. ... и села у открытого окна. — В рукописи на полях приписано: "Между тем настала ночь и покрыла все непроницаемой чернотой, но лунный свет пробирался в высокие окна, яркими полосами прорезывал темноту и как-то странно фантастически мешался с нею, наполняя ее волшебством и таинственностью".

... я как-то устала... — В рукописи после этих слов идет зачеркнутая фраза: "Но он не тронулся, пока через несколько минут она не напомнила ему, чтобы он ее оставил. — Не хочется уходить от тебя, — сказал он со вздохом, однако встал, поцеловал на прощание ее обе руки..."

С. 352. ... это была Полина! — Книга Л.Ф. Достоевской — единственный источник, сообщающий о якобы имевшем место в конце 1870-х годов посещении Ф.М. Достоевского А.П. Сусловой. Скорее всего, эта сцена — вымысел Л.Ф. Достоевской.

ГЛАВА ДЕСЯТАЯ

С. 355. Дорогая Софья Моисеевна... — Адресат письма — С.М. Гаркави, приятельница А.П. Сусловой, жена брата (Владимира Осиповича Гаркави) ее близкой подруги — Анны Осиповны Гаркави, в замужестве Гольдовской.

С. 356. Ко мне приходил Нефедов от вас... — См. о Ф.Д. Нефедове примечание к с. 319. По-видимому, после женитьбы Нефедова в сентябре 1869 года А.П. Суслова отношений с ним больше не поддерживала и он появился у Е.В. Салиас без ведома А.П. Сусловой, лишь зная о ее многолетней дружбе с графиней.

С. 357. ... quasi-вдовушка уехала из Нижнего... — Комментаторы сочинений В.В. Розанова считают, что здесь К. Кудрявцев, товарищ Розанова по Нижегородской гимназии, имеет в виду А.П. Суслову, точное время знакомства которой с Розановым неизвестно (*В.В. Розанов. О себе и жизни своей.* С. 770).

Ведь у турок армии почти нет... — Во время Русско-турецкой войны между Е.В. Салиас и А.П. Сусловой велась интенсивная переписка о коллизиях и ходе войны, о которой Е.В. Салиас знала "изнутри", от мужа своей дочери, генерала Гурко, героя Плевны. Письма А.П. Сусловой этого периода найти не удалось.

С. 358. ... траур по брате... — Брат А.П. Сусловой, В.П. Суслов, умер от туберкулеза в 1877 году.

Она была по стилю души совершенно не русская... — Впервые письмо В.В. Розанова к писателю А.С. Глинке-Волжскому опубликовал — со значительными купюрами и местами в довольно свободном пересказе — Л.П. Гроссман. В его публикации комментируемая фраза выглядит так: "Она была по стилю души совершенно русская, а если русская, то раскольница бы "поморского согласия", или еще лучше — "хлыстовская богородица" (*Л. Гроссман.* Путь Достоевского. С. 152). Здесь текст письма приведен по публикации В.Г. Сукача, в свое время сделавшего копию письма по оригиналу, хранящемуся в РГАЛИ. В настоящее время сличить текст письма Розанова с подлинником нет возможности, так как архив Розанова в РГАЛИ закрыт.

С. 360. ... было видно и мне и ей... — В.В. Розанов описывает свой трехлетний роман с А.П. Сусловой, завершившийся в 1880 году браком.

И вот она мне написала в Москву грустное письмо... — Это письмо А.П. Сусловой не сохранилось.

Быстро обменялись мы еще письмами... — Эти письма А.П. Сусловой и В.В. Розанова не сохранились.

С. 368. *... о сестре Вашей, и Анне Асафьевне...* — То есть о родной сестре, Надежде Прокофьевне, и двоюродной сестре, Анне Асафовне Сусловой, в замужестве Ивановой.

... о Смирновых... и о Свиридовых... — Брянские знакомые Розанова.

... ушел с Барановским... — Н. Барановский — товарищ Розанова по Нижегородской гимназии.

... ножках девчонки Салиас... — По-видимому, речь идет о персонаже одной из "детских" повестей Е.В. Салиас.

С. 369. *О бездарном ученом и лакее-пролазе Любавском...* — Видимо, имеется в виду тот самый Любавский, который был шафером на свадьбе у Розанова и Сусловой.

... променяла меня на Саркисовых... — С.И. Саркисов, учитель древних языков Брянской прогимназии, сослуживец Розанова.

С. 370. *... показывали единственное письмо Достоевского...* — В.В. Розанов мог не знать, сколько именно писем от Ф.М. Достоевского было у А.П. Сусловой. Какое именно письмо Ф.М. Достоевского он имеет в виду — неизвестно.

... по примеру своего непременного Идеала Михайловского... — Речь идет о Николае Константиновиче Михайловском (1842-1904), русском публицисте, социологе и литературном критике, авторе знаменитой статьи о Достоевском "Жестокий талант" (1882).

... о своих занятиях Бланкой Кастильской... — Бланка Кастильская (1187-1252), французская королева, жена Людовика VIII и мать Людовика IX. Историей Франции, как и средними веками, А.П. Суслова начала заниматься еще в конце 1860-х годов, когда решила специализироваться как преподаватель истории и готовилась к экзамену по истории в Московском университете.

С. 371. *partie de plaisir* — увеселительная прогулка (*фр.*).

С. 372. *... Суслова отправляет к его матери письмо...* — Письмо А.П. Сусловой к А.О. Гаркави-Гольдовской о ее пасынке не сохранилось.

... и в письме ко мне... — Письмо О.Б. Гольдовского к В.В. Розанову не сохранилось.

С. 373. *... в ряде бешеных писем...* — Эти письма А.П. Сусловой к В.В. Розанову неизвестны.

С. 375. *... длинный разговор с И.Ф. Петропавловским...* — Иван Феофилактович Петропавловский — коллега В.В. Розанова по Елецкой гимназии.

С. 376. *Много времени спустя писал я и ее отцу...* — Письмо В.В. Розанова П.Г. Суслову, как и цитируемый Розановым ответ П.Г. Суслова, не сохранились.

Когда ты мне не писал все лето... — Письмо А.П. Сусловой, написанное ею уже после ее ухода от мужа, рисует несколько иную картину их разрыва, чем в версии Розанова.

С. 377. *Груша шлет сердечный привет.* — Груша — девушка-компаньонка, которая жила у Е.В. Салиас.

С. 378. ... *напишу о вас Малову.* — Речь идет, по-видимому, о чиновнике из Петербурга.

... *желаю Вам доброго здравия...* — Подлинник письма П.Г. Суслова, адресованное В.В. Розанову, обрезан.

С. 380. ... *у фото[графа] царские двери вместо ширм...* — По-видимому, речь идет о фоторекламе мебели, ширм и пр., о чем писала А.П. Суслова Е.В. Салиас.

С. 381. *А Вы, чистая, жизни добродетельной...* — В переписке А.П. Сусловой и Е.В. Салиас 1880-х годов, насколько об этом можно судить по письмам Е.В. Салиас, причиной разрыва А.П. Сусловой с мужем называлась не ее история с О.Б. Гольдовским, а неверность В.В. Розанова — его связь с некой молодой учительницей (может быть, дочерью Д.Д. Кучинского, брянского доктора).

С. 383. *С моим письмом к Баранову...* — Речь идет, видимо, о влиятельном чиновнике, который, по протекции Е.В. Салиас, мог помочь А.П. Сусловой в ее хлопотах о виде на жительство.

С. 384. *Ваша сестра, отдав Вам все после отца...* — Н.П. Суслова после смерти П.Г. Суслова в 1890 году отказалась от своей доли наследства в пользу старшей сестры, А.П., к тому времени снова неустроенной и одинокой.

ГЛАВА ОДИННАДЦАТАЯ

С. 390. *Но папа... не написал рецензии.* — Т.В. Розанова ошиблась: ее отец написал-таки рецензию на сборник повестей Л.Ф. Достоевской "Больные девушки" (1911) в газете "Новое время" (1911, 3 апр.). А.Г. Достоевская благодарила В.В. Розанова за это: "Глубокоуважаемый Василий Васильевич! Не нахожу слов, как благодарить Вас за прекрасный отзыв о первом произведении моей дочери. Он тем особенно для нас дорог, что не был выпрошен и вымолен, а явился искренним Вашим мнением. Она по неопытности даже не послала в редакцию "Нового времени" книги "для отзыва". Вы знаете, как печально сложилась жизнь моей дочери; казалось, были налицо все условия человеческого счастья: молодость, здоровье, ум, наклонность к семейной жизни, наконец — хорошие материальные средства, но, видно, "не судьба", и она осталась жить одиноко, не найдя ни счастья, ни нравственного удовлетворения. Может быть, это удовлетворение она найдет в писательстве, и какое это было бы громадное счастье для обеих нас. От всего сердца благодарю Вас за поддержку ее на этом пути". Л.Ф. Достоевская, чья судьба сложилась в чем-то очень похоже на судьбу А.П. Сусловой, тоже благодарила В.В. Розанова: "Многоуважаемый Василий Васильевич! Очень приятно было прочесть Вашу статью и видеть, что Вы меня поняли и захотели поощрить. Ваша статья — первая. Вот уже месяц, как вышла моя книжка, и до сих пор критика ничем не отозвалась. Публика отнеслась ко мне несравненно сердечнее и раскупила половину моего издания. Правда и то, что я не рассчитывала на успех, издала книгу в небольшом количестве. Еще раз большое спасибо" (ОР РГБ. Ф.249. Кн.4201. Ед.хр.4).

С. 391. ... *они не "мои"...* — По законам Российской империи, дочери В.В. Розанова, считаясь незаконнорожденными, носили фамилии своих крестных отцов.

С. 392. *Аполлинария — урожденная Суслова...* — Эту часть письма В.В. Розанов писал специально для К.П. Победоносцева.

С. 398. *Помните ли в "Бесах"...* — В главе "Путешественница" части третьей "Бесов" Шатов говорит о рождении ребенка: "Тайна появления нового существа, великая тайна и необъяснимая... Было двое, и вдруг третий человек, новый дух, цельный, законченный, как не бывает от рук человеческих; новая мысль и новая любовь, даже страшно... И нет ничего выше на свете!”

С. 399. ... *имеет долг "помочь в субботу вылезти из ямы впавшему в нее"...* — В.В. Розанов рассуждает о долге в евангельском смысле — “Сын Человеческий есть господин и субботы”, то есть реальные нужды человека выше фарисейских правил о праздновании субботы. “И вот там был человек, имеющий сухую руку. И спросили Иисуса, чтобы обвинить Его: Можно ли исцелять в субботы? Он же сказал им: кто из вас, имея одну овцу, если она в субботу упадет в яму, не возьмет ее и не вытащит? Сколько же лучше человек овцы!” (Матфей 12, 10-12).

С. 401. *Прошло 18 лет с тех пор...* — Письмо В.В. Розанова к Н.П. Сусловой из архива ее второго мужа, профессора А.Е. Голубева, написано, по всей вероятности, не ранее 1899 года, так как в это время А.П. Суслова еще жила в Новгороде, и не позднее 1902 года, так как в 1902 году адрес бывшей жены Розанову уже был известен и по этому адресу, в Севастополь, к ней приезжал друг Розанова, В.А. Тернавцев. Первый публикатор письма, проф. Е.В. Петухов, сообщил в комментарии важные сведения: “В январе 1926 года скончался в своем бывшем имении Кастель-Приморский, близ Алушты, престарелый (90 лет) профессор А.Е. Голубев, в свое время известный гистолог. Он был женат на Надежде Прокофьевне Сусловой, скончавшейся в 1918 г. От Голубевых остался их домашний архив, или — вернее — часть архива, остальная масса которого была расхищена в последние годы жизни А.Е. Голубева, окончившего свои дни в полном одиночестве и слепоте” (*Е.В. Петухов.* Из сердечной жизни Достоевского (Ап. Прок. Суслова-Розанова). С. 44). Именно в этом архиве могли храниться многочисленные письма А.П. Сусловой к сестре, ни одного из которых пока разыскать не удалось.

С. 402. *В течение отчетного года вновь поступило в состав Отдела 8 членов...* — “Нижегородские епархиальные ведомости” дают подробный отчет о деятельности Нижегородского отдела Императорского Православного Палестинского Общества и многих его членов, но А.П. Розанова упомянута только как вновь поступившая. Скорее всего, она пробыла в этом обществе недолго, так как около 1900 года покинула Нижний Новгород.

ГЛАВА ДВЕНАДЦАТАЯ

С. 404. *Вижу большую фотографию...* — Эта фотография А.П. Сусловой неизвестна.

С. 405. *Так можете себе представить, воспитанница утопилась.* — См. рассказ об этом племянника А.П. Сусловой, Е.П. Иванова, в разделе “Вместо послесловия”.

... *она, было, думала тут на себе его женить...* — Рассказ В.А. Тернавцева в передаче З.Н. Гиппиус противоречит фактам, известным из “Дневника” А.П. Сусловой и из письма Ф.М. Достоевского А.П. Сусловой 1867 года.

С. 406. *Эту характерную историю сам Розанов мне не рассказывал.* — З.Н. Гиппиус сообщает именно розановскую версию разрыва А.П. Сусловой с мужем.

С. 407. *“Будь верен человеку...”* — По-видимому, это вольная интерпретация евангельских текстов. Ср., напр.: “Возлюбленные! пишу вам не новую заповедь, но заповедь древнюю, которую вы имели от начала... Кто любит брата своего, тот пребывает во свете, и нет в нем соблазна” (Первое послание Иоанна Богослова 2; 7,10). Ср. также высказывание блаженного Августина: "Dilige et quod vis fac" — "Люби, и *тогда* чего хочешь — делай".

С. 408. *Очень прямые люди нет-нет и возмутятся...* — Именно так воспринимала В.В. Розанова А.П. Суслова, письмо которой к племяннику цитирует А.С. Долинин (см. ниже).

en toutes lettres — напрямик, откровенно (*фр.*).

С. 409. *Дорогой Платон Памфилович!* — П.П. Иванов, журналист, муж двоюродной сестры А.П. Сусловой, Анны Асафовны Ивановой, и отец племянника А.П. Сусловой, Е.П. Иванова.

... вексель и жалобу... в окружной суд. — Речь идет, скорее всего, о каких-то финансовых проблемах, а не о бракоразводных делах.

... к знакомому аблакату... — То есть к адвокату.

С. 411. *"У тебя было пять мужей..."* — См.: "Ибо у тебя было пять мужей, и тот, которого ныне имеешь, не муж тебе; это справедливо ты сказала" (Иоанн 4, 18).

... к биографу Достоевского А.С. Волжскому. — А.С. Глинка-Волжский (1878-1940) в начале 1900-х годов пытался издать написанную им биографическую книгу о Достоевском. В этой связи В.В. Розанов хлопотал перед А.Г. Достоевской: "Теперь мысленно перенесемся в склеп Федора Михайловича: и коль он учил нас непременно верить в загробную жизнь, в вечное существование "там", то и спросим его, как же он велит поступить с 80-листным трудом благородного идеалиста Волжского, который, будучи больным, несколько лет употребил на собирание мельчайших деталей его жизни, к выяснению всей его литературной и человеческой личности" (В.В. Розанов — А.Г. Достоевской [октябрь 1907]//Минувшее. 1992. Вып. 9. С. 289-290). Именно по просьбе А.С. Глинки-Волжского, собиравшего материалы для биографии Ф.М. Достоевского, В.В. Розанов написал знаменитое письмо о своем первом браке. Книга Волжского осталась неизданной.

С. 412. *Теперь вот книга вышла о Сусловой.* — Речь идет об издании А.С. Долинина: *А.П. Суслова.* Годы близости с Достоевским. М., 1928.

С. 414. *... русская литература ей ничем не обязана...* — Здесь воспоминатель явно несправедлив — не столько к А.П. Сусловой, сколько к Ф.М. Достоевскому.

С.Н. Дурылин. В.В. Розанов. — Сергей Николаевич Дурылин (1886-1954), публицист, прозаик, поэт, историк литературы. Воспоминания о В.В. Розанове были написаны им в 1928 году в связи с выходом книги: *А.П. Суслова.* Годы близости с Достоевским.

С. 415. *... пишет она своему племяннику...* — Это письмо А.П. Сусловой пока разыскать не удалось.

... на прежней квартире Аполлинарии Прокофьевны. — С начала 1900-х годов и по весну 1915 года А.П. Суслова проживала в собственном доме по адресу: Батумская, 27. Дом не сохранился.

Лучшее средство... — Эта записка А.П. Сусловой к племяннику, датированная ею, видимо, была дополнением к несохранившемуся письму. В мае 1915 года Е.П. Иванов (как это видно из письма его отца от 13 мая) гостил у А.П. в Севастополе и вынужден был по некой семейной причине срочно выехать в Москву, куда вдогонку и была отправлена корреспонденция от 18 мая.

Печалюсь в вашем горе... — Судя по содержанию письма, в конце 1915 года умер отец Е.П. Иванова, Платон Памфилович.

С. 417. *... А.П. Суслова изменила идеалам своей молодости...* — Вряд ли можно утверждать, что А.П. Суслова изменила идеалам молодости только на основании ее вступления в организацию, которую она считала, видимо, патриотической. В "Дневнике", в записи от 22 мая 1864 года, она воспроизводит сцену спора с Лугининым и Усовым по поводу космополитизма. "Лугинин начал утверждать, что это очень хорошо, что космополитизм очень хорошая вещь; не все ли равно, что желать добра русскому или французу. Он сказал, что... с русскими ничего общего не имеет, ни с мужиком, ни с купцом, не верит его верованиям, не уважает его принципов... Я была взбешена, но молчала".

В альбоме под названием... — "Союз русского народа" был учрежден в Севастополе в 1906 году. Газета "Крымский вестник" (1906, 28 ноября) сообщала: "В воскресенье, 26 ноября, в летнем помещении городского собрания на бульваре состоялось открытие Севастопольского отдела "Союза русского народа". На открытии присутствовали человек двести. Из начальствующих лиц торжество посетил один полицмейстер". 12 декабря газета сообщила, что председатель покровского православного братства г. Афанасьев стал и председателем Севастопольского отдела "Союза русского народа". Если альбом, о котором сообщает С. Штрайх, и был издан в 1906 году, А.П. Суслова-Розанова могла быть в лучшем случае членом, но не товарищем председателя организации. В городских библиотеках г. Севастополя найти альбом, связанный с деятельностью "Союза русского народа", не удалось.

... помогала устраивать погромы... подобно Достоевскому... — Никаких сведений, что А.П. Суслова "помогала устраивать погромы", не имеется. Статья С. Штрайха, имеющая явный "антидостоевский" характер, была частью идеологической кампании, характерной для своего времени (1933). Ср. предисловие "От издательства" к третьему тому писем под ред. А.С. Долинина (1934): "Идеология фашизма, концентрирующая ныне на всю сумму наличных аргументов против коммунизма, бесконечно ограниченнее и беднее того, что несколько десятилетий тому назад сказал уже на эти темы Достоевский" (с. 2).

В 1913 году, как указывает севастопольский Адрес-календарь, организация, которую возглавляла А.П. Розанова, насчитывала 9 человек, из них 4 женщины.

ВМЕСТО ПОСЛЕСЛОВИЯ

С. 419. *... и группой Чернышевского.* — С кругом Чернышевского и журналом "Современник" была связана Н.П. Суслова.

... автографов Герцена. — О письмах А.И. Герцена к А.П. Сусловой никаких сведений не имеется; может быть, воспоминатель имел в виду автографы не Герцена, а его жены, Н.А. Тучковой-Огаревой.

С. 420. *... то путешествовала по Палестине.* — В 1899 году А.П. Розанова стала членом Нижегородского отдела Императорского Православного Палестинского Общества (см. главу 11). Ее племяннику, Е.П. Иванову, было в это время 15 лет; может быть, рассказы А.П. Сусловой о ее деятельности в обществе он принял за само путешествие. Во всяком случае сведения о путешествии А.П. в Палестину никакими другими источниками не подтверждаются.

С. 421. *... окончившая тогда 1-ю Московскую гимназию...* — Эти сведения не подтверждаются другими источниками: Н.П. Суслова и ее сестра учились в Москве в частном пансионе, а не в гимназии.

С. 423. *... встречается и быстро дружится...* — Здесь воспоминатель ошибается: дружба А.П. Сусловой с гр. Салиас началась за пять лет до попытки открыть школу в с. Иваново.

... о котором ведется дневник... — Ни самого дневника, ни сведений о его публикации в виде брошюры обнаружить не удалось.

С. 424. *Воспоминания Е.П. Иванова...* — Как сообщал Е.П. Иванов, давая сведения о себе библиографу И.Ф. Масанову, главной его работой была не мемуаристика, а "собирание бытового острословия и древнего скоморошьего эпоса" (РГАЛИ. Ф.317. Оп.1. Ед.хр.168). Один из псевдонимов, которым пользовался Е.П. Иванов, употребляя его в различных периодических изданиях, был "Прокопий Суслов": в память о двоюродном деде, отце его тетки, А.П. Сусловой.

ОСНОВНЫЕ ДАТЫ ЖИЗНИ
А.П. СУСЛОВОЙ

1839. В селе Панино Горбатовского уезда Нижегородской области родилась А.П. Суслова.

1839-1854. "Воспитывалась между народом до 15 лет".

1854, август. Семья Сусловых переехала в Москву и поселилась в подмосковном имении графа Шереметева — Останкино.

1854, сентябрь. Сестры Сусловы, Аполлинария и Надежда, по рекомендации графа Шереметева определены в частный пансион благородных девиц в Москве, на Тверской ул.

1854-1859. Годы учебы в частном пансионе.

1859. Переезд семьи Сусловых в Петербург, по месту новой службы П.Г. Суслова, назначенного главноуправляющим всеми имениями графа Шереметева.

1859-1860. Окончание образования в Петербургском институте благородных девиц.

1860-1861. Сестры Сусловы посещают публичные лекции в Петербургском университете на правах вольнослушательниц.

1861, февраль, сентябрь-октябрь. Сестры Сусловы принимают участие в первых студенческих демонстрациях.

1861. Знакомство с Ф.М. Достоевским.

1861, 1 сентября. Цензурная пометка на 5-й книге журнала "Время" с повестью "Покуда".

1861, 1 ноября. Выход 5-й книги журнала "Время" (N10). Литературный дебют А.П. Сусловой.

1862, 7 апреля. Знакомство сестер Сусловых с Е.А. Штакеншнейдер на вечере у поэта Я.П. Полонского.

1862 — зима 1863. Сближение А.П. Сусловой с Ф.М. Достоевским.

1863, 8 марта. Цензурная пометка на N3 журнала "Время" с рассказом "До свадьбы".

1863, середина марта. Отъезд в Париж.

1863, 3 апреля. Выход N3 журнала "Время" с рассказом "До свадьбы".

1863, март-август. Пребывание в Париже.

1863, начало августа. Сближение с испанцем Сальвадором.

1863, 7 (19) августа. Первая запись в "Дневнике".

1863, 14 (26) августа. Приезд в Париж Ф.М. Достоевского.

1863, конец августа. Разрыв с Сальвадором Кор.

1863, 22 августа (3 сентября). Отъезд А.П. Сусловой и Ф.М. Достоевского из Парижа.

1863, сентябрь-октябрь. Путешествие с Ф.М. Достоевским по Италии.

1863, 1 (13) октября. Знакомство с А.И. Герценом на пароходе, отправляющемся из Неаполя.

1863, 10 (22) октября. Возвращение в Париж без Ф.М. Достоевского.

1864, 5 (17) апреля. Знакомство с Е.В. Салиас де Турнемир (Евгенией Тур) и М.А. Маркович (Марко Вовчок).

1864, 9 (21) апреля. Ф.М. Достоевский получил рассказ А.П. Сусловой "Своей дорогой" для журнала "Эпоха".

1864, 3 мая. Выход N3 журнала "Эпоха" с рассказом "Своей дорогой".

1864, конец июня. Отъезд в г. Спа (Бельгия) для лечения.

1864, сентябрь. Возвращение в Париж.

1865, февраль. Отъезд в Монпелье. Дружеское общение с Н.А. Тучковой-Огаревой.

1865, начало июня. Переезд в Цюрих, к сестре.

1865, середина июня. Поездка с сестрой в Женеву к А.И. Герцену и Н.А. Тучковой-Огаревой.

1865, август. Поездка к Ф.М. Достоевскому в Висбаден.

1865, сентябрь. Приезд в Спа, через Париж.

1865, октябрь. Возвращение в Россию.

1865, 2 ноября. Запись в "Дневнике" о встрече с Ф.М. Достоевским.

1865, 6 ноября. Последняя запись в "Дневнике".

1865, середина ноября. Отъезд из Петербурга в Иваново.

1866, март. Поездка в г. Лебедянь Тамбовской губернии к брату.

1866, июнь. Обыск на квартире брата с конфискацией всех писем и документов.

1866, 10 июня. Возвращение в Иваново.

1866, конец декабря. Поездка в Москву для сдачи экзаменов на звание учительницы истории.

1867, 23 апреля. Сообщение Ф.М. Достоевского о его женитьбе.

1867, май. Провал на экзамене в Московском университете и возвращение в Иваново.

1867, осень. Сдан экзамен при Московском университете на звание учительницы и получено разрешение открыть в селе Иваново школу для приходящих учениц.

1868, 12 декабря. Открытие в селе Иваново школы (пансиона) для девочек.

1869, 12 марта. По распоряжению смотрителя училищ г. Шуи школа закрыта и разрешение на дальнейшие занятия отобрано.

1869, весна. Поездка в Петербург с намерением вновь добиться разрешения на открытие школы и возобновление занятий.

1869, лето. Попытка устроиться в Москве и жить на литературные заработки. Перевод с французского издания книги М. Минье "Жизнь Франклина".

1870. Выход в свет книги М. Минье "Жизнь Франклина" в переводе с французского А.П. Сусловой.

1871. Переиздание русского перевода книги М. Минье.

1872, 1 ноября. Поступила на открывшиеся в Москве Высшие женские курсы, возглавляемые проф. В.И. Герье.

1873, май. После первого полугодия учебы на курсах оставила их и приехала на жительство в Нижний Новгород, к родным.

1876. Знакомство со студентом Московского университета В.В. Розановым.

1880, ноябрь. Вышла замуж за В.В. Розанова. Жизнь в г. Брянске.

1886, август. Разрыв с В.В. Розановым и отъезд из Брянска.

1887, сентябрь — 1888, апрель. Служба начальницей Малютинского детского приюта в г. Калуге.

1888, лето. Возвращение в Нижний Новгород, в отцовский дом.

1890, февраль. Смерть П.Г. Суслова.

1892, 13 (27) марта. Смерть Е.В. Салиас в Варшаве.

1890-е годы, середина. Взята на воспитание сирота Саша.

1890-е годы, конец. Смерть воспитанницы Саши.

1897. Получение отдельного вида на жительство.

1899. Вступление в члены Нижегородского отдела Императорского Православного Палестинского Общества.

Около 1900. Продажа дома в Нижнем Новгороде и переезд в Крым, в Алушту, к сестре.

Около 1902. Переезд из Алушты в Севастополь.

После 1906. Вступление в Севастопольское отделение "Союза русского народа".

1913. Стала председателем Покровского отделения "Союза русского народа" в Севастополе.

1915. Продала дом на ул. Батумская, 27 и переехала на квартиру по адресу: Георгиевская, 18.

1915, май. Принимала у себя племянника, Е.П. Иванова, записавшего ее рассказы о былом.

1916. Этим годом датируются последние известные письма А.П. Сусловой.

1918. Смерть А.П. Сусловой в Севастополе.

1918. Архив А.П. Сусловой передан в Рукописный отдел Петроградской Академии наук.

Сараскина Л.И.

С 20   Возлюбленная Достоевского: Аполлинария Суслова:
         биография в документах, письмах, материалах. —
         М.: Согласие, 1994. 456 с.

Новая книга Л.И. Сараскиной, доктора филологических наук, известного исследователя творчества Ф.М. Достоевского, посвящена Аполлинарии Сусловой — женщине, которая была самой большой любовью великого писателя и стала прототипом наиболее пленительных героинь его произведений. Книга основана на документальных, биографических, автобиографических и художественных свидетельствах, почерпнутых из самых разных источников. Особый интерес представляют новые архивные материалы: в книге впервые публикуются сорок писем А.П. Сусловой, свыше двадцати писем к ней Е.В. Салиас де Турнемир (Евгении Тур), письма В.В. Розанова, воспоминания писателя Е.П. Иванова, племянника А.П. Сусловой. В книге содержится около шестидесяти фотоиллюстраций, в том числе публикуемые впервые.

С $\dfrac{4603020101 - 009}{8Д1 (03) - 94}$ Без объявл.   ББК 83 3Р7

Людмила Ивановна Сараскина
ВОЗЛЮБЛЕННАЯ ДОСТОЕВСКОГО
Аполлинария Суслова:
биография в документах, письмах, материалах

Художественный редактор
А.З. Бернштейн
Технический редактор
Л.Н. Пинигина
Корректоры
Г.В. Заславская, Л.М. Кочетова

Сдано в набор 18.06.94. Подписано к печати 01.09.94.
Формат 70х100 1/16. Гарнитуры Академия, Прагматика. Печать офсетная.
Усл. печ. л. 37,84. Уч.-изд. л. 30,31.

АО «Согласие».
113054, Москва, ул. Бахрушина, 28.

Заказ 1240. Тир. 5 000 экз.
А. О. типография «Новости».
107005, Москва, ул. Фр. Энгельса, 46.